D1376418

AZTECA

Tome II

Gary Jennings, 52 ans, a travaillé pendant deux ans comme journaliste en Corée avant d'écrire des livres pour les jeunes et les adultes. Il s'est installé au Mexique et a poursuivi des recherches pendant dix ans dans la jungle, le désert, les ruines de la civilisation aztèque, les bibliothèques et les archives pour écrire Azteca.

Azteca raconte la légende colorée et puissante d'une civilisation qui s'épanouit pendant de longs siècles dans un isolement splendide. Les rois d'Amérique centrale dominent des pays tout à la fois raffinés et barbares, cultivés et cruels. Ce monde éclatant, et pourtant condamné, c'est un homme, Mixtli, dit Nuage sombre, qui le décrit dans un récit bouleversant, mouvementé, riche de la beauté et de la violence qui caractérisaient le Mexique ancien.

Né d'un modeste tailleur de pierres, Mixtli ne songe qu'à devenir artisan ou soldat. Mais les dieux ont tracé un autre destin pour lui. Cortés et les conquistadores envahissent l'Amérique et imposent leurs lois et leurs coutumes. Mixtli, personnage hors du commun, parcourt le pays, de la côte jusqu'aux montagnes, connaît toutes sortes d'aventures : de guerrier, il devient scribe, interprète, explorateur, riche marchand, avant d'être annobli, puis nommé conseiller, confident et envoyé de Motecuzoma II auprès des Espagnols. Destin social extraordinaire qu'accompagne une histoire personnelle non moins singulière, qui passe par l'amour que Mixtli éprouve pour sa propre sœur, pour l'épouse de son protecteur, puis pour deux sœurs d'une stupéfiante beauté. Les dieux lui laissent goûter tous les plaisirs, y compris les plus rares et les plus interdits. Mais s'ils lui ont souri, ils lui feront aussi payer un jour une terrible dette. Il survivra, mais non ceux qu'il aime. Toutes les bénédictions accordées par les dieux deviendront en fin de compte de terribles malédictions. Mixtli a eu la chance d'être présent au moment décisif de la gloire et de la chute de l'empire aztèque. Il a exploré de long en large le « Premier Monde » et vécu parmi plusieurs peuples. Il a

(Suite au verso.)

connu à la fois l'extase et une épouvantable tragédie. Il s'est habitué au sang des sacrifices humains. Il est rusé, adroit, sage, courageux et dépourvu de toute hypocrisie. Son devoir est de voir et de dire la vérité, même si elle blesse les autres. Et par-dessus tout Mixtli, porte-parole de Gary Jennings, est un merveilleux conteur : c'est toute une civilisation qui renaît ici, avec ses coutumes, sa sexualité omniprésente, mais aussi son extrême raffinement qu'incarne la capitale Tenochtitlán.

GARY JENNINGS

Azteca

Tome II

TRADUIT DE L'AMÉRICAIN
PAR MARTINE LEROY

HACHETTE

Le présent ouvrage est la traduction française de
AZTEC
par Gary Jennings
publié pour la première fois par
Atheneum, New York.

SEPTIMA PARS

Votre Excellence est-elle venue pour m'entendre parler de ma vie conjugale ?

Je pense qu'elle trouvera ce récit moins fertile en incidents et moins pénible pour sa sensibilité que celui de l'époque tumultueuse de ma prime jeunesse. Tout en déplorant de vous faire savoir que la cérémonie même de mon mariage fut assombrie par des tempêtes, je suis heureux de pouvoir vous dire que, dans l'ensemble, notre vie conjugale fut ensuite calme et ensoleillée. Je ne veux pas dire par là qu'elle ait été monotone. J'ai connu avec Zyanya beaucoup d'aventures excitantes ; du reste sa seule présence a été chaque jour pour moi une stimulation. De plus, au cours des années qui suivirent notre mariage, les Mexica parvinrent au sommet de leur puissance et l'exercèrent avec autorité, aussi j'ai eu l'occasion de participer à certains événements dont je reconnais maintenant l'importance. Mais, à l'époque, pour Zyanya et pour moi — et sans doute pour la majorité des gens du commun comme nous — ces événements n'étaient qu'une toile de fond mouvementée sur laquelle se déroulaient notre vie personnelle, nos petits triomphes et nos petits bonheurs sans conséquence.

Oh ! cela ne veut pas dire que nous considérions le moindre aspect de notre vie conjugale comme insignifiant. Très vite, j'avais demandé à Zyanya comment elle s'y prenait pour contracter les muscles de son tipili et rendre ainsi notre acte d'amour si excitant. Elle rougit timidement de plaisir et murmura, « Demande-moi comment je fais pour cligner de l'œil. Il suffit que je le veuille. Toutes les femmes ne font-elles pas ça ? »

D'abord, je n'ai pas connu toutes les femmes et je n'en ai aucune envie, maintenant que j'ai la meilleure de toutes.

Mais je sais que Votre Excellence ne s'intéresse pas à ce genre de choses, aussi, je lui ferai mieux comprendre et apprécier Zyanya en la comparant à cette plante que nous nommons le metl, sauf qu'évidemment, le metl est loin d'être une chose aussi belle et qu'il n'aime, ni ne parle, ni ne rit.

Excellence, le metl est cette plante verte ou bleue, haute comme un homme, que vous nous avez appris à appeler maguey. C'est sans doute la plus utile des plantes et il pousse partout. On peut couper ses longues feuilles recourbées et les poser les unes sur les autres en les entrecroisant pour en faire une toiture à l'épreuve de la pluie. On peut encore les écraser, les presser et les sécher pour fabriquer du papier. On peut aussi séparer les fibres de la feuille et les filer pour en faire aussi bien de la corde que du fil, et on peut tisser ce fil en une étoffe grossière, mais très utile. Les épines dures et pointues qui entourent chaque feuille servent d'aiguilles, d'épingles et de clous. Nos prêtres les utilisaient pour se torturer, se mutiler et se mortifier.

Les feuilles qui sont le plus près du sol sont blanches et tendres et on en fait une délicieuse gourmandise. On peut aussi les mettre à sécher et les employer comme un combustible qui brûle longtemps et sans fumée. La cendre produite sert à tout, à enduire le papier d'écorce, comme à fabriquer du savon. Arrachez les feuilles centrales du maguey, fendez-lui le cœur et vous y trouverez la sève claire de la plante. Elle est savoureuse et nourrissante. Si on l'étale sur le visage, elle prévient les rides, les éruptions de boutons et les taches et nos femmes l'utilisent abondamment. Les hommes, eux, préfèrent laisser ce jus fermenter jusqu'à ce qu'il se transforme en octli enivrant, en pulque, comme vous dites. Les enfants l'apprécient une fois qu'on en a fait un sirop et qu'il est devenu presque aussi épais et sucré que du miel d'abeilles.

Pour tout dire, le maguey offre toutes les parcelles de lui-même pour le bien de celui qui le soigne et le cultive et Zyanya, tout en lui étant encore bien supérieure, avait cette même qualité. Tout en elle était bon, sa façon d'être comme ses actes et pas seulement avec moi, bien que ce fût moi, bien sûr, qui aie profité le plus d'elle. Je n'ai jamais connu personne qui ne l'aimât, ne l'estimât et ne l'admirât. Zyanya n'était pas seulement Toujours, elle était tout.

Cependant je ne vais pas accaparer le temps de Votre Excellence avec des réflexions sentimentales. Permettez-moi de vous raconter les événements dans l'ordre dans lequel ils se sont déroulés.

Après avoir échappé à ces Zyù assassins et survécu au tremblement de terre, il nous fallut sept jours pour regagner Tehuantepec par l'intérieur des terres. La secousse avait-elle anéanti ces sauvages, ou leur avait-elle fait croire qu'elle avait entraîné notre mort, je ne sais. En tout cas, personne ne se lança à notre poursuite et rien ne vint nous tourmenter pendant la traversée des montagnes, si ce n'est, de temps en temps, la faim et la soif. Les voleurs de l'isthme m'avaient pris mon cristal et je n'avais aucun autre moyen de faire du feu, mais nous ne fûmes jamais suffisamment affamés pour manger de la viande crue. Il y avait assez de fruits et de baies sauvages et d'œufs d'oiseaux, que nous pouvions consommer sans les cuire et qui nous fournissaient assez d'humidité pour nous hydrater entre les sources peu fréquentes. La nuit, nous entassions des brassées de feuilles sèches et y dormions enlacés pour nous tenir chaud et nous réconforter de diverses manières.

Peut-être étions-nous un peu amaigris quand nous arrivâmes à Tehuantepec ; en tout cas, nous étions en loques, les pieds nus et ensanglantés, car nos sandales s'étaient usées contre les rochers. Fatigués et heureux, nous entrâmes dans la cour de l'auberge. Béu courut à notre rencontre avec une expression soucieuse, exaspérée et soulagée à la fois.

« Je vous croyais disparus comme mon père », nous dit-elle, moitié riant, moitié grondant. Elle embrassa chaleureusement Zyanya et moi ensuite. « A l'instant même où vous êtes partis, je me suis dit que c'était une expédition insensée et une dangereuse... »

Sa voix vacilla. Son regard allait de Zyanya à moi, et, cette fois encore, je vis son sourire perdre ses ailes. Elle se passa la main sur le visage en répétant : « Insensée... dangereuse... » Ses yeux s'élargirent quand elle eut regardé sa sœur avec plus d'attention et se mouillèrent en se posant sur moi.

Après avoir vécu si longtemps et avoir connu tant de femmes, je ne sais toujours pas comment elles font pour savoir, du premier coup d'œil, que l'une d'entre elles vient de coucher avec un homme pour la première fois et que s'est accomplie la transformation irréversible de la jeune fille en femme. Lune en Attente considérait sa jeune sœur avec un air consterné et déçu et moi, avec colère et rancune.

« Nous allons nous marier, me hâtai-je de lui dire.

— J'espère que tu y consens, Béu, ajouta Zyanya. Après tout, c'est toi qui es le chef de famille.

— Alors, tu aurais pu m'en parler avant, répliqua l'aînée d'une voix étranglée. Avant de... » Elle suffoquait et ses yeux n'étaient plus humides, mais étincelants de rage. « Et pas n'importe quel étranger, mais un Mexicatl rustre, libidineux et débauché. S'il ne t'avait pas eue sous la main, il serait certainement revenu avec une Zyù dégoûtante pendue à sa longue et insatiable...

— Béu ! Je ne t'ai jamais entendue parler comme ça. Arrête, je t'en prie. Je comprends que cela te semble bien précipité, mais tu peux être sûre que Zaa et moi nous nous aimons.

— Précipité ? Sûre ? » Béu ne se contrôlait plus et elle tourna sa fureur contre moi. « Et vous, êtes-vous bien sûr ? Vous n'avez pas encore essayé toutes les femmes de la famille.

— Béu ! » supplia une nouvelle fois Zyanya.

Je tâchai de prendre un ton conciliant, mais je ne réussis qu'à paraître lâche. « Je ne suis pas noble et je n'ai le droit que d'avoir une seule femme. » Ces paroles me valurent un regard de Zyanya qui n'était guère plus tendre que l'œil farouche de sa sœur. Je me dépêchai d'ajouter : « Je voudrais avoir Zyanya pour épouse, Béu, et je serais honoré de pouvoir vous considérer comme ma sœur.

— Très bien ! Alors dites adieu à votre sœur. Allez-vous-en et emportez votre... votre *choix* avec vous. Grâce à vous, il n'y a plus ici pour elle, ni honneur, ni respectabilité, ni nom, ni maison. Aucun prêtre Ben Zaa n'acceptera de vous unir.

— Je sais. Nous ferons la cérémonie à Tenochtitlán, lui répondis-je en assurant ma voix. Et ce ne sera pas un acte honteux et clandestin. C'est l'un des plus grands prêtres de la cour du Uey tlatoani des Mexica qui nous mariera. Votre sœur a peut-être choisi un étranger, mais pas un vagabond. Elle m'épousera avec ou sans votre bénédiction. »

Il y eut un long silence très tendu. Les larmes coulaient sur les visages si beaux et si semblables des deux filles et la sueur avait envahi le mien. Nous étions comme les trois coins d'un triangle réunis par des liens d'oli invisibles et tendus à l'extrême. Avant que quelque chose ne se rompe, Béu relâcha la tension. Son visage se détendit, ses épaules retombèrent et elle déclara :

« Excusez-moi. Pardonnez-moi, je vous en prie, tous les deux, Zyanya et vous, mon frère Zaa. Vous avez ma bénédiction et tous mes vœux de bonheur les plus affectueux. Je vous conjure d'oublier tout ce que je viens de dire. » Elle essaya de rire, mais son rire se brisa. « C'est si soudain, comme vous l'avez dit. Si inattendu. Ça n'arrive pas tous les jours de perdre... une sœur bien-aimée. Allons, entrez maintenant. Lavez-vous, mangez et reposez-vous. »

A partir de ce jour, Lune en Attente n'a cessé de me haïr.

Nous restâmes encore une dizaine de jours à l'auberge, Zyanya et moi, en prenant soin d'adopter une attitude réservée l'un envers l'autre. Elle continua à partager la même chambre que sa sœur et j'avais la mienne. Nous étions très attentifs à ne pas nous donner de marques d'affection en public. Tandis que nous nous remettions de cette expédition ratée, Béu semblait surmonter le mécontentement et la tristesse que lui avait causés notre retour. Elle aida Zyanya à choisir parmi ses affaires personnelles et leurs possessions communes les objets les plus rares et les plus coûteux qu'elle pourrait emporter.

Comme il ne me restait plus un seul grain de cacao, je leur en empruntai un peu pour les frais du voyage ainsi qu'une petite somme supplémentaire que je confiai à un messager pour qu'il l'apporte à Nozibe à l'éventuelle famille que le malheureux pêcheur aurait laissée derrière lui dans l'affliction.

J'informai aussi le bishósu de Tehuantepec de l'incident qui nous était arrivé et il m'assura qu'il mettrait à son tour le Seigneur Kosi Yuela au courant du dernier acte de sauvagerie de ces abjects Huave Zyù.

La veille de notre départ, Béu nous fit la surprise d'organiser une fête semblable à celle qui aurait eu lieu si Zyanya avait épousé un Ben Zaa. Tous les clients de l'auberge et des personnes de la ville y furent invités. Il y eut de la musique et des danseurs magnifiquement costumés exécutèrent la genda lizáa, qui est la danse traditionnelle de l' « esprit de famille » chez le Peuple Nuage.

C'est dans cette atmosphère de bonne entente apparemment retrouvée que Zyanya et moi fîmes nos adieux à Béu le lendemain matin, avec de solennelles embrassades. Nous ne prîmes pas tout de suite la route directe pour Tenochtitlán. Nous traversâmes les étendues plates de l'isthme, en direction du nord, par le même chemin que j'avais pris pour arriver à Tehuantepec. Comme j'étais responsable d'une autre personne que moi-même, j'étais particulièrement aux aguets, au cas où des malfaiteurs rôderaient dans les parages. J'avais mon macquauitl toujours prêt et je restais en éveil toutes les fois que la nature du terrain était susceptible de faciliter les embuscades.

Nous marchions depuis une longue course, à peine, lorsque Zyanya remarqua simplement, mais avec une certaine excitation dans la voix : « Quand je pense que c'est la première fois que je vais m'en aller si loin. »

A ces paroles, je sentis mon cœur se gonfler d'encore plus d'amour pour elle. Elle s'aventurait dans ce qui représentait pour elle l'inconnu le plus total et elle avait confiance parce qu'elle était sous ma protection. J'éclatais d'orgueil et de reconnaissance envers nos deux tonalli qui avaient permis notre rencontre. Tous les gens que je connaissais étaient comme des restes de la veille ou de l'avant-veille, alors que tout dans Zyanya était frais et neuf et n'avait pas été banalisé par l'habitude.

« Jamais je n'aurais cru, me disait-elle en écartant grand les bras, qu'il puisse y avoir tant de terre avec rien que de la terre. »

Même devant le paysage terne de l'isthme, elle poussa des exclamations qui me firent sourire et partager son enthousiasme. Il en fut pareillement pendant toute notre vie commune. Grâce au plaisir tout neuf qu'elle éprouvait de chaque chose, elle me la faisait voir sous un jour éclatant et exotique.

« Regarde ce buisson, Zaa, il est vivant. Fais attention. Il a peur, le pauvre. Tu vois ? Quand je touche une de ses branches, il referme ses feuilles et ses fleurs en montrant des épines qui ressemblent à des crocs blancs. »

Elle aurait pu être une jeune déesse, dernière née de Teteoinnan, la mère des dieux, qu'on aurait envoyée des cieux pour faire la connaissance de la terre. Tout l'intriguait, l'émerveillait et la réjouissait, y compris moi et même elle-même. Elle était ardente et vive comme l'éclat toujours en mouvement d'une émeraude. J'étais sans cesse surpris par l'attitude inattendue qu'elle adoptait vis-à-vis de choses que je pensais aller de soi.

« Non, on ne va pas se déshabiller », me dit-elle, la première nuit de notre voyage. « On va faire l'amour, bien sûr, mais avec nos vêtements, comme dans les montagnes. Laisse-moi conserver cette dernière pudeur jusqu'à notre mariage. Quand nous serons nus pour la première fois, ce sera si nouveau et si différent que nous croirons ne l'avoir jamais fait. »

Je vous le répète, Excellence, un récit détaillé de notre vie conjugale manquerait totalement de sel, parce que des sentiments comme le bonheur et la joie sont bien plus difficiles à rendre que de simples péripéties. Je ne pourrais que vous dire que j'avais vingt-trois ans et elle vingt et, qu'à cet âge, les amants sont capables de l'attachement le plus fort et le plus durable qu'ils connaîtront jamais. Entre nous, ce premier amour n'a jamais faibli ; il a grandi en intensité et en profondeur, mais je ne saurais vous dire pourquoi.

Cependant, quand j'y repense, je crois que Zyanya a su l'exprimer, en ce jour si lointain où nous sommes partis ensemble. Un de ces comiques oiseaux à la course rapide folâtrait autour de nous. C'était la première fois qu'elle en voyait un et elle me dit pensivement : « Comment se fait-il qu'un oiseau préfère la terre au ciel ? Ce ne serait pas mon cas, si j'avais des ailes. Et toi, Zaa ? »

Ayyo, son esprit avait vraiment des ailes et j'ai profité, moi aussi, de cette joyeuse légèreté. Dès le début, nous sommes devenus des camarades partageant une aventure perpétuelle. Nous aimions l'aventure et nous nous aimions. Il n'est pas possible de demander aux dieux plus que ce qu'ils nous ont donné à Zyanya et à moi — sauf peut-être en ce qui concerne la promesse de son nom : que ce soit pour toujours.

Le second jour, nous rencontrâmes une caravane de pochteca qui se dirigeait vers le nord, chargée de carapaces de tortues. Ils allaient les vendre à des artisans olmeca qui, en les chauffant, les tordant et les façonnant, en feraient des ornements et des incrustations. Les marchands nous proposèrent de nous joindre à eux et bien que nous eussions pu avancer plus rapidement seuls, nous restâmes avec eux pour être plus en sécurité, jusqu'à ce qu'ils soient arrivés à destination dans la ville carrefour de Coatzalcoalcos.

Nous venions d'arriver sur la place du marché et Zyanya, remplie d'excitation, furetait entre les étals débordant de marchandises, quand une voix familière m'interpella : « Ça alors, vous n'êtes donc pas mort ! Est-ce qu'on aurait coincé ces brigands pour rien ?

— Gourmand de Sang ! m'exclamai-je, tout joyeux. Et Cozcatl ! Qu'est-ce qui vous amène par ici ?

— Oh, l'ennui, me répondit le vieux guerrier, d'une voix languissante.

— Il ment. Nous nous faisions du souci à votre sujet », rectifia Cozcatl qui n'était plus un petit garçon, mais un adolescent, tout en genoux, tout en coudes et en gaucherie.

« Non, non, pas du souci, de l'ennui ! insista Gourmand de Sang. Je me suis fait construire une maison à Tenochtitlán ; mais surveiller des maçons et des plâtriers n'est pas une tâche bien constructive. Et puis, ils m'ont fait comprendre qu'ils se débrouilleraient très bien sans moi. Quant à Cozcatl, il commençait à trouver ses études bien monotones, après toutes nos aventures. C'est pourquoi on a décidé tous les deux de partir à votre recherche pour savoir ce que vous étiez devenu depuis tout ce temps.

— On n'était pas sûrs d'être sur la bonne piste, ajouta Cozcatl. Jusqu'au jour où nous sommes venus ici pour la première fois et que nous sommes tombés sur quatre hommes qui essayaient de vendre des objets, parmi lesquels nous avons reconnu votre agrafe de jaspe.

— Ils n'ont pas pu nous prouver qu'ils en étaient les vrais propriétaires, continua Gourmand de Sang. Aussi, nous les avons traînés devant le tribunal du marché. Ils ont été jugés, condamnés et confiés à la guirlande de fleurs. Oh, de toute façon, ils le méritaient certainement pour un autre méfait. Enfin, voici votre agrafe, votre cristal et votre parure de nez.

— Vous avez très bien fait, leur dis-je. Ces hommes m'ont volé, battu et m'ont laissé pour mort.

— Et nous aussi ; mais nous espérions toujours que ce n'était pas vrai. Comme nous n'avions rien d'autre à faire, nous sommes partis en exploration tout le long de cette côte. Et vous, Mixtli, qu'avez-vous fait pendant tout ce temps ?

— Moi aussi, je suis parti en exploration. A la chasse au trésor, comme d'habitude.

— Vous avez trouvé quelque chose ? grommela Gourmand de Sang.

— Oui. J'ai trouvé une femme.

— Une femme ? » Il se racla la gorge et cracha par terre. « Dire qu'on vous croyait mort !

— Toujours aussi ronchon, répliquai-je en riant. Attendez donc de l'avoir vue. »

Je jetai un coup d'œil sur la place et j'appelai Zyanya. Elle arriva aussitôt, aussi majestueuse que Xila Pela ou la Dame de Tolan, mais cent fois plus belle. Elle avait déjà acheté un corsage, une jupe et des sandales qu'elle avait revêtus à la place de ses habits salis par le voyage. Elle avait également fait l'acquisition de ce qu'on appelle un bijou vivant — un scarabée multicolore et irisé — qu'elle avait accroché sur sa mèche blanche. Je la contemplais avec autant d'admiration que Cozcatl et Gourmand de Sang.

« Vous avez eu bien raison de me gronder, Mixtli, concéda le vieil homme. *Ayyo,* une fille du Peuple Nuage. En effet, c'est un trésor sans prix.

— Je vous reconnais, madame, lui dit galamment

Cozcatl. C'est vous, la jeune déesse de l'auberge transformée en temple. »

Quand j'eus fait les présentations — mes deux amis étant, j'en étais sûr, tombés instantanément amoureux de Zyanya —, je déclarai : « Nous voici tous réunis. J'étais en route pour Xicalango, où m'attend un autre trésor. Je pense que nous pourrons le transporter tous les quatre, sans avoir besoin d'engager des porteurs. »

Et c'est ainsi que nous avons poursuivi notre chemin, en traversant le pays où les femmes ruminent comme des lamantins et où les hommes vont ployés sous leur nom, jusqu'à la ville de Cupílco et jusqu'à l'atelier de maître Tuxtem. Il alla chercher les pièces qu'ils avaient sculptées dans les dents géantes. Comme je savais dans quelle matière il avait travaillé, ma surprise fut moins grande que celle de Zyanya, de Gourmand de Sang et de Cozcatl, quand il nous montra ses œuvres.

Il avait sculpté des dieux et des déesses mexica, comme je le lui avais demandé, dont certaines étaient aussi grandes que mon avant-bras ; des manches de poignards sculptés et des peignes. Mais il avait aussi fait des crânes de la dimension d'une tête d'enfant, délicatement gravés de scènes de légendes, de petits coffrets artistement ouvragés, des flacons à parfum copalli, avec des bouchons de même matière ; des médaillons, des agrafes de manteaux, des sifflets, des broches en forme de jaguar minuscule, de chouette, de femme nue tout à fait délicieuse, de fleur, de lapin et de visage en train de rire.

Les détails en étaient si finement exécutés qu'il fallait mon cristal grossissant pour les apprécier à leur juste valeur. On s'apercevait alors que même le tipili était visible sur les figurines de femme nue, grandes comme des épines de maguey. Tuxtem n'avait pas perdu un seul éclat du matériau que je lui avais apporté. Il avait fait aussi des parures de nez, des labrets, des cure-dents et des cure-oreilles très fins. Tous ces objets, grands et petits, brillaient d'un éclat nacré, comme s'ils étaient dotés d'une lumière intérieure, comme si on les avait sculptés dans la lune. On avait autant de plaisir à les toucher qu'à les regarder, car l'artiste en avait poli la surface jusqu'à la rendre aussi douce que la peau des seins de Zyanya. Comme eux, ils semblaient dire : « Touchez-moi. Caressez-moi. »

« Jeune Seigneur Œil Jaune, me dit maître Tuxtem. Vous m'avez promis que seules les personnes qui en étaient dignes pourraient posséder ces objets. Permettez-moi de choisir la première. »

A ces mots, il s'inclina pour embrasser la terre devant Zyanya, puis il se redressa et passa autour de son cou une fine chaîne formée de centaines de maillons qui avait dû lui coûter une somme de travail incalculable, car elle était sculptée dans une seule longueur de dent. Zyanya eut un sourire radieux et déclara : « Maître Tuxtem me fait un grand honneur. C'est une œuvre unique qui devrait être réservée aux dieux.

— Je ne crois que ce que je vois, répondit-il. Une belle jeune femme avec un éclair dans les cheveux, qui porte un nom lóochi qui signifie Toujours ; voilà une déesse en laquelle il est possible de croire plus facilement. »

Comme convenu, je partageai les objets avec Tuxtem et je fis quatre ballots avec la part qui me revenait. Les pièces travaillées étaient moins encombrantes et moins lourdes que les défenses initiales, et les paquets étaient assez maniables pour que nous puissions les transporter tous les quatre, sans aide. Nous les emmenâmes d'abord dans une auberge de Xicalango où nous fîmes halte pour nous reposer, nous laver, manger et dormir.

Le lendemain, je choisis dans le lot un petit fourreau de couteau sur lequel était gravée une scène représentant Quetzalcoatl s'éloignant de la rive à la rame, sur son radeau de serpents entrelacés. Je mis mes plus beaux atours et, pendant que Cozcalt et Gourmand de Sang faisaient visiter la ville à Zyanya, je me rendis au palais pour demander une audience au gouverneur de Cupílco, le tabascoöb, comme on l'appelait ici. A partir de ce titre, les Espagnols ont, je ne sais pourquoi, confectionné un nom qui désigne maintenant une grande partie de ce qui fut jadis le pays des Olmeca.

Ce seigneur me reçut assez aimablement. Comme la plupart des gens des autres nations, il ne débordait pas d'affection envers les Mexica, mais son pays vivait du commerce et nous étions les commerçants les plus nombreux.

« Seigneur tabascoöb, lui dis-je, un de vos artistes, maître Tuxtem, vient de faire un travail unique grâce auquel j'espère réaliser des bénéfices considérables. J'ai pensé que je me devais d'en offrir le premier exemplaire au seigneur de ce pays. C'est pourquoi je viens vous apporter ce cadeau au nom de mon chef, le Uey tlatoani Ahuizotl de Tenochtitlán.

— C'est une très aimable attention et un généreux présent », me répondit-il en examinant le fourreau avec une admiration non déguisée. « Quel travail magnifique, je n'ai jamais rien vu de semblable. »

En échange, le tabascoöb me donna une petite penne de poudre d'or pour que je la remette à maître Tuxtem et une collection de créatures marines comme présent à Ahuizotl. Il y avait des étoiles de mer, des hippocampes et des branches de corail trempées d'or. Je quittai le palais avec la conscience d'avoir apporté ma petite contribution aux bonnes relations entre Cupílco et Tenochtitlán.

Je ne manquai pas de signaler ce fait à Ahuizotl

lorsque j'allai le voir aussitôt après notre arrivée au Cœur du Monde Unique. J'espérais que le cadeau de bonne amitié du tabascoöb inciterait l'Orateur Vénéré à accéder à ma requête : que mon mariage avec Zyanya soit célébré par un prêtre du palais de haut rang. Au contraire, Ahuizotl me lança son regard le plus fulminant et gronda :

« Tu oses nous demander une faveur, après avoir désobéi à nos ordres exprès. » J'étais sincèrement décontenancé. « Désobéi, Seigneur ?

— Quand tu m'as apporté le compte rendu de ta première expédition vers le sud, nous t'avions ordonné de rester à notre disposition pour en discuter ultérieurement. Au lieu de cela, tu as disparu, privant ainsi les Mexica d'une occasion éventuelle de faire la guerre. Te revoilà maintenant, deux ans après, deux ans trop tard et tu essayes de m'amadouer pour obtenir mon parrainage pour une pareille bagatelle. »

Toujours interdit, je lui répondis : « Seigneur Orateur, je ne serais jamais parti si j'avais pu penser que j'agissais mal. Mais... quelle occasion avons-nous perdue ?

— Dans tes cahiers, tu relates votre agression par des brigands mixteca. » Sa voix s'enflait de colère. « Jamais nous n'avons laissé une attaque contre nos pochteca impunie. » Je me rendais compte qu'il était plus en rage contre moi que contre les bandits. « Si tu avais été là pour porter plainte, nous aurions eu une bonne excuse pour envoyer une armée contre les Mixteca. Mais sans la présence d'un plaignant... »

Je murmurai des excuses et inclinai humblement la tête, tout en faisant un geste de mépris. « Seigneur, ces misérables Mixteca n'ont rien que l'on puisse s'approprier. Par contre, cette fois, je reviens avec des nouvelles d'un pays où il y a vraiment une chose intéressante et sa population, elle aussi, mérite un châtiment, car elle m'a particulièrement maltraité.

— Qui ? Comment ? Qu'y-a-t-il d'intéressant ? Parle. Tu vas peut-être pouvoir te racheter à mes yeux. »

Je lui racontai alors comment j'avais découvert le repaire entre mer et rocher des Chontaltin, ou des Zyù, ou encore des Etrangers, cette branche de la tribu des Huave. Je lui dis que ces gens étaient les seuls à savoir où et quand il fallait attraper les escargots de mer, et que ces affreuses limaces rejetaient une belle teinture pourpre qui ne passe, ni ne vire jamais. Je lui laissai entendre qu'un tel produit aurait sur le marché une valeur inestimable. Je lui appris que les Etrangers avaient massacré mon guide zapoteca et que Zyanya et moi avions échappé de justesse au même sort. Pendant que je lui parlais, Ahuizotl s'était levé de son trône et il s'était mis à parcourir la salle à grandes enjambées.

« Oui, déclara-t-il avec un sourire vorace. Une offense envers un de nos pochteca suffit à justifier une expédition punitive et la pourpre, à elle seule, nous dédommagera. Mais pourquoi se contenter de réduire cette malheureuse tribu huave ? Le pays de Huaxyacac recèle bien d'autres trésors. Depuis l'époque lointaine du règne de mon père, les Mexica n'ont jamais humilié ces orgueilleux Zapoteca.

— Je me permettrai de rappeler à l'Orateur Vénéré que son père, Motecuzoma lui-même, n'a jamais réussi à soumettre bien longtemps un pays aussi lointain. Pour ce faire, il faudrait établir des garnisons permanentes, et pour entretenir ces garnisons, il faut des convois de ravitaillement toujours susceptibles d'être déroutés. Et même si on parvenait à imposer un ordre militaire, cela coûterait plus cher que ce qu'on en tirerait grâce au tribut et au pillage.

610

— Tu as toujours des arguments à opposer à ceux qui veulent combattre courageusement.

— Pas toujours, Seigneur. Mais dans cette affaire, je me permets de vous suggérer de prendre les Zapoteca comme alliés. Offrez-leur l'honneur de combattre avec nos troupes contre ces Huave barbares. Ensuite, imposez aux vaincus de remettre toute la pourpre, non pas à vous, mais au Seigneur Kosi Yuela du Huaxyacac.

— Quoi ? Faire une guerre et refuser d'en tirer profit ?

— Ecoutez-moi jusqu'au bout, Seigneur Orateur. Après votre victoire, vous établirez un traité stipulant que le Huaxyacac ne devra vendre la pourpre qu'aux seuls marchands mexica. De cette façon, nos deux pays en profiteront, car nos pochteca revendront la teinture à un prix bien plus élevé. Ainsi, vous vous serez attaché les Zapoteca par des liens commerciaux et parce que, pour la première fois, ils auront combattu aux côtés des Mexica.

— Et s'ils sont nos alliés une fois, ils pourront l'être dans d'autres occasions. » Il jeta sur moi un regard presque bienveillant. « C'est une bonne idée. Nous donnerons l'ordre de marche dès que nos devins auront déterminé un jour favorable. Tequia Mixtli, tiens-toi prêt à prendre la tête de tes guerriers.

— Mais, Seigneur, je dois me marier !

— *Xoquiui,* grommela-t-il ; ce qui est un très gros juron. Tu te marieras une autre fois. Un soldat est toujours prêt à partir, surtout quand il a un grade de commandement. De plus, tu es encore une fois l'offensé. C'est toi qui es notre prétexte pour violer les frontières de l'Huaxyacac.

— Ma présence physique n'est pas nécessaire, Seigneur Orateur. J'ai déjà pensé à ce prétexte. » Je lui racontai alors que j'avais mis le gouverneur de Tehuantepec au courant des méfaits des Huave et que celui-ci avait rapporté le fait au bishósu du pays. « Les Zapoteca n'aiment pas du tout ces Zyù importuns et ils ne vous empêcheront pas de passer pour arriver jusqu'à eux. Kosi Yuela ne se fera certainement pas prier pour vous aider à les châtier. » Je m'arrêtai, puis j'ajoutai d'une voix humble : « J'espère ne pas avoir mal agi en croyant faire avancer les affaires entre Seigneurs, armées et nations. »

Pendant un court moment, on n'entendit plus un seul bruit, sauf les doigts d'Ahuizotl qui tambourinaient sur un banc recouvert de ce que je soupçonnais être de la peau d'homme. Enfin, il me dit : « Il paraît que ta fiancée est une beauté incomparable. On ne peut demander à un homme qui a déjà rendu de si grands services à son pays, de faire passer le plaisir de la guerre avant le plaisir de la beauté. Tu te marieras ici, dans la salle de bal que nous venons juste de faire redécorer. C'est un prêtre du palais qui officiera — notre prêtre de la déesse de l'amour Xochiquetzal, bien sûr, et non pas celui du dieu de la guerre Huitzilopochtli — et toute la cour y assistera. Invite tes confrères pochteca, tes amis et tous les gens que tu voudras. Pense à consulter les devins du palais pour qu'ils te choisissent un jour faste et en attendant, cherchez-vous tous les deux une maison qui vous convienne. Ce sera le cadeau de noces d'Ahuizotl. »

A l'heure convenue, l'après-midi du jour de mon mariage, je m'approchai, tout ému, de l'entrée de la salle bruyante et pleine à craquer et je m'y arrêtai assez longtemps pour examiner l'assemblée réunie à travers ma topaze. Par coquetterie, je dissimulai mon cristal sous mon riche manteau tout neuf, avant d'entrer dans la salle. Néanmoins, j'avais eu le temps de voir que dans la nouvelle décoration, il y avait des peintures murales que j'aurais reconnues même si elles n'avaient pas été signées et que dans la foule des nobles, des courtisans et des grands bourgeois, il y avait un grand jeune homme que j'identifiai, bien qu'il fût de dos, comme étant l'artiste, Yei-Ehecatl Pocuia Chimali.

Je me frayai un chemin au milieu de l'assemblée. Certains invités étaient debout, bavardant et buvant ; des femmes, nobles pour la plupart, étaient agenouillées ou assises sur les innombrables nattes brodées de fils d'or qu'on avait disposées sur le sol. On me tapait sur l'épaule en me souriant et en me murmurant des félicitations. Mais, comme le voulait l'usage, je ne répondais ni aux paroles, ni aux gestes. J'avançai jusqu'au fond de la salle où une pièce de tissu magnifique était étalée sur une haute estrade. Des personnalités m'y attendaient, parmi lesquelles le Uey tlatoani Ahuizotl et le prêtre de Xochiquetzal. Tandis qu'ils m'accueillaient, les musiciens de la Maison du Chant commencèrent à jouer en sourdine.

Pour la première partie de la cérémonie — celle qui me faisait passer dans l'âge adulte — j'avais demandé la participation des trois vieux pochteca et ceux-ci étaient déjà installés sur l'estrade. Comme le tapis était recouvert de tamales chauds et de cruches d'octli très fort, et comme il était prescrit que les Anciens devaient se retirer aussitôt le premier rite accompli, ils s'étaient déjà amplement servis tous trois et ils étaient rassasiés, ivres et à moitié endormis.

Quand le silence se fut établi et que l'on n'entendit plus que la douce musique, Ahuizotl, le prêtre et moi, nous nous levâmes. Vous pensez peut-être qu'un prêtre de la déesse Xochiquetzal aurait pu avoir des vêtements propres, mais celui-ci était aussi sale, aussi négligé et aussi peu engageant que ses confrères. Il saisit cette occasion pour faire une homélie longue et ennuyeuse où il était davantage question des traquenards du mariage que de ses plaisirs. Enfin, quand il eut terminé, Ahuizotl s'adressa aux trois vieillards :

« Seigneurs pochteca, votre jeune confrère souhaite prendre femme. Voyez ce xelolóni. C'est le signe que Chicome-Xochitl Mixtli désire sortir lui-même de la jeunesse irresponsable pour devenir un homme adulte. »

Celui des trois pochteca qui avait été scalpé prit le xelolóni une petite hache symbolique. Si j'avais été un citoyen ordinaire, cette hachette n'aurait été qu'un simple outil avec un manche en bois et une tête de silex, mais celle-ci avait une poignée en argent massif et une lame de jade. Le vieux pochtecatl la brandit, éructa bruyamment et dit :

« Nous avons bien entendu, Seigneur Orateur. Et tout le monde ici a entendu que le jeune Tlilectic-Mixtli souhaite, à partir d'aujourd'hui, endosser toutes les responsabilités, tous les devoirs et tous les privilèges de l'âge adulte. Puisque vous et lui le désirez, qu'il en soit ainsi. »

Il fit avec sa hachette le geste de fendre, rendu particulièrement emphatique par l'ivresse et faillit couper l'unique pied qui restait à son confrère. Puis, ils se levèrent tous les trois en emportant la hache. Ils sortirent de la salle en titubant, celui qui n'avait qu'un pied sautillant entre ses deux compagnons. Sitôt les Anciens disparus, on entendit le brouhaha provoqué par l'arrivée de Zyanya. La foule massée à l'entrée du palais l'acclamait : « Bienheureuse fille ! Fille fortunée ! »

Le déroulement de la cérémonie était bien organisé car elle fit son apparition au moment du coucher du soleil, comme il se doit. La salle qui s'était peu à peu obscurcie, se mit à scintiller d'une lumière dorée à mesure que les serviteurs allumaient les torches de pin accrochées aux murs peints. La salle étincelait de tous ses feux lorsque Zyanya franchit le seuil escortée par deux dames du palais. Le jour de son mariage et ce jour-là seulement, il est permis à toute femme d'user des artifices des courtisanes pour rehausser sa beauté : se teindre les cheveux, s'éclaircir le teint et se rougir les lèvres. Zyanya, elle, n'avait pas besoin de tous ces subterfuges. Elle était vêtue d'un corsage et d'une jupe d'un jaune pâle et virginal et portait, selon la coutume, des plumes aux bras et aux chevilles. Elle les avait choisies noires et blanches, sans doute pour répéter et accentuer sa longue chevelure flottante striée d'une mèche blanche.

Les deux dames la conduisirent jusqu'à l'estrade, au milieu des murmures admiratifs de l'assemblée. Nous étions face à face ; elle avait un air timide et moi une expression solennelle comme l'exige une telle circonstance. Le prêtre nous invita à nous asseoir côte à côte.

En principe, à ce moment de la cérémonie, les amis et les parents des mariés doivent venir apporter leurs présents. Comme nous n'avions aucune famille dans l'assistance, ce furent Gourmand de Sang, Cozcatl et une délégation de la Maison des Pochteca qui s'avancèrent, chacun à leur tour ; ils embrassèrent la terre et déposèrent des cadeaux à nos pieds. Pour Zyanya, c'étaient des corsages, des jupes et autres parures de la plus belle qualité et pour moi, toutes sortes de vêtements également, ainsi que des armes comprenant un macquauitl ouvragé, un poignard et un carquois avec des flèches.

Lorsque la distribution de cadeaux fut terminée, vint le moment pour Ahuizotl et pour une des dames qui avaient accompagné Zyanya, de psalmodier les traditionnels conseils parentaux au couple qui s'unit. Sur un ton monocorde et indifférent, Ahuizotl me dit, entre autres choses, de ne jamais rester au lit quand j'entendrais le cri de Papan, l'Oiseau du Matin, et d'être prêt à me mettre au travail. La mère de remplacement de Zyanya récita la longue liste des devoirs de l'épouse. Tout y passa, y compris la recette favorite de cette dame pour préparer les tamales. Comme si ç'avait été un signal, un serviteur apporta alors un plateau de ces pâtés de semoule de maïs, de viande et de piment tout fumants dans leur feuille de maïs et le déposa devant nous.

Sur un signe du prêtre, Zyanya et moi en prîmes chacun un pour nous le faire manger mutuellement, ce qui, je vous le jure, n'est pas chose facile. Le nez de Zyanya et son menton étaient tout gras mais nous pûmes cependant avaler une bouchée symbolique de cette offrande réciproque. Pendant ce temps, le prêtre se lança à nouveau dans une longue harangue que je ne vous infligerai pas. A la fin, il se pencha, prit un coin de mon manteau et un coin du corsage de Zyanya et les noua ensemble.

Nous étions mariés.

La musique éclata alors joyeusement et une clameur s'éleva de l'assemblée, tandis que la rigidité du rituel faisait place à la gaieté générale. Les serviteurs envahirent la salle apportant d'autres plateaux de tamales et des cruches d'octli et de chocolat. Les invités se devaient de se gaver de nourriture et de boisson jusqu'à ce que les torches se soient éteintes, à l'aube et que les hommes qui étaient en âge de boire soient ramenés chez eux par leur femme et leurs esclaves. Après avoir mangé du bout des dents, Zyanya et moi devions être conduits discrètement — tout le monde faisant comme si nous

616

étions invisibles — vers notre chambre nuptiale, dans un appartement du palais qu'Ahuizotl avait mis à notre disposition, pour y passer quatre jours de prière en prière avant de consommer notre mariage, suivant la tradition.

Mais j'enfreignis la coutume et murmurai à Zyanya : « Excuse-moi. » Je descendis alors de l'estrade sous le regard ébahi de l'Orateur Vénéré et du prêtre qui en arrêtèrent de mastiquer.

Tout au long de ma vie, beaucoup de personnes m'ont détesté ; je ne saurais dire combien, car je ne me suis jamais soucié d'en faire le compte. Mais j'avais ce soir-là, dans cette assemblée, un ennemi juré et implacable dont les mains étaient déjà tachées de sang. Chimali avait déjà mutilé et assassiné plusieurs de mes proches et je savais que sa prochaine victime, avant moi-même, allait être Zyanya. Par sa présence à notre mariage, il me menaçait et me défiait de faire quelque chose pour l'empêcher d'agir.

Tandis que je le cherchais, en me frayant un chemin parmi les petits groupes d'invités, le bruit des conversations fit place à un silence étonné. Les musiciens eux-mêmes se mirent à jouer plus doucement pour suivre ce qui allait se passer. Une rumeur de stupéfaction s'éleva lorsque, d'un revers de main, je fis tomber à terre le gobelet d'or que Chimali s'apprêtait à porter à ses lèvres et qui rebondit avec un son clair devant une fresque que Chimali lui-même avait exécutée.

« Ne bois pas trop, lui dis-je assez fort pour que tout le monde puisse m'entendre. Il te faudra avoir la tête bien claire demain. Au lever du soleil, Chimali, dans le bois de Chapultepec. Rien que nous deux, mais avec toutes les armes que tu voudras. Jusqu'à la mort. »

Il me lança un regard où la haine, le mépris et même un peu d'amusement se mêlaient, puis il promena les yeux sur les gens repus qui l'entouraient. Il aurait pu refuser un défi lancé en privé, y mettre des conditions, ou même le repousser en s'humiliant. Mais j'avais fait précéder ma provocation d'une insulte dont toutes les personnalités de Tenochtitlán avaient été témoins. Il haussa les épaules et, s'emparant de la coupe de l'un de ses voisins, il la leva et me dit d'une voix claire : « Chapultepec. Au lever du soleil. Jusqu'à la mort. » Il avala l'octli d'un trait, se leva et sortit dignement de la salle.

Lorsque je retournai vers l'estrade, le bourdonnement des voix avait repris mais on pouvait y distinguer une certaine stupéfaction. Zyanya me regardait sans comprendre, mais je dois reconnaître qu'elle ne me posa aucune question et qu'elle ne m'accusa pas d'avoir gâché une journée si heureuse. Le prêtre, cependant, fronçait sinistrement les sourcils.

« Funeste présage, jeune... »

L'Orateur Vénéré lui coupa la parole : « Tais-toi », lui ordonna-t-il d'un ton aigre et le prêtre se tut. Puis il se tourna vers moi et me dit entre ses dents : « Ton entrée dans l'âge adulte et ton mariage t'ont dérangé l'esprit.

— Non, Seigneur, je ne suis pas fou et j'ai de bonnes raisons pour...

— Des raisons », m'interrompit-il, toujours sans élever la voix, ce qui le faisait paraître encore plus furieux que s'il avait crié. « Des raisons pour faire un scandale public pendant une fête donnée en ton honneur ? Des raisons pour interrompre une cérémonie organisée comme si tu avais été mon propre fils ? Des raisons pour offenser un de nos courtisans et un invité personnel ?

— Je serais désolé de vous avoir offensé, Seigneur Orateur, mais mon seigneur aurait une bien piètre opinion de moi si j'avais fait semblant de ne pas voir un ennemi qui me défie par sa seule présence.

— Tes ennemis, c'est ton affaire. Les artistes du palais sont les nôtres. Tu l'as menacé de le tuer et, regarde, il reste encore un mur à décorer.

— Il se peut très bien qu'il le termine, Seigneur Orateur. Lorsque nous étions dans la Maison de l'Edification de la Force, Chimali était bien meilleur combattant que moi.

— Ainsi, au lieu de perdre un artiste, nous perdrons un conseiller et l'offensé au nom duquel nous préparons une marche sur un pays étranger. » Puis, toujours à voix basse et menaçante, il ajouta : « N'oublie pas cet avertissement et l'avertissement d'un Uey tlatoani qui s'appelle Monstre d'Eau ne doit pas être pris à la légère. Si l'un de vous deux meurt — Chimali, notre peintre très apprécié ou Mixtli qui nous a donné de très bons conseils — c'est Mixtli qui en sera tenu pour responsable. C'est Mixtli qui devra payer, même s'il est tué. »

Lentement, afin que je comprenne bien le sens de ses paroles, il tourna son regard fulminant sur Zyanya.

« Nous devrions être en train de prier, me dit Zyanya d'une toute petite voix.

— Mais, je *prie* », lui répondis-je avec ferveur.

Notre appartement était entièrement meublé, à l'exception du lit qu'on ne devait nous apporter que plus tard. Nous étions censés y passer quatre jours de prière et d'abstinence.

Pour le moment, je ne priais pas pour que notre union soit heureuse. J'implorais silencieusement les dieux que nous puissions survivre, afin de *connaître* la vie du mariage. Il m'était arrivé plusieurs fois de me mettre dans des situations difficiles, mais là, quoi que je fasse, je ne pouvais m'en sortir.

Si, par ma vaillance, ou simplement par chance ou parce que c'était mon tonalli, je parvenais à tuer Chimali, il me resterait deux possibilités : retourner au palais et me laisser exécuter par Ahuizotl pour avoir été l'instigateur du combat ; ou fuir et laisser Zyanya endurer un châtiment qui serait, sans aucun doute, terrible. La troisième éventualité était que Chimali eût raison de moi, soit à cause de sa supériorité dans le maniement des armes, soit s'il me portait un coup mortel, soit que son tonalli fût plus fort que le mien. Dans ce cas, Ahuizotl détournerait alors sa fureur sur ma bien-aimée Zyanya. L'affrontement devait obligatoirement déboucher sur l'une de ces trois solutions et toutes les trois étaient également terrifiantes. Pourtant, il y avait bien une autre issue, à supposer que je ne me présentasse point demain matin au bois de Chapultepec...

Tandis que je réfléchissais, Zyanya déballait nos affaires sans bruit. Un cri de joie me fit sortir de ma sombre rêverie. Je levai la tête et vis qu'elle avait trouvé dans l'un de mes paniers la statuette d'argile de Xochiquetzal que j'avais toujours conservée depuis le malheur arrivé à ma sœur.

« C'est la déesse qui a présidé à notre mariage, remarqua Zyanya en souriant.

— La déesse qui t'a créée pour moi. Celle qui gouverne l'amour et la beauté. Je voulais que cette statuette soit un cadeau surprise.

— Oh ! vraiment ? s'exclama-t-elle. Tu me fais toujours des surprises.

— J'ai bien peur de ne pas t'avoir fait que des surprises agréables. Par exemple, cette histoire avec Chimali.

— Je ne connaissais pas son nom, pourtant il me

semble l'avoir déjà vu ; ou alors, c'était quelqu'un qui lui ressemblait.

— C'est bien lui que tu as vu. Mais il n'était pas encore cet homme élégant qu'il est devenu. Je vais tout t'expliquer et j'espère que tu comprendras pourquoi j'ai troublé la cérémonie de notre mariage, pourquoi je ne pouvais pas attendre pour faire ce que j'ai fait et ce qu'il me reste à faire. »

Ce que je venais de dire au sujet de la statuette de Xochiquetzal était le premier mensonge délibéré que je faisais à Zyanya. En lui relatant ma vie passée, je commis également quelques petits mensonges par omission. Je commençai par la trahison de Chimali et de Tlatli quand ils avaient refusé de m'aider à sauver Tzitzilini, sans lui dire toutes les raisons pour lesquelles ma sœur s'était trouvée en danger. Je lui racontai comment Chimali, Tlatli et moi, nous nous étions retrouvés à Texcoco, en évitant de lui dévoiler certains détails parmi les plus abjects et comment j'avais comploté pour venger la mort de ma sœur. Je lui dis que par pitié ou par faiblesse, je m'étais contenté que ma vengeance retombe sur Tlatli en laissant Chimali s'échapper et de quelle façon celui-ci m'avait rendu ma générosité en continuant à me nuire. A la fin, je lui dis : « C'est toi-même qui m'as appris qu'il avait prétendu venir en aide à ta mère quand...

— C'est donc lui le voyageur qui s'est occupé... qui a assassiné ma mère et ton... »

Elle ne termina pas sa phrase et je lui répondis : « C'est lui. C'est pourquoi quand je l'ai vu me narguer le jour même de notre mariage, j'ai décidé qu'il ne ferait plus d'autres victimes.

— Alors, il faut que tu le rencontres. » Elle avait une expression presque farouche. « Et que tu aies le dessus. Peu importe ce que dira ou fera l'Orateur Vénéré. Mais

621

ne crois-tu pas que les gardes vont t'empêcher de quitter le palais demain matin ?

— Non. Ahuizotl ignore tout ce que je viens de te raconter, mais il sait que c'est une affaire d'honneur. Il ne me retiendra pas, mais il va te prendre à ma place et ce qui m'inquiète n'est pas ce qui va m'arriver, mais que tu souffres à cause de moi. »

Elle ne semblait pas m'en vouloir. « Crois-tu que je sois moins courageuse que toi ? Quoi qu'il arrive pendant le duel et quelles qu'en soient les conséquences, j'attendrai. Je ne resterai pas avec toi si tu fais une chose pareille. »

Je souris tristement. Ainsi la quatrième issue venait de se fermer devant moi. Je la pris tendrement dans mes bras. « Non, lui dis-je en soupirant, je ne reculerai pas.

— C'est bien ce que je pensais, me répondit-elle, avec autant de certitude que si elle avait épousé un Chevalier-Aigle. Il ne reste plus beaucoup de temps avant le lever du soleil. Allonge-toi, je vais te servir d'oreiller. »

Il me semblait que je venais tout juste de poser ma tête sur sa douce poitrine, quand j'entendis un grattement hésitant à la porte, puis la voix de Cozcatl qui disait : « Mixtli, le ciel s'éclaircit. C'est l'heure. »

Je me levai, plongeai la tête dans une bassine d'eau froide et arrangeai mes vêtements fripés.

« Il est déjà parti vers l'embarcadère, me dit-il. Il veut peut-être vous tendre un piège.

— Dans ces conditions, il me faut seulement des armes pour combattre corps à corps. Apporte-moi une lance, un poignard et un macquauitl. »

Cozcatl partit en hâte et je connus quelques moments doux amers en disant adieu à Zyanya qui m'encourageait et me rassurait. Je l'embrassai une dernière fois et

622

descendis rejoindre Cozcatl qui m'attendait avec les armes. Gourmand de Sang n'était pas là. Comme il avait été notre maître quachic à tous deux, Chimali et moi, il ne pouvait donner des conseils ou même une aide morale à l'un d'entre nous, quelles que soient ses espérances sur l'issue du duel.

Les gardes du palais ne firent pas un geste pour nous empêcher de franchir la porte qui menait, par la muraille de serpents, vers le Cœur du Monde Unique. L'écho de nos sandales résonnait sur le dallage de marbre, entre la grande pyramide et d'autres édifices moins importants. La place semblait encore plus vaste dans la pâle lumière du petit matin et parce qu'elle était pratiquement déserte, à part quelques prêtres se traînant à leurs devoirs matinaux. Passant par la porte ouest du coatepantli, puis par les rues et sur les ponts qui enjambent les canaux, nous arrivâmes à l'extrémité de l'île la plus proche de la terre ferme, où je demandai un des canoës réservés au palais. Cozcatl insista pour ramer, pour que je ne me fatigue pas.

Notre acali toucha la rive au pied de la colline de Chapultepec, à l'endroit où l'aqueduc descend en direction de la ville. Tout en haut, les visages sculptés des Orateurs Vénérés Ahuizotl, Tizoc, Axayacatl et le premier Motecuzoma se détachaient dans le roc. Un autre canoë était déjà là. Un page du palais qui tenait l'amarre pointa sa main vers la colline en disant poliment : « Il vous attend dans le bois, Seigneur.

— Reste ici, dis-je à Cozcatl. Tu sauras très vite si j'ai besoin de toi ou non. »

Je glissai mon poignard dans la ceinture de mon pagne, pris mon épée d'obsidienne dans la main droite et ma lance dans la main gauche. Je montai la côte et regardai dans le bois.

Ahuizotl avait entrepris de transformer en parc cette

623

forêt sauvage. Elle avait déjà été élaguée et on n'avait laissé que les très hauts cyprès vieux comme le monde, et un tapis d'herbe et de fleurs sauvages poussait en dessous. Les arbres majestueux semblaient se dresser comme par magie, sans racines, au-dessus de la brume bleu pâle qui recouvrait le sol au moment où Tonatiuh se leva. Chimali aurait été invisible à mes yeux s'il s'était caché dans la brume. Mais je vis à travers ma topaze qu'il s'était déshabillé et qu'il s'était couché sur une grosse branche de cyprès qui partait à l'horizontale à plus d'une hauteur d'homme au-dessus du sol. Son bras droit tendu tenant le manche de son macquauitl, courait lui aussi sur la branche. Pendant un instant je restai interloqué. Pourquoi une embuscade si visible ? Pourquoi s'était-il déshabillé ?

Enfin, je compris et je dus sourire comme un coyote. Pendant la réception de la veille, Chimali ne m'avait pas vu me servir de mon cristal et apparemment, personne n'avait songé à l'informer de cette soudaine amélioration de ma vision. Il avait retiré ses vêtements afin que la teinte de sa peau se confonde avec celle des branches brunes du cyprès. Il croyait être absolument invisible pour son vieil ami la Taupe, pour son camarade d'école Perdu dans le Brouillard, et pensait que je tâtonnerais à sa recherche, au milieu des arbres. Il lui suffirait de rester là, en sécurité, jusqu'au moment où je finirais par passer au-dessous de lui. Alors, il sauterait, son macquauitl à la main, un seul coup et je serais mort.

L'espace d'un instant, je pensai que c'était presque injuste de m'être servi de mon cristal pour découvrir sa cachette. Puis je me dis qu'il avait dû être très satisfait de la condition que j'avais imposée de se rencontrer seuls. Après en avoir terminé avec moi, il n'aurait plus qu'à se rhabiller, rentrer en ville, raconter qu'il m'avait fait face bravement et quel duel féroce et chevaleresque nous avions disputé avant qu'il ne me terrasse. Connaissant bien Chimali, je savais qu'il irait jusqu'à se faire lui-même de petites blessures pour rendre son histoire plus crédible. Je n'éprouvais donc plus de regret pour ce que j'allais faire. Je rentrai ma topaze sous mon manteau, laissai tomber mon macquauitl sur le sol et, empoignant à deux mains le manche de ma lance, je m'enfonçai dans le bois brumeux.

Je me mis à avancer prudemment et lentement comme se devait de le faire ce piètre combattant qu'était Perdu dans le Brouillard, les yeux plissés comme ceux d'une taupe. Je ne me dirigeai pas tout de suite vers l'arbre où il se trouvait, mais simulai une exploration méthodique du bois. Chaque fois que j'arrivais près d'un arbre, je tendais le bras loin devant moi, en donnant des coups de lance maladroits sur le tronc, avant de continuer à avancer. Cependant, j'avais parfaitement noté l'endroit où Chimali se cachait et la position de la branche sur laquelle il s'était couché. A mesure que j'approchais, je relevai de plus en plus mon épée, jusqu'à ce qu'elle fût toute droite devant moi, la pointe vers le haut, comme Gourmand de Sang nous avait appris à le faire dans la jungle pour décourager les jaguars à l'affût de bondir sur nous. Avec mon arme dans cette position, j'étais certain qu'il ne pourrait pas sauter sur moi par-devant ; il lui faudrait attendre que la pointe de ma lance soit passée au-dessous de lui, avant de me frapper derrière la tête ou la nuque. Je m'approchai de son arbre exactement de la même manière que je l'avais fait pour les autres, toujours plissant les yeux et sans regarder une seule fois en l'air. Au moment où je passai sous sa branche, je donnai, de toutes mes forces, un grand coup de lance vers le haut.

J'eus un moment d'angoisse : la pointe de la lance ne l'avait pas atteint ; elle ne s'enfonça pas dans la chair, mais heurta la branche avec un grand bruit. Je reçus un choc violent dans les deux bras. Mais Chimali avait dû lâcher prise. Le coup que j'avais donné sur la branche le fit tomber par terre et il tomba juste derrière moi, en plein sur le dos. J'entendis sa respiration sifflante tandis que le macquauitl lui échappait des mains. Je fis un tour sur moi-même et je lui donnai un coup sur la tête qui l'immobilisa. En me penchant sur lui, je me rendis compte qu'il n'était pas mort, mais qu'il resterait inconscient pendant un bon moment. Je ramassai son épée et revins sur mes pas. Je repris mon macquauitl à l'endroit où je l'avais laissé et j'allai rejoindre les deux jeunes porteurs d'armes.

Cozcatl eut un petit sourire quand il vit que j'avais l'arme de mon adversaire à la main. « Je savais bien que vous le tueriez, Mixtli.

— Je ne l'ai pas tué. Il est sans connaissance et s'il se réveille, il s'en tirera avec un bon mal de tête. S'il se réveille, car je te l'ai promis, il y a bien longtemps, que lorsque viendrait l'heure de Chimali, tu aurais le choix de son exécution. » Je tirai le poignard de ma ceinture et le tendis à Cozcatl. Le page nous regardait avec un air fasciné et horrifié à la fois. Je montrai le bois à Cozcatl. « Tu le trouveras facilement. Va et fais-lui ce qu'il mérite. »

Cozcatl hocha la tête, puis il monta vers le bois et disparut. Je restai là à attendre en compagnie du page pâle et défait et qui ne cessait d'avaler sa salive pour essayer de refouler sa nausée. Lorsque Cozcatl revint, avant même qu'il n'ouvrit la bouche, je vis que le poignard avait perdu son noir chatoiement et qu'il miroitait de reflets rouges.

Pourtant, il déclara en secouant la tête : « Je lui ai laissé la vie, Mixtli.

— Comment ? Pourquoi ? m'exclamai-je.

— J'ai entendu les menaces du Uey tlatoani, me dit-il, comme pour s'excuser. Quand je l'ai vu sans défense à mes pieds, j'ai été tenté de le tuer, mais je ne l'ai pas fait. Puisqu'il est vivant, l'Orateur Vénéré ne pourra pas trop déchaîner sa colère contre nous. Voici tout ce que je lui ai pris. »

Il me montra son poing fermé, puis il l'ouvrit pour me faire voir deux globes visqueux et luisants et une chose rose et flasque, coupée à mi-longueur.

« Tu as entendu, dis-je au malheureux page. Il va avoir besoin de toi pour retourner en ville. Va t'occuper de lui. »

« Ainsi Chimali vit toujours, me dit Ahuizotl sur un ton glacé. Si on peut appeler ça vivre. Tu t'es conformé à notre interdiction de ne pas le tuer, en ne le tuant pas tout à fait et tu as cru qu'ainsi nous ne serions pas offensé et que nous ne mettrions pas notre menace à exécution ? »

Je gardai prudemment le silence. « Nous reconnaissons que tu as respecté nos ordres à la lettre, mais tu en avais également très bien compris l'esprit. Et maintenant, à quoi peut nous servir un homme dans cet état ? »

Toutes les fois que j'étais reçu par le Uey tlatoani, j'étais résigné à être le point de mire de son regard fulminant. Certains tremblaient et blêmissaient sous ses yeux terribles mais moi, j'avais fini par m'y habituer.

« Si l'Orateur Vénéré consentait à écouter les raisons qui m'ont poussé à défier l'artiste du palais, mon Seigneur considérerait peut-être avec plus d'indulgence l'issue tragique de ce duel. »

Il se contenta de pousser un grognement que je pris pour un encouragement. Je lui fis alors à peu près le même récit qu'à Zyanya, en ne mentionnant bien entendu aucun des événements de Texcoco, car ils touchaient de trop près sa défunte fille. Je terminai en lui rapportant comment Chimali s'y était pris pour assassiner mon fils nouveau-né, d'où mon angoisse au sujet de ma jeune épouse. Ahuizotl grogna une nouvelle fois, puis il se mit à réfléchir ; du moins c'est ce que je crus d'après son silence renfrogné. Il me dit enfin :

« Nous n'avons pas pris Chimali à notre service à cause ou en dépit de sa moralité abjecte, de ses penchants sexuels, de sa nature vindicative ou de ses tendances à la fourberie. Nous l'avons uniquement engagé pour peindre ce en quoi il surpasse nettement tous les artistes présents et passés. Peut-être n'as-tu pas tué l'homme, mais tu as tué l'artiste. Maintenant qu'on lui a arraché les yeux, il ne peut plus peindre. Maintenant qu'on lui a coupé la langue, il n'est même plus en mesure de communiquer à d'autres artistes le secret de ses mélanges de couleurs. »

Je ne disais rien, mais je pensais à part moi et avec une certaine satisfaction, que cet homme aveugle et muet ne pourrait jamais révéler à l'Orateur Vénéré que j'étais la cause première de la disgrâce publique et de l'exécution de sa fille aînée.

Il reprit ensuite la parole en se faisant à la fois l'avocat et le procureur de mon procès : « Nous sommes toujours irrité envers toi, mais il nous faut admettre tes raisons comme des circonstances atténuantes. Nous devons considérer toute cette histoire comme une affaire d'honneur. Nous devons également tenir compte du fait que tu as obéi à nos paroles en laissant la vie à Chimali ; nous tiendrons nous aussi notre parole, tu seras exempté de tout châtiment.

— Merci, Seigneur, lui dis-je avec une sincère reconnaissance.

— Cependant, comme nous t'avons menacé publiquement et que toute la population est maintenant au courant, il faut que quelqu'un paye pour la perte de notre peintre. » Je retins mon souffle, pensant qu'il ne pouvait que désigner Zyanya. Mais il ajouta d'une voix indifférente : « Nous y réfléchirons. La faute en sera rejetée sur un quelconque individu, mais tout le monde verra que nos menaces ne sont jamais vaines. »

Je poussai un soupir intérieur. Au risque de paraître sans cœur, je dois dire que je n'éprouvais guère de remords ou de tristesse vis-à-vis de cette victime inconnue, un esclave gênant, sans doute, qui allait périr par le caprice de ce tyran.

« Ton vieil ennemi sera chassé du palais aussitôt que les médecins auront fini de panser ses blessures. A partir de ce moment, Chimali devra essayer de survivre comme un vulgaire mendiant. Tu as eu ta vengeance, Mixtli. Tout le monde préférerait la mort à ce que tu as fait de lui. Et maintenant, va-t'en loin de notre vue, de peur que nous ne changions d'avis. Va retrouver ta femme. Elle doit se faire du souci pour toi. »

Elle s'en faisait, sans aucun doute, autant pour elle que pour moi. Mais Zyanya était fille du Peuple Nuage et elle n'aurait jamais laissé voir son inquiétude à des employés du palais. Lorsque je pénétrai dans la chambre, elle conserva la même expression placide, jusqu'au moment où je lui dis : « C'est fait. Il a perdu et je suis pardonné. » Alors elle se mit à fondre en larmes, à rire, à pleurer de nouveau. Puis elle se jeta dans mes bras et me serra comme si elle ne voulait plus jamais me laisser partir.

Une fois que je lui eus tout raconté, elle me dit : « Tu dois être mort de fatigue. Allonge-toi et...

— Je vais m'allonger, mais pas pour dormir. Il faut que je te dise... le danger produit toujours sur moi un effet particulier.

« — Je sais, me répondit-elle en souriant. Je le sens bien, mais, Zaa, nous sommes censés prier.

— Il n'y a pas de prière plus sincère que l'amour.

— Nous n'avons pas de lit.

— Les nattes qui recouvrent le sol sont plus moelleuses que le flanc des montagnes. Et j'ai hâte que tu tiennes ta promesse.

— Ah oui, je me souviens. » Et avec un naturel plein de séduction, elle ôta devant moi tout ce qu'elle avait sur elle, à part la chaîne nacrée que maître Tuxtem lui avait passée autour du cou.

Vous ai-je dit, mes Seigneurs, que Zyanya ressemblait à une belle coupe de cuivre bruni pleine de miel ? Je connaissais déjà la beauté de son visage ; mais je n'avais pu deviner celle de son corps que par le toucher. Enfin, je le découvrais et elle avait eu raison : c'était comme la première fois. Je mourais littéralement d'envie de la posséder.

Quand elle fut complètement nue devant moi, toutes les parties de son corps semblaient s'offrir ardemment. Sur ses seins haut placés se détachaient les aréoles couleur cacao et les mamelons se dressaient, réclamant les baisers. Son tipili, lui aussi était placé haut et en avant et bien qu'elle serrât modestement ses longues jambes l'une contre l'autre, les douces lèvres s'écartaient un peu vers le haut et laissaient entrevoir la perle rose de son xacapili qui à cet instant était humide comme une perle qui sort de l'eau...

Assez.

Bien que Son Excellence ne soit pas là et que, par conséquent, je ne coures pas le risque de la faire fuir par mes abominations, je ne vous raconterai pas la suite. Je n'ai jamais fait de mystères de mes rapports avec les autres femmes, mais Zyanya a été mon épouse bien-aimée et je préfère garder pour moi, comme un avare, les souvenirs que j'ai d'elle. De tout ce que j'ai possédé dans ma vie, seuls mes souvenirs me restent. En fait, je pense que c'est la seule vraie richesse qu'un être humain peut espérer conserver pour toujours. « Toujours », c'était son nom.

Mais je m'égare. Ce délicieux moment d'amour ne fut pas le dernier événement de cette mémorable journée. Je m'assoupissais dans les bras de Zyanya, quand j'entendis gratter à la porte, comme Cozcatl l'avait fait le matin même. Espérant vaguement qu'on n'allait pas m'inviter à disputer un autre duel, je me mis péniblement debout, m'enroulai dans mon manteau et allai voir ce qu'on me voulait. C'était un valet du palais qui me dit : « Excusez-moi, Seigneur, un messager vient d'apporter une requête urgente de la part de votre ami Cozcatl, vous priant d'aller en toute hâte chez votre vieil ami Gourmand de Sang ; il paraît qu'il est mourant.

— C'est insensé, lui répondis-je à voix basse. Vous avez dû mal comprendre le message.

— Je le voudrais bien, Seigneur, me dit-il d'un ton pincé. Mais je ne le crois pas.

— C'est insensé, ne cessais-je de me dire. Il est impossible que Gourmand de Sang soit mourant. La mort ne peut pas mettre la main sur ce vieux dur à cuire. Il est peut-être âgé, mais un homme aussi débordant de vie n'est pas assez vieux pour que la mort le prenne. »

Néanmoins, je me dépêchai ; le valet avait fait mettre un acali à ma disposition et je pus arriver ainsi plus vite qu'au pas de course dans le quartier de Moyotlan.

Cozcatl m'attendait devant la porte de la maison encore inachevée et il se tordait les mains de désespoir. « Le prêtre de Mangeuse de Saleté est avec lui, Mixtli, me chuchota-t-il d'une voix angoissée. J'espère qu'il lui restera encore assez de vie pour vous dire adieu.

— Alors, c'est vrai ! Il était en pleine santé hier soir, au banquet. Il a mangé autant qu'une harde de vautours et il n'a pas arrêté de mettre sa main sur les jupes des servantes. Comment est-il possible qu'il ait été frappé aussi brutalement ?

— Je suppose que les soldats d'Ahuizotl frappent toujours brutalement.

— Quoi ?

— J'ai d'abord cru que les quatre gardes du palais venaient pour moi, à cause de ce que j'ai fait à Chimali. Mais ils m'ont écarté et ont fondu sur Gourmand de Sang. Il avait son macquauitl, comme toujours, aussi il ne s'est pas rendu sans combattre et trois des quatre soldats sont partis en saignant abondamment. Malheureusement, il a été transpercé par un coup de lance. »

Tout s'éclairait. Ahuizotl m'avait promis de faire exécuter un quelconque individu à ma place. Son choix était certainement déjà fait quand il m'en avait parlé. Il avait jadis déclaré que Gourmand de Sang était trop vieux pour jouer un autre rôle que celui de nourrice dans mes expéditions commerciales et il avait aussi dit que tout le monde devrait savoir que ses menaces n'étaient jamais vaines. Je faisais partie de ce « tout le monde ». Je m'étais félicité d'avoir échappé au châtiment et j'avais fêté l'événement en folâtrant avec Zyanya au moment même où s'accomplissait ce qui n'avait pas pour unique but de m'horrifier et de me peiner, mais aussi de m'ôter toutes les illusions que j'aurais pu entretenir sur mon propre compte, afin de me mettre en garde de ne jamais aller à l'encontre de la volonté de l'implacable despote qu'était Ahuizotl.

« Il vous lègue sa maison et tous ses biens, mon garçon », dit une voix. C'était le prêtre qui venait d'apparaître sur le seuil et qui s'adressait à Cozcatl.

« J'ai enregistré son testament et je me porte garant de son exécution. »

Je le bousculai et courus vers la pièce du fond. Les murs, qu'on n'avait pas eu le temps de chauler, étaient éclaboussés de sang et la paillasse de mon vieil ami en était complètement inondée ; pourtant je ne voyais aucune blessure. Il n'avait que son pagne et il était étendu sur le ventre. Les yeux fermés, il tourna vers moi sa tête grisonnante.

Je me jetai à terre près de lui, sans me soucier du sang répandu et je lui dis d'une voix pressante : « Maître quachic, c'est votre élève Perdu dans le Brouillard. »

Il ouvrit lentement les yeux, puis en referma rapidement un dans un clin d'œil accompagné d'un pauvre sourire. Je vis alors sur lui les stigmates de la mort : son regard si perçant avait pris une couleur de cendre et son nez charnu avait maintenant l'épaisseur d'une lame de couteau.

« Je suis désolé, sanglotai-je.

— Il ne faut pas, me répondit-il avec beaucoup de difficulté. Je meurs en combattant. Il existe des fins bien pires et elles m'ont été épargnées. Je vous souhaite… une aussi belle mort. Adieu, jeune Mixtli.

— Attendez ! criai-je, comme s'il était possible de retarder la mort. C'est Ahuizotl qui l'a voulu parce que j'ai vaincu Chimali. Pourtant vous n'avez rien à voir dans cette histoire ; vous n'avez même pas pris parti. Pourquoi donc l'Orateur Vénéré s'est-il vengé sur vous ?

— Parce que c'est moi, parvint-il à articuler, qui vous ai appris à tous les deux à tuer. » Il sourit encore et ses yeux se refermèrent. « J'ai été un bon maître, n'est-ce pas ? »

Ce furent ses dernières paroles et, pour lui, il ne pouvait y avoir de plus belle oraison. Je me refusais à croire qu'il ne parlerait plus ; je pensais que c'était sa position qui l'empêchait de respirer et qu'il retrouverait son souffle si je l'installais plus confortablement. Je l'empoignai désespérément pour le retourner et il se vida de ses entrailles.

Tout en pleurant la mort de Gourmand de Sang et en ruminant ma colère, je me consolais un peu de ce qu'Ahuizotl ne saurait jamais que c'était moi qui avais le dessus, car je l'avais privé de sa fille. Je m'efforçai donc de ravaler ma bile, d'oublier le passé en pensant à un avenir où il n'y aurait plus de sang versé, plus de chagrins, plus de rancunes et plus de dangers. Avec Zyanya, je consacrai toute mon énergie à la construction de notre maison. Le terrain que nous avions choisi nous avait été offert par l'Orateur Vénéré comme cadeau de mariage. J'avais accepté alors ce présent et j'aurais été bien maladroit de le refuser après le différend qui nous avait opposés, mais en réalité, je n'avais pas besoin qu'on me fasse des cadeaux.

Les anciens pochteca avaient tiré un si habile parti des marchandises que j'avais rapportées de ma première expédition, que même après en avoir partagé les bénéfices avec Cozcatl et Gourmand de Sang, je me trouvai assez riche pour pouvoir mener une existence confortable, sans avoir à m'engager dans de nouvelles affaires et j'aurais très bien pu vivre de mes rentes. Mon second voyage avait aussi augmenté ma fortune d'une manière prodigieuse. Si les cristaux avaient connu un remarquable succès commercial, les objets sculptés par maître Tuxtem avaient produit une véritable sensation et provoqué de folles surenchères dans la noblesse. Les prix atteints par ces articles auraient pu nous permettre, à Cozcatl comme à moi, de ne plus rien faire jusqu'à la fin de nos jours et de devenir aussi bouffis, satisfaits et sédentaires que nos aînés de la Maison des Pochteca.

J'avais choisi avec Zyanya un emplacement à Ixacuálco, le quartier le plus résidentiel de l'île, mais le terrain était déjà occupé par une vilaine maison en adobe. J'engageai un architecte pour la démolir et construire à la place un solide édifice de calcaire qui ferait à la fois une maison confortable pour nous et un spectacle agréable pour les passants, sans pour cela être ostentatoire. Étant donné que le terrain était exigu, comme tous ceux de l'île, je lui dis de construire en hauteur pour gagner de la place. Je voulais un jardin en terrasse, des cabinets de toilette intérieurs avec un système d'évacuation par eau et, dans une pièce, une fausse cloison derrière laquelle on aménagerait une cachette spacieuse.

Pendant ce temps, sans faire appel à moi, Ahuizotl se mit en marche vers l'Huaxyacac. Il n'avait pas pris la tête d'une armée nombreuse, mais il avait constitué une troupe d'élite d'à peine cinq cents hommes choisis parmi ses meilleurs guerriers. Il laisse son Femme-Serpent pour le remplacer pendant son absence et emmena pour le seconder un jeune homme dont le nom est familier aux oreilles des Espagnols. C'était Motecuzoma Xocoyotzin, ce qui veut dire le cadet. Il avait en fait une année de moins que moi. C'était le neveu d'Ahuizotl et le fils de l'ancien Uey tlatoani Axayacatl, et par conséquent le petit-fils du premier et du grand Motecuzoma. Jusqu'à présent il avait été grand prêtre du dieu de la guerre Huitzilopochtli et c'était sa première campagne. Il devait en faire beaucoup d'autres par la suite, car il abandonna la prêtrise pour la carrière des armes, avec, bien sûr, un très haut grade de commandement.

Un mois environ après le départ des troupes, les

messagers d'Ahuizotl commencèrent à arriver régulièrement et le Femme-Serpent fit connaître publiquement
les nouvelles qu'ils apportaient. D'après les premières
informations, je me rendis compte que l'Orateur
Vénéré avait suivi mon conseil. Il avait fait prévenir le
bishósu du Huaxyacac de son arrivée prochaine et,
comme je l'avais prévu, celui-ci lui avait fait très bon
accueil et lui avait fourni un nombre égal de soldats. Les
forces conjuguées des Zapoteca et des Mexica avaient
envahi la côte désolée peuplée par les Etrangers et ils
eurent tôt fait d'en terminer avec eux, après en avoir
massacré un assez grand nombre pour que ceux qui
restaient se rendent et consentent à livrer la teinture
pourpre si jalousement gardée.

Malheureusement, les messagers suivants apportèrent
des nouvelles moins réjouissantes. Les Mexica victorieux étaient stationnés à Tehuantepec, tandis qu'Ahuizotl et son homologue Kosi Yuela discutaient dans cette
même ville sur des affaires d'Etat. Les soldats, habitués
depuis toujours à piller les pays vaincus, furent déçus et
indignés quand ils apprirent que leur propre chef avait
cédé le seul butin visible — la précieuse teinture — au
chef de cette même nation. Ils eurent l'impression de
s'être battus au profit du pays qu'ils avaient envahi.
Ahuizotl n'étant pas homme à justifier de ses actes
auprès de ses subordonnés, ses hommes se rebellèrent
contre la discipline militaire ; ils brisèrent leurs rangs et
se répandirent dans Tehuantepec, violant, pillant et
incendiant tout. Cette mutinerie aurait pu rompre les
délicates négociations entreprises pour mettre sur pied
une alliance entre notre pays et l'Huaxyacac mais
heureusement, avant que les Mexica aient eu le temps
de massacrer des personnalités et avant que les troupes
zapoteca aient pu intervenir — ce qui aurait abouti sur-
le-champ à une petite guerre — Ahuizotl parvint à

rappeler ses troupes à l'ordre et promit que dès leur retour à Tenochtitlán, il donnerait à tous les yaoquizque, sur son trésor personnel, une somme bien plus considérable que ce qu'ils pouvaient espérer tirer du pillage. Les soldats savaient qu'Ahuizotl était un homme de parole et ce fut suffisant pour faire cesser la mutinerie. L'Orateur Vénéré versa également à Kosi Yuela et au bishósu de Tehuantepec une confortable indemnité pour les dégâts qui avaient été commis par son armée.

Ces nouvelles du pays natal de Zyanya nous alarmèrent beaucoup tous les deux. Aucun des messagers qui en revenaient ne put nous dire si Béu Ribé et son auberge s'étaient trouvées sur le chemin des pillards. J'attendis le retour d'Ahuizotl et de ses troupes pour essayer de me renseigner auprès des officiers, mais il ne me fut pas possible d'apprendre s'il était arrivé malheur à Lune en Attente.

« Je suis très inquiète à son sujet, Zaa, me dit un jour ma femme.

— Je pense qu'on ne peut avoir aucun renseignement, sauf à Tehuantepec même.

— Je pourrais rester ici à surveiller la construction de la maison, si tu voulais bien...

— Tu n'as pas besoin de me le demander. De toute façon, j'avais fait le projet de retourner là-bas. »

Elle resta bouche bée. « Ah, bon. Mais pourquoi ?

— Une affaire en suspens. Elle aurait pu attendre encore un peu, mais puisqu'on ne sait pas ce qu'est devenue Béu, je vais partir tout de suite. »

Zyanya eut vite fait de comprendre. « Tu vas retourner vers la montagne qui marche dans la mer. Il ne faut pas y aller, mon amour. Ces barbares ont déjà failli te tuer une fois. »

Je posai tendrement un doigt sur ses lèvres. « Je vais

dans le Sud pour avoir des nouvelles de ta sœur et c'est la vérité. C'est l'unique vérité pour tous ceux qui te demanderont où je suis. Ahuizotl surtout ne doit pas entendre parler d'une autre cause à mon voyage. »

Elle hocha la tête d'un air malheureux : « Maintenant, je vais me faire du souci pour deux êtres chers.

— Celui qui est devant toi reviendra sain et sauf, et je vais m'occuper de Béu. Si on lui a fait du mal, j'y remédierai. Si elle préfère, je la ramènerai ici avec moi et je rapporterai en même temps d'autres choses précieuses. »

Le sort de Béu Ribé était, bien sûr, mon souci principal et ma première raison de retourner en Huaxyacac. Mais vous devez bien vous douter, révérends scribes, que je voulais aussi mettre à exécution un projet que j'avais soigneusement élaboré. Lorsque j'avais suggéré à l'Orateur Vénéré d'attaquer les Étrangers et de les obliger à remettre toute la pourpre qu'ils récoltaient, je ne lui avais pas parlé de l'immense réserve entreposée dans la grotte du Dieu de la Mer. D'après les enquêtes que j'avais pu faire auprès des officiers, j'avais conclu que même dans leur défaite, les Étrangers n'avait pas dévoilé son existence et qu'ils n'avaient pas laissé échapper un seul mot à son sujet. Mais moi, j'étais au courant et je m'étais arrangé pour qu'Ahuizotl soumette suffisamment les Zyù pour que je puisse aller y récupérer le fabuleux magot à mon profit.

J'aurais aimé emmener Cozcatl mais il était occupé, lui aussi, à terminer la maison qu'il avait héritée de Gourmand de Sang. Je lui demandais simplement la permission d'emprunter quelques pièces de l'équipement du vieux guerrier. Ensuite, je partis à la recherche de sept de ses anciens compagnons d'armes. Ils étaient plus jeunes que lui mais cependant plus âgés que moi.

C'étaient de solides gaillards et après leur avoir fait jurer le secret, je leur expliquai mes intentions et ils acceptèrent de tenter l'aventure avec moi.

Zyanya aida à répandre la version que j'allais chercher des nouvelles de sa sœur et que, puisque je partais en voyage, j'en profiterais pour faire aussi une expédition commerciale. Aussi, quand nous prîmes, tous les huit, la direction du sud en empruntant la digue de Coyoacán, nous ne suscitâmes aucun commentaire et aucune curiosité. Pourtant, si quelqu'un s'était donné le mal de nous regarder d'un peu plus près, il aurait pu s'étonner des cicatrices, des nez cassés, des oreilles boursouflées de mes porteurs. S'il avait pu inspecter les paquets allongés enveloppés dans des nattes, ostensiblement remplis de marchandises négociables, il aurait trouvé — en plus des provisions de route et des pennes de poudre d'or — des boucliers de cuir et toutes sortes d'armes, à l'exception des longues lances difficiles à dissimuler, différentes couleurs de peinture de guerre et autres insignes d'une armée en miniature.

Nous suivîmes la route de commerce du sud jusqu'à Cuauhnahuac. Ensuite, nous bifurquâmes brusquement vers la droite sur une route moins fréquentée qui était le plus court chemin vers la mer en direction de l'ouest. Ce parcours traversait la plus grande partie des régions méridionales du Michoacán et nous aurions eu des ennuis si quelqu'un avait voulu inspecter nos paquets. On nous aurait pris pour des espions mexica et nous aurions été exécutés sur-le-champ à moins qu'on ne nous ait fait mourir à petit feu. Bien que les Purépecha aient à plusieurs reprises, dans le passé, repoussé les tentatives d'invasions des Mexica, grâce à la supériorité de leurs armes fabriquées dans un mystérieux métal dur et tranchant, ils étaient toujours méfiants à l'égard de

639

tout Mexica qui pénétrait sur leur territoire avec une raison douteuse.

Je pourrais peut-être vous faire remarquer que Michoacán, Lieu des Pêcheurs, était le nom que nous avions donné à ce pays ; de même que les Espagnols l'appellent maintenant la Nouvelle-Galicie, je ne sais pourquoi. Pour les gens qui y habitent, ce pays a plusieurs noms, selon les régions — Jalisco, Cuanax-chuata et bien d'autres encore — et l'ensemble s'appelle le Tzintzuntzani, le Lieu des Colibris, d'après le nom de sa capitale. Sa langue est le poré et au cours de ce voyage et de séjours ultérieurs, j'appris à parler cet idiome du mieux que je pus, ou plutôt, ces idiomes, car le poré a autant de variantes que le nahuatl. Cependant, j'ai du poré une connaissance suffisante pour m'étonner de ce que les Espagnols appellent les Purépecha les Tarasques. Il semblerait que vous ayez forgé ce nom d'après le mot poré taráskue, par lequel les Purépecha se désignent eux-mêmes comme étant des « parents éloignés » et dédaigneux des nations voisines. Mais peu importe ; j'ai eu moi aussi bien des noms différents et dans ce pays, j'en récoltai un nouveau : Nuage Noir se disait ici Anikua Pakapeti.

Le Michoacán était et demeure un pays riche et étendu, aussi riche que l'était le territoire des Mexica. Le uandakuari, ou Orateur Vénéré, régnait, ou du moins levait un tribut, sur une région qui s'étendait depuis les vergers du Xichú, sur le territoire oriental des Otomi, jusqu'au port de commerce de Patámkuaro, sur l'océan méridional. Bien que les Purépecha fussent constamment en alerte à cause de l'éventualité d'une agression militaire de la part des Mexica, ils ne refusaient pas d'échanger leurs richesses contre les nôtres. Leurs marchands venaient sur notre marché de Tlatelolco. De rapides coursiers apportaient quotidiennement du poisson frais avec lequel la noblesse de chez nous se régalait. En retour, nos marchands pouvaient traverser le Michoacán sans être inquiétés, comme ce fut notre cas.

Si nous avions vraiment voulu faire des affaires en cours de route, nous aurions pu nous procurer des marchandises de valeur : perles, poteries vernissées, ustensiles et ornements de cuivre, d'argent, de coquillage ou d'ambre et ces laques brillantes qu'on ne trouve nulle part ailleurs. Ces objets en laque, d'un noir profond rehaussé d'or et de couleurs, les artisans mettaient des mois ou même des années à les exécuter.

Les voyageurs pouvaient faire l'acquisition de tous les produits locaux, à l'exception de ce mystérieux métal dont j'ai déjà parlé. Les étrangers n'étaient même pas autorisés à le voir ; les armes fabriquées dans cette matière étaient enfermées dans des magasins d'armement et elles n'étaient distribuées aux soldats que lorsqu'ils en avaient besoin. Comme les armées mexica n'avaient jamais gagné un seul combat contre les Purépecha ainsi équipés, aucun de nos soldats n'avait pu chiper sur le champ de bataille le moindre poignard.

Je ne fis aucune opération commerciale, mais avec mes compagnons, je goûtai à certains mets qui étaient nouveaux ou très rares pour nous — la liqueur de miel de Tlaxco, par exemple. Autour de la ville, les massifs arides bourdonnaient littéralement tout au long de la journée. Tandis que les hommes grattaient la terre pour y découvrir le métal enfoui, les femmes et les enfants récoltaient le miel doré. Une partie de ce miel était simplement éclaircie et vendue comme sucre ; on en faisait sécher aussi une certaine quantité au soleil, jusqu'à ce qu'elle se cristallise et devienne encore plus sucrée ; le reste était transformé — par une méthode aussi secrète que celle qui servait à fabriquer le métal

641

meurtrier — en une boisson appelée chápari, qui est bien meilleure et bien plus forte que l'aigre octli tant prisé des Mexica.

Le chápari, tout comme le métal, n'était jamais exporté en dehors du Michoacán, aussi nous profitions de notre passage dans ce pays pour en boire le plus possible. Nous nous régalions aussi avec le poisson des lacs ou des rivières, les cuisses de grenouilles, les anguilles, à chaque fois que nous passions la nuit dans une auberge. En revanche, ce peuple observe des coutumes très particulières en ce qui concerne la chasse du gibier comestible. Les Purépecha ne tuent jamais de cerfs parce qu'ils croient qu'ils sont une des manifestations du Dieu-Soleil ; en effet, à leurs yeux, les bois de cet animal font penser aux rayons du soleil. Ils n'ont pas non plus le droit d'abattre des écureuils, parce que leurs prêtres qui sont aussi sales et hirsutes que les nôtres, s'appellent des tiuîmencha, ce qui veut dire écureuil noir. C'est pourquoi, quand on ne nous servait pas de poisson, on nous donnait à manger des volatiles sauvages ou domestiques.

Par contre, après dîner, le choix qu'on nous proposait était beaucoup plus large. J'ai déjà évoqué le comportement sexuel des Purépecha. Selon ses propres conceptions, un étranger peut le juger indignement débauché ou d'une très grande tolérance, mais ce qui est certain, c'est qu'il s'adapte à tous les goûts imaginables. A la fin du repas, le soir à l'auberge, le patron venait toujours nous demander, à moi et à mes porteurs : « Voulez-vous une douceur-homme ou femme ? » Je ne m'occupais pas de mes hommes, car je les payais suffisamment bien pour qu'ils puissent s'offrir une petite fantaisie. Quant à moi, avec Zyanya qui m'attendait à la maison, je n'avais plus envie de goûter à toutes les possibilités que m'offrait ce nouveau pays, comme je le faisais

quand j'étais seul. Je répondais donc invariablement :
« Ni l'un, ni l'autre. » Alors l'aubergiste, sans sourciller
et sans rougir, insistait : « Vous voulez peut-être un
fruit vert ? »

Il était vraiment nécessaire pour un étranger en quête
de plaisir, de préciser quel genre de compagnon de lit il
souhaitait — femme ou homme adulte, jeune fille ou
jeune garçon — car dans ce pays il n'était pas toujours
facile de définir le sexe d'un individu. En effet, les
Purépecha ont aussi une autre étrange coutume : ils
arrachent, rasent ou enlèvent par tout autre moyen,
tous les poils qu'ils ont sur la figure, les sourcils et la
moindre trace de duvet sous les bras ou entre les
jambes. Hommes, femmes, enfants, tous ne conservent
que leurs cils. De plus, contrairement à leur impudeur
de la nuit, ils se couvrent pendant la journée de
manteaux ou de blouses superposées, si bien qu'il est
fort malaisé de différencier les hommes des femmes.

Nous rejoignîmes la côte à un endroit où il y avait une
grande rade bleue, protégée de l'assaut des vagues
furieuses et des tempêtes par deux bras de terre qui se
refermaient sur elle. Le village était appelé Patamkuaro
par ses habitants et Acamepulco par les marchands
mexica qui y passaient. Les noms poré et nahuatl
provenaient tous les deux des roseaux et des joncs
innombrables qui poussent à cet endroit. Acamepulco
était un port de pêche autonome et également un
marché pour les peuples qui vivaient le long de la côte, à
l'est comme à l'ouest et qui venaient, dans leurs pirogues, y apporter les produits de la mer et de la terre :
poisson, tortue, sel, coton, cacao, vanille et autres
produits typiques de ces Terres Chaudes.

Cette fois, j'avais l'intention d'acheter quatre spa-
cieux canots pour que nous puissions partir tous les huit,

seuls et sans témoins. Cependant, c'était plus facile à dire qu'à faire. Dans mon pays de lacs, les traditionnels acali étaient facilement taillés dans les pins tendres qui poussaient sur place ; mais ces canoës de mer étaient fait dans de l'acajou lourd et dur et leur construction pouvait prendre des mois. A Acamepulco, presque tous les bateaux servaient dans les mêmes familles depuis des générations et personne n'avait envie de les vendre. Je finis par trouver les quatre canots dont j'avais besoin après des journées de fastidieuses négociations et en me départissant d'une quantité de poudre d'or bien plus importante que je l'avais escompté.

Ensuite, le voyage à la rame vers l'est, le long de la côte, à deux dans chaque embarcation ne fut pas, non plus, un jeu d'enfant. Nous avions tous une certaine expérience de la navigation sur nos grands lacs intérieurs qui étaient parfois agités par les vents, mais nous n'avions pas l'habitude de ces eaux roulées par les courants et les marées, même par le temps calme qui présida à notre traversée, ce dont je remercie les dieux. Malgré notre malaise à nous sentir loin de la côte, nous naviguions bien au-delà des premiers rouleaux et des brisants que nous traversions seulement au coucher du soleil, pour passer des nuits récupératrices sur les plages au sable doux et sans remous.

Comme je l'avais déjà remarqué auparavant, ces plages passaient peu à peu du blanc éclatant au gris terne, puis au noir sinistre des sables volcaniques. Enfin, la grève fut interrompue par un promontoire qui s'avançait dans la mer : c'était la Montagne qui marche dans l'eau. Je pus la voir de loin grâce à ma topaze et, comme l'après-midi était déjà fort avancé, je donnai l'ordre d'accoster sur la plage.

Lorsque nous fûmes tous installés autour du feu de camp, je m'adressai à mes sept compagnons pour leur préciser une dernière fois tous les détails de mon plan d'action et à la fin, je leur dis : « Certains d'entre vous auront peut-être une certaine répugnance à lever la main sur un prêtre, même celui d'un dieu étranger. Il ne faut pas en avoir. Ils vous sembleront désarmés, fâchés de notre intrusion et sans défense. Il n'en est rien. Si on leur laisse la moindre chance, ils nous massacreront jusqu'au dernier, nous découperont en quartiers, comme des sangliers et nous mangeront tranquillement. Demain, lorsque nous aurons terminé notre travail, tuons, tuons sans pitié ou sinon c'est nous qui risquons d'être exterminés. Rappelez-vous-le bien et souvenez-vous aussi de mes signaux. »

Le lendemain matin, lorsque nous reprîmes la mer, nous n'étions plus un groupe de sept porteurs d'âge mûr conduit par un jeune pochtecatl, mais une troupe de huit intrépides guerriers mexica, dirigée par un « vieil aigle »... pas si vieux que ça. Nous avions défait nos paquets, revêtu nos insignes de guerre et nous nous étions armés de pied en cap. J'avais pris avec moi le bouclier et le bâton de quachic de Gourmand de Sang et j'avais mis sa coiffure sur ma tête. Le seul insigne de ce rang qui me manquât, c'était l'os qui traverse le nez. Comme moi, mes sept compagnons étaient protégés d'une armure blanche de coton matelassé. Ils avaient piqué des plumes dans leur chevelure qu'ils avaient relevée et nouée, et ils s'étaient peint le visage de dessins multicolores. Chacun de nous avait un macquauitl, un poignard et un javelot.

Notre flottille avançait crânement en direction du promontoire, sans rien faire pour se dissimuler, mais au contraire avec la volonté délibérée d'être vue par les gardes. Ce fut effectivement ce qui se produisit, et une bonne douzaine de ces sinistres prêtres Zyù, vêtus de leurs peaux de bête en loques, vint nous attendre au pied de la falaise. Nous ne fîmes pas virer nos canots vers la plage pour accoster facilement, mais au contraire, nous piquâmes droit sur eux.

Etait-ce la saison, ou parce que nous étions arrivés par le côté ouest de la falaise, mais l'océan était bien moins agité que le jour où j'avais abordé avec le pêcheur zapotecatl. Cependant, il y avait encore bien assez de remous pour que les marins inexpérimentés que nous étions aillent se fracasser sur les rochers, si les prêtres n'étaient pas venus tirer nos canots pour les amener dans des creux abrités. Il était bien évident qu'ils agissaient de la sorte parce qu'ils avaient reconnu nos tenues mexica et qu'ils avaient peur de nous, et c'est bien ce que j'avais espéré.

Après avoir calé solidement nos embarcations et laissé un soldat sur place pour les garder, je fis un geste qui englobait les prêtres aussi bien que mes hommes et, sautant de roc en roc, au milieu des embruns et du tonnerre des vagues, environnés par des nuages et des rideaux d'écume, nous gagnâmes le haut de la falaise. Le chef des prêtres du Dieu de la Mer était planté là, les bras croisés sur la poitrine pour cacher le fait qu'il n'avait plus de mains. Il grogna quelque chose en huave et comme je le regardai d'un air interrogateur, il se mit à crier en lóochi : « Qu'est-ce que vous venez encore faire ici ? Nous n'avons que la couleur du dieu et vous l'avez déjà prise.

— Pas toute », lui répondis-je dans la même langue.

Il sembla un peu ébranlé par ma brutale assurance, mais il insista : « Nous n'en avons plus.

— Je sais. C'est la *mienne* que vous avez, la pourpre que je vous ai payée avec beaucoup d'or. Souvenez-vous, le jour où je vous ai fait *ça*. » Et du plat de mon macquauitl, je frappai ses bras qui se délièrent en laissant apparaître ses deux poignets coupés: Alors, il

646

me reconnut, et la rage et la haine déformèrent encore davantage sa vilaine figure grimaçante. Les autres prêtres se rangèrent alors à ses côtés pour former autour de nous un cercle menaçant. Nous étions à un contre deux, mais nos javelots formaient une barrière hérissée.

« Conduisez-nous à la grotte du dieu », dis-je à leur chef.

Je vis ses lèvres remuer, peut-être parce qu'il cherchait un mensonge à me raconter. « Votre armée a vidé la grotte de Tiat Ndik », me répondit-il.

Alors, je fis un signe au soldat qui se trouvait à côté de moi et il enfonça la pointe de son javelot dans l'abdomen du prêtre qui se tenait à la gauche du chef. L'homme roula à terre en poussant un hurlement et il se tenait le ventre tout en continuant à crier.

« Je ne plaisante pas ; nous sommes pressés. » Je fis un autre signe et le soldat frappa à nouveau l'homme blessé, cette fois en lui transperçant le cœur, ce qui mit brutalement fin à ses cris.

« Et maintenant, dis-je au chef des prêtres, allons à la grotte. »

Il se taisait. La démonstration avait été suffisante. Je lui mis mon javelot contre les reins, tandis que mes compagnons poussaient les autres prêtres en avant. Il nous conduisit jusqu'au trou d'eau calme, puis dans la caverne. Je fus soulagé de constater que le tremblement de terre n'avait pas enseveli la demeure du dieu. Quand nous fûmes arrivés devant le tas de pierre pourpre en forme de dieu, je montrai les flacons de cuir et les écheveaux de coton teints et je dis au chef : « Dites à vos assistants d'emmener tout ça dans nos canots. » Il eut un haut-le-corps et se tut. « Dites-leur, répétai-je. Sinon, je vous raccourcis aux coudes, puis aux épaules et... »

Il se dépêcha alors de leur dire quelque chose dans

leur langage qui dut en tout cas être convaincant, car sans un mot, mais en me couvrant de regards meurtriers, les prêtres déguenillés allèrent chercher les fioles et les écheveaux teints. Mes hommes les suivirent pas à pas. Pendant ce temps, je surveillais le prêtre sans mains, que j'avais immobilisé en lui mettant la pointe de mon javelot sous la gorge. J'aurais pu en profiter pour lui faire restituer le paquet de poudre d'or qu'il m'avait volé la dernière fois, mais je choisis de lui laisser cet or en paiement de ce que j'allais emporter. Ainsi, j'avais moins l'impression d'être un pillard, mais plutôt un marchand qui venait de conclure une transaction un peu différée, mais parfaitement légale.

Le chef des prêtres n'ouvrit la bouche que lorsque la dernière fiole fut sortie de la grotte et il y avait de la haine dans sa voix : « C'est la deuxième fois que vous profanez ce lieu saint. Vous avez déjà provoqué le courroux de Tiat Ndik et il a envoyé le zyuüu en punition. Il recommencera et ce sera peut-être pire. Il ne pardonnera ni cette insulte, ni cette perte. Le Dieu de la Mer ne vous laissera pas partir avec la pourpre.

— Oh, peut-être, répliquai-je, d'un ton détaché, si je lui fais une offrande d'une autre couleur. » A ces mots, je redressai mon javelot dont la pointe s'enfonça dans la mâchoire, la langue, le palais et jusque dans le cerveau de l'homme, qui tomba à plat sur le dos. Le sang gicla et je dus prendre appui du pied sur lui pour parvenir à retirer mon javelot. Derrière moi, s'éleva une rumeur unanime de consternation. Mes soldats avaient regroupé les autres prêtres dans la grotte pour qu'ils assistent à la mort de leur chef. Je n'eus pas à faire un seul signe à mes hommes ; avant que les prêtres aient eu le temps de se remettre de leur stupéfaction et de lutter ou de fuir, ils étaient déjà tous morts.

« J'ai promis un sacrifice à ce tas de cailloux, leur dis-je. Empilez les corps dessus. »

Quand ils eurent terminé, le dieu n'était plus pourpre, du rouge luisant qui recouvrait aussi le sol de la caverne.

Je suppose que Tiat Ndik était satisfait de ce sacrifice, car aucun tremblement de terre ne se produisit pendant que nous retournions vers les canots. Rien ne vint, non plus, entraver la mise à flot de nos embarcations qui étaient maintenant beaucoup plus pesantes. Le Dieu de la Mer ne souleva aucune tempête pour nous empêcher de nous éloigner. Et jamais depuis, je n'ai remis le pied ou posé les yeux sur la montagne qui marche dans l'eau.

Malgré tout, nous continuâmes à porter nos tenues de guerre mexica pendant que nous naviguions sur les eaux huave et zapoteca et que nous passions au large de Nozibe et d'autres villages de la côte — et devant des bâteaux de pêche dont les équipages médusés nous saluaient timidement. Le soir, nous accostâmes dans un endroit écarté ; nous y brûlâmes nos armures et nos insignes, nous enterrâmes toutes nos armes, sauf les plus indispensables et nous refîmes nos paquets.

Le lendemain matin, lorsque nous repartîmes, nous avions de nouveau l'air d'un groupe de porteurs conduit par pochtecatl. Dans la journée, nous arrivâmes, sans nous dissimuler, dans le village mame de Pijijia, où je revendis mes canots à un prix ridiculement bas, étant donné que les pêcheurs de l'endroit, comme partout ailleurs sur la côte, avaient déjà ceux qu'il leur fallait. Après avoir navigué si longtemps, nous avions l'impression que le sol tanguait sous nos pas. Aussi, nous nous arrêtâmes deux jours à Pijijia pour nous réhabituer à la terre ferme — ce qui me permit d'avoir des conversations très intéressantes avec des vieillards mame — avant de reprendre nos ballots et de nous enfoncer dans l'intérieur.

J'entends, Fray Toribio, que vous demandez pourquoi nous nous sommes donnés tant de mal à nous déguiser en marchands, puis en guerriers, puis à nouveau en marchands.

Les habitants d'Acamepulco savaient qu'un marchand avait acheté quatre canots et ceux de Pijijia étaient au courant qu'un voyageur avait revendu des canots semblables et toutes ces coïncidences auraient pu sembler bien étranges. Mais ces deux villes étaient si distantes l'une de l'autre qu'il était fort peu probable que les gens aient l'occasion de comparer leurs impressions et, d'autre part, elles étaient toutes deux si éloignées des capitales zapotecatl et mexicatl qu'il y avait peu de chances que ces rumeurs reviennent aux oreilles de Kosi Yuela ou d'Ahuizotl. Par contre, les Zyù allaient inévitablement très vite découvrir l'exécution en masse de leurs prêtres et la disparition de la pourpre dans la caverne du dieu. Bien que nous ayons supprimé tous les témoins directs du pillage, il était pratiquement certain que les Zyù qui étaient sur la rive nous avaient vus nous approcher de la montagne sacrée, puis en repartir quelque temps après. Leur tapage pourrait bien parvenir jusqu'au palais de Kosi Yuela et d'Ahuizotl et les mettre tous deux en fureur. Les Zyù, eux, mettraient obligatoirement ces atrocités au compte d'une poignée de soldats mexica en tenue de combat. Kosi Yuela, pour sa part, risquerait de soupçonner Ahuizotl de lui avoir joué un tour pour s'assurer de la possession du trésor, mais Ahuizotl pourrait honnêtement prétendre qu'il ignorait tout de l'existence de ces pillards. Je comptais que la confusion serait telle qu'on ne ferait pas le rapprochement entre les marins-soldats et les marins-marchands et que jamais, on ne verrait aucun rapport entre eux et moi.

Pour suivre le plan que j'avais établi, il fallait que je traverse les montagnes en partant de Pijijia, pour aller dans le pays des Chiapa. Mais comme mes porteurs étaient très lourdement chargés, je ne voyais pas la nécessité de leur imposer cette ascension. Nous convînmes, donc, d'un jour et d'un endroit précis pour nous retrouver dans le désert de l'isthme de Tehuantepec ; ainsi ils n'auraient pas besoin de forcer l'allure. Je leur conseillai d'éviter les villages et les rencontres avec d'autres voyageurs, car un groupe de porteurs sans chef risquait de susciter l'étonnement et même une inspection en règle. Aussi, lorsque nous fûmes à une bonne distance de Pijijia, mes sept hommes prirent-ils la direction de l'ouest pour rester dans la plaine de Xoconochco, tandis que je partais vers le nord, à travers les montagnes.

J'en redescendis enfin pour arriver dans la modeste capitale des Chiapa et j'allai tout droit à l'atelier de maître Xibalbá.

« Ah ! me dit-il, tout heureux de me voir. Je savais bien que vous alliez revenir, aussi, j'ai rassemblé tous les quartz que j'ai pu trouver pour en faire des cristaux à feu.

— Ils se sont très bien vendus, lui répondis-je. Mais cette fois, j'insiste pour vous les payer à leur valeur réelle et vous dédommager de votre travail. » Je lui révélai aussi combien mon existence s'était enrichie grâce à sa topaze et je lui exprimai toute ma reconnaissance.

Lorsque j'eus rempli mon sac avec les cristaux emballés dans du coton, je me trouvai aussi chargé que mes porteurs. Cependant, je ne m'attardai pas à Chiapa pour me reposer, car il m'était impossible de loger ailleurs que chez les Macoboö où j'aurais dû repousser les avances des deux cousines, ce qui n'aurait pas été bien poli de la part d'un invité. Après avoir réglé maître Xibalbá avec de la poudre d'or, je me hâtai de reprendre ma route.

Quelques jours plus tard, après avoir un peu tâtonné, je trouvai l'endroit, écarté de toute habitation, où mes hommes m'attendaient, assis autour d'un feu de camp et environnés d'une multitude d'os bien nettoyés, de tatous, d'iguanes et autres animaux. Nous ne restâmes là que le temps pour moi de passer une bonne nuit de sommeil et l'un des soldats me prépara mon premier repas chaud depuis que je les avais quittés : un faisan dodu rôti.

En arrivant aux abords de Tehuantepec, nous vîmes les traces des déprédations commises par les Mexica, bien que la plupart des zones incendiées aient été déjà reconstruites et, en fait, la ville y avait beaucoup gagné. Dans le quartier sordide où auparavant il n'y avait que des bicoques délabrées — dont celle qui avait joué un si grand rôle pour moi — on avait bâti des maisons confortables et solides. Cependant, au fur et à mesure que nous avancions vers l'ouest de la ville, nous vîmes qu'apparemment, les soldats mutinés n'y étaient pas venus. L'auberge familière était toujours là. Laissant mes hommes dans la cour, j'entrai et appelai d'une voix forte :

« Aubergiste ! Auriez-vous des chambres pour un pochtecatl et son escorte ? »

Béu Ribé apparut ; elle semblait en parfaite santé et aussi belle que jamais, pourtant elle m'accueillit par ces mots :

« Les Mexica ne sont pas très bien vus par ici en ce moment.

— Cela ne m'étonne pas, lui répondis-je, en essayant de prendre un ton cordial. Mais tu feras bien une petite exception pour ton frère, Nuage Noir. C'est ta sœur qui m'a envoyé jusqu'ici pour prendre de tes nouvelles. Je suis heureux de constater que tu as été épargnée par les événements.

— Epargnée ? répéta-t-elle, d'une voix blanche. Eh bien, je suis heureuse que tu sois heureux, puisque c'est à cause de toi que les troupes mexica sont venues ici. Tout le monde sait qu'on les a envoyées à cause de ta mésaventure avec les Zyù et parce que tu n'as pas réussi à leur prendre la teinture pourpre. »

Je reconnus que c'était la stricte vérité. « Mais tu ne peux pas me rendre responsable de…

— J'ai aussi ma part de responsabilité, coupa-t-elle d'un ton amer. C'est ma faute si nous t'avons accueilli dans cette auberge, la première fois. » Soudain, elle parut se résigner. « Il y a longtemps que j'ai l'habitude d'être méprisée, pas vrai ? Je vais te donner une chambre ; tu sais où mettre tes porteurs. Les domestiques vont s'occuper de toi. »

A ces mots, elle me quitta et retourna à ses occupations. Voici une réception bien fraîche et peu fraternelle, pensai-je en moi-même.

Des serviteurs vinrent installer mes hommes, ranger nos marchandises et me préparer un repas. J'étais en train de fumer un poquietl après avoir mangé, quand Béu Ribé entra dans la pièce. Elle l'aurait sans doute traversée sans s'arrêter, si je ne l'avais attrapée par le poignet.

« Je ne me fais pas d'illusion, Béu. Je sais que tu ne m'aimes guère et que cette affaire avec les soldats n'a rien arrangé et… »

Elle me coupa brusquement la parole en levant encore plus haut ses sourcils ailés. « Aimer, ne pas aimer ; tout ça, c'est des sentiments. Quel droit ai-je d'éprouver un sentiment quelconque vis-à-vis de toi, le mari de ma sœur ?

— Très bien, lui dis-je avec impatience. Méprise-moi. Ignore-moi. Mais me laisseras-tu repartir sans un message pour Zyanya ?

— Tu n'auras qu'à lui dire que j'ai été violée par un soldat mexica. »

La stupéfaction me fit lâcher son poignet. Je tentai de dire quelque chose, mais elle se mit à rire et me déclara :

« Je t'en prie, ne me dis pas que tu es désolé. Je crois que je peux prétendre encore être vierge, car il était particulièrement maladroit. En voulant m'avilir, il n'a fait que me confirmer dans l'opinion détestable que j'ai de ces arrogants Mexica.

— Comment s'appelle-t-il ? lui demandai-je, lorsque je fus remis de ma stupeur. S'il n'a pas été encore exécuté, je vais m'occuper de lui.

— Tu crois qu'il s'est présenté ? me répondit-elle en ricanant. A mon avis, ce n'était pas un simple soldat, mais je ne connais pas tous vos insignes militaires et de plus, ma chambre était sombre. Par contre, je sais bien quel est le costume qu'il m'a fait endosser. Il m'a obligée à me passer de la suie sur la figure et à me mettre l'habit moisi de l'assistante d'un temple.

— Comment ? balbutiai-je.

— Notre conversation a été très réduite, mais j'ai compris que ma seule virginité ne suffisait pas à provoquer son désir. Je me suis rendu compte qu'il n'arrivait à s'exciter qu'en faisant semblant de violer le sacré et l'intouchable.

— Je n'ai jamais entendu une telle...

— Ne cherche pas à trouver des excuses à ton compatriote et ne te crois pas obligé, non plus, de me plaindre. Je viens de te dire qu'il n'était pas capable de violer une femme. Son — je crois que vous appelez ça un tepuli — son tepuli était tout mou et ratatiné. La pénétration...

— Béu, je t'en prie. Ce n'est certainement pas drôle pour toi de parler de ça.

— Pas plus que de le faire, répliqua-t-elle froidement, comme si elle évoquait une chose arrivée à quelqu'un d'autre. Il me semble que c'est la moindre des choses qu'une femme qui a la réputation d'avoir été violée, le soit pour de bon. Il n'est arrivé qu'à faire pénétrer la tête, ou le bulbe, je ne sais pas comment ça s'appelle, de son tepuli défaillant et il avait beau s'essouffler et grogner, il n'est pas parvenu à l'y maintenir. A la fin, son sperme a coulé entre mes jambes. Je ne sais pas s'il existe des degrés dans la virginité, mais je crois pouvoir dire que je suis encore vierge. J'ai eu l'impression qu'il était encore plus honteux et plus mortifié que moi. Il n'a même pas osé me regarder en face pendant que je me déshabillais pour lui rendre ces affreux vêtements qu'il a remportés avec lui.

— Ça ne ressemble pas...

— Au mâle mexica, comme Zaa Nayàzú ? » Puis sa voix devint un simple murmure. « Dis-moi la vérité, Zaa, est-ce que ma petite sœur est heureuse dans son lit conjugal ?

— Béu, je t'en prie. C'est indécent. »

Elle jura alors : « *Gi zyabà !* Peut-il y avoir quelque chose d'indécent de la part d'une femme déjà déshonorée ? Si tu ne veux pas me le dire, alors montre-le-moi. Prouve-moi que tu es un mari capable. Oh, ne détourne pas la tête. Souviens-toi que je t'ai déjà vu à l'œuvre. Mais ma mère n'a jamais dit si ç'avait été bien ou non. J'aimerais bien le savoir maintenant et par expérience personnelle. Viens dans ma chambre. Pourquoi avoir

des scrupules vis-à-vis d'une femme qui a déjà servi ?
Pas beaucoup, c'est vrai, mais... »

Fermement, je changeai de sujet. « J'ai dit à Zyanya
que je te ramènerais à Tenochtitlán si tu courais un
danger. Nous avons une grande maison. Je te pose cette
question, Béu : si tu trouves ta situation ici insupportable, veux-tu venir vivre avec nous ?

— Impossible ! répliqua-t-elle. Vivre sous ton toit.
Comment pourrais-je t'ignorer, comme tu me le sug-
gères ?

Cessant de me contrôler, je me mis à crier : « J'ai dit
et j'ai fait tout ce que je pouvais. Je t'ai exprimé mes
excuses, mes regrets, ma sympathie et mon affection
fraternelle. Je t'ai offert un refuge dans une ville où tu
pourras relever la tête et oublier le passé. Tu ne m'as
répondu que par le mépris, le défi et la méchanceté. Je
pars demain. Tu peux venir avec moi ou rester ici. »

Elle resta.

En arrivant dans la capitale de Zaachila, pour jouer
jusqu'au bout mon rôle de marchand, j'allai faire une
visite de politesse au bishósu Kosi Yuela, à qui je
racontai mon petit mensonge : que je venais du pays des
Chiapa et que j'apprenais seulement maintenant ce qui
s'était passé dans le monde civilisé et j'ajoutai :

« Comme le Seigneur Kosi Yuela a dû le deviner,
c'est en grande partie sur mes instigations qu'Ahuizotl a
conduit ses troupes en Huaxyacac. Aussi je pense que je
vous dois des excuses. »

Il me fit comprendre d'un geste que cela n'avait pas
d'importance. « Peu importent toutes ces intrigues. Je
suis content que votre Orateur Vénéré soit venu avec
de bonnes intentions. Je suis heureux que la longue ini-
mitié qui existait entre nos deux pays soit en train de

s'éteindre et je ne vois rien à redire au fait de recevoir ce tribut de pourpre.

— Bien sûr, mais les soldats d'Ahuizotl se sont conduits de façon tout à fait condamnable à Tehuantepec. En tant que Mexicatl, je vous dois des excuses.

— Je ne blâme pas Ahuizotl. Ni même ses hommes, à vrai dire. »

Voyant mon air surpris, il me donna quelques explications :

« Votre Orateur Vénéré a pris des mesures rapides pour arrêter le saccage. Il a donné l'ordre d'exécuter les responsables et il a calmé les autres par des promesses qu'il a certainement tenues. Ensuite il nous a dédommagés, pour les destructions, autant que cela puisse se payer. S'il n'avait pas agi aussi vite et aussi honnêtement, nos deux pays seraient sans doute en guerre en ce moment. Non, Ahuizotl s'est vraiment montré humblement soucieux de restaurer nos bonnes relations. »

C'était bien la première fois que j'entendais qualifier d' « humble » le terrible Ahuizotl Monstre d'Eau. Kosi Yuela poursuivit :

« Cependant, il y avait quelqu'un d'autre avec lui, un jeune homme, son neveu. C'est lui qui avait le commandement des troupes quand Ahuizotl et moi étions en pourparlers et quand la mutinerie a éclaté. Ce jeune homme porte un nom que nous, les Ben Zaa, avons des raisons historiques de détester. Il s'appelle Motecuzoma et j'ai eu l'impression qu'il considérait le traité d'alliance d'Ahuizotl avec nous comme une marque de faiblesse. Je crois bien qu'il aurait voulu que les Zapoteca soient les sujets et non pas les égaux des Mexica. Je le soupçonne fort d'avoir fomenté cette émeute dans l'espoir de nous dresser à nouveau les uns contre les autres. Si vous avez l'oreille d'Ahuizotl, jeune homme, je vous conseille de lui glisser un mot d'avertissement au sujet de son neveu. Si on lui laisse un quelconque pouvoir, ce nouveau Motecuzoma risque d'annuler toute la sage politique que son oncle cherche à mettre sur pied. »

En arrivant sur la chaussée de Tenochtitlán, lorsque la cité nous apparut, éclatante de blancheur dans le crépuscule, j'envoyai mes hommes en avant par groupes de deux et de trois. Le temps que je mette le pied sur l'île, la nuit était tombée et la ville s'était illuminée de tous ses feux, chandelles, torches et lampes. C'est dans cet éclairage que je vis que ma maison était achevée et qu'elle avait fière allure, bien que je ne puisse en distinguer tous les détails. Elle reposait sur des pilotis de la hauteur d'un homme à peu près, aussi je dus monter un petit escalier pour arriver à la porte d'entrée. Une femme d'un certain âge que je ne connaissais pas, sans doute une esclave qu'on venait d'acheter, vint m'ouvrir la porte. Elle me dit qu'elle s'appelait Teoxihuitl, ou Turquoise, puis elle ajouta : « Quand les porteurs sont arrivés, notre maîtresse est montée pour que vous puissiez traiter vos affaires d'homme. Elle vous attend dans votre chambre, maître. »

La femme me fit entrer dans une salle du bas où mes sept compagnons étaient en train de dévorer un repas froid qu'elle leur avait préparé à la hâte. Lorsque nous fûmes tous rassasiés, ils m'aidèrent à faire pivoter la fausse cloison de la pièce pour mettre les paquets dans la cachette située derrière où j'avais déjà entreposé certaines marchandises. Ensuite je leur réglai la dernière partie de ce que je leur devais et même davantage que promis car ils m'avaient donné la plus grande satisfaction. Ils embrassèrent la terre en me quittant, après m'avoir fait juré de faire appel à eux quand j'aurais d'autres projets qui conviendraient à sept vieux guerriers contraints par la paix à l'inaction.

A l'étage, je notai que l'architecte avait scrupuleusement suivi les indications que je lui avais fournies concernant l'aménagement du cabinet de toilette qui était aussi complet et doté du même système d'évacuation que ceux que j'avais eu l'occasion d'admirer dans les palais. Dans l'étuve adjacente, Turquoise avait déjà disposé les pierres chauffées au rouge et quand j'eus pris un premier bain, elle versa de l'eau dessus pour dégager des nuages de vapeur. Je restai là, à transpirer un bon moment, puis je retournai dans le bain, jusqu'à ce que je sois sûr que toute la poussière, toute la crasse et l'odeur du voyage aient évacué chaque pore de ma peau.

Alors, complètement nu, j'ouvris la porte de communication avec la chambre à coucher et j'y trouvai Zyanya, nue également, nonchalamment étendue sur une pile d'édredons moelleux. La pièce n'était éclairée que par le rougeoiement du brasero qui se reflétait sur la mèche blanche de sa chevelure et soulignait le contour de ses seins. Chacun d'eux faisait un mont merveilleusement symétrique, couronné par celui plus petit de l'aréole, exactement semblable au profil du Popocatépetl que vous apercevez par la fenêtre, Seigneurs Frères, un cône sur un autre cône. Non, bien sûr, je n'ai aucune raison de vous régaler de tous ces détails ; c'est seulement pour vous expliquer pourquoi mon souffle s'altéra au moment où je m'approchai d'elle et je ne lui dis que ces quelques mots :

« Béu va bien. J'ai d'autres choses à te dire, mais ça peut attendre.

— Oui, ça peut attendre », me répondit-elle en souriant et en me prenant dans ses bras.

Ce n'est donc qu'un peu plus tard que je lui appris que Béu, bien que saine et sauve, était terriblement malheureuse. J'étais content que nous ayons d'abord fait l'amour, car cela avait plongé Zyanya dans la langueur habituelle que procure le plaisir et la satisfaction qui, je l'espérais, adoucirait les nouvelles que j'avais à lui annoncer. Je lui parlai de la malencontreuse histoire avec l'officier mexica, en tâchant de la faire sonner davantage comme une farce que comme une tragédie, ce que Béu, elle-même, avait fait.

« Je crois que c'est son orgueil entêté qui la fait rester là-bas, à tenir son auberge. Elle a décidé de ne prêter aucune attention à ce que les gens pourront penser d'elle, mépris ou pitié. Elle ne quittera pas Tehuantepec, même pour mener ailleurs une existence plus agréable, parce qu'on pourrait alors penser que c'est une marque de faiblesse de sa part.

— Pauvre Béu, murmura Zyanya. Est-ce qu'on ne peut vraiment rien faire pour elle ? »

Je gardai pour moi mon opinion personnelle sur la « pauvre Béu » et, après avoir réfléchi un moment, je lui dis : « Je ne vois que l'éventualité où tu serais toi-même en difficulté. Si son unique sœur avait désespérément besoin d'elle, je crois qu'elle viendrait. Mais ne tentons pas les dieux, ne parlons pas de malheur. »

Le lendemain, Ahuizotl me reçut dans la salle du trône et je lui débitai la petite histoire que j'avais préparée : j'étais allé voir si la sœur de ma femme n'avait pas souffert du sac de Tehuantepec et j'en avais profité pour continuer un peu plus vers le sud pour chercher un autre lot de ces cristaux magiques. Je lui fis à nouveau et en grande cérémonie, présent d'un autre quartz et il me remercia chaleureusement. Puis, avant de passer à un sujet qui, j'en étais sûr, allait faire naître des flammes dans son terrible regard, je tâchai d'adoucir un peu son humeur :

« Seigneur Orateur, mon voyage m'a amené sur la côte du Xoconochco, d'où nous vient la plus grande partie de notre coton et de notre sel. J'ai passé deux jours chez les Mame, dans le bourg de Pijijia et les Anciens m'ont admis à leur Conseil. Ils m'ont chargé d'apporter un message au Uey tlatoani des Mexica.

— Quel est ce message ? me demanda-t-il, d'un ton détaché.

— Sachez d'abord, Seigneur Orateur, que le Xoconochco n'est pas une nation, mais un vaste territoire très fertile, habité par plusieurs peuples : les Mame, les Mixe, les Comiteca et d'autres tribus de moindre importance. Les terres de chacune d'entre elles se chevauchent, et elles reconnaissent uniquement l'autorité des Anciens, comme à Pijijia. Le Xoconochco n'a pas de gouvernement central et pas d'armée permanente.

— Pas très intéressant », grommela Ahuizotl.

Je poursuivis : « A l'est de ce pays riche et fertile, s'étend la jungle stérile du Quautemàlan, le Bois Enchevêtré. Ses habitants, les Quiche et les Lacandon, sont les descendants dégénérés des Maya. Ils sont pauvres, sales et paresseux et par conséquent on les a toujours traités par le mépris. Pourtant, récemment, ils ont rassemblé toutes leurs énergies pour sortir de chez eux et effectuer des incursions dans le Xoconochco. Ces pillards menacent de faire des sorties de plus en plus fréquentes qui finiront par dégénérer en une guerre incessante, s'ils n'acceptent pas de leur verser un tribut important en sel et en coton.

— Un tribut ? gronda Ahuizotl, enfin intéressé. *Notre* sel et *notre* coton !

— Oui, Seigneur. Et il ne faut pas s'attendre à ce

661

que de paisibles cultivateurs de coton, des pêcheurs et des sauniers opposent une résistance farouche pour défendre leur territoire. Cependant, il leur reste assez de fierté pour se révolter contre ces exigences. Ils ne sont pas prêts à donner aux Quiche et aux Lacandon ce qu'ils vendent avec profit aux Mexica. Ils pensent que notre Orateur Vénéré sera, lui aussi, indigné par leurs prétentions.

— Epargne-moi ces remarques évidentes, grogna Ahuizotl. Que proposent les Anciens ? Que nous fassions pour eux la guerre au Quautemàlan ?

— Non, Seigneur. Ils proposent de nous donner le Xoconochco.

— Quoi ! s'exclama-t-il, sincèrement suffoqué.

— Si le Uey tlatoani accepte les terres du Xoconochco comme une nouvelle province, tous les petits chefs se démettront de leur charge, toutes les tribus renonceront à leur identité particulière et tout le monde prêtera serment de fidélité à Tenochtitlán. Ils ne demandent que deux choses : qu'on leur permette de continuer à vivre et à travailler tranquillement comme par le passé et qu'on leur donne un salaire pour leur travail. Les Mame souhaitent, ainsi que toutes les tribus voisines, qu'un noble mexica soit désigné comme gouverneur et protecteur du Xoconochco et qu'on y établisse une importante garnison. »

Pour une fois, Ahuizotl avait l'air content et même ravi. Il murmura pour lui-même : « Incroyable. Une terre si riche qui s'offre de son plein gré. » Il s'adressa à moi avec plus de chaleur qu'il ne m'en avait jamais témoigné. « Tu n'es pas toujours une cause de soucis et de problèmes, jeune Mixtli. » Il continua à penser tout haut : « Ce serait la plus lointaine possession de la Triple Alliance. En y plaçant une armée, nous tiendrions la plus grande partie du Monde Unique, d'une mer à l'autre, dans un étau. Les nations ainsi enserrées hésiteraient plus que jamais à se rebeller, de peur que l'étau ne se referme sur elles pour les broyer. Elles seraient inquiètes, obéissantes et serviles.

— Puis-je me permettre de souligner un autre avantage, Seigneur Orateur ? Cette armée sera loin de chez nous, mais elle n'aura pas à dépendre des convois de ravitaillement de Tenochtitlán. Les Anciens Mame ont promis de prendre à leur charge la totalité de l'entretien des troupes. Les soldats vont être comme des coqs en pâte au Xoconochco.

— Par Huitzili, c'est chose faite ! s'écria Ahuizotl. Nous devons au préalable présenter la proposition à notre Conseil, mais ce ne sera qu'une formalité.

— Sa Seigneurie pourrait également dire au Conseil qu'une fois la garnison installée, les familles pourront aller la rejoindre. Puis, les marchands suivront. Ensuite, d'autres Mexica qui souhaiteront quitter la région des lacs surpeuplée pourront s'établir dans le vaste Xoconochco. La garnison sera peut-être la semence d'une colonie, d'un petit Tenochtitlán qui pourra être un jour, pourquoi pas, la deuxième grande ville des Mexica.

— Tu vois grand, dis-moi, remarqua-t-il.

— J'ai peut-être outrepassé mes droits, Seigneur Orateur, mais j'ai évoqué la possibilité d'une colonisation devant le Conseil des Anciens Mame. Loin d'en prendre ombrage, ils m'ont déclaré qu'ils seraient honorés que leur pays fournisse le site, pour ainsi dire, d'un Tenochtitlán du sud. »

Ahuizotl posa sur moi un regard bienveillant, et tambourina des doigts avant de me dire : « Dans le civil tu n'es qu'un marchand et dans l'armée, un simple tequia...

— Grâce à votre Seigneurie, remarquai-je humblement.

— Et cependant c'est toi, simple citoyen, qui nous apporte une province tout entière, qui a plus de prix que toutes celles qui ont été annexées par traité ou par les armes depuis le règne de notre estimé père Motecuzoma. Nous attirerons également l'attention du Conseil sur ce fait.

— Vous venez de parler de Motecuzoma, Seigneur et cela me fait penser à une chose. »

Je l'informai alors du plus difficile, des paroles sévères prononcées par le bishósu Yuela au sujet de son neveu. Comme je m'y attendais, Ahuizotl commença à s'échauffer et à écumer, mais sa colère n'était pas dirigée contre moi.

« Tu dois savoir une chose : quand il était prêtre, le jeune Motecuzoma montrait un respect inébranlable envers la moindre superstition, même la plus grossière. Il voulait également supprimer toutes les faiblesses et les imperfections, chez les autres, comme chez lui-même. Jamais il n'entrait en fureur, comme le font les prêtres. Il restait toujours froid et imperturbable. Une fois, il avait dit un mot qui, à son avis, avait dû déplaire aux dieux ; il se perça la langue et passa par le trou un fil où étaient attachées vingt grosses épines de maguey. Un autre jour, une mauvaise *pensée* lui ayant traversé l'esprit, il se fit un trou dans le tepuli et s'appliqua la même punition. Maintenant qu'il est devenu militaire, il est tout aussi fanatique. Il semble que pour son tout premier commandement, le petit coyote ait bandé ses muscles contre les ordres et le bon ordre… »

Ahuizotl se tut et quand il reprit la parole, il me sembla qu'à nouveau il pensait tout haut : « Il doit vouloir certainement se rendre digne du nom de son grand-père, le Seigneur Vengeur. Le jeune Motecuzoma n'apprécie pas la paix entre les peuples car il n'a plus ainsi d'adversaires à défier. Il veut qu'on le respecte et qu'on le craigne comme un homme aux poings durs et à la voix forte. Mais un homme doit être autre, sinon il recule devant des poings plus durs et une voix plus forte que la sienne.

— J'ai l'impression, hasardai-je, que le bishósu de l'Huaxyacac redoute que votre farouche neveu devienne un jour le Uey tlatoani des Mexica. »

A ces mots, Ahuizotl tourna sur moi son regard flamboyant. « Kosi Yuela sera mort avant d'avoir à s'inquiéter de ses relations avec un nouveau Uey tlatoani. Nous n'avons que quarante-deux ans et nous avons l'intention de vivre encore longtemps. Avant de mourir ou de devenir gâteux, nous informerons notre Conseil du choix que nous avons fait en ce qui concerne notre successeur. Nous avons oublié le nombre de nos enfants mâles, mais il y a sûrement parmi eux un nouvel Ahuizotl. Rappelle-toi, jeune homme, que le tambour qui résonne le plus fort est aussi le plus creux et sa seule fonction est de rester immobile en attendant qu'on lui tape dessus. Nous ne mettrons pas sur ce trône un tambour creux comme notre neveu Motecuzoma. *Souviens-toi de nos paroles.* »

Je m'en suis souvenu et m'en souviens encore avec tristesse.

L'Orateur Vénéré mit un moment à calmer son indignation. Puis il me dit d'une voix apaisée : « Jeune Mixtli, nous te remercions de cette possibilité de garnison dans le lointain Xoconochco. Nous y affecterons le jeune Seigneur Vengeur. Il va partir sur-le-champ pour installer et commander ce poste éloigné. Il faut occuper Motecuzoma — et si possible loin de nous — sinon il risque d'être tenté de taper avec de grosses baguettes sur ses propres compatriotes. »

Plusieurs jours s'écoulèrent que je passai, soit au lit à

refaire connaissance avec ma femme, soit à m'habituer à ma maison — la première qui m'ait jamais appartenu. L'extérieur était en calcaire de Xaltocán, d'un blanc étincelant, décoré de quelques modestes motifs sculptés. Pour le passant, c'était la maison caractéristique d'un pochtecatl prospère, mais sans plus. Toutefois, à l'intérieur, les aménagements étaient du plus grand raffinement. Tout sentait le neuf ; il n'y avait aucune odeur de fumée, de nourriture, de sueur ni le relent des vieilles disputes des précédents occupants. Toutes les portes étaient en cèdre sculpté et elles pivotaient grâce à des encoches en haut et en bas. Il y avait des fenêtres devant et derrière, toutes pourvues d'un store.

Au rez-de-chaussée, qui, comme je vous l'ai dit, n'était pas au niveau du sol, il y avait une cuisine, une pièce séparée pour les repas et une autre salle où je pouvais recevoir mes invités et discuter affaires avec mes visiteurs. Il n'y avait pas assez de place pour loger spécialement les domestiques et Turquoise déroulait simplement une natte de joncs tressés lorsque nous étions couchés. A l'étage, il y avait notre chambre et une chambre d'hôte, avec pour chacune un cabinet de toilette et une étuve et aussi une petite chambre dont je n'avais pas vu l'utilité jusqu'au jour où Zyanya me dit timidement : « Un jour, il y aura peut-être un enfant, ou même des enfants. Ce sera une chambre pour eux et pour leur servante. »

La maison avait un toit plat, encadré par une balustrade de pierre à claire-voie. On avait déjà recouvert cette terrasse avec la terre grasse des chinampa pour y planter des fleurs, des arbustes pour faire de l'ombre et des plantes aromatiques pour la cuisine. Notre maison n'était pas très haute et elle était entourée par d'autres constructions, aussi nous n'avions pas la vue sur le lac, mais on voyait les deux temples jumeaux de la grande pyramide, le sommet fumant du Popocatépetl et les pics du volcan en sommeil, le Ixtaccihuatl. Zyanya avait meublé les pièces avec le strict nécessaire : des lits d'édredons, des coffres en vannerie, quelques chaises et quelques bancs. Il n'y avait pas de tapis sur le sol de pierre brillante et aucune décoration sur les murs blanchis à la chaux.

« Les meubles plus importants, la décoration, les tentures murales, je pense que c'est au maître de maison de les choisir, me dit Zyanya.

— Nous irons ensemble dans les marchés et chez les artisans, mais je serai là uniquement pour accepter tes choix et payer. »

Toujours avec cette même réserve, elle n'avait acheté qu'une seule esclave et Turquoise avait suffi pour l'aider à aménager la maison. Je décidai d'acheter une autre esclave qui partagerait les travaux de cuisine, de ménage et autres corvées, plus un homme pour s'occuper du jardin et que je pourrais aussi envoyer en courses. J'avais choisi un esclave pas trop jeune, mais assez vif encore, qui s'appelait pompeusement Chanteur Etoile mais la jeune servante avait par contre un nom très peu prétentieux ; elle s'appelait Quequelmíqui, ce qui veut dire simplement Chatouilleuse. Peut-être lui avait-on donné ce nom parce qu'elle était sujette à rire pour un rien.

Je les envoyai immédiatement tous trois — Turquoise, Chanteur Etoile et Chatouilleuse — passer leurs heures de loisir à étudier dans l'école que mon jeune ami Cozcatl venait d'ouvrir. Lorsqu'il était lui-même un enfant esclave, sa plus grande ambition avait été d'acquérir toutes les qualifications nécessaires pour obtenir le poste le plus élevé dans une maison noble : celui de Maître des Clefs. Mais comme il s'était élevé bien au-dessus de cette position et qu'il avait maintenant une maison et une fortune personnelle importante, Cozcatl avait transformé sa demeure en école pour les esclaves, pour en faire des serviteurs accomplis.

« J'ai engagé des maîtres qualifiés pour les disciplines de base — la cuisine, le jardinage, la broderie... me déclara-t-il. Mais c'est moi qui leur apprends les bonnes manières qu'on ne peut acquérir qu'après une longue expérience. Comme j'ai travaillé dans deux palais, mes élèves sont très attentifs à tout ce que je leur dis, bien qu'ils soient plus âgés que moi, pour la plupart.

— Les bonnes manières ? m'étonnai-je. Pour de simples tlacotli ?

— Ce ne sont pas de simples esclaves, mais les membres estimés et estimables d'une maison. Je leur apprends à se comporter dignement au lieu de faire des courbettes, à devancer les désirs de leur maître, avant même qu'il les ait exprimés. Par exemple, un intendant préparera le poquietl de son patron pour qu'il soit prêt à être fumé. Une gouvernante saura dire à sa maîtresse quelles sont les fleurs qui vont éclore dans le jardin pour que la dame puisse prévoir la décoration florale de sa maison.

— Jamais un esclave ne pourra se payer ces leçons, objectai-je.

— Non, bien sûr. Tous mes élèves sont déjà domestiques, comme les trois vôtres, et c'est leur maître qui paye pour eux. Mais ces cours améliorent tellement leurs capacités et leur valeur qu'ils peuvent monter en grade à l'intérieur même d'une maison, à moins qu'ils ne soient revendus avec bénéfice et dans ce cas, il faut les remplacer. Je prévois qu'il y aura une forte demande de gens formés par mon école. A l'occasion, je pourrai même acheter des esclaves au marché, les former, les placer et récupérer mes honoraires sur leurs gages.

— C'est très intéressant pour eux, pour leurs maîtres

et pour toi, approuvai-je. Tu as eu une idée très astucieuse, Cozcatl. Non seulement tu as réussi à te faire une place dans la société, mais tu as trouvé une idée tout à fait nouvelle où personne ne fera mieux que toi.

— Sans vous, Mixtli, je n'y serais jamais arrivé, me répondit-il humblement. Et je serais encore en train de trimer dans un palais de Texcoco. Je dois cette chance au tonalli, le mien ou le vôtre, qui a lié nos existences. »

Et moi aussi, pensais-je, tandis que je rentrais tranquillement chez moi, je dois beaucoup à un tonalli que j'ai jadis accusé d'être capricieux et même cruel. Il m'a apporté bien des chagrins, des deuils et des malheurs, mais il a aussi fait de moi un homme riche qui s'est élevé bien au-dessus de ce que sa naissance lui promettait, l'époux d'une femme désirable entre toutes et un homme encore assez jeune pour se lancer dans des aventures passionnantes.

Alors que je regagnais ma maison confortable et les bras accueillants de Zyanya, l'envie me prit d'exprimer ma gratitude aux dieux. « O Dieux, dis-je en moi-même, si vous existez et qui que vous soyez, je vous remercie. Vous m'avez parfois repris d'une main ce que vous m'aviez donné de l'autre ; mais, dans l'ensemble, vous m'avez donné davantage que vous ne m'avez pris. O Dieux, j'embrasse la terre à vos pieds. »

Sans doute, les dieux me furent-ils reconnaissants de ma gratitude. Ils ne perdirent pas de temps car, dès mon arrivée, je trouvai un page du palais qui m'attendait avec une convocation d'Ahuizotl. Je pris tout juste le temps d'embrasser Zyanya pour lui dire bonjour et au revoir et je suivis le garçon jusqu'au palais.

Lorsque je rentrai chez moi, il était fort tard, j'étais vêtu tout à fait différemment et passablement éméché. Lorsqu'elle m'eut ouvert la porte, Turquoise oublia instantanément toute la maîtrise de soi qu'elle avait apprise chez Cozcatl. En voyant la profusion désordonnée des plumes dont j'étais recouvert, elle poussa un hurlement strident et s'enfuit au fin fond de la maison. Zyanya arriva alors, l'air inquiet et me dit : « Zaa, comme tu rentres tard. » Puis, elle eut un petit cri et se recula en s'exclamant : « Que t'a fait ce monstre d'Ahuizotl ? Ton bras saigne. Qu'est-ce que tu as aux pieds et sur la tête ? Zaa, réponds-moi !

— Salut, marmonnai-je, stupidement dans un hoquet.

— Salut ? » répéta-t-elle, prise de court. Puis elle ajouta d'un ton cassant : « Ce qui est sûr, en tout cas, c'est que tu es soûl. »

Elle partit en direction de la cuisine et je m'affalai sur un banc, mais je ne devais pas tarder à me remettre vivement debout, car Zyanya revint avec un baquet d'eau affreusement froide qu'elle me versa sur la tête.

« Mon casque ! hurlai-je, lorsque j'eus fini de tousser et de cracher.

— C'est un casque ? » s'exclama-t-elle, tandis que je m'efforçais de l'ôter et de l'essuyer avant que l'eau ne l'abîme. « J'ai cru que tu t'étais fourré dans le jabot d'un oiseau géant.

— Femme, lui dis-je, avec la dignité guindée que donne une demi-ivresse. Tu as failli gâter cette noble tête d'aigle et maintenant, tu me marches sur les pieds. Regarde... regarde ces pauvres plumes crottées.

— C'est ce que je fais, je regarde », me répondit-elle d'une voix étranglée, et je m'aperçus alors qu'elle faisait des efforts désespérés pour ne pas éclater de rire. « Enlève ce costume grotesque. Va dans l'étuve pour éliminer un peu l'octli que tu as bu. Nettoie le sang que tu as sur le bras. Et puis viens te coucher et tu me raconteras ce qui... » Elle ne pouvait plus se contenir et se mit à rire à gorge déployée.

« Costume grotesque, vraiment, dis-je, en essayant de prendre une attitude à la fois hautaine et peinée. Il n'y a qu'une femme pour rester insensible à des insignes honorifiques. Si tu étais un homme, tu te confondrais en admiration et en félicitations. Au lieu de cela, on m'inonde et on se moque de moi ! »

Ce disant, je tournai les talons et montai dignement l'escalier, en trébuchant de temps en temps à cause de mes sandales emplumées, et j'allai transpirer et bouder dans l'étuve.

C'est ainsi que l'on me reçut en cette soirée qui aurait dû être la plus solennelle de toute mon existence. Il n'y avait pas un sur dix ou vingt mille de mes compatriotes qui ait reçu le titre qu'on m'avait décerné ce jour-là : In Tlamahuichihuani Cuautlic, c'est-à-dire Chevalier de l'Ordre de l'Aigle des Mexica.

Je me ridiculisai encore davantage en m'endormant dans l'étuve et je ne me rendis absolument pas compte que Zyanya et Chanteur Etoile m'avaient tiré de là pour me coucher. Ce n'est donc que le lendemain matin, à une heure tardive et tandis que je sirotais du chocolat chaud en espérant qu'il ferait disparaître mon pesant mal de tête, que je pus enfin faire à Zyanya le récit de ce qui s'était passé la veille au palais.

Quand j'étais arrivé dans la salle du trône, Ahuizotl était seul et me dit brusquement : « Notre neveu Motecuzoma a quitté Tenochtitlán ce matin, à la tête d'une troupe considérable qui constituera la garnison du Xoconochco. Comme nous te l'avons promis, nous avons mentionné ton rôle admirable dans les négociations en vue de l'annexion de ce territoire, au cours de la réunion de notre Conseil et il a décidé de te récompenser. »

Sur un signe qu'il fit, le page sortit et, peu après, la

salle commença à se remplir. Je m'attendais à voir le Femme-Serpent et d'autres membres du Conseil, mais en regardant à travers ma topaze, je fus surpris de constater qu'il s'agissait de guerriers — l'élite des guerriers — tous des Chevaliers-Aigle dans leur armure de combat emplumée, avec leur casque en forme de tête d'aigle, des plumes sur les bras et des sandales aux talons emplumés.

Ahuizotl me les présenta l'un après l'autre — c'étaient les plus grands dignitaires de l'Ordre de l'Aigle — et il déclara ensuite : « Mixtli, ils ont tous voté pour t'élever, d'un seul coup, du médiocre rang de tequia à la chevalerie pleine et entière de leur ordre valeureux. »

Il fallut ensuite observer un certain rituel. La surprise m'avait presque laissé sans voix, mais je réussis à retrouver la parole pour prononcer tous les serments obligatoires — être fidèle et combattre jusqu'à la mort pour l'Ordre de l'Aigle, pour la suprématie de Tenochtitlán, pour la puissance et la gloire des Mexica et pour le maintien de la Triple Alliance. Je dus m'entailler l'avant-bras et les principaux dignitaires de l'Ordre firent de même et nous nous frottâmes mutuellement les bras les uns contre les autres pour établir une fraternité de sang.

Ensuite, j'endossai l'armure matelassée avec tous ses ornements. La cérémonie fut à son point culminant lorsqu'on me couronna du casque en tête d'aigle. Il était fait avec du liège, du papier raide et des plumes collées avec de l'oli ; le bec grand ouvert avançait sur mon front et sous mon menton et ses étincelants yeux d'obsidienne se trouvaient quelque part derrière mes oreilles. On me donna aussi tous les autres emblèmes de mon nouveau rang : un gros bouclier de cuir portant les symboles de mon nom dessinés avec des plumes de couleur, de la peinture pour se faire un visage farouche et une plaque en or que je pourrais porter dès que je me déciderais à me faire percer la cloison nasale.

Alors, un peu empêtré par tous ces ornements, je m'assis avec Ahuizotl et les autres chevaliers, tandis que l'on nous servait un plantureux festin arrosé du meilleur octli. Je fis semblant de manger de bon cœur, mais mon émotion et mon exaltation étaient si grandes que je n'avais pas grand appétit. Cependant, je ne pouvais pas éviter de boire pour répondre aux toasts nombreux et sonores portés en mon honneur, en l'honneur des principaux dignitaires Aigle, des chevaliers qui avaient trouvé une mort glorieuse dans le passé, de notre chef suprême Ahuizotzin et de la puissance toujours plus grande des Mexica... Au bout d'un moment, je perdis complètement le fil de la soirée et, lorsqu'on me laissa enfin partir, j'avais l'esprit quelque peu confus et mon splendide uniforme était dans un certain désordre.

« Je suis fière de toi, Zaa, et heureuse, me dit Zyanya lorsque j'eus terminé mon récit. En effet, c'est un grand honneur. Et maintenant, quel exploit va accomplir mon guerrier de mari ? Quel sera son premier fait d'arme en tant que Chevalier-Aigle ?

— Je crois qu'il faut qu'on repique les fleurs aujourd'hui, ma chérie. Un canot va venir les apporter de Xochimilco. Les fleurs pour notre terrasse. »

J'avais trop mal à la tête pour faire des efforts, aussi je n'essayai même pas de comprendre pourquoi Zyanya, tout comme la nuit dernière, se mit à rire à gorge déployée.

Une nouvelle maison, c'est aussi une nouvelle vie pour ses occupants et nous étions tous très absorbés par notre installation. Zyanya ne venait jamais à bout de ce travail interminable qui consiste à fureter parmi les étals des marchés et les ateliers des artisans en quête « des nattes qui iraient si bien sur le sol de la chambre d'enfant » ou de tout autre article qui avait le don de lui échapper éternellement.

Mes apports personnels n'étaient pas toujours bien reçus, par exemple, une petite statue de pierre que j'avais achetée pour la niche de l'escalier et que Zyanya avait qualifiée de « hideuse ». Elle l'était en effet, mais je l'avais achetée parce qu'elle me rappelait le déguisement de vieillard ratatiné que Nezahualpilli avait si souvent choisi pour m'aborder. En réalité, c'était la statue de Huehueteotl, le Plus Vieux des Vieux Dieux. Bien que son culte fût un peu tombé dans l'oubli, ce vieux Huehueteotl, tout ridé et au sourire sardonique, était toujours vénéré comme le premier dieu reconnu sur cette terre, depuis des temps immémoriaux, bien avant Quetzalcoatl et d'autres dieux plus récents. Comme Zyanya avait refusé que je le mette en vue, j'avais placé le Plus Vieux des Vieux Dieux au chevet de mon lit.

Au cours des premiers mois qu'ils passèrent chez nous, nos trois domestiques suivirent, pour leur plus grand bien, les cours de l'école de Cozcatl. La petite servante Chatouilleuse ne riait plus à chaque fois qu'on lui adressait la parole et se contentait de faire un sourire modeste et avenant. Chanteur Etoile était devenu si attentionné qu'il me présentait un poquietl allumé à chaque fois que je m'asseyais ; aussi, pour ne pas décourager sa bonne volonté, je me mis à fumer davantage que je ne l'aurais voulu.

Ma principale occupation, à cette époque, fut de consolider ma fortune. Depuis quelque temps, des caravanes de pochteca arrivaient à Tenochtitlán, en provenance de l'Huaxyacac, apportant dans leurs paquets des fioles de teinture pourpre et des écheveaux teints qui avaient été légalement achetés au bishósu Kosi Yuela. Les marchands les avaient payés un prix exorbitant, mais ils les revendirent bien plus cher encore aux commerçants du marché de Tlaltelolco. Toutefois, les nobles mexica, et surtout leurs épouses, se prirent d'un tel engouement pour cette teinture extraordinaire qu'ils étaient toujours prêts à en acheter, quel qu'en soit le prix.

Une fois que cette pourpre légitimement acquise eut été mise en circulation sur le marché, je commençai à déverser discrètement la mienne. Je l'échangeai contre des marchandises moins compromettantes : jades sculptés, émeraudes et autres pierres précieuses, bijoux et poudre d'or. Cependant nous prîmes soin de garder assez de teinture pour notre usage personnel et nous possédions certainement plus de vêtements brodés de pourpre que l'Orateur Vénéré et toutes ses femmes réunis. Je puis vous assurer que notre maison était la seule dans Tenochtitlán dont les fenêtres étaient garnies de tentures entièrement pourpres. Mais seuls nos invités pouvaient s'en rendre compte, car elles étaient doublées, côté rue, avec des étoffes beaucoup moins somptueuses.

Souvent, nous recevions la visite d'amis de longue date : Cozcatl, devenu maintenant maître Cozcatl ; des confrères de la Maison des Pochteca et les vieux compagnons de Gourmand de Sang qui m'avaient aidé à prendre la pourpre. Nous avions également fait de nombreuses connaissances parmi nos voisins de Ixacualco et parmi la noblesse que nous rencontrions à la cour — en particulier des femmes conquises par le charme de Zyanya. L'une d'entre elles était la Première Dame de Tenochtitlán, c'est-à-dire la première épouse d'Ahuizotl. Quand elle venait nous rendre visite, elle amenait souvent avec elle son fils aîné, Cuauhtemoc, Aigle qui tombe, successeur le plus probable de son père. Chez les Mexica, la succession au trône ne se faisait pas automatiquement de père en fils, comme dans certaines nations. Néanmoins, la candidature du fils aîné serait la première à être examinée par le Conseil, puisque le Uey tlatoani n'avait pas de frère. C'est pourquoi Zyanya et moi, nous témoignions à Cuauhtemoctzin et à sa mère la plus grande déférence.

Parfois, nous avions la visite d'un messager militaire ou de l'émissaire d'un pochtecatl revenant du sud, qui faisaient un détour par chez nous pour nous apporter des nouvelles de Béu Ribé. Ces missives ne variaient jamais : Béu Ribé était toujours célibataire, Tehuantepec était toujours Tehuantepec et l'auberge continuait à prospérer en raison, surtout, des échanges croissants avec le Xoconochco. Le caractère immuable de ces nouvelles laconiques était un peu déprimant, car nous avions l'impression que si Béu ne se mariait pas, c'était davantage par défaut de prétendants, que par inclination.

C'est dans ces occasions que je pensais à Motecuzoma, car j'étais certain — bien que je n'en eusse jamais parlé à personne, pas même à Zyanya — qu'il était cet officier mexica au comportement étrange qui avait gâché la vie de Béu. J'aurais dû, sans doute, par esprit de famille ressentir de l'animosité à l'égard du jeune Motecuzoma et le mépriser à cause de ce que Béu et Ahuizotl m'avaient révélé sur lui. Cependant, ni moi ni personne n'aurait pu nier le travail qu'il accomplissait pour tenir en main et faire prospérer le Xoconochco pour le compte des Mexica.

Il avait pratiquement établi sa garnison à la frontière du Quautemálan. Il surveilla personnellement la construction d'une imposante forteresse et il ne fait pas de doute que les Quiche et les Lacandon durent voir s'élever ses murs et assister aux rondes des patrouilles avec bien du dépit. Ces misérables ne se hasardèrent plus jamais en dehors de leur jungle et se gardèrent désormais de la moindre menace, bravade ou revendication à l'égard de ce territoire. Ils retombèrent dans leur apathie et dans leur crasse et, pour autant que je le sache, ils n'en sont toujours pas sortis.

Les premiers soldats espagnols qui étaient arrivés au Xoconochco avaient été surpris de trouver, si loin de Tenochtitlán, des peuples non apparentés aux Mexica, et qui parlaient nahuatl. En effet, c'était la terre la plus lointaine où l'on pût déclarer avec fierté : « Nous sommes ici sur le sol mexica. » Et malgré son éloignement du Cœur du Monde Unique, ce fut peut-être notre province la plus fidèle, en raison, sans doute, du nombre considérable de Mexica qui allèrent s'installer dans le Xoconochco après son annexion.

Avant même que la forteresse de Motecuzoma soit terminée, de nouveaux arrivants commencèrent à s'établir dans la région, à y construire des maisons, des marchés, des auberges rudimentaires et même des endroits de plaisir. C'étaient des Mexica, des Acolhua et des Tecpaneca en quête de possibilités et d'horizons plus larges que ceux que leur offraient les terres surpeuplées de la Triple Alliance. Lorsque la forteresse fut achevée, bien pourvue en hommes et en armes, elle étendit son ombre rassurante sur une ville déjà importante qui prit le nom nahuatl de Tapachula, l'Endroit du Corail, et bien que jamais elle n'approchât l'ampleur et la splendeur de Tenochtitlán, elle est encore l'agglomération la plus peuplée et la plus animée à l'est de l'isthme de Tehuantepec.

De nombreux colons venus du nord, après avoir

séjourné quelque temps à Tapachula ou dans un autre endroit du Xoconochco, allèrent ensuite s'installer encore plus loin. Je n'ai jamais poussé mes voyages jusque-là, mais je sais qu'à l'est de la jungle du Quautemálan, il y a de hautes terres et des zones côtières très fertiles. Plus loin encore, s'étend un autre isthme plus étroit que celui de Tehuantepec, situé entre les océans méridional et septentrional et dont personne ne sait où il mène. Certains prétendent qu'il s'y trouve un fleuve qui joint les deux océans. Votre commandant en chef Cortés est parti en exploration, mais en vain ; pourtant il n'est pas impossible qu'un Espagnol le découvre un jour.

Bien que ces émigrants ne fussent qu'une poignée et bien qu'ils n'aient créé qu'une colonisation éparse sur ces terres lointaines, il paraît qu'ils ont imprégné d'une marque indélébile les indigènes. Des tribus qui n'avaient aucun lien de parenté avec aucun des pays de la Triple Alliance, ont fini par nous ressembler. Elles parlent nahuatl, même si ce ne sont que des dialectes bâtards ; elles ont adopté nos us et nos coutumes, nos dieux et ont même rebaptisé leurs villages, leurs montagnes et leurs rivières de noms nahuatl.

Il m'est arrivé que des Espagnols qui avaient beaucoup voyagé me demandent : « Votre empire aztèque était-il réellement si immense qu'il allait buter sur l'empire inca qui se trouve sur le grand continent du sud ? » Je n'ai jamais très bien compris le sens de cette question, mais je leur répondais invariablement : « Non, Seigneurs. » Je ne sais pas trop ce qu'est un empire, un continent ou un Inca. Tout ce que je sais, c'est que nous les Mexica — ou les Aztèques, si vous préférez — nous n'avons jamais poussé les limites de nos territoires au-delà du Xoconochco.

Cependant, à cette époque, tout le monde n'avait pas les yeux uniquement fixés sur le sud. Notre Uey tlatoani se préoccupait également des autres points de la boussole. Je fus heureux d'un changement qui survint un jour, dans ma vie de plus en plus routinière, lorsque Ahuizotl me fit appeler pour me demander si je voulais me charger d'une mission diplomatique au Michoacán.

« Tu as fait du très bon travail au Xonocochco et en Huaxyacac, ne crois-tu pas que tu serais capable, cette fois, d'établir de meilleures relations entre notre pays et la Terre des Pêcheurs ? »

Je lui répondis que je voulais bien essayer. « Mais pour quelle raison, Seigneur ? Les Purépecha laissent nos voyageurs et nos marchands traverser leur pays sans les inquiéter. Ils commercent librement avec nous. Que demander de plus ?

— Eh bien, trouve un prétexte pour aller rendre visite à leur uandakuari, le vieux Yquingare. » Je dus avoir l'air interloqué car il condescendit à me donner de plus amples explications : « Tes prétendues négociations diplomatiques ne serviront qu'à cacher le but réel de ta mission. Nous voulons que tu nous rapportes le secret de ce métal si dur qu'il a toujours battu en brèche nos armes d'obsidienne.

Ne voulant pas laisser paraître mon inquiétude, je pris le parti d'essayer de le raisonner : « Seigneur, les artisans qui forgent ce métal sont certainement à l'abri des rencontres avec des étrangers qui voudraient essayer de leur arracher leur secret.

— Et le métal est bien enfermé, lui aussi, hors de la vue des curieux, poursuivit Ahuizotl, impatienté. Nous savons tout cela ; mais nous savons aussi qu'il y a une exception. Les proches conseillers de l'uandakuari et ses gardes personnels ont toujours sur eux des armes de ce métal, afin de déjouer tout attentat contre leur chef.

Introduis-toi dans le palais et tu trouveras bien une occasion de t'emparer d'une épée ou d'un couteau. C'est tout ce qu'il nous faut. Si nous pouvons donner à nos artisans un modèle à étudier, ils en découvriront peut-être la composition.

— Puisque Sa Seigneurie l'ordonne, le Chevalier-Aigle doit obéir », lui répondis-je en soupirant. Puis, réfléchissant aux difficultés que présentait cette tâche, je lui suggérai : « Si ma seule mission là-bas est de dérober un objet, je n'ai pas besoin de me compliquer la vie en invoquant des négociations diplomatiques. Il suffirait que je sois porteur d'un présent amical de l'Orateur Vénéré Ahuizotl à l'Orateur Vénéré Yquingare. »

Ahuizotl fronça les sourcils. « Oui, mais quel cadeau ? Il y a autant d'objets précieux au Michoacán que chez nous. Il faudrait que ce soit quelque chose qui n'existe pas là-bas, quelque chose d'unique.

— Les Purépecha sont très friands de pratiques sexuelles curieuses. Mais, non, le uandakuari est vieux, il a eu le temps de connaître toutes les pratiques et les perversions sexuelles possibles et il doit être parfaitement blasé.

— *Ayyo!* s'exclama Ahuizotl. J'ai trouvé quelque chose qu'il n'a pas pu essayer et auquel il ne pourra pas résister. C'est un nouveau tequani que nous venons d'acheter pour notre ménagerie humaine. » Je dus blêmir, mais il ne s'en rendit pas compte et envoya un esclave chercher la personne en question.

J'étais en train d'essayer d'imaginer quel genre de monstre pourrait bien exciter la convoitise du débauché le plus corrompu lorsque j'entendis Ahuizotl me dire : « Regarde, Chevalier Mixtli. Les voilà. » Et je mis aussitôt ma topaze devant mon œil.

Les deux filles étaient plutôt laides, mais il n'y avait

vraiment pas de quoi les qualifier de monstres. Elles sortaient de l'ordinaire par le fait qu'elles étaient parfaitement jumelles. Je pensai qu'elles devaient avoir environ quatorze ans et qu'elles provenaient d'une tribu olmeca car elles mâchaient toutes deux du tzictli avec le regard vide d'une paire de lamantins. Elles étaient accolées, légèrement tournées l'une vers l'autre et elles se tenaient par l'épaule. Une étoffe qui descendait jusqu'à terre, les enveloppait toutes les deux à partir de la poitrine.

« On ne les a pas encore montrées au public, me dit Ahuizotl, parce que la couturière du palais n'a pas terminé les corsages et les jupes qu'il a fallu faire spécialement. Esclave, déshabille-les. »

Je n'en crus pas mes yeux quand je les vis nues. Ce n'étaient pas de simples jumelles, quelque chose avait dû se passer dans le ventre maternel et elles s'étaient en quelque sorte mélangées l'une à l'autre. De l'aisselle à la hanche, elles étaient réunies par la même peau et si étroitement qu'elles ne pouvaient se lever, s'asseoir ou se coucher qu'en se faisant à moitié face. Elles avaient quatre seins devant et deux paires de fesses derrière. A part leur figure laide et bête, je ne leur voyais aucune difformité, mis à part cette soudure.

« Est-ce qu'on ne pourrait pas les séparer ? demandai-je. Elles auraient des cicatrices, mais elles seraient normales.

— Et pour quoi faire ? grommela Ahuizotl. Ça ne ferait que deux souillons olmeca de plus à mâcher du tzictli avec leur face terreuse. Ensemble, elles font une curiosité intéressante et elles pourront mener la vie agréable et paisible d'un tequani. De toute manière, nos chirurgiens ont dit qu'elles ne peuvent être séparées. Sous ce morceau de peau qui les lie, il y a des vaisseaux sanguins essentiels. Mais voilà ce qui va enthousiasmer ce vieux Yquingare : elles ont chacune un tipili et elles sont vierges toutes deux.

— C'est dommage qu'elles ne soient pas jolies, remarquai-je. Mais vous avez raison, leur singularité compense leur manque de beauté. Avez-vous un nom ? Savez-vous parler ? » demandai-je en m'adressant aux jumelles.

Elles me répondirent presque en même temps : « Je suis Gauche. » « Je suis Droite. »

« Nous avons pensé les présenter au public, sous le nom de couple-femme, me dit Ahuizotl, d'après la déesse Omecihuatl. C'est une sorte de jeu de mots, tu comprends.

— S'il existe un présent qui puisse rendre l'uanda-kuari plus amical à notre égard, c'est bien celui-ci et je le lui apporterai volontiers. Juste un conseil, Seigneur, Pour les rendre plus attirantes, il faudrait leur faire raser les cheveux et les sourcils. C'est la mode chez les Purépecha.

— Drôle de mode, s'étonna Ahuizotl. Leur seul attrait, c'est justement leur chevelure. Tant pis. Sois prêt à partir dès que leur garde-robe sera terminée.

— Comme vous voulez, Seigneur Orateur. J'espère que la présentation à la cour du couple-femme suscitera assez d'effervescence pour que je puisse subtiliser une arme sans qu'on me remarque au milieu de l'excitation générale.

— Il ne suffit pas de l'espérer, me dit Ahuizotl. Il faut le faire. »

« Ah, les pauvres petites ! » s'écria Zyanya lorsque je lui présentai le couple-femme. J'étais surpris d'entendre exprimer de la pitié à leur égard, car jusqu'à présent tous ceux qui avaient vu Gauche et Droite avaient ricané, ou manifesté un profond étonnement, ou, comme Ahuizotl, avaient vu en elles une marchandise intéressante, une espèce de gibier rare. Au contraire, Zyanya les entoura des plus tendres attentions pendant tout le voyage jusqu'à Tzintzuntzani, ne cessant de leur assurer qu'elles allaient connaître là-bas une existence merveilleuse, dans le luxe et la liberté, comme si elles avaient eu assez de cervelle pour s'en soucier. Je supposais, moi aussi, qu'elles seraient plus heureuses dans l'indépendance relative d'une vie de palais, même comme concubines à double face, plutôt qu'en étant enfermées dans une ménagerie et montrées comme un objet de dérision et de curiosité.

Lorsque je lui avais parlé de ma curieuse mission, Zyanya avait insisté pour m'accompagner. J'avais d'abord énergiquement refusé, car je savais que tous ceux qui viendraient avec moi ne vivraient pas long-temps dans le cas très probable où je serais pris en train de voler une de ces sacro-saintes armes de métal. Mais elle sut me persuader que si on arrivait à endormir à l'avance les soupçons de notre hôte, j'aurais davantage d'occasions de m'approcher d'une de ces armes et de la subtiliser sans être vu.

« Y a-t-il une chose plus innocente qu'un couple qui voyage ensemble ? Et puis, j'aimerais bien connaître le Michoacán, Zaa. »

Son idée de couple me sembla très valable, même si je l'envisageais sous un jour un peu différent. Pour les gens aux mœurs très libres qu'étaient les Purépecha, un homme qui voyageait avec sa compagne de tous les jours dans un pays où il n'aurait eu qu'à lever le petit doigt pour avoir tout ce qu'il désirait, était un spectacle confondant. Ils verraient donc en moi un demeuré sans aucune imagination ou un impuissant, bien incapable d'être un voleur, un espion ou qui que ce soit de dangereux. C'est pourquoi, en fin de compte, j'acceptai que Zyanya vienne avec moi et elle se mit sur-le-champ à préparer les paquets.

Ahuizotl me fit avertir que les jumelles et leur garde-robe étaient prêtes. Quelle ne fut pas mon épouvante lorsque je les vis complètement tondues, *Ayyo !* leur tête ressemblait à leurs seins, en forme de cône et je craignis d'avoir fait une grave erreur en donnant ce conseil. Chez les Purépecha, une tête chauve était peut-être la suprême beauté, mais que dire d'une tête chauve et pointue ? De toute façon, il était trop tard pour changer d'avis, et chauves elles resteraient.

Ensuite, à la dernière minute, on s'aperçut qu'aucune chaise à porteurs classique ne pouvait convenir à Droite et à Gauche et il fallut en fabriquer une spécialement, ce qui retarda notre départ de quelques jours. Ahuizotl avait décidé de ne rien épargner pour cette expédition, aussi ce fut une véritable caravane qui se mit en route avec nous.

Deux gardes du palais nous précédaient ; ils n'avaient pas d'armes, mais je savais qu'ils étaient tous deux experts dans les combats à main nue. Pour ma part, je n'avais rien d'autre que mon bouclier blasonné de Chevalier-Aigle et une lettre d'introduction signée d'Ahuizotl. Je marchais à côté de la chaise à porteurs de Zyanya, jouant à la perfection mon rôle d'époux soumis et lui montrant tout ce qu'il y avait à voir en chemin. Derrière nous, venait la chaise des jumelles portée par huit hommes ainsi que des équipes de rechange qui se relayaient. Cette chaise était en fait une sorte de petite hutte posée sur des montants en bois avec un toit et des rideaux sur les côtés. L'arrière-garde de la caravane était composée de nombreux esclaves chargés de paquets, de paniers et de provisions.

Au bout de trois ou quatre jours de marche, nous arrivâmes dans le village de Zitacuaro près duquel un poste de garde signalait les limites du Michoacán. Nous y fîmes halte tandis que les soldats purépecha examinaient respectueusement la lettre que je leur montrai, puis ils tâtèrent les paquets sans les ouvrir. Ils eurent l'air stupéfait quand ils virent deux filles exactement semblables assises côte à côte, dans une position qui semblait particulièrement inconfortable. Cependant, ils ne posèrent aucune question et nous firent très poliment signe que nous pouvions traverser Zitacuaro.

Par la suite, on ne nous arrêta pas une seule fois, mais j'avais donné ordre que les rideaux de la chaise à porteurs soient désormais toujours tirés. J'étais certain qu'un messager rapide avait déjà informé l'uandakuari de notre venue, mais je voulais que la nature du présent reste mystérieuse le plus longtemps possible, jusqu'au moment où nous en ferions nous-mêmes la surprise. Zyanya me disait que j'étais cruel d'empêcher les jumelles de voir le nouveau pays où elles allaient vivre. Aussi, à chaque fois que je lui montrais quelque chose d'intéressant, elle faisait arrêter la caravane et, s'il n'y avait personne sur la route, elle allait soulever le rideau pour qu'elles puissent, elles aussi, profiter du spectacle.

Si Zyanya n'avait pas été là, ce voyage m'aurait paru bien ennuyeux et j'étais heureux qu'elle ait réussi à me persuader de la laisser venir. Elle parvenait même, de temps en temps, à me faire oublier la mission périlleuse qui était le but de cette expédition. Elle voyait toujours quelque chose de nouveau, poussait des exclamations et écoutait mes explications avec une attention enfantine.

La première chose qui la surprit ce fut, bien sûr, le nombre de personnes au crâne chauve et brillant. Je l'avais mise au courant de cette coutume, mais savoir n'est pas voir. Au début, elle dévisageait les jeunes gens en disant : « Ça, c'est un garçon, ah ! non, c'est une fille… » Je dois dire que cette curiosité était réciproque.

Les Purépecha avaient l'habitude de voir des gens chevelus — parmi les étrangers, les classes inférieures et quelques excentriques — mais jamais aucun d'eux n'avait rencontré une belle femme avec une chevelure abondante striée d'une mèche blanche ; aussi nous dévisageaient-ils aussi.

En dehors des habitants, bien des choses, dans ce pays, attiraient l'attention : les montagnes qui semblaient reculer constamment vers l'horizon et faisaient un cadre au relief doux et plat, des forêts, des prairies sauvages parsemées de fleurs. Mais la plus grande partie du pays était occupée par de grandes fermes très prospères, avec d'immenses étendues de maïs, de haricots, de chili et des vergers d'avocatiers et d'arbres fruitiers. Çà et là, s'élevaient au milieu des champs des huttes d'adobe pour emmagasiner les graines et les récoltes ; c'étaient des abris coniques qui rappelaient la tête pointue des jumelles.

Dans cette région, même les plus humbles demeures sont jolies. Toutes les constructions sont en bois, à cause de l'abondance des forêts. Les planches et les poutres ne sont pas assemblées avec du mortier ou des cordes, mais elles s'emboîtent grâce à un ingénieux système d'encoches. Les maisons ont de hauts toits pointus dont les pans font de l'ombre en été et protègent de la pluie en hiver. Certains toits rebiquent même sur les quatre côtés, ce qui leur donne un petit air mutin. C'était la saison des hirondelles et, nulle part, il n'y en a autant qu'au Michoacán. On les voit partout voleter, glisser, voltiger, battre des ailes et c'est certainement parce que ces grands pans de toit leur laissent beaucoup de place pour faire leur nid.

Avec ses forêts et ses cours d'eau, le Michoacán est un séjour accueillant pour toutes les espèces d'oiseaux. Les rivières reflètent les éclatantes couleurs du geai, du gobe-mouches et du martin-pêcheur. Au bord du lac, avancent de grands hérons bleu et blanc et même de grands flamants. Ces oiseaux ont un bec en forme de cuiller, ce qui n'est pas très gracieux et de longues pattes dégingandées. Mais leur plumage a la superbe couleur du coucher du soleil et quand une harde entière s'envole, on dirait que le vent s'est matérialisé dans leurs ailes roses.

La plus grande partie de la population du Michoacán réside dans le chapelet de villages qui entoure le lac de Patzcuaro, ou encore dans des hameaux perchés sur une multitude de petites îles. La communauté vit principalement des poissons et des oiseaux du lac, mais l'uandakuari a obligé chaque village à fabriquer un produit local particulier. Ici, on façonne des ustensiles en cuivre martelé, là on tisse, ailleurs on tresse des joncs pour en faire des nattes ou encore, on réalise des objets en laque, et bien d'autres choses encore. C'est dans le village de Patzcuaro que se tenait le marché où l'on venait échanger toutes ces productions. Jaracuaro, une île au milieu du lac, foisonnante de temples et d'autels, servait de lieu de rassemblement culturel aux habitants de tous les autres villages. Tzintzuntzani, le Lieu des Colibris, était la capitale et le centre de tout. La ville était uniquement constituée de palais habités par les nobles, les courtisans, les prêtres, les serviteurs, etc.

Quand nous arrivâmes aux abords de Tzintzuntzani, nous vîmes une vieille yakata — c'est le mot poré qui veut dire pyramide — qui se dressait sur les hauteurs à l'est des palais. Bâtie en des temps ancestraux, pas très haute, mais incroyablement allongée, cette yakata, curieux mélange de formes rondes et carrées, présentait encore un amoncellement de pierres impressionnant, bien qu'elle eût perdu depuis longtemps son enduit de plâtre et ses peintures et qu'elle fût ruinée et envahie par la végétation.

On pourrait penser que les palais de Tzintzuntzani, entièrement construits en bois, étaient moins imposants que les édifices de pierre de Tenochtitlán ; pourtant ils avaient une majesté particulière. Sous l'avancée des toits pointus aux coins recourbés, il y avait toujours deux étages et un balcon extérieur faisait le tour du niveau supérieur. Les massifs troncs de cèdre qui soutenaient ces maisons, les colonnes, les rampes et les poutres qui apparaissaient sous le toit, étaient tous délicatement sculptés, ajourés et souvent enduits de riches laques. Cependant, la demeure de l'uandakuari les faisait presque paraître misérables.

Des messagers avaient tenu Yquingare au courant de notre progression, et les nobles étaient venus en foule nous accueillir. Auparavant, nous étions passés par le lac nous laver et revêtir notre plus belle parure. C'est donc le teint frais et la tête haute que nous fîmes notre arrivée dans l'avant-cour du palais, un jardin enclos et ombragé par de grands arbres. Je donnai l'ordre de déposer les chaises et je renvoyai les gardes et les porteurs qui furent conduits dans le quartier affecté aux domestiques. Seuls, Zyanya, les jumelles et moi traversâmes le jardin jusqu'à l'énorme masse du palais lui-même. Dans la confusion créée par la foule venue nous accueillir, l'étrange façon de marcher des deux filles passa inaperçue.

Dans un ronronnement de paroles de bienvenue que je ne compris pas toutes, on nous fit franchir les grandes portes de cèdre du palais qui menaient sur une terrasse également parquetée de cèdre, puis nous passâmes par une autre porte pour arriver dans la salle d'audience de l'uandakuari. C'était une pièce immense. De chaque côté, un escalier menait à un balcon intérieur sur lequel donnaient les pièces de l'étage supérieur. L'uandakuari était assis sur une simple chaise basse, mais le long chemin qu'il fallait parcourir pour arriver à lui était manifestement prévu pour mettre le visiteur en position d'infériorité.

La salle était bourrée d'hommes et de femmes élégamment vêtus qui se pressaient sur les côtés pour nous laisser passer. Lentement, nous avançâmes vers le trône et, grâce à ma topaze, je pus bien voir l'uandakuari. Je ne l'avais aperçu qu'une fois auparavant, à l'occasion de la consécration de la grande pyramide, en un temps où je voyais mal. Il était déjà vieux alors et depuis, il n'avait pas rajeuni. C'était un petit bonhomme tout ratatiné et peut-être était-ce sa calvitie qui avait inspiré la mode du pays, car il n'avait pas besoin de recourir aux services d'un rasoir d'obsidienne. Il n'avait pas plus de dents que de cheveux et presque pas de voix. Bien que je fusse content de me débarrasser enfin de mon encombrant présent, j'éprouvais un certain remords à remettre ces malheureuses dans les mains crochues de cette vieille souche racornie. Je lui donnai la lettre d'Ahuizotl et il la tendit à son tour à son fils aîné en lui ordonnant aigrement de la lire à haute voix. Je m'étais toujours représenté les princes comme des jeunes gens, mais celui-ci qui s'appelait Tzimtzicha, aurait eu les cheveux gris s'il les avait laissés pousser. Pourtant, son père lui sifflait des ordres comme s'il ne portait pas encore de pagne sous son manteau.

« Quoi ? Un présent ? » coassa le vieillard quand son fils eut terminé de lire la lettre en poré. Il fixa son regard larmoyant sur Zyanya qui était à côté de moi et dit en faisant claquer sa langue : « Ah oui, ça pourrait faire une nouveauté. Qu'on lui rase tout, sauf sa mèche blanche. »

Epouvantée, Zyanya recula d'un pas et je me hâtai de

préciser : « Voici le cadeau, Seigneur Yquingare ». Je poussai les jumelles devant le trône et je déchirai leur robe pourpre. La foule assemblée poussa un « Oh ! » de stupéfaction en me voyant mettre en pièces une étoffe aussi précieuse, puis on entendit un autre cri au moment où le vêtement tomba à terre, dévoilant complètement les deux filles.

« Par les couilles de plume de Kurikauri ! » souffla le vieillard en utilisant le nom poré de Quetzalcoatl. Il continua à parler, mais son murmure se perdit dans les exclamations de surprise des courtisans et je vis seulement la salive qui lui coulait sur le menton. C'était un succès incontestable.

Toutes les personnes présentes, y compris les vieilles épouses d'Yquingare encore en vie et ses courtisanes eurent le droit de venir examiner de près le couple-femme. Une fois que chacun eut satisfait sa curiosité malsaine, l'uandakuari donna en se raclant la gorge un ordre qui eut pour effet immédiat de vider la salle du trône, et nous restâmes seuls avec lui, le prince héritier et quelques gardes à l'allure patibulaire.

« Qu'on apporte à manger, maintenant ! dit-il en se frottant les mains. Il faut que je fasse bonne impression, hein ? »

Le prince fit passer la consigne à un garde et un instant plus tard, des serviteurs vinrent disposer une nappe devant nous et nous nous assîmes tous les six après avoir revêtu les jumelles de leur robe déchirée. Je crus comprendre que le prince héritier n'était généralement pas admis à manger en même temps que son père, mais il parlait nahuatl couramment et nous servit d'interprète quand le vieillard et moi n'arrivions pas à nous comprendre. Pendant ce temps, Zyanya faisait manger les jumelles à la cuiller, car elles avaient tendance à tout prendre avec les doigts, ce qui dégoûtait les personnes présentes.

Il faut dire qu'en ce domaine, le vieux monarque n'avait rien à leur envier. Après qu'on nous eut apporté un plat de ce délicieux poisson blanc qu'on ne trouve que dans le lac Patzcuaro, il nous déclara avec son sourire édenté : « Mangez, profitez-en. Moi je ne peux avaler que du lait.

— Du lait ? s'enquit poliment Zyanya. Du lait de biche, Seigneur ? »

Mais ses sourcils ailés se haussèrent encore davantage quand une énorme femme au crâne rasé entra et vint s'agenouiller devant l'uandakuari. Elle releva son corsage et lui présenta un sein plantureux. Pendant tout le repas, Yquingare suça les deux tétons l'un après l'autre et fort bruyamment, ne s'arrêtant que pour demander des renseignements sur l'origine et l'acquisition des jumelles.

Zyanya s'efforçait de ne pas regarder dans sa direction, de même que le prince héritier et je les vis repousser la nourriture dans leur assiette en laque. Les jumelles, comme toujours, mangeaient de grand appétit et moi aussi, parce qu'un détail me faisait oublier la vulgarité d'Yquingare.

J'avais remarqué que les gardes avaient des lances dont la teinte cuivrée était d'une nuance étrangement foncée ; je m'aperçus ensuite que l'uandakuari et son fils portaient des petits poignards du même métal accrochés à la taille par une lanière. Le vieillard m'adressait des propos incohérents et confus et je me doutais qu'il allait finir par me demander si je pouvais lui trouver le même genre de couple, mais du sexe masculin. Soudain, Zyanya, comme si elle ne pouvait en supporter davantage, l'interrompit en disant : « Quel breuvage délicieux ! » Le prince héritier parut ravi de cette diversion et se pencha vers elle pour lui dire que c'était du chápari, une boisson tirée du miel, très alcoolisée et qu'elle ferait mieux de ne pas trop en boire pour la première fois.

« C'est extraordinaire ! s'exclama-t-elle en vidant sa coupe de bois laqué. Si le miel est si enivrant, comment se fait-il que les abeilles ne soient pas tout le temps soûles ? » Elle hoqueta, puis se mit à réfléchir, au sujet des abeilles, sans doute, car lorsque Yquingare voulut reprendre son enquête embarrassée, elle le coupa à nouveau d'une voix forte : « Elles le sont peut-être, qui sait ? » Sur ce, elle se versa une autre coupe, ainsi qu'à moi, en en renversant un peu de côté. Le vieux poussa un soupir, téta une dernière fois le sein barbouillé et d'un claquement de doigt, fit signe que ce pénible repas était terminé. Aussi, nous bûmes à la hâte notre dernière coupe de chápari.

« Allons-y, bredouilla l'uandakuari.

— Un instant, Seigneur, lui dis-je. Il faut que je donne des instructions au couple-femme.

— Des instructions ? demanda-t-il d'un air soupçonneux.

— Pour qu'elles soient obéissantes, précisai-je, minaudant comme une entremetteuse. Comme elles sont vierges, elles risquent d'être un peu farouches.

— Ah ? » Sa figure s'épanouit. « Et elles sont vierges, en plus ? C'est bien, dites-leur d'être obéissantes. »

Zyanya et Tzimtzicha me jetèrent un regard méprisant tandis que je prenais les deux filles à part pour leur donner mes instructions, des instructions que je venais d'imaginer. Ce ne fut pas facile, parce qu'il fallait que je parle vite dans leur langue et qu'elles étaient particulièrement lentes. Toutefois, elles secouèrent la tête avec l'air d'avoir vaguement compris et c'est avec un sentiment de fatalisme que je les poussai vers l'uandakuari.

Sans protester, elles montèrent l'escalier avec lui, comme un crabe qui soutiendrait un crapaud. Avant d'arriver sur le balcon, le crapaud se retourna et cria quelque chose à son fils d'une voix si enrouée que je ne compris pas un seul mot. Tzimtzicha fit à son père un signe de tête soumis et nous demanda si nous voulions nous retirer. Pour toute réponse, Zyanya hoqueta et j'acceptai l'offre. La journée avait été longue. Nous suivîmes le prince héritier dans l'escalier qui partait de l'autre côté de la salle du trône.

Et voici comment, à Tzintzuntzani, pour la première fois dans notre vie commune, Zyanya et moi avons eu des hôtes dans notre lit. Mais n'oubliez pas, mes révérends, que nous étions tous les deux un peu échauffés par l'enivrant chápari. Je vais tâcher de vous expliquer tout ceci.

Avant de partir, j'avais parlé à Zyanya de l'imagination et même de la perversion dont faisaient preuve les Purépecha dans leurs voluptueuses pratiques sexuelles et nous avions décidé de ne manifester ni surprise, ni dégoût quel que soit le genre d'hospitalité qu'on nous offrirait, mais simplement de la refuser le plus courtoisement possible. Mais, ce soir-là, le temps de réaliser ce qui se passait, c'était déjà trop tard et ensuite, nous fûmes bien obligés de reconnaître que c'était délicieux.

Tout en nous guidant, Tzimtzicha se tourna vers moi et me demanda en imitant le sourire de maquerelle que j'avais moi-même eu quelques instants avant, si le chevalier et sa dame souhaitaient des chambres séparées ou des lits séparés.

« Certainement pas », répliquai-je froidement, avant qu'il ne me propose des partenaires différents ou autre chose d'aussi choquant.

« Une chambre conjugale, alors. Mais parfois, Seigneur, ajouta-t-il d'un air très naturel, il arrive aux couples les plus aimants d'être un peu fatigués. La cour de Tzintzuntzani serait déshonorée si ses hôtes se sentaient, hum, trop las, pour profiter l'un de l'autre, même pour une seule nuit. Aussi nous avons des services qu'on appelle atánatanárani qui augmentent les dispositions des hommes et la réceptivité des femmes, à un degré tel que ni l'un, ni l'autre ne l'ont peut-être jamais connu. »

Ce mot, atánatanárani, pour autant que je sois arrivé à l'analyser, veut simplement dire « se grouper ». Avant que j'aie pu lui demander en quoi le fait de se grouper pouvait avoir un effet quelconque, il nous avait montré notre chambre et s'était retiré en fermant derrière lui la porte laquée. Nous nous trouvions dans une pièce éclairée par une lampe, avec le lit le plus profond et le plus moelleux que j'aie jamais vu. Deux esclaves, un homme et une femme, nous attendaient. Je leur jetai un regard inquiet, mais ils nous demandèrent simplement si nous voulions prendre un bain. Le domestique m'aida à me laver, puis me frotta énergiquement avec une pierre ponce dans l'étuve, mais rien de plus. J'en conclus que les esclaves, le bain, l'étuve, tout cela constituait ce que le prince entendait par ces « services qu'on appelle atánatanárani ». Ce n'était donc qu'un agrément de gens civilisés sans rien d'obscène. Je me sentais rafraîchi, revigoré et tout à fait « disposé » comme l'avait dit le prince à « profiter » de ma femme.

Les deux esclaves se retirèrent en s'inclinant et nous nous retrouvâmes tous les deux dans la chambre qui était maintenant plongée dans l'obscurité. On avait tiré les tentures des fenêtres et éteint les lampes à huile. Il nous fallut un moment pour nous rejoindre dans cette grande chambre et encore un peu de temps pour trouver l'immense lit. La nuit était tiède et seule la courte-pointe supérieure était retournée. Nous nous glissâmes dessous, côte à côte, sur le dos pour goûter pleinement la nuageuse douceur où nous étions plongés.

« Tu sais, Zaa, murmura Zyanya, je me sens aussi grise qu'une abeille. » Soudain, elle sursauta. « *Ayyo!* tu es bien pressé ! je ne m'y attendais pas. » Au même moment, j'avais failli pousser la même exclamation. J'allongeai le bras et j'atteignis une petite main qui me touchait. *Sa* main, pensai-je, et je m'écriai, stupéfait : « Zyanya » juste quand elle disait : « Zaa, on dirait... c'est un enfant qui s'amuse avec... avec moi.

— J'en ai un, moi aussi, répliquai-je, n'osant plus bouger. Ils nous attendaient là-dessous. Qu'est-ce qu'on fait ? »

Je m'attendais à ce qu'elle me réponde : « Frappe ! Crie ! » ou bien qu'elle le fasse elle-même, mais elle sursauta à nouveau et avec un gloussement d'abeille éméchée, elle répéta ma question : « Qu'est-ce qu'on fait ? Que fait le tien ? »

Je le lui dis.

« Le mien aussi.

— Ce n'est pas désagréable.

— En définitive, non.

— Ils doivent être dressés pour ça.

— Pas pour leur plaisir, en tout cas. Le mien est bien trop jeune.

— Non, c'est pour augmenter notre plaisir, comme a dit le prince.

— Si on les renvoie, ils risquent d'être punis. »

Ce dialogue peut vous paraître froid et raisonné, mais il ne l'était pas. Nos voix étaient altérées et nos paroles entrecoupées de mouvements et de soupirs involontaires.

« Tu as une fille ou un garçon ? Je n'arrive pas à le savoir.

— Moi non plus. Quelle importance ?

— Sa tête est lisse, mais j'ai l'impression que son visage est beau. Il a de très longs cils. Ah, oui... avec ses cils...

— Ils sont vraiment bien dressés.

— Oh, oui. Je me demande s'ils sont juste dressés pour...

— On va les échanger pour voir. »

Les enfants n'eurent pas d'objection à changer de place et leur numéro continua à être aussi parfait. Il me sembla que la bouche du nouveau était un peu plus chaude et plus humide d'avoir...

En bref, pour ne pas vous ennuyer plus longtemps, je vous dirai que bientôt Zyanya et moi, nous commençâmes à nous embrasser passionnément, à nous griffer, à nous étreindre, pendant que les enfants s'affairaient en bas. Puis, lorsque je n'en pus plus, nous nous unîmes comme des jaguars qui s'accouplent et les enfants, obligés de s'écarter, se pressèrent sur nous, jouant de leur petite langue et de leurs petits doigts.

Ce jeu se reproduisit une multitude de fois. Chaque fois que nous voulions nous arrêter pour nous reposer un peu, les enfants revenaient se blottir contre nous, puis ils reprenaient leurs agaceries et leurs caresses. Ils allaient d'elle à moi, séparément ou ensemble. La partie ne se termina que lorsque nous fûmes complètement épuisés et que nous sombrâmes dans le sommeil. Jamais, nous ne sûmes ni l'âge, ni le sexe de nos petits complices. Lorsque je me réveillai, de très bonne heure, ils étaient partis.

C'est un grattement à la porte qui m'avait tiré de mon sommeil. A demi conscient, je me levai pour aller ouvrir. Je ne vis rien d'autre que l'aube à peine naissante et le trou sombre de la salle du trône. Soudain, je sentis qu'on me grattait la jambe et je découvris les jumelles aussi nues que moi. Elles étaient à quatre pattes, ou plutôt à huit, ce qui accentuait leur ressemblance avec un crabe ; elles me regardaient l'entrecuisse en souriant lascivement.

« Heureuse chose, dit Gauche. .

— L'autre aussi », ajouta Droite, en agitant sa tête pointue en direction de ce que je supposai être la chambre de Yquingare.

« Qu'est-ce que vous faites là ? » chuchotai-je, le plus farouchement que je pus.

Elles levèrent une de leurs huit extrémités et me mirent dans la main le poignard de l'uandakuari. J'entrevis le métal sombre, plus sombre encore dans la pénombre ; je passai mon pouce sur le fil de la lame ; elle était dure et tranchante.

« Vous y êtes arrivées », leur dis-je, sentant une vague de gratitude et presque d'affection monter en moi, à l'égard du monstre accroupi à mes pieds.

« Facile, remarqua Droite.

— Il avait mis ses habits à côté du lit, précisa Gauche.

— Il m'a rentré ça, dit Droite en tapotant mon tepuli, ce qui me fit sursauter.

— Heureuse.

— Je m'ennuyais, se plaignit Gauche. Rien à faire. Seulement être balancée. J'ai tâté les habits, trouvé le couteau.

— Elle prend le couteau, pendant que je suis heureuse, dit Droite. Elle prend le couteau pendant que...

— Et maintenant ? coupai-je.

— Il ronfle. On apporte le couteau. Maintenant, on va le réveiller. Etre encore heureuse. »

Sans même attendre que je les remercie, les jumelles détalèrent en crabe le long de la balustrade obscure et je

697

rentrai dans ma chambre pour attendre le lever du soleil.

Les courtisans de Tzintzuntzani ne semblaient pas être des lève-tôt. Seul le prince héritier vint prendre une collation avec nous. Je lui annonçai que nous allions partir. Puisque apparemment, son père était satisfait de notre cadeau, nous ne voulions pas nous éterniser et l'obliger à interrompre ses plaisirs pour s'occuper de ses hôtes.

« Puisque vous voulez partir, me dit affablement le prince, nous ne vous retiendrons pas. Il n'y aura qu'une petite formalité. Nous allons vous fouiller, vous-mêmes, vos gardes et vos esclaves et toutes vos affaires. Ne le prenez pas comme une offense, je vous en prie. Je dois moi-même m'y soumettre à chaque fois que je pars en voyage. »

Je haussai les épaules avec autant de détachement que l'on peut en avoir quand une troupe de soldats en armes se referme sur vous. Ils nous palpèrent, Zyanya et moi, puis nous demandèrent d'ôter nos sandales. Dans la cour, ils inspectèrent tous nos hommes. Ils déballèrent nos paquets et tâtèrent même les coussins des chaises à porteurs. D'autres personnes étaient levées maintenant, des enfants du palais pour la plupart, et ils assistaient au déroulement des opérations avec des yeux brillants et malins. Je me tournai vers Zyanya ; elle regardait les enfants avec attention, essayant de deviner lesquels... Elle me surprit en train de sourire et se mit à rougir encore plus que la petite lame de métal — j'en avais ôté le manche — que j'avais cachée sur ma nuque, sous mes cheveux.

Les soldats dirent à Tzimtzicha que nous n'emportions rien que nous n'ayons amené avec nous. Sa vigilance se transforma aussitôt en amabilité et il nous dit : « Alors, il faut que vous emportiez *quelque chose,* pour en faire présent à votre Uey tlatoani. » Il me remit un petit sac de cuir qui contenait, je le vis par la suite, de nombreuses perles fines de la plus belle qualité. « Et aussi, ajouta-t-il, quelque chose d'encore plus rare, qui rentrera parfaitement dans votre grande litière. Je ne sais comment mon père va pouvoir s'en passer, c'est ce qu'il possède de plus précieux ; mais c'est lui-même qui l'a ordonné. »

Sur ce, il nous montra l'énorme femme chauve à la poitrine débordante qui avait servi de nourrice au vieillard pendant le dîner de la veille. Elle était deux fois plus lourde que les jumelles et les porteurs ne cessèrent de la maudire tout au long du voyage. Environ chaque longue course, il fallait que la caravane s'arrête et attende pendant qu'elle se trayait elle-même de ses propres mains pour se soulager. Zyanya ne cessa de rire ; elle rit même lorsque je présentai le cadeau à Ahuizotl et qu'il ordonna de me faire exécuter sur-le-champ. Je me hâtai alors de lui révéler le pouvoir que le lait de cette femme avait sur le vieux Yquingare ; Ahuizotl réfléchit un moment et annula mon exécution et Zyanya se remit à rire de plus belle, si bien que l'Orateur Vénéré et moi nous joignîmes à cette gaieté.

Si Ahuizotl a pu tirer un parti quelconque de cette femme, elle aura été une acquisition plus intéressante que le poignard. Les métallurgistes mexica l'étudièrent attentivement, le grattèrent en profondeur, prélevèrent des limailles et déclarèrent que le métal était un mélange de cuivre et d'étain fondu. Mais ils eurent beau faire de nombreux essais, ils ne trouvèrent jamais les bonnes proportions ou la température convenable et le mystère resta entier.

Cependant, comme il n'y avait pas d'étain dans nos régions, à part les petites hachettes que nous utilisions comme monnaie et que celles-ci arrivaient par les routes marchandes d'un pays inconnu situé loin vers le sud, en passant de main en main, Ahuizotl donna l'ordre qu'elles soient toutes confisquées sans délai. Par conséquent, l'étain disparut complètement de la circulation comme monnaie d'échange et je suppose qu'Ahuizotl les stocka dans un endroit bien gardé.

Dans un sens, c'était une mesure égoïste : puisque les Mexica n'avaient pu découvrir le secret de ce métal, personne d'autre ne pourrait en avoir. Les Purépecha possédaient déjà suffisamment de ces armes pour que les Mexica ne se risquent pas à les attaquer ; mais comme ils n'avaient plus d'étain, ils ne pouvaient en fabriquer davantage et se sentir assez forts pour nous déclarer la guerre. Je peux donc prétendre, à juste raison, que ma mission au Michoacán n'a pas été un échec total.

Zyanya et moi étions mariés depuis sept ans et nos amis nous considéraient comme un vieux couple. Nous étions heureux ensemble et nous ne souhaitions rien d'autre. Mais les dieux en avaient décidé autrement et voici comment Zyanya me le fit savoir.

Un jour, nous étions allés rendre visite au palais à la Première Dame. En sortant, nous aperçûmes le gros mammifère que nous avions rapporté de Tzintzuntzani. Je savais qu'Ahuizotl l'employait simplement comme domestique, mais je fis une plaisanterie sur sa « nourrice » pour faire rire Zyanya. Mais, contrairement à ce que j'attendais, elle répliqua vertement :

« Ce n'est pas bien de parler vulgairement de ça, du lait maternel et des mères.

— Je ne pensais pas que tu le prendrais mal... »

Elle n'osait pas me répondre et me déclara timidement : « Vers la fin de l'année, moi aussi… j'aurai du lait. »

J'écarquillai les yeux et mis un moment à réaliser. Avant même que j'aie pu dire quelque chose, elle ajouta : « Je m'en doutais depuis un moment et le médecin me l'a confirmé il y a deux jours. Je voulais te l'annoncer en douceur et voilà… » Elle renifla tristement. « Je te l'ai jeté en pleine figure. Zaa, où vas-tu ? *Ne me laisse pas.* »

Je venais en effet de partir au pas de course, mais c'était simplement pour aller chercher une chaise à porteurs afin qu'elle ne rentre pas à pied à la maison. Elle se mit à rire. « C'est ridicule ! » Et lorsque j'insistai pour la faire monter dans la litière, elle me dit : « Mais, Zaa, on dirait que tu es content.

— Content ! m'exclamai-je. Et comment ! »

Quand nous arrivâmes à la maison, Turquoise s'inquiéta de me voir aider Zyanya à monter le petit escalier. Mais je lui criai aussitôt : « On va avoir un enfant ! » Elle poussa une exclamation de joie et Chatouilleuse, entendant ce vacarme, arriva en courant ; je leur ordonnai : « Chatouilleuse, Turquoise, allez tout de suite nettoyer à fond la chambre d'enfant. Préparez tout ce qu'il faut. Achetez ce qui manque, un berceau, des fleurs, mettez des fleurs partout !

— Zaa, calme-toi, me dit Zyanya, mi-amusée, mi-gênée. On a plusieurs mois devant nous. »

Cependant, les deux esclaves se préparaient déjà à exécuter mes ordres et montaient les escaliers, toutes joyeuses. Malgré ses protestations, je l'obligeai à se reposer pour se remettre de la fatigue de notre visite au palais. Moi-même, je fêtai l'événement en buvant un verre d'octli et en fumant un poquietl, puis je contemplai le soleil couchant, rempli de joie.

Mais, peu à peu, mon exaltation fit place à la

réflexion et je compris pourquoi Zyanya avait hésité à m'annoncer cette nouvelle. Elle m'avait dit que la naissance se produirait vers la fin de l'année. En comptant sur mes doigts, j'en déduisis que l'enfant avait été conçu pendant cette fameuse nuit, au palais d'Yquingare et cette pensée me fit rire, car je pensais que Zyanya en était un peu dépitée. Pour ma part, je trouvais qu'il était préférable de concevoir un enfant dans le plaisir, plutôt que dans une soumission fataliste au devoir, au conformisme et à l'inévitable, comme c'était le cas le plus souvent.

L'idée qui me vint ensuite me parut moins plaisante. L'enfant risquait d'être handicapé, dès la naissance, au cas où il hériterait de ma mauvaise vue. Lui, au moins, n'aurait pas à tâtonner et à trébucher comme je l'avais fait pendant des années avant de découvrir le cristal magique. Je me l'imaginais incapable de se déplacer sans cela et affublé du surnom cruel d'Oeil Jaune par ses camarades...

Si c'était une fille, ce défaut serait moins gênant. L'apparence de ma fille compterait davantage que sa vision. Mais, quelle pensée angoissante ! Si elle allait hériter à la fois de mes yeux et de mon aspect. Un garçon pourrait être fier d'avoir une tête haute, mais une fille en serait navrée et sa seule vue me révolterait. J'imaginais alors que notre fille allait ressembler à l'énorme nourrice.

Un autre souci vint m'assaillir. Les jours précédant la conception de l'enfant, Zyanya avait été en rapport avec les monstrueuses jumelles. Il était notoire que beaucoup d'enfants naissaient contrefaits et anormaux quand leur mère avait été en contact avec des choses repoussantes. Pis encore, Zyanya avait parlé de « la fin de l'année », le moment des cinq nemontemi. C'était un mauvais présage pour un enfant de naître pendant ces cinq jours néfastes et sans vie au point que certains parents laissaient l'enfant mourir de faim ; bien plus, on les y encourageait. Je n'étais pas superstitieux à ce point, mais tout de même, quel fardeau, quel monstre allait être cet enfant ?

« Je serai une misérable loque avant peu de temps, déclarai-je à Zyanya le lendemain matin. Je me demande si tous les pères connaissent les mêmes affres que moi.

— Sûrement pas autant que les mères, me répondit-elle en souriant. La différence, c'est qu'une mère sait qu'elle ne peut rien faire d'autre que d'attendre.

— Je ne vois pas non plus ce que je pourrais faire d'autre, soupirai-je. Il ne me reste qu'à m'occuper de toi et à veiller à ce qu'il ne t'arrive rien.

— Si tu fais ça, je suis perdue ! s'écria-t-elle avec un accent de grande sincérité. Je t'en prie, trouve autre chose pour te distraire. »

Piqué et vexé par ce refus, je partis en boudant pour aller prendre mon bain. Lorsque je redescendis, un visiteur se présenta qui vint me changer les idées. C'était Cozcatl.

« *Ayyo.* Tu es déjà au courant ? m'exclamai-je. C'est gentil d'être venu si vite. »

Il sembla intrigué par mes paroles. « Au courant de quoi ? me demanda-t-il. En fait, je suis venu pour... »

Je l'interrompis : « Mais, que nous allons avoir un enfant. »

Il pâlit, puis me dit : « Je suis content pour vous, Mixtli et aussi pour Zyanya. Je vais prier les dieux pour qu'ils vous donnent un bel enfant. » Puis, il se mit à bredouiller : « J'ai été troublé à cause de cette coïncidence ; parce que moi, je viens vous demander la permission de me marier.

— Te marier ? Ta nouvelle est aussi extraordinaire que la mienne. Quand je pense que le petit Cozcatl a l'âge de se marier. Je ne me rends pas compte que les années passent. Mais, pourquoi me parles-tu de permission ?

— La fille que je veux épouser n'est pas libre de se marier. C'est une esclave.

— Ah bon ! » Je ne comprenais toujours pas. « Tu as certainement les moyens d'acheter sa liberté.

— Bien sûr, mais est-ce que vous me la vendrez ? Je veux épouser Quequelmíqui et elle aussi.

— Quoi ?

— C'est grâce à vous que je l'ai connue et je dois avouer que si je viens si souvent vous rendre visite, c'est pour avoir l'occasion d'être un peu avec elle. C'est principalement dans votre cuisine que j'ai fait ma cour. »

J'étais stupéfait. « Chatouilleuse, notre petite servante. Mais ce n'est qu'une adolescente !

— Elle l'était quand vous l'avez achetée, me rappela gentiment Cozcatl. Mais les années ont passé. »

C'est pourtant vrai, pensai-je. Chatouilleuse n'avait qu'un an ou deux de moins que Cozcatl qui devait avoir maintenant... voyons... vingt-deux ans.

Magnanime, je lui déclarai : « Tu as ma permission et mes félicitations. Mais tu ne l'achèteras pas. Elle sera notre premier cadeau de mariage. Non, non, ne proteste pas. J'y tiens. Si tu ne l'avais pas éduquée, elle ne serait pas digne d'être ta femme. Je me souviens du jour où elle est arrivée ici. Elle riait bêtement tout le temps.

— Je vous remercie, Mixtli et elle aussi. Mais je voulais vous demander autre chose. — Il semblait nerveux. — Je lui ai parlé de moi et de ma blessure. Elle sait que jamais nous n'aurons d'enfant comme Zyanya et vous. »

C'est alors que je réalisai combien ma soudaine

déclaration avait dû rabattre sa joie. Mais avant que j'aie pu m'excuser, il poursuivit : « Quequelmíqui m'a juré qu'elle m'aimait et qu'elle m'acceptait comme je suis. Mais je ne sais pas si elle se rend bien compte de l'étendue de mon infirmité. Nos caresses dans la cuisine n'ont pas été jusqu'à... »

Il ne savait comment s'en sortir et je voulus l'aider. « Tu veux dire que vous n'avez pas encore...

— Elle ne m'a jamais vu déshabillé, lâcha-t-il. Elle est vierge et ignorante de ce qui se passe entre un homme et une femme.

— Ce sera le rôle de Zyanya de lui parler ouvertement, puisqu'elle est sa maîtresse. Je suis certain qu'elle l'éclairera sur les aspects les plus intimes du mariage.

— Ce serait très gentil. Mais ensuite, pourriez-vous lui parler, vous aussi, Mixtli ? Vous me connaissez depuis longtemps... et mieux que Zyanya. Vous saurez lui dire plus précisément quelles sont mes limites en tant qu'époux. Est-ce que vous voulez bien vous en charger ?

— Je ferai de mon mieux, lui répondis-je. Mais je te préviens, une jeune fille innocente est déjà assez émue quand elle se marie avec un homme qui possède tous les attributs ordinaires ; quand je vais lui dire carrément ce qu'elle pourra attendre de cette union et ce qu'elle n'aura pas, je risque de l'effrayer encore davantage.

— Elle m'aime, répéta Cozcatl. Elle m'a donné sa parole et je suis sûr d'elle.

— Alors, tu es un homme unique, dis-je moqueur. Moi, je ne sais qu'une chose : qu'une femme pense au mariage en termes de fleurs, de chants d'oiseaux et de battements d'ailes. Quand je vais lui parler d'organes et de tissus, au mieux, elle sera déçue et au pire, elle risque de ne jamais vouloir se marier, ni avec toi, ni avec personne d'autre. Et alors, tu m'en voudras.

— Mais non. Quequelmíqui ne mérite pas une telle

surprise pour sa nuit de noces. Si elle ne veut pas de moi, il vaut mieux que je le sache tout de suite. Ça me tuera bien sûr. Si Quequelmíqui me repousse, elle si douce et si aimante, je sais qu'aucune autre femme ne m'acceptera. Je m'engagerai dans une armée et j'irai mourir à la guerre. Mais quoi qu'il arrive, Mixtli, je ne vous en voudrai pas. C'est un service que je vous demande. »

Quand il fut parti, je mis Zyanya au courant de tout ce qu'il m'avait dit. Elle fit venir Chatouilleuse qui arriva rougissante, tremblante et tortillant le bord de son corsage. Nous l'embrassâmes et la félicitâmes d'avoir su retenir l'attention d'un jeune homme aussi accompli que Cozcatl. Puis, Zyanya la prit maternellement par la taille et monta avec elle pendant que j'allais chercher des couleurs et du papier. Quand j'eus préparé la lettre d'affranchissement, je me mis à fumer nerveusement en attendant que Chatouilleuse redescende.

Tout à l'heure, elle était rougissante, mais maintenant, c'était un vrai brasero et elle tremblait encore davantage. L'agitation la faisait paraître plus jolie qu'à l'accoutumée. C'était la première fois que je remarquais sa beauté. On ne fait jamais très attention aux choses familières de sa maison, jusqu'au jour où un étranger vous en fait compliment. Je lui tendis la lettre et elle me demanda : « Qu'est-ce que c'est, maître ?

— C'est un document qui dit que jamais plus tu n'appelleras quelqu'un : maître. Essaye de me considérer comme un ami. Cozcatl m'a chargé de t'expliquer certaines choses. »

Je me jetai alors à l'eau, sans beaucoup de délicatesse, je le crains. « La plupart des hommes, Quequelmíqui, ont une chose qu'on appelle tepuli. »

Elle m'interrompit sans lever la tête. « Je sais, Seigneur, j'ai des frères. Ma maîtresse m'a dit que les hommes le mettent dans les femmes... là. » Elle montra timidement son ventre. « Du moins, quand ils en ont un. Cozcalt m'a raconté comment il avait perdu le sien.

— Et par la même occasion, il a perdu toute faculté de faire de toi une mère. Il est aussi privé de certains des plaisirs du mariage ; mais il n'a pas perdu le désir de te faire jouir de ces plaisirs et la possibilité de te les offrir. Il n'a pas de tepuli pour s'unir à toi, mais il existe d'autres moyens d'aimer. »

Je me détournai légèrement pour nous épargner à tous deux la gêne de la voir rougir et je pris le ton plat et ennuyé d'un maître d'école. Mais lorsque je commençai à m'étendre sur les nombreuses stimulations qu'on peut exercer sur les seins et le tipili des femmes, en particulier sur le xacapili si sensible, avec les mains, la langue, les lèvres et même les cils, je ne pus m'empêcher de penser à tous les raffinements dont j'avais usé dans le passé et dans le présent et ma voix s'altéra légèrement. Aussi, je conlus rapidement :

« Toutes ces choses peuvent être aussi agréables que l'acte ordinaire. Beaucoup de femmes préfèrent ça à être simplement empalées. Il y en a même qui le font avec d'autres femmes, sans s'occuper de l'absence d'un tepuli.

— Il me semble... », murmura Quequelmiqui, d'une voix si vacillante que je me retournai pour la regarder. Son corps était tendu et elle avait les yeux et les poings fermés. « On dirait... » Elle se secoua. « Mer-veil-leux... ! » Elle n'en finissait pas de prononcer ce mot, comme si on le lui arrachait. Il fallut un moment avant que ses poings se desserrent et que ses yeux s'ouvrent. « Merci de... de m'avoir dit ces choses. »

Je me souvins comme il lui arrivait de rire pour un rien. Etait-il possible qu'elle fût aussi excitable dans un autre domaine, sans même qu'on la touche ou qu'on la déshabille ?

« Je n'ai plus le droit de te donner des ordres, lui dis-je. Tu peux refuser, néanmoins, j'aimerais bien que tu me montres ta poitrine. »

Elle me regarda avec de grands yeux innocents et hésita un peu avant de remonter son corsage. Ses seins étaient petits et d'une jolie forme ; les bouts s'épanouissaient sous mon seul regard et les aréoles étaient larges et sombres, presque trop grandes pour la bouche d'un homme. En soupirant, je lui dis qu'elle pouvait s'en aller. Tout en espérant que je me trompais, je craignais que Quequelmíqui ne se satisfasse pas toujours de ce que lui apporterait Cozcatl qui risquait d'être un mari fort malheureux.

Je montai et trouvai Zyanya sur le seuil de la chambre d'enfant, réfléchissant, sans doute, aux améliorations qu'elle pourrait y apporter. Je ne lui parlai pas des inquiétudes que me causait le mariage de Cozcatl et je remarquai simplement : « Quand Chatouilleuse sera partie, il va vous manquer une servante. Turquoise ne peut pas s'occuper à la fois de la maison et de toi. Cozcatl a choisi un bien mauvais moment pour se déclarer. Quelle malchance pour nous !

— Malchance ! s'exclama gaiement Zyanya. Tu as dit un jour que si j'avais besoin d'aide, on pourrait peut-être convaincre Béu de venir chez nous. Le départ de Chatouilleuse est un bien petit malheur, dieu merci, mais ça nous fait un prétexte. On va avoir besoin d'une autre femme dans la maison. Oh, Zaa, demandons-lui !

— C'est une bonne idée », lui répondis-je. Je n'étais pas très enthousiaste à l'idée de recevoir l'acariâtre Béu, surtout en de telles circonstances, mais j'aurais fait n'importe quoi pour faire plaisir à Zyanya. « Je vais lui envoyer une invitation tellement suppliante qu'elle ne pourra pas refuser », lui dis-je.

Je la fis porter par les sept soldats qui m'avaient jadis accompagné dans le Sud, pour que Béu ait une escorte de protection au cas où elle accepterait de venir à Tenochtitlán. Elle ne fit aucune difficulté, mais il lui fallut un certain temps pour régler avec ses serviteurs et ses esclaves les problèmes de la gestion de l'auberge. Pendant ce temps, j'avais organisé avec Zyanya une grandiose cérémonie de mariage pour Cozcatl et Que-quelmíqui et ils s'en allèrent vivre chez eux.

L'hiver était déjà bien avancé quand les sept soldats nous ramenèrent Béu. J'étais aussi anxieux qu'heureux de constater l'état de Zyanya. Elle était devenue très forte — trop à mon avis — elle commençait à avoir des petites douleurs, à être irritable et à éprouver une certaine angoisse. Elle m'assurait maussadement que tout cela était parfaitement normal, mais je m'en inquiétais et ne cessais de tourner autour d'elle en essayant de me rendre utile, ce qui l'énervait encore davantage.

« Béu ! s'écria-t-elle. Comme je suis contente que tu sois venue et j'en remercie Uizye Tao et tous les autres dieux. » Elle se jeta dans ses bras comme on accueille une libératrice. « Tu m'as sauvé la vie ; ici on me dorlote à mort ! »

On avait porté les bagages de Béu dans la chambre d'hôte, mais elle passa la plus grande partie de la journée dans la nôtre dont je me trouvai, par consé-quent, exclu et je traînais dans la maison avec le sentiment d'être inutile et mis à l'écart. Dans la soirée, Béu descendit seule et tandis que nous buvions du chocolat, elle me dit sur un ton de conspiratrice :

« Zyanya va arriver à un moment où il va falloir que

tu renonces à… tes prérogatives d'époux. Qu'est-ce que tu vas faire pendant ce temps ? »

Je fus sur le point de lui répondre que cela ne la regardait pas, mais je me contentai de lui dire : « Je pense que j'arriverai à survivre.

— Il ne serait pas convenable que tu aies recours à une étrangère », insista-t-elle.

Irrité, je me levai et lui répliquai sèchement : « Cette continence ne me réjouit pas, mais…

— Mais tu crains de ne pas trouver une remplaçante valable ? » Elle pencha la tête comme si elle attendait vraiment une réponse. « Parce que tu ne peux trouver une fille aussi belle qu'elle dans tout Tenochtitlán ? Alors tu m'as envoyée chercher à Tehuantepec ? » Elle sourit et s'approcha tout près de moi. « Je lui ressemble tant que tu as pensé que je pourrais faire un substitut acceptable, c'est bien ça ? » Elle jouait malicieusement avec l'agrafe de mon manteau, comme si elle avait voulu la défaire. « Tu sais, Zaa, bien que nous soyons sœurs et que nous nous ressemblions beaucoup, nous ne sommes pas tout à fait pareilles. Au lit, tu verras peut-être des différences. »

Je la repoussai d'une main ferme. « Je te souhaite un agréable séjour chez nous, Béu Ribé. Si tu ne peux vraiment pas dissimuler ton aversion à mon égard, épargne-moi, au moins, tes hypocrites coquetteries. On pourrait peut-être essayer de s'ignorer. »

Son visage s'embrasa, comme si je l'avais surprise en train de faire une chose indécente et elle se frotta la joue comme si je l'avais giflée.

Señor Evêque Zumarraga, c'est un grand honneur que vous me faites de revenir parmi nous. Votre

Excellence arrive juste au moment où j'allais annoncer — avec autant de fierté que je l'ai fait il y a tant d'années — la naissance de ma fille bien-aimée.

Toutes mes craintes s'étaient heureusement révélées sans fondement. L'enfant fit preuve d'intelligence, avant même d'entrer dans la vie, car elle attendit prudemment que les jours néfastes soient passés pour sortir du ventre de sa mère ; elle naquit le jour Ce Malinali, ou Une Herbe, du premier mois de l'année Cinq Maison. J'avais alors trente et un ans, un âge un peu avancé pour fonder une famille, mais je me rengorgeai et me pavanai autant que les hommes plus jeunes, comme si j'avais à moi tout seul conçu, porté et mis l'enfant au monde.

Pendant que Béu restait au chevet de Zyanya, le médecin et la sage-femme vinrent m'annoncer que l'enfant était une fille et ils répondirent à mes questions anxieuses. Ils durent me prendre pour un fou quand je leur demandai en me tordant les mains : « Dites-moi la vérité. Je serai fort. N'est-ce pas deux filles dans un même corps ? » Non, ils m'assurèrent qu'il n'était pas question de jumelles d'aucune sorte, mais d'une seule fille. Non, elle n'était pas spécialement grande. Non, elle n'avait rien de monstrueux et ne semblait marquée d'aucun signe funeste. Lorsque je questionnai le médecin au sujet de ses yeux, il me répliqua avec une certaine exaspération que généralement les nouveau-nés n'ont pas une vue d'aigle et qu'en tout cas, ils ne s'en étaient jamais vantés. Il faudrait que j'attende qu'elle sache parler pour qu'elle puisse me le dire.

Ensuite, ils me donnèrent le cordon ombilical de l'enfant et retournèrent dans la chambre pour plonger Une Herbe dans l'eau froide et pour l'emmailloter. Puis la sage-femme lui débita les paroles habituelles. Je descendis et, de mes mains tremblantes, tout en marmonnant des prières et des remerciements silencieux aux dieux, j'enroulai le cordon humide autour d'un petit rouet de terre cuite que je glissai derrière les pierres du foyer de la cuisine. Ensuite, je remontai les escaliers en courant et j'attendis avec impatience qu'on m'autorise à voir ma fille.

J'embrassai ma femme qui me fit un pâle sourire et j'examinai avec ma topaze le visage minuscule blotti au creux de son bras. J'avais déjà vu des nouveau-nés, aussi ne fus-je pas trop surpris. Elle était rouge et plissée comme une cosse de chili chopini, chauve et laide. Je m'efforçais en vain de faire monter en moi une bouffée d'amour paternel. Toutes les personnes présentes m'assuraient que c'était bien ma fille, mais je les aurais crues tout autant si elles m'avaient dit que ce nouveau-né était un singe hurleur sans poils.

Pourtant, de jour en jour, l'enfant prit une apparence plus humaine et je commençais à la prendre en affection. Je l'appelai Cocóton ; c'est un surnom très courant chez les filles qui veut dire miette de pain. Elle se mit rapidement à ressembler à sa mère et par conséquent à sa tante. Ses cheveux poussaient en boucles souples et ses cils étaient aussi épais, en miniature, que les cils de colibri de Zyanya et de Béu. Elle souriait maintenant plus souvent qu'elle ne criait et elle avait le sourire de Zyanya qui obligeait tout le monde à lui répondre. Même Béu qui, ces dernières années, était devenue si froide, ne pouvait s'empêcher de lui rendre son radieux sourire.

Zyanya se leva rapidement et pendant un certain temps, elle se consacra entièrement à Cocóton qui lui réclamait fréquemment son lait. Lorsque Cocóton eut deux mois et qu'elle n'eut plus si souvent besoin du lait maternel, Zyanya commença à montrer des signes d'ennui.

Elle avait été confinée à la maison pendant de nombreux mois, sans aller plus loin que le jardin en terrasse où elle allait s'exposer aux rayons de Tonatiuh et à la brise d'Ehecatl. Elle me déclara qu'elle aimerait sortir un peu et elle me rappela que la cérémonie en l'honneur de Xipe Totec allait bientôt se dérouler au Cœur du Monde Unique. Elle voulait y aller, mais je le lui interdis formellement.

« Cocóton est venue au monde sans signes funestes, ni malformation et il semble qu'elle ait une bonne vue, grâce à ton tonalli, au mien ou à la volonté des dieux. Tant qu'elle ne sera pas sevrée, il faut prendre garde que les mauvaises influences ne s'infiltrent dans ton lait, au cas où tu serais effrayée ou bouleversée par un spectacle impressionnant. Rien n'est plus susceptible de te troubler que la cérémonie de Xipe Totec. On ira n'importe où, mon amour, mais pas là. »

Oui, Excellence, j'ai souvent assisté à cette célébration car c'est l'un des rituels religieux les plus importants chez les Mexica comme chez d'autres peuples. C'est une cérémonie saisissante et inoubliable, mais je ne pense pas qu'aucun des participants, ni aucun des spectateurs ait jamais pu y trouver du plaisir. Cela fait bien des années que je n'ai pas vu Xipe Totec mourir et renaître et j'ose à peine vous décrire comment cela se passait — et ma répugnance ne doit rien au fait que je sois devenu chrétien et civilisé. Toutefois, puisque Votre Excellence s'y intéresse et qu'elle insiste...

Xipe Totec était le dieu des semailles qui avaient lieu dans le mois de Tlacaxipeualiztli, que l'on pourrait traduire par l'Ecorchement des Hommes. C'est la saison où l'on brûle, on enlève ou l'on retourne les tiges sèches de la moisson précédente, pour que la terre nettoyée soit prête à recevoir de nouvelles plantations. La mort, en somme, cède la place à la vie, comme chez les Chrétiens, quand au printemps, le Seigneur Jésus meurt et ressuscite. Que Votre Excellence ne se donne pas la peine de protester, cette ressemblance sacrilège ne va pas plus loin.

Je ne vous décrirai pas tous les préliminaires et les à-côtés : les fleurs, la musique, les danses, les couleurs, les costumes, les processions et le tonnerre du tambour qui déchire le cœur. Je passerai là-dessus aussi vite que possible.

On choisissait à l'avance une jeune fille ou un jeune homme pour tenir le rôle honoré de Xipe Totec, dont le nom signifie Notre Seigneur l'Ecorché. Le sexe avait moins d'importance que l'obligation d'être adulte et vierge. En général, on prenait un noble étranger capturé dans une bataille quand il était encore enfant et qu'on avait élevé spécialement pour représenter le dieu quand il aurait grandi. Ce n'était jamais un esclave qui remplissait ce rôle, car Xipe Totec méritait et exigeait qu'on lui sacrifie une personne jeune faisant partie de la classe supérieure.

Quelques jours avant la cérémonie, on faisait venir le xochimiqui dans le temple et on le traitait avec les plus grands égards. Une fois sa virginité parfaitement établie, on l'en débarrassait rapidement. Il ou elle était autorisé à pratiquer toutes les licences sexuelles — encouragé ou même forcé et c'était nécessaire — car cela faisait partie du rôle du dieu de la fertilité. Si le xochimiqui était un jeune homme, il avait le droit de désigner toutes les filles et toutes les femmes qu'il désirait, mariées ou non. Si ces femmes y consentaient, comme c'était souvent le cas, même quand elles étaient mariées, on les lui amenait. De même, les filles pouvaient faire venir tous les hommes qu'elles souhaitaient.

Parfois, il arrivait que le xochimiqui désigné pour cet

honneur ne veuille pas se soumettre à ces pratiques. Quand c'était une fille qui refusait d'être souillée, le grand prêtre de Xipe se chargeait de la déflorer par la force. Si c'était un jeune homme qui voulait rester chaste, on le ligotait et il était enfourché par une des assistantes du temple. Après cette introduction au plaisir, les récalcitrants devaient subir les viols répétés des prêtres ou des femmes du temple et, quand ceux-ci étaient saturés, de tous ceux qui avaient envie de les remplacer. Oui, Excellence, il se produisait là tous les dérèglements sexuels qu'on peut imaginer, sauf l'union d'un dieu et d'un homme, ou d'une déesse avec une femme ; car ces actes étant en contradiction formelle avec la fertilité auraient déplu à Xipe Totec.

Le jour de la cérémonie, Xipe Totec faisait son apparition. Le jeune homme ou la jeune fille était déguisé en dieu, avec un costume fait de vieux épis de maïs et de nouvelles pousses, une couronne en plumes colorées en forme de large éventail, un manteau flottant et des sandales dorées. On lui faisait faire plusieurs fois le tour du Cœur du Monde Unique dans une élégante chaise à porteurs, accompagnée de nombreux pages et d'une musique assourdissante, tandis qu'il ou elle lançait des grains ou des épis de maïs sur la foule en délire. Ensuite, la procession se dirigeait vers la pyramide basse de Xipe Totec située dans un coin de la place. Alors, les tambours, la musique et les chants s'arrêtaient, la foule se taisait et la jeune image du dieu descendait de sa chaise au pied de l'escalier du temple. Là, deux prêtres l'aidaient à enlever son costume, pièce par pièce, jusqu'à ce qu'il soit entièrement nu. On lui tendait un paquet de vingt flûtes de roseau et il tournait le dos à la foule. Les deux prêtres se tenaient à ses côtés pendant qu'il montait lentement vers la pierre du sacrifice et vers le temple. A chacune des vingt marches, il exécutait une trille sur l'une des flûtes qu'il brisait ensuite entre ses mains. Arrivé à la dernière marche, il aurait peut-être bien joué un peu plus longtemps et un peu plus tristement, mais les prêtres ne lui laissaient pas prolonger son chant plus qu'il ne le fallait. La vie de Xipe Totec devait s'arrêter en même temps que l'ultime trille.

Alors, les prêtres qui attendaient au sommet se saisissaient de lui. Pendant qu'un d'entre eux lui ouvrait la poitrine pour en arracher le cœur palpitant, le second sciait la tête encore grimaçante. C'était la seule cérémonie où l'on procédait à une décapitation et cela n'avait aucune signification religieuse, même dans le rituel de Xipe Totec où on ne la pratiquait que pour une raison pratique : c'est plus facile d'écorcher un cadavre quand la tête et le corps sont séparés.

Le dépouillement ne se faisait pas en public. Les prêtres incisaient la peau de la tête par-derrière, de la nuque au sommet, ils détachaient le cuir chevelu et la peau du visage et coupaient les paupières ; de même, le corps était fendu de haut en bas, de l'anus au cou ; mais la peau des jambes et des bras était soigneusement décollée sans la déchirer. Quand le xochimiqui était une fille, on laissait intacte la chair qui recouvrait la poitrine et les fesses pour en préserver les rondeurs. Si c'était un garçon, on laissait pendre le tepuli et l'ololtin.

Alors, le plus petit des prêtres de Xipe Totec — il y avait toujours un homme de petite taille parmi eux — ôtait rapidement ses vêtements et enfilait les deux parties du costume. Comme la peau du cadavre était encore humide et glissante, il n'avait pas de mal à enfiler ses bras et ses jambes. On avait coupé les pieds du mort, car ils auraient gêné sa danse, mais on avait laissé les mains qui venaient ballotter et cogner contre les siennes. La peau du torse ne se joignait pas par-derrière, aussi on y faisait des trous pour y passer une lanière.

Ensuite, le prêtre prenait la tête du sacrifié et la plaçait de façon à ce qu'il puisse voir par les trous des yeux et chanter par l'ouverture de la bouche molle. La tête était, elle aussi, lacée par-derrière, puis on essuyait toutes les traces de sang sur le costume et on cousait la déchirure de la poitrine.

Tous ces préparatifs ne prenaient guère plus de temps qu'il n'en faut pour le dire et les spectateurs avaient l'impression que Xipe Totec venait à peine de quitter la pierre du sacrifice quand il reparaissait sur le seuil du temple. Il se tenait courbé comme un vieillard, appuyé sur deux fémurs luisants. Tandis que les tambours battaient pour l'accueillir, Notre Seigneur l'Ecorché se redressait lentement, comme un vieillard qui rajeunirait. Il descendait les degrés de la pyramide en dansant et se livrait à des cabrioles sur la place en exhibant les fémurs gluants avec lesquels il donnait des petites tapes de bénédiction à tous ceux qui arrivaient à s'approcher d'assez près.

Avant la cérémonie, le petit prêtre se mettait dans un état de transe en mangeant ces champignons que l'on appelle la chair des dieux. Il devait danser frénétiquement, sans s'arrêter, sauf aux moments où il s'évanouissait, pendant cinq jours et cinq nuits. Sa danse, bien sûr, perdait peu à peu de sa sauvagerie première, tandis que la peau qui le recouvrait commençait à se dessécher et à le serrer. Au bout des cinq jours, elle avait tant rétréci et elle était devenue si raide qu'elle lui faisait un vrai corset ; le soleil et l'air lui avaient donné une teinte jaune sale — c'est pour cette raison qu'on l'appelait l'habit d'or — et elle sentait si mauvais que plus personne ne s'approchait du prêtre pour recevoir sa bénédiction...

Le départ précipité de Son Excellence m'oblige à vous faire remarquer, Seigneurs scribes — si ce n'est pas une insolence — que Son Excellence a le don de venir nous rejoindre quand je raconte les histoires qui sont les plus susceptibles de le contrarier ou de le dégoûter.

Plus tard, j'ai amèrement regretté de ne pas toujours avoir accordé à Zyanya tout ce qu'elle désirait ; je me suis dit que j'aurais dû la laisser faire, voir et essayer tout ce qui suscitait son intérêt et qui agrandissait ses yeux d'émerveillement. Pourtant, jamais je ne me reprocherai de l'avoir empêchée d'assister à la cérémonie de Xipe Totec.

J'ignore si je peux m'en attribuer le mérite, mais aucune mauvaise influence ne vint s'insinuer dans le lait de Zyanya. Cocóton s'en nourrissait et devenait de plus en plus belle, réplique miniature de sa mère et de sa tante. J'étais fou d'elle, mais je n'étais pas le seul. Un jour que Zyanya et Béu l'avait emmenée avec elles au marché, un Totonacatl vit le sourire de Cocóton émerger du châle dans lequel Béu la portait et il leur demanda la permission de faire son portrait en terre cuite. C'était un de ces artistes itinérants qui fabriquent des quantités de figurines avec des moules et qui parcourent le pays pour les vendre à bas prix aux gens pauvres des campagnes. Il exécuta sur place un habile portrait de Cocóton et après l'avoir utilisé pour faire son moule, il vint offrir l'original à Zyanya. Il n'était pas absolument ressemblant et de plus, il y avait ajouté la coiffure évasée à la mode chez les Totonaca, mais je reconnus immédiatement le sourire contagieux de ma fille avec ses fossettes. J'ignore le nombre de copies qu'il en a tirées, mais j'ai très longtemps vu des petites filles jouer partout avec ces poupées. Même des adultes l'ont achetée, pensant qu'il s'agissait de Xochipilli, le jeune dieu rieur, Seigneur des Fleurs, ou de l'heureuse déesse Xilonen, mère du dieu du Jeune Maïs. Je ne serais pas étonné qu'il existe encore, çà et là, quelques-unes de ces figurines, mais j'aurais le cœur brisé d'en voir une maintenant car elle me rappellerait le sourire de ma fille et de ma femme.

Vers la fin de sa première année, quand Cocóton eut percé sa première petite dent en grain de maïs, on la sevra à la manière ancestrale des Mexica. Quand elle pleurait pour réclamer à téter, sa bouche rencontrait de moins en moins souvent le doux sein de Zyanya, mais une feuille amère qui le recouvrait. Aussi, peu à peu, Cocóton s'habitua à prendre à la place des purées légères comme l'atolli et elle finit par abandonner le sein. C'est à ce moment-là que Béu nous annonça que sa présence n'était plus nécessaire et qu'elle allait retourner dans son auberge puisque Turquoise pouvait facilement s'occuper de l'enfant quand Zyanya serait fatiguée ou occupée à autre chose.

Je demandai une nouvelle fois aux sept soldats que j'avais fini par considérer comme ma petite armée personnelle de lui servir d'escorte et je les accompagnai jusqu'à la digue.

« Nous espérons que tu reviendras, sœur Béu », lui dis-je, bien que nous eûmes déjà passé une grande partie de la matinée à nous faire des adieux. Elle nous avait offert de nombreux cadeaux et les deux femmes avaient versé beaucoup de larmes.

« Je viendrai toutes les fois qu'on aura besoin de moi, me dit-elle. Ce sera plus facile pour moi maintenant que j'ai déjà quitté Tehuantepec une première fois. Mais je ne crois pas que ma présence sera à nouveau nécessaire. Je n'aime pas reconnaître avoir eu tort, Zaa, mais l'honnêteté m'oblige à admettre que tu es un bon mari pour ma sœur.

— Ce n'est pas bien difficile. Le meilleur des maris est celui qui a la meilleure des épouses. »

Elle me demanda alors, d'un ton un peu railleur : « Comment peux-tu le savoir, tu n'en as épousé qu'une. Mais, dis-moi, Zaa, ne t'es-tu jamais senti attiré par... par d'autres femmes ?

— Oh, si, bien sûr. Je suis un homme, et il existe d'autres femmes excitantes, comme toi Béu. Je suis même parfois attiré par des femmes moins belles que toi ou Zyanya, par simple curiosité des appâts qui se cachent sous leurs vêtements ou des pensées qu'il peut y avoir derrière leur sourire. Mais en neuf ans, je ne suis jamais passé de l'idée à l'acte et le fait de dormir à côté de Zyanya me les fait oublier, aussi je n'en rougis pas. »

Je me hâte d'ajouter, mes révérends, que les catéchistes chrétiens m'ont appris depuis qu'une pensée libertine peut être aussi coupable que la fornication la plus débridée. Mais, à l'époque, je n'étais encore qu'un païen, comme tout le monde, aussi les caprices que je ne mettais pas à exécution ne troublaient pas plus ma conscience que celle de mes congénères.

Béu me lança un regard en coin et me dit : « Tu es déjà Chevalier-Aigle ; il ne te reste plus qu'à ajouter un " tzin " à ton nom. Quand tu seras noble, tu n'auras pas besoin de te priver de tes désirs les plus secrets. Zyanya ne verra pas d'objection à être ta première épouse, si elle accepte les autres. Tu auras toutes les femmes que tu désires.

— Je les ai déjà, lui répondis-je en souriant. Ce n'est pas pour rien qu'elle s'appelle Toujours. »

Béu tourna les talons et, sans regarder une seule fois derrière elle, elle partit sur la digue.

Ce jour-là, des hommes travaillaient à la pointe de l'île et sur la digue jusqu'au fort d'Acachinango, ainsi que sur la terre ferme vers le sud-ouest. Ils construisaient un nouvel aqueduc en pierre qui amènerait un supplément d'eau à la ville.

Les trois pays de la Triple Alliance étaient devenus extrêmement surpeuplés. C'était, bien sûr, Tenochtitlán qui en souffrait le plus, pour la bonne raison que la ville était construite sur une île. C'est pourquoi, quand on avait annexé le Xoconochco, tant de citoyens étaient partis avec armes et bagages pour s'y installer. Cette émigration volontaire donna au Uey tlatoani l'idée d'encourager d'autres transplantations.

Le jour où il devint évident que la garnison de Tapachula interdirait à jamais toute incursion ennemie dans le Xoconochco, Motecuzoma le Jeune fut relevé de son commandement. J'ai déjà expliqué pourquoi Ahuizotl tenait à garder son neveu à distance, mais il était assez fin pour utiliser quand même le génie de cet homme pour l'organisation et l'administration. Il envoya donc ensuite Motecuzoma à Teloloapan, minuscule village situé entre Tenochtitlán et l'océan Méridional, en lui confiant le soin d'en faire une communauté fortifiée et prospère sur le modèle de Tapachula.

Ahuizotl lui envoya, à cet effet, un important contingent de soldats ainsi qu'un grand nombre de civils mécontents (ou non) de la vie à Tenochtitlán et dans sa région ; mais quand l'Orateur Vénéré leur eut dit : « Vous irez », ils partirent. Motecuzoma leur alloua des terres fertiles autour de Teloloapan et, sous son gouvernement, ils transformèrent ce misérable village en une ville prospère.

Puis, dès que la forteresse fut achevée et que la communauté commença à se suffire à elle-même, Motecuzoma fut de nouveau envoyé autre part pour refaire le même travail. Ahuizotl le promena ainsi dans plusieurs petits villages : Oztoman, Alahuiztlan et d'autres dont j'ai oublié le nom mais qui étaient tous aux limites extrêmes de la Triple Alliance. Ces lointains comptoirs procuraient à Ahuizotl bien des satisfactions : ils drainaient l'excédent de population de la région des lacs ; ils servaient de solides postes frontières et enfin, cette colonisation permanente mettait à profit les capacités de Motecuzoma, tout en lui ôtant la possibilité d'intriguer contre son oncle.

Cette émigration suffisait à peine à endiguer l'accroissement de la population de Tenochtitlán, mais elle n'arrivait pas à en diminuer la surpopulation. Le plus urgent besoin de la ville, c'était l'eau potable. Motecuzoma Ier avait établi un approvisionnement permanent en faisant construire un aqueduc qui amenait l'eau des sources de Chapultepec, plus d'un faisceau d'années auparavant, à peu près au même moment où on avait édifié la grande digue pour protéger la ville contre les inondations. Malheureusement, les sources de Chapultepec ne voulaient rien savoir pour donner davantage d'eau. Des prêtres et des sorciers avaient essayé tous les moyens de persuasion, mais en vain.

Ahuizotl décida alors de chercher ailleurs et il envoya ces mêmes prêtres et sorciers explorer d'autres endroits de la terre ferme, où ils découvrirent une nouvelle source. L'Orateur Vénéré commença aussitôt à établir les plans d'un second aqueduc et comme cette source, située près de Coyoacán, était bien plus abondante que celle de Chapultepec, il avait même prévu d'installer des fontaines jaillissantes au Cœur du Monde Unique.

Pourtant, tout le monde ne partageait pas cet enthousiasme, en particulier l'Orateur Vénéré Nezahualpilli de Texcoco. Il conseilla la prudence à Ahuizotl, lorsque celui-ci l'invita à venir voir la nouvelle source et les travaux qu'on venait d'entreprendre pour la construction de l'aqueduc. Je n'ai pas assisté personnellement à leur entretien, car je n'avais aucune raison d'être présent et j'étais sans doute en train de jouer avec ma fille. Cependant, je suis arrivé à reconstituer la conversation des deux Orateurs Vénérés d'après des témoignages.

Nezahualpilli avait dû dire à Ahuizolt :

« Mon ami, vous et votre ville devez choisir entre trop ou trop peu d'eau. »

Il lui rappela à cette occasion quelques faits historiques.

Depuis des faisceaux d'années, Tenochtitlán est une île entourée d'eau, mais il n'en a pas toujours été ainsi. Lorsque les premiers Mexica sont arrivés de la terre ferme pour s'y établir, ils sont venus *à pied sec*. L'accès en était certainement difficile et glissant, mais ils n'eurent pas à se mettre à l'eau. Toute la région qui est maintenant un lac et qui va d'ici à la terre ferme, n'était à cette époque qu'un marécage boueux et l'île actuelle était le seul endroit sec et stable qui émergeât.

A mesure que la ville se construisait, les premiers habitants établirent également de meilleures voies d'accès à la terre ferme. Au début, ce n'étaient sans doute que de simples talus de terre damée mais, par la suite, les Mexica noyèrent deux rangées de pilotis qu'ils bourrèrent de moellons et sur ces fondations, ils posèrent le pavement de pierre et les parapets des trois jetées qui existent encore aujourd'hui. Ces chaussées empêchèrent l'eau des marécages de se déverser dans le lac voisin et elle commença à monter peu à peu.

L'eau recouvrit la boue puante, les herbes coupantes et les flaques stagnantes qui engendraient des nuées de moustiques. Si l'eau avait continué à monter, elle aurait fini par submerger l'île elle-même et aurait inondé les rues de Tlacopan et d'autres villes de la terre ferme. Mais on avait ménagé à intervalles réguliers des ouvertures dans les digues et l'île était traversée par de nombreux canaux. Ces déversoirs suffisaient pour que l'eau aille se répandre dans le lac Texcoco, et cette lagune artificielle ne monta jamais plus haut.

« Du moins, pas pour l'instant, dit Nezahualpilli à Ahuizotl. Mais voilà que vous voulez capter une autre source et il faudra bien qu'elle se déverse quelque part.

— Elle servira à la consommation de la ville, répondit Ahuizotl avec obstination. Pour boire, pour se laver, pour nettoyer...

— Très peu d'eau est réellement consommée, répartit Nezahualpilli. Même si les gens se mettent à boire à longueur de journée, il faut bien qu'ils urinent ensuite. Je vous le répète, cette eau devra aller quelque part. Et où donc, sinon dans la partie endiguée du lac ? Le niveau risque de s'élever plus vite que l'eau ne pourra s'écouler dans le lac Texcoco par vos canaux et par les ouvertures des digues. »

Ahuizotl commençait à s'impatienter.

« Est-ce à dire que vous me conseillez d'abandonner cette nouvelle source, ce don des dieux et de ne rien faire pour soulager la soif de Tenochtitlán ?

— Ce serait plus prudent, en effet. Je vous suggère au moins de construire votre aqueduc de façon à pouvoir contrôler le débit de l'eau et même de l'arrêter le cas échéant.

— En vieillissant, mon ami, lui répondit Ahuizotl, vous devenez aussi couard qu'une vieille femme. Si les Mexica avaient toujours écouté ceux qui leur disaient d'être prudents, ils n'auraient jamais rien fait.

— Vous m'avez demandé mon avis et je vous l'ai donné. Mais ce sont vos affaires. Après tout, vous vous appelez Monstre d'Eau. »

La construction de l'aqueduc prit environ une année

au bout de laquelle les devins du palais recherchèrent avec soin le jour le plus favorable pour son inauguration et le moment où l'on ouvrirait les vannes. Je me souviens très bien de la date, Treize Vent, car elle a bien porté son nom.

La foule avait commencé à s'amasser bien avant le début de la cérémonie, car ce devait être un événement presque aussi important que la consécration de la grande pyramide, douze ans auparavant. Tout le monde n'avait pas pu accéder à la jetée de Coyoacán où allaient se dérouler les principales solennités. Les gens du peuple s'étaient entassés à l'extrémité sud de la ville et on se poussait, on se hissait pour essayer d'apercevoir Ahuizotl, ses femmes, les nobles les plus éminents, les prêtres, les chevaliers et d'autres personnages qui pouvaient arriver du palais en bateau pour prendre place sur la jetée, entre la ville et le fort d'Acachinango. Je devais, malheureusement, me joindre à tous ces dignitaires en compagnie de tous les Chevaliers-Aigle en grande tenue. Zyanya voulait y aller elle aussi avec Cocóton, mais je l'en avais dissuadée une nouvelle fois.

« Même si j'avais pu t'obtenir une place où tu aurais vu quelque chose, lui dis-je ce matin-là tout en enfilant mon armure emplumée, tu risquerais d'être écrasée et la petite piétinée, dans la bousculade.

— Tu as sans doute raison, me répondit Zyanya qui ne semblait pas trop déçue et qui serra impulsivement sa fille contre elle.

— Cocóton est bien trop mignonne pour être étouffée par d'autres que nous.

— Pas étouffée ! » pleurnicha Cocóton. Elle se glissa hors des bras de sa mère et partit en trottinant de l'autre côté de la pièce. A deux ans, ma fille avait déjà un vocabulaire très étendu, mais elle disait rarement plus de deux mots à la suite, n'étant pas très bavarde.

« Quand Cocóton est née, je la trouvais affreuse, remarquai-je en continuant à m'habiller. Maintenant, elle est devenue si jolie qu'elle ne pourra guère qu'enlaidir ; c'est bien dommage, car au moment où il faudra la marier, elle aura l'air d'une truie sauvage.

— Truie sauvage, approuva Cocóton dans son coin.

— Certainement pas, rétorqua fermement Zyanya, les petites filles atteignent leur plus grande beauté vers douze ans, avant leurs premières règles. Puis elles s'épanouissent à nouveau vers vingt ans. Oui, à vingt ans, une fille est plus belle qu'elle ne l'a été et qu'elle ne le sera jamais.

— C'est vrai, tu avais vingt ans quand je suis tombé amoureux de toi et que je t'ai épousée et depuis, tu n'as pas vieilli d'un jour.

— Tu es un flatteur et un menteur. J'ai des petites rides au coin des yeux, ma poitrine n'est plus aussi ferme, j'ai des vergetures sur le ventre et...

— Ça ne fait rien. Ta beauté de vingt ans a fait une telle impression sur moi qu'elle est restée gravée à jamais dans mon esprit. Je te verrai toujours ainsi et même si un jour quelqu'un me disait : " Espèce d'idiot, tu vois bien que c'est une vieille bonne femme ", je ne le croirais pas. » Je réfléchis un moment, puis je lui dis dans sa langue maternelle :

« *Rizalazi Zyanya chuüpa chii, chuüpa chii Zyanya.* » C'était une sorte de jeu de mots qui voulait dire à peu près ceci : « Se rappeler Toujours à vingt ans lui fait avoir toujours vingt ans. »

« Zyanya ? me demanda-t-elle tendrement.

— Zyanya, lui assurai-je.

— Comme c'est agréable de penser que tant que je serai avec toi j'aurai toujours vingt ans. Même si l'on est séparé, où que tu sois, j'aurai toujours vingt ans. » Ses yeux étaient un peu voilés par l'émotion, puis elle ajouta en souriant :

« J'aurais dû te le dire avant, Zaa, tu n'es pas vraiment laid.

— Vraiment laid », répéta ma fille. Cela nous fit rire tous les deux et mit un terme à ce moment d'enchantement. Je pris mon bouclier, je l'embrassai et quittai la maison.

Il était encore tôt et les barques qui emportaient les ordures encombraient le canal au bout de la rue. Le ramassage des immondices était le dernier des métiers, à Tenochtitlán ; on y employait les pauvres diables les plus misérables — estropiés, ivrognes et autres. Tournant le dos à ce spectacle déprimant, je pris une rue qui montait vers la place, quand j'entendis Zyanya m'appeler. Je me retournai et levai ma topaze. Elle était sortie pour me dire au revoir et elle me cria quelque chose avant de rentrer. Que me disait-elle ? « Tu me diras comment la Première Dame était habillée » ; ou « Fais attention de ne pas te mouiller » ; ou encore : « Souviens-toi que je t'aime. » Je n'en sais rien, car une rafale de vent emporta ses paroles.

La source de Coyoacán étant située plus haut que le niveau des rues de Tenochtitlán, l'aqueduc était en pente. Il avait plus d'une brassée de profondeur et de largeur et faisait près de deux longues courses. Il rejoignait la jetée à l'endroit où était construit le fort d'Acachinango et de là, il tournait sur la gauche et suivait le parapet de la digue pour arriver droit sur la ville. Une fois sur l'île, son flot alimentait des conduites plus petites qui desservaient Tenochtitlán et Tlatelolco, remplissaient des réserves placées dans chaque quartier et faisaient jaillir l'eau de plusieurs fontaines récemment installées sur la place.

Ahuizotl et ses ingénieurs avaient tenu compte du conseil de Nezahualipili concernant le contrôle des eaux. A l'endroit où l'aqueduc rejoignait la digue, et là où il arrivait dans la ville, la cuvette de pierre était entaillée de rainures verticales dans lesquelles pouvaient s'adapter de grosses planches pour arrêter le flot si c'était nécessaire.

Le nouvel ouvrage devait être dédié à Chalchiuitlicue, déesse des lacs et des cours d'eau, à la figure de grenouille. Elle était moins exigeante que les autres dieux en fait d'offrandes humaines et par conséquent, les sacrifiés ne seraient pas plus nombreux qu'il le fallait. A l'autre extrémité de l'aqueduc, du côté de la source, un groupe de nobles, de prêtres et de guerriers avait la garde des prisonniers. Ces captifs étaient pour la plupart des bandits ordinaires rencontrés par Motecuzoma le Jeune dans ses pérégrinations, qu'il avait capturés et envoyés à Tenochtitlán.

De la jetée, là où se tenait Ahuizotl — avec moi et une centaine d'autres personnes qui essayaient d'empêcher leurs plumes de s'envoler dans le vent d'est — montaient des prières, des chants et des invocations, pendant que des prêtres subalternes avalaient force grenouilles vivantes, axolotl et autres créatures aquatiques pour complaire à Chalchiuitlicue. On alluma un feu dans une urne et, grâce à une substance dont on l'avait arrosé, il dégagea une fumée bleue. Malgré les bourrasques qui emportaient la colonne de fumée, celle-ci s'éleva assez haut pour donner le signal à ceux qui se trouvaient près de la source.

Alors, les prêtres jetèrent un prisonnier dans la cuvette à l'extrémité de l'aqueduc ; ils lui ouvrirent le corps de la gorge à l'aine et le laissèrent là pendant que

728

le sang s'échappait. Puis un autre vint subir le même sort. Au fur et à mesure que les cadavres étaient vidés de leur sang, on les tirait de l'aqueduc pour laisser la place à d'autres. Je ne sais pas combien de xochimiqui furent tués et sacrifiés, avant que le flot de sang arrive devant Ahuizotl et les prêtres qui, tous, s'exclamèrent d'admiration devant ce spectacle. Puis, on aspergea le feu avec un autre produit qui donna une fumée rouge.

Le moment était venu pour Ahuizotl de procéder au sacrifice principal et il avait pour cela une victime sur mesure. C'était une petite fille d'environ quatre ans vêtue d'un costume bleu d'eau sur lequel étaient cousues des pierres précieuses vertes et bleues ; son père s'était noyé peu avant sa naissance, et elle était née avec une figure qui ressemblait à celle d'une grenouille — ou à celle de la déesse Chalchiuitlicue. Sa mère avait vu toutes ces coïncidences aquatiques comme un signe de la déesse et elle avait donné volontairement son enfant.

Accompagné par les chants et les coassements des prêtres, l'Orateur Vénéré mit la petite fille dans l'aqueduc. Maintenant l'enfant sur le dos, il prit son couteau d'obsidienne dans sa ceinture. La fumée devint verte ; à ce signal, les prêtres qui étaient à la source libérèrent les eaux. Je ne sais pas comment ils procédèrent ; soit en retirant une sorte de bouchon, soit en brisant une dernière digue de terre, soit en déplaçant un gros bloc de côté ou encore par un autre moyen.

Grâce à la dénivellation, l'eau arriva avec une force incroyable, comme une immense flèche liquide à la pointe d'écume rose. Mais la masse entière de l'eau ne suivit pas dans le coude que faisait l'aqueduc en rejoignant la digue ; une partie déborda et se déversa sur le parapet comme une vague. Cependant, il restait suffisamment d'eau dans la conduite pour prendre Ahuizotl par surprise. Il venait d'ouvrir la poitrine de la fillette et de s'emparer de son cœur, mais il n'avait pas encore eu le temps de sectionner les vaisseaux, quand le flot emporta l'enfant encore frémissante. Son petit cœur fut arraché et son corps fila comme une flèche en direction de la ville. Ahuizotl, ahuri, tenait le cœur dans sa main.

Sur la digue, tout le monde semblait pétrifié ; seuls flottaient les coiffures, les manteaux et les bannières de plumes fouettés par le vent. C'est alors que je me rendis compte que j'avais de l'eau jusqu'aux chevilles. Les femmes d'Ahuizotl se mirent à hurler de terreur. Sous nos pieds, le flot montait rapidement et continuait à se déverser par-dessus le parapet. Le fort d'Acachinango tout entier en était ébranlé.

Mais, dans l'aqueduc, la plus grosse partie du flux poursuivait sa course vers la ville. Avec mon cristal, je voyais les spectateurs s'agiter dans les éclaboussures et se battre pour se sauver au plus vite. Dans toute la ville, cachée à notre vue, les conduites et les réservoirs qu'on venait d'installer débordaient, inondant les rues et se déversant dans les canaux. Les fontaines de la place jaillissaient si haut que l'eau ne retombait pas dans les bassins qui les entouraient, mais se répandait sur toute la surface du Cœur du Monde Unique.

Les prêtres de Chalchiuitlicue éclatèrent en un concert de prières, suppliant la déesse de modérer ses bontés. Ahuizotl leur hurla l'ordre de se taire, puis il rugit : « Yolcatl ! Papaquilztli ! » C'étaient les hommes qui avaient trouvé la source. Ceux qui étaient présents se présentèrent docilement en avançant à grand-peine dans l'eau qui nous arrivait maintenant au genou. Ils savaient bien pourquoi on les avait appelés et ils s'inclinèrent l'un après l'autre contre le parapet. Sans aucun geste, ni aucune parole rituels, Ahuizotl et les prêtres leur déchirèrent la poitrine, leur arrachèrent le cœur qu'ils jetèrent dans les eaux déferlantes. Huit hommes furent ainsi sacrifiés dans un acte désespéré. Deux d'entre eux étaient des membres augustes du Conseil. Cette mesure n'eut aucun effet.

Alors Ahuizotl s'écria : « Fermez l'aqueduc ! » Et aussitôt, plusieurs Chevaliers-Flèche bondirent vers le parapet. Ils tentèrent d'engager le panneau de bois dans ses rainures mais ils eurent beau peser de toutes leurs forces et de tout leur poids, ils ne parvinrent pas à l'enfoncer davantage. Dès que le bas de la planche touchait l'eau, la force du courant la faisait aussitôt remonter. Un grand silence se fit sur la jetée, on n'entendait plus que le grondement de l'eau, le sifflement du vent, les craquements du fort de bois assiégé par le flot et le brouhaha assourdi de la foule qui se dépêchait de fuir à l'extrémité de l'île. Vaincu, ses plumes trempées retombant tristement, l'Orateur Vénéré déclara assez haut pour que tout le monde l'entende :

« Il faut retourner en ville pour constater les dégâts et tâcher d'éviter la panique. Chevaliers-Jaguar et Chevaliers-Flèche, venez avec nous. Vous prendrez le commandement de tous les acali pour aller sur-le-champ à Coyoacán. Ces imbéciles doivent être encore en pleine cérémonie. Essayez par tous les moyens d'arrêter ou de détourner l'eau à sa source. Chevaliers-Aigle, venez ici. » Il montra l'endroit où l'aqueduc rejoignait la digue. « Brisez-la. Allez-y ! »

Il y eut un moment de confusion quand les différents groupes désignés se précipitèrent pour exécuter les ordres. Puis, Ahuizotl, ses femmes, sa suite, les prêtres, les nobles, les Chevaliers-Flèche et Jaguar, tout le monde se dirigea en pataugeant vers la ville, aussi rapidement que le permettait l'eau qui montait maintenant jusqu'à mi-cuisses. Nous autres, les Chevaliers-

Aigle, contemplions l'aqueduc de grosses pierres et de solide mortier. Deux ou trois chevaliers s'y attaquèrent avec leur macquauitl, tandis que les autres tâchaient d'éviter les éclats d'obsidienne. Ils considérèrent leur épée brisée d'un air écœuré et la jetèrent dans le lac.

Alors, un des plus âgés fit quelques pas sur la chaussée pour aller jeter un coup d'œil par-dessus le parapet et nous appela : « Combien parmi vous savent nager ? » Presque tout le monde leva la main. « Vous voyez là, à l'endroit où l'aqueduc tourne, la force de l'eau qui change de direction fait trembler les piliers. Si nous arrivons à les entailler, peut-être s'affaibliront-ils suffisamment pour que l'ensemble s'écroule. » J'arrachai mon uniforme trempé et boueux ainsi que huit autres chevaliers, pendant qu'on nous cherchait des épées intactes. Ensuite, nous sautâmes tous dans le lac. En ce temps, à l'est de la jetée, les eaux n'étaient pas très profondes. S'il nous avait fallu nager, jamais nous n'aurions pu frapper en même temps sur les piles, mais heureusement, nous n'avions de l'eau que jusqu'aux épaules. Malgré cela, ce ne fut pas une petite affaire. Les piquets de bois étaient imprégnés de chapopotli pour résister au pourrissement et cela les faisait également résister à nos lames. La nuit s'installa et ce ne fut que le lendemain matin, alors que le soleil était déjà haut, que l'une des grosses colonnes de bois se rompit enfin dans un fracas terrifiant. J'étais sous l'eau à ce moment-là et je faillis être assommé par le choc. Quand je refis surface, j'entendis un de mes camarades qui nous criait de remonter sur la digue.

Il était temps. L'aqueduc trembla violemment et s'effondra dans un tonnerre de craquements. L'eau se mit à jaillir dans toutes les directions et l'extrémité brisée de l'ouvrage s'agitait comme la queue d'un serpent coacuechtli. Une portion longue d'une dizaine de pas se coucha sur le côté, au moment où les piliers que nous avions entamés se fracturaient en grondant et culbutaient dans l'eau avec de grands remous. Le flot continuait à se déverser dans le lac, mais il n'inondait plus la ville. Sur la digue même, l'eau commençait à refluer.

« Rentrons chez nous, soupira l'un des chevaliers, en espérant que nous avons encore une maison. »

Chez nous... Mais d'abord, je vais faire le point de la situation.

L'eau qui s'était déversée dans Tenochtitlán pendant une journée et une nuit, était montée, dans certains quartiers de la ville, jusqu'à hauteur d'homme. Les maisons basses qui n'étaient pas construites en pierre s'étaient effondrées et certaines constructions en hauteur avaient même été renversées. Il y avait de nombreux blessés et une vingtaine de personnes — des enfants pour la plupart — avaient été noyées ou écrasées. Mais les dégâts s'étaient arrêtés à la partie de la ville où les conduites et les réservoirs avaient débordé ; cette eau s'était déversée dans les canaux dès que les Chevaliers-Aigle avaient brisé l'aqueduc.

Avant qu'on ait eu le temps de dégager les gravats de cette première inondation, une seconde se produisit et bien plus grave. Nous avions seulement rompu l'aqueduc, nous ne l'avions pas bouché et les autres chevaliers envoyés sur la terre ferme avaient été incapables d'étancher la source, aussi l'eau continuait-elle à déferler dans la portion du lac comprise entre les chaussées ouest et sud. Pendant ce temps, le vent soufflait toujours de l'est, empêchant le trop-plein d'eau de s'écouler dans le lac Texcoco par les ouvertures de la digue et les canaux de la ville. Aussi, les canaux se remplirent et débordèrent, l'eau monta sur l'île et envahit Tenochtitlán.

Aussitôt après cette inauguration manquée, Ahuizotl envoya un messager à Texcoco et Nezahualpilli arriva immédiatement à la rescousse. Il dépêcha une équipe d'ouvriers sur les lieux de l'intarissable source de Coyoacán et, comme tout le monde l'espérait, il trouva un moyen pour arrêter le flot. Je ne connais pas cet endroit, mais je sais qu'il est situé sur une hauteur et je pense que Nezahualpilli dut faire creuser un réseau de tranchées qui détourna une partie de la source de l'autre côté de la colline, sur des terres désertes. Une fois que le flot fut dompté et l'inondation terminée, on répara l'aqueduc pour le remettre en service. Nezahualpilli avait établi les plans d'un système qui permettait de régler le débit selon les besoins et c'est cette eau que nous buvons encore aujourd'hui.

Mais, tandis que Nezahualpilli travaillait avec ses hommes, la deuxième inondation demeura à son niveau maximum quatre jours entiers. Il n'y avait presque pas eu de victimes, mais la ville était aux deux tiers détruite et il fallut près de quatre années pour la reconstruire. L'inondation avait fait de nombreux dégâts. A Tenochtitlán, la plupart des maisons étaient construites sur pilotis, mais uniquement dans le but de les mettre à l'abri de l'humidité du sol. Ces fondations n'étaient pas prévues pour résister à des courants violents et, en effet, beaucoup ne résistèrent pas. Les maisons d'adobe fondirent tout simplement dans l'eau ; les maisons de pierre, grandes ou petites, s'écroulèrent.

Ma maison était intacte, sans doute parce qu'elle était neuve et plus solide que les autres. Au Cœur du Monde Unique, les pyramides et les temples étaient, eux aussi, restés debout ; seul le « mur des crânes » s'était écroulé. Mais en dehors de la place, un édifice entier s'était effondré — le plus neuf et le plus somptueux de tous — le palais d'Ahuizotl. Je vous ai dit qu'il enjambait l'un des principaux canaux de la ville. Quand ce canal déborda, il inonda d'abord le premier étage, ce qui provoqua l'éboulement de tout le palais.

Mais je n'étais pas au courant de tous ces événements et je ne savais pas si j'avais encore une maison, avant que la dernière vague se soit retirée. Au cours de la seconde inondation, la montée des eaux fut moins brutale et on eut le temps d'évacuer la ville. A part Ahuizotl, les membres de son gouvernement, la garde du palais, quelques régiments de soldats et un petit nombre de prêtres qui continuaient obstinément à prier pour une intervention divine, toute la population de Tenochtitlán, y compris moi-même, mes deux domestiques et ce qui restait de ma famille, avait fui par la chaussée du nord pour chercher refuge dans les villes de la terre ferme, à Tepeyac ou à Atzacoalco.

Et maintenant, revenons à cette matinée où je rentrai chez moi avec mes insignes détrempés de Chevalier-Aigle...

A mesure que je me rapprochais, il me semblait de plus en plus évident que le quartier d'Ixacuálco avait été l'un des plus touchés par le premier flot. J'en vis la trace encore humide sur les constructions, à hauteur de ma tête et, çà et là, une maison d'adobe effondrée. Ma rue était toute glissante de la pellicule de boue qui la recouvrait ; elle était parsemée de flaques, d'ordures et même d'objets de valeur que les gens avaient laissés tomber dans leur fuite. Il n'y avait personne dehors — les gens devaient se terrer à l'intérieur, ne sachant pas si l'eau allait revenir — et ce vide inhabituel me mit mal à l'aise. J'étais trop fatigué pour courir, mais je marchais le plus rapidement possible et mon cœur fit un bond quand j'aperçus ma maison debout, intacte, sauf un dépôt de boue sur les marches de l'entrée.

Turquoise ouvrit la porte et s'écria : « *Ayyo !* Voilà notre maître ! Merci à Chalchiuitlicue de vous avoir épargné ! »

Je lui répondis d'un ton las mais bien senti que, pour ma part, j'aurais voulu voir cette déesse à Mictlán.

« Ne dites pas ça, supplia Turquoise, les larmes coulant sur son visage ridé. Nous avons bien craint de perdre aussi notre maître.

— Aussi ? » Un bras invisible me serra douloureusement la poitrine. L'esclave éclata en sanglots et ne put me répondre. Je laissai tomber ce que j'avais dans les mains et je la secouai par les épaules. « L'enfant ? » demandai-je. Elle agita la tête, mais je ne savais pas si c'était une marque de dénégation ou de chagrin. Je la secouai à nouveau violemment. « Parle, femme !

— C'est notre maîtresse », dit une voix derrière elle. C'était Chanteur Etoile qui venait d'arriver en se tordant les mains.

« J'ai tout vu, j'ai essayé de l'en empêcher. »

Je me raccrochai à Turquoise pour ne pas m'effondrer et je ne pus qu'articuler :

« Raconte-moi tout, Chanteur Etoile.

— Eh bien, maître, c'était hier soir à l'heure où habituellement on allume les torches dans la rue. Mais pas ce soir-là, bien sûr, et la rue était devenue une vraie cataracte. Il n'y avait qu'un homme dehors ; il était rejeté et ballotté contre les poteaux des lampes et les escaliers des maisons. Il essayait de reprendre pied ou de s'accrocher à quelque chose pour arrêter sa course. Il était encore loin de moi, mais je me suis aperçu qu'il était infirme et qu'il n'y arrivait pas. »

Aussi durement que me le permettaient ma faiblesse et mon angoisse, je lui dis :

« Qu'est-ce que cette histoire a à faire avec ma femme. Où est-elle ?

— Elle était à la fenêtre de devant. Elle est restée là toute la journée, inquiète, à attendre votre retour. J'étais à côté d'elle quand l'homme dévala la rue et elle cria qu'il fallait le sauver. Je n'avais pas très envie de m'aventurer dans cette eau furieuse et je lui dis : " Madame, je le reconnais, c'est un pauvre bougre qui travaille de temps en temps sur les péniches d'ordures du quartier ; ce n'est pas la peine de se tracasser pour lui. " »

Il se tut, puis reprit d'une voix étranglée :

« Je ne me plaindrai pas si mon maître me bat, me vend ou me tue, car j'aurais dû aller au secours de cet homme. Ma maîtresse m'a regardé avec colère et elle y est allée elle-même. Elle a descendu l'escalier, elle s'est penchée au-dessus de l'eau et elle l'a attrapé. » Il fit une nouvelle pause et je lui dis d'une voix rauque :

« Mais alors, ils sont saufs tous les deux... ? »

Chanteur Etoile secoua la tête.

« Je n'ai pas compris ce qui s'est passé. Je sais bien que les escaliers étaient humides et glissants. Il m'a semblé... il m'a semblé que madame parlait avec lui et tout d'un coup, l'eau les a emportés... tous les deux ; il s'accrochait à elle. Je n'ai vu qu'une masse qui filait. Alors je suis sorti en courant et j'ai sauté dans l'eau à leur poursuite.

— Il a failli se noyer, renifla Turquoise. Il a vraiment tout essayé.

— Je ne voyais aucune trace d'eux. Au bout de la rue, des maisons d'adobe s'étaient effondrées, peut-être sur eux, pensai-je. Mais il faisait trop noir ; on ne voyait rien. J'ai failli être assommé par une poutre qui flottait ; je me suis accroché au montant de la porte d'une maison solide et je suis resté là toute la nuit.

— Il est rentré ce matin quand l'eau a reflué, me dit Turquoise. Ensuite on est partis tous les deux à leur recherche.

— Et alors ?

— Nous avons trouvé seulement l'homme, à moitié enseveli sous un moellon, comme je l'avais pensé.

— On n'a encore rien dit à Cocóton. Notre maître veut-il aller la voir ? me demanda Turquoise.

— Pour lui apprendre ce que je ne peux arriver à croire moi-même ? » Je rassemblai mes dernières forces pour redresser mon corps chancelant et j'ajoutai : « Non, je n'irai pas. Viens, Chanteur Etoile. On va chercher encore. »

Au-delà de notre maison, la rue partait en pente douce vers un pont qui enjambait le canal et les maisons qui étaient en bas avaient été gravement touchées par le déferlement des eaux. De plus, c'étaient les plus pauvres du quartier et elles étaient construites en bois ou en adobe. Comme l'avait dit Chanteur Etoile, ces maisons n'existaient plus ; ce n'étaient que des tas de briques de boue et de paille à moitié dissoutes, de planches brisées et de débris de mobilier. Mon domestique me montra un amas de chiffons qui gisait au milieu.

« Il est là, me dit-il. Ce n'est pas une bien grande perte. Il vivait en se vendant aux hommes des péniches d'ordures, ceux qui ne sont pas assez riches pour se payer une femme ; il ne demandait qu'un grain de cacao. »

L'homme était face contre terre, un paquet de haillons et de cheveux gris collés par la boue. De mon pied, je le retournai et je le vis pour la dernière fois. De ses orbites vides, Chimali me regardait, la bouche grande ouverte.

Plus tard, quand j'eus un peu repris mes esprits, les paroles de Chanteur Etoile me revinrent : on avait vu cet homme récemment sur les péniches du quartier. Je me demandai alors si Chimali venait seulement de découvrir où j'habitais et s'il était venu traîner par ici, tâtonnant en aveugle, dans l'espoir d'une occasion de me nuire. L'inondation lui avait-elle donné le moyen de m'infliger la plus cruelle blessure et de se mettre ensuite hors de portée de ma vengeance ? Ou bien, toute cette tragédie n'était-elle qu'une sinistre farce manigancée par les dieux, car ils semblent trouver du plaisir à arranger des concours de circonstances incroyables et inexplicables.

Jamais, je ne le saurai.

A ce moment, tout ce que je savais, c'était que ma femme n'était plus et je ne pouvais l'accepter ; il fallait que je la cherche. Je dis à Chanteur Etoile :

« Si ce misérable est ici, Zyanya doit y être également. On déplacera ces millions de briques l'une après l'autre s'il le faut. Je commence pendant que tu vas chercher de l'aide. Allez, dépêche-toi ! »

Il partit au galop et je me penchai pour soulever une poutre et je tombai évanoui.

Il était tard dans l'après-midi lorsque je revins à moi. J'étais dans mon lit et mes deux domestiques étaient penchés sur moi. Je leur demandai aussitôt :

« L'avez-vous trouvée ? »

Ils firent tous deux un signe de dénégation.

« Je vous avais dit de déplacer chaque pierre, grondai-je.

— Ce n'est pas possible, maître, gémit Chanteur Etoile. L'eau monte à nouveau. Je suis arrivé juste à temps, sinon vous auriez été noyé.

— On ne savait comment faire pour vous réveiller, me dit Turquoise visiblement inquiète. l'Orateur Vénéré a donné l'ordre d'évacuer la ville avant qu'elle soit submergée. »

J'ai passé cette nuit-là sur une colline en compagnie d'une foule de fugitifs endormis. Nous n'avions même pas un arbre pour nous protéger, mais Turquoise avait pensé à emporter des couvertures. Chanteur Etoile, Cocóton et elle s'enroulèrent dedans et ils s'endormirent ; mais moi, je restai éveillé, la couverture sur les épaules, à regarder mon enfant, la seule chose qui me restait et je pleurai.

Il y a quelque temps, Seigneurs révérends, j'avais comparé Zyanya au maguey généreux. J'ai oublié de vous dire une chose à propos de cette plante. Une fois dans son existence, une seule fois, elle produit une haute tige qui porte une multitude de fleurs jaunes odorantes et ensuite, elle meurt.

Cette nuit-là, j'essayai de trouver du réconfort dans les assurances que nous donnent les prêtres, quand ils disent que les morts ne sont pas malheureux et que mourir, c'est se réveiller après avoir rêvé qu'on a vécu. C'est possible et les Chrétiens disent à peu près la même chose. Mais c'était une bien piètre consolation pour moi qui restait dans le rêve, vivant, seul et possédé. Je passai la nuit à me souvenir de Zyanya et du temps trop court où nous avions vécu ensemble avant que son rêve ne se termine.

Je m'en souviens encore...

Une fois, pendant notre voyage au Michoacán, elle avait vu une fleur étrange qui poussait dans une fente de rocher, au-dessus de nous. Elle l'avait trouvée belle et en aurait voulu une pour la planter dans son jardin. J'aurais pu facilement grimper pour aller la lui chercher...

Une autre fois, un jour ordinaire, elle s'était réveillée, pleine d'amour pour la vie, ce qui lui arrivait fréquemment. Elle avait inventé une petite chanson et elle la chantait doucement pour la fixer dans sa mémoire. Elle m'avait demandé de lui acheter une de ces flûtes qu'on appelle eaux gazouillantes, pour jouer sa chanson. Je lui avais répondu que lorsque je verrais un musicien de mes amis, je le prierais de m'en fabriquer une. Mais, j'avais oublié et elle, voyant que j'avais d'autres choses en tête, ne me l'avait jamais rappelé.

Et un jour...

Ayyo, tant de fois...

Je sais bien qu'elle n'a jamais douté de mon amour, mais pourquoi ai-je laissé échapper des occasions de le lui montrer ? Elle me pardonnait mes oublis et mes petites négligences ; elle devait les oublier aussitôt, ce qui n'a jamais été mon cas. Toute ma vie, je me suis souvenu d'une chose ou d'une autre que j'aurais pu faire et que je n'ai pas faite et l'occasion ne s'en retrouvera plus, alors qu'au contraire, des faits que j'aurais voulu garder en mémoire persistent à me fuir. Si au moins je me rappelais les paroles ou simplement l'air de sa petite chanson, je pourrais me la fredonner de temps en temps ou encore, si je savais ce qu'elle m'avait dit quand le vent emporta ses paroles, la dernière fois que je l'ai vue...

Quand tous les sinistrés retournèrent dans l'île, il y avait tant de ruines que, dans ma rue, on ne distinguait plus les maisons qui s'étaient écroulées avec la première vague de celles qui avaient succombé à la seconde. Des ouvriers et des esclaves étaient déjà en train de déblayer les décombres en mettant de côté les blocs de calcaire intacts qui pouvaient servir. Jamais on ne trouva le corps de Zyanya, ni la moindre trace d'elle, pas une bague, pas une sandale. Elle a disparu aussi irrémédiablement que sa petite chanson. Mais je sais, Seigneurs, je sais qu'elle est quelque part, bien qu'on ait bâti, depuis, deux villes successives sur sa tombe ignorée.

J'en suis sûr, parce qu'elle n'avait pas le petit morceau de jade qui assure le passage dans l'au-delà.

Souvent, la nuit, j'ai parcouru les rues en appelant doucement son nom. Je le faisais à Tenochtitlán, je le fais encore à Mexico. J'ai vu bien des apparitions, mais jamais la sienne.

Je n'ai rencontré que des esprits malheureux ou malintentionnés qui ne pouvaient être Zyanya — elle qui avait été heureuse toute sa vie et qui est morte en voulant rendre service. J'ai vu et reconnu bien des guerriers mexica défunts. La ville grouille de ces spectres désolés. J'ai vu la Femme qui pleure ; on aurait dit une langue de brouillard à la dérive en forme de femme et j'ai entendu son sinistre gémissement. Elle ne m'a pas fait peur et je l'ai plainte, car moi aussi, je sais ce que c'est que de perdre quelqu'un. En voyant que ses cris ne m'éloignaient pas, c'est elle qui a fui mes paroles de consolation.

Parfois, il m'est arrivé, dans des rues sombres et désertes, d'entendre le rire joyeux de Zyanya. C'est peut-être le fruit de mon imagination sénile, mais ce rire était accompagné, à chaque fois, d'un éclair de lumière dans les ténèbres, pareil à la mèche pâle de ses cheveux noirs ; à moins que ce soit encore un tour de mes pauvres yeux, car cette vision disparaît dès que je prends ma topaze. Néanmoins, je sais qu'elle est là, quelque part, je n'ai pas besoin de preuve pour en être sûr, tout en souhaitant ardemment en avoir une.

Je vous en supplie, Seigneurs révérends, si l'un d'entre vous rencontre Zyanya, une nuit, qu'il veuille bien me le dire. Vous la reconnaîtrez tout de suite et vous ne pourrez avoir peur d'une si jolie apparition. Elle aura l'air d'avoir vingt ans, comme alors, car au moins, la mort lui aura épargné les maux et le dessèchement de la vieillesse. Vous reconnaîtrez son sourire, car vous ne pourrez vous empêcher d'y répondre. Si elle vous parle...

C'est vrai, vous ne comprendrez pas ses paroles. Dites-moi seulement si vous la voyez. Elle marche dans la ville, je le sais. Elle y est et elle y sera toujours.

I H S

✠

A.I.M.C.

*A Son Auguste et Impériale Majesté Catholique,
l'Empereur Charles Quint, Notre Roi :*

De la ville de Mexico, capitale de la Nouvelle-Espagne, en ce jour de la Saint-Paphnuce, martyr, en l'année mille cinq cent trente de Notre Seigneur Jésus-Christ, nous envoyons nos salutations à Sa Royale et Redoutable Majesté, notre Eminent Monarque.

Quelle attention délicate de la part de notre Compatissant Souverain de prendre en pitié le Protecteur des Indiens et de demander qu'on lui donne davantage de détails sur les problèmes et les obstacles qu'il rencontre quotidiennement dans cette charge !

Jusqu'à maintenant, Sire, c'était la coutume chez les Espagnols à qui on avait attribué des terres dans cette province de s'approprier également les Indiens qui vivaient dessus, de les marquer à la joue du G de « guerra », de les considérer comme des prisonniers de guerre et, par conséquent, de les traiter et de les exploiter comme tels. Cette pratique a été un peu adoucie dans la mesure où on n'a plus le droit de condamner un Indien aux travaux forcés à moins qu'il n'ait été jugé coupable d'un crime par les autorités ecclésiastiques ou civiles.

De même, la loi de notre Mère l'Eglise est maintenant plus strictement appliquée en Nouvelle-Espagne ; c'est-à-dire qu'ici un Indien, comme un Juif là-bas, a les mêmes droits qu'un Espagnol chrétien et ne peut être condamné sans une accusation et un procès en bonne et due forme. Mais il est évident que le témoignage d'un Indien, comme celui d'un Juif — même converti au catholicisme — ne tient pas en face de celui d'un Chrétien de naissance. Par conséquent, quand un Espagnol souhaite acquérir un solide Peau-Rouge ou une belle Indienne, il lui suffit, en fait, de l'accuser de n'importe quoi.

Il nous est souvent arrivé d'assister à la condamnation d'un Indien pour des raisons discutables et nous craignons pour l'âme de nos compatriotes qui cherchent à augmenter leurs possessions par des moyens détournés, indignes d'un Chrétien. Nous en avons été profondément attristés et nous avons décidé d'agir.

Fort de l'autorité que nous confère le titre de Protecteur des Indiens, nous sommes arrivés à persuader les juges de l'Audiencia que tous les indigènes qu'on marquerait par le fer devraient être, à partir de ce jour, enregistrés par nos services. Les fers sont donc maintenant enfermés dans une boîte qui s'ouvre avec deux clefs dont l'une est en notre possession.

Etant donné qu'on ne peut plus marquer un Indien accusé sans notre consentement, nous avons absolument refusé de donner notre accord dans des cas qui sont des abus de justice flagrants et ces accusations ont été déboutées. Cela nous a valu la haine de beaucoup de nos compatriotes, mais nous l'endurons d'un cœur serein, sachant que nous agissons pour le bien final. Cependant, la prospérité économique de la Nouvelle-Espagne tout entière risquerait de souffrir (et les richesses de notre Souverain de diminuer) si nous freinions trop durement le recrutement de la main-d'œuvre forcée dont dépend la mise en valeur de cette colonie. Aussi, maintenant, lorsqu'un Espagnol veut asservir un Indien, il n'a plus recours à la justice civile, mais il l'accuse d'être un converti qui a commis un *lapsus fidei*. Dans ce cas, comme notre mission de Défenseur de la Foi prend le pas sur toutes nos autres charges, nous remettons le fer.

Ainsi, nous accomplissons trois actions qui seront certainement bien vues de Votre Majesté. *Primo,* nous prévenons les abus d'autorité du tribunal civil. *Secundo,* nous appliquons rigoureusement la loi de l'Eglise. *Tertio,* nous n'empêchons pas la mise en place d'une main-d'œuvre constante et appropriée.

Je signale en passant à Votre Majesté qu'on ne marque plus la joue des condamnés du G injurieux qui signifie le déshonneur de la défaite au combat. Nous imprimons maintenant sur l'esclave les initiales de son propriétaire (sauf s'il s'agit d'une femme que son maître souhaite ne pas défigurer). Outre que ce système permet d'identifier les fugitifs, il sert également à reconnaître les esclaves qui sont des rebelles notoires et inaptes au travail. Ces insoumis opiniâtres, après être passés de maître en maître, ont la figure couverte d'initiales superposées et leur peau ressemble à un manuscrit palimpseste.

Votre Compatissante Majesté montre également des preuves évidentes de son bon cœur dans cette même lettre, quand elle dit de notre Aztèque, à propos de la mort de sa femme : « Bien qu'étant d'une race inférieure, il semble être un homme capable de sentiments humains et il ressent les malheurs et les blessures avec autant d'intensité que nous. » Cette sympathie est bien compréhensible, car l'amour immuable de Votre

747

Majesté pour la jeune reine Isabelle et pour son fils Philippe est bien connu et admiré par tout le monde.

Cependant, nous suggérons respectueusement à Votre Majesté de ne pas trop prendre en pitié des gens qu'elle ne connaît pas aussi bien que nous et, en particulier, cet homme qui s'en montre bien indigne. Il a pu parfois ressentir des chagrins occasionnels ou concevoir des pensées humaines qui ne discréditeraient pas un Blanc. Mais Votre Majesté a certainement remarqué que tout en prétendant qu'il était devenu Chrétien, ce vieux fou ne cesse de divaguer quand il parle des errances terrestres de sa défunte compagne, et pourquoi ? Parce qu'elle n'avait pas sur elle un certain caillou vert quand elle est morte. De plus, comme votre Majesté va pouvoir s'en rendre compte, l'Aztèque n'a pas été bien longtemps affligé par cette perte et, dans les pages suivantes, elle le verra à nouveau faire des siennes et se conduire comme par le passé.

Sire, il n'y a pas bien longtemps, nous avons entendu un prêtre plus sage que nous dire qu'on ne doit jamais louer sans réserve un homme qui vit encore et navigue sur les eaux tumultueuses de l'existence, car ni lui, ni personne, ne peut savoir s'il échappera aux tempêtes, aux récifs et au chant des Sirènes pour arriver à bon port. On ne peut glorifier que celui qui a terminé ses jours et que Dieu a guidé vers le port du Salut, car on ne chante le Gloria qu'à la fin.

Que ce Dieu qui nous guide continue à prodiguer ses bienfaits sur notre Impériale Majesté à laquelle son chapelain et serviteur baise les pieds,

(ecce signum) Zumarraga

OCTAVA PARS

Mon drame personnel avait fait passer le reste du monde au second plan, mais je n'étais pas sans savoir que la nation mexica tout entière connaissait une tragédie. La requête désespérée et inattendue qu'avait adressée Ahuizotl à Nezahualpilli en lui demandant son aide pour venir à bout des eaux, fut son dernier acte en tant qu'Orateur Vénéré. Il se trouvait à l'intérieur de son palais quand celui-ci s'effondra, mais il ne fut pas tué, bien qu'il eût sans doute préféré l'être. Une poutre lui était tombée sur la tête et, à ce qu'on m'a dit, car je ne l'ai jamais revu vivant à partir de ce jour, il n'eut pas plus de jugement que le morceau de bois qui l'avait assommé.

La coutume s'opposait à ce qu'Ahuizotl fût déchu de son titre d'Orateur Vénéré tant qu'il était en vie, même s'il radotait et si on ne pouvait avoir plus de respect pour sa personne que pour un légume ambulant. Aussi, dès que ce fut possible, le Conseil décida de choisir un régent pour gouverner à sa place. C'est sans nul doute pour se venger, de ce qu'Ahuizotl avait fait périr deux d'entre eux au moment de la catastrophe de la digue, que ces vieillards refusèrent de prendre en considération la candidature la plus évidente, celle de son fils aîné,

Cuauhtemoc. Ils désignèrent comme régent son neveu Motecuzoma le Jeune, car, dirent-ils : « Motecuzoma Xocoyotzin a fait la preuve de ses capacités comme prêtre, comme chef militaire et comme gouverneur de régions éloignées. »

Je me souvenais des paroles tonnées un jour par Ahuizotl : « Jamais, nous ne mettrons sur le trône un tambour creux ! » Et je pensais qu'il valait mieux pour lui avoir perdu la raison et ne pas voir cette chose se produire. S'il avait été tué et qu'il soit mort avec toute sa tête, il serait remonté du plus profond de Mictlán pour asseoir son cadavre sur le trône à la place de Motecuzoma.

Mais en ce temps-là, je ne m'intéressais pas aux intrigues de la cour. Ma maison était remplie de souvenirs pénibles que je souhaitais fuir. La vue de ma propre fille me faisait mal parce qu'elle me rappelait trop Zyanya. Ensuite, je pensais avoir trouvé un moyen pour que Cocóton ne ressente pas trop durement la perte de sa mère et de plus, mon ami Cozcatl et sa femme Quequelmiqui, quand ils vinrent me présenter leurs condoléances, avaient laissé échapper qu'ils n'avaient plus de toit, car leur maison avait été emportée par les eaux.

« Ce n'est pas vraiment une catastrophe, m'avoua Cozcatl. A dire vrai, on commençait à se sentir mal à l'aise et à l'étroit dans cette maison, avec l'école de domestiques. Maintenant qu'on est forcé de reconstruire, on va faire deux bâtiments séparés.

— Et en attendant, vous pourrez vous installer ici tous les deux. Je ne vous demande qu'une chose en échange : de servir de parents à Cocóton pendant mon absence. Pouvez-vous être le tete et la tene d'une petite orpheline ?

— *Ayyo,* quelle idée merveilleuse, s'écria Quequel-míqui.

— Avec plaisir, ajouta Cozcatl. Et même, nous vous en serons reconnaissants. Ce sera la première fois que nous aurons une famille.

— La petite ne pose aucun problème. Turquoise s'occupe de tout. Vous n'aurez qu'à lui donner le réconfort de votre présence... et lui montrer de l'affection de temps en temps.

— Oh, bien sûr, s'exclama Quequelmíqui, les larmes aux yeux.

— J'ai dit à Cocóton, poursuivis-je, que sa tene était partie acheter toutes les choses dont nous avons besoin, elle et moi, pour le long voyage que nous allons entreprendre. Elle s'est contentée de répéter : " Long voyage. " Mais ça ne signifie pas grand-chose pour une enfant de cet âge. Si vous lui rappelez de temps à autre que ses parents sont partis dans des pays lointains... je pense qu'elle aura pris l'habitude de se passer de sa mère quand je reviendrai et qu'elle ne sera pas trop peinée quand je lui dirai qu'elle n'est pas rentrée avec moi.

— Oui, mais elle sera habituée à nous, m'avertit Cozcatl.

— C'est vrai... et je ne peux qu'espérer qu'à mon retour nous referons connaissance tous les deux. En attendant, je suis sûr que Cocóton ne manquera de rien et qu'elle sera aimée.

— Oh, oui, me répondit Quequelmíqui, en posant sa main sur mon bras. Nous resterons avec elle aussi longtemps qu'il le faudra. Et nous ne la laisserons pas vous oublier, Mixtli. »

Ils me quittèrent pour s'occuper du déménagement des affaires qu'ils avaient pu sauver dans les ruines de leur maison et, le soir même, je préparai un ballot léger et compact pour partir en voyage. Le lendemain matin, j'allai réveiller Cocóton et je lui dis :

« Ta tene m'a demandé de te dire au revoir pour elle, parce que... parce qu'elle ne peut pas laisser les porteurs tout seuls, sinon ils vont se sauver comme des petites souris. Je vais t'embrasser de sa part. Ça ressemble à ses baisers, hein ? Et maintenant, Cocóton, prends le baiser de tene et tiens-le dans ta main, comme ça, pour que ton tete puisse t'embrasser à son tour. Voilà. Maintenant, tu les prends tous les deux et tu les serres bien fort dans tes mains pendant que tu t'endors. Quand tu te lèveras, tu n'auras qu'à les ranger soigneusement pour nous les rendre quand nous reviendrons.

— Nous reviendrons », répéta la petite, tout endormie. Elle me sourit du sourire de Zyanya et ferma des yeux semblables aux siens.

En bas, Turquoise renifla et Chanteur Etoile se moucha plusieurs fois quand je leur dis adieu et que je les chargeai de s'occuper de la maison. Je leur rappelai que jusqu'à mon retour, ils devraient obéir à Cozcatl et à Quequelmíqui, comme à leurs propres maîtres. Avant de quitter la ville, je passai par la Maison des Pochteca pour y déposer un message à confier à la prochaine caravane en partance vers Tehuantepec. Cette lettre annonçait à Béu Ribé — de la manière la moins brutale que j'avais pu trouver — la mort de sa sœur et les circonstances dans lesquelles elle s'était produite.

L'idée ne m'était pas venue que le commerce mexica avait été considérablement touché et que mon message mettrait du temps à lui parvenir. Non seulement, l'inondation avait noyé les cultures, mais elle avait envahi les entrepôts. Aussi, pendant de nombreux mois, la tâche des pochteca et de leurs porteurs consista uniquement à approvisionner la ville sinistrée. Voilà

752

pourquoi Béu n'apprit la mort de sa sœur que plus d'un an après.

Quant à moi, pendant cette période, je me déplaçai sans cesse, errant comme une touffe de coton au gré des vents, allant là où le paysage me plaisait, là où les méandres d'un chemin m'entraînaient et semblaient me dire : « Suis-moi, tout de suite après le premier tournant, se trouve le pays du bien-être et de l'oubli. » Mais cet endroit n'existe pas, bien sûr. On peut aller jusqu'au bout de toutes les routes et jusqu'à la fin de ses jours, nulle part on ne peut déposer ses souvenirs et leur tourner le dos pour toujours.

Il ne m'arriva rien de remarquable et je ne cherchai pas à faire des achats qui m'auraient encombré. S'il se trouvait des découvertes fortuites à faire — comme les défenses géantes —, je suis passé sans les voir. La seule aventure notable qui m'advint se produisit tout à fait par hasard.

Je me trouvais près de la côte occidentale, dans le pays de Nayarit, l'une des provinces situées au nord du Michoacán. J'étais venu jusque-là pour voir un volcan qui était en éruption violente depuis près d'un mois et qui menaçait de ne jamais s'arrêter. Ce volcan s'appelle le Tzeboruko, ce qui veut dire ronfler de colère. Mais c'était bien pire que cela : il grondait furieusement et crachait des tourbillons de fumée grisâtre qui montaient jusqu'au ciel sillonnés d'éclairs de feu.

Le Tzeboruko domine une vallée fluviale et sa coulée se déversait naturellement dans le lit de la rivière qui n'était pas assez profonde pour refroidir et durcir la roche en fusion. L'eau se mettait seulement à bouillir à son contact et s'évaporait sous cet assaut. Quand j'arrivai pour voir ce spectacle, la roche en fusion, telle une grande langue rouge, faisait reculer la rivière. La plupart des habitants de la région faisaient tristement leurs paquets pour s'en aller plus loin. Dans le passé, des éruptions avaient parfois dévasté toute la vallée jusqu'à la côte qui se trouve à environ vingt longues courses.

Ce fut le cas, cette fois-là. J'ai essayé de vous rendre la furie de l'éruption, révérends scribes, pour que vous me croyiez quand je vous raconterai comment elle m'a finalement projeté en dehors du Monde Unique, directement dans l'inconnu.

Comme je n'avais rien d'autre à faire, je passai plusieurs journées à déambuler près du fleuve de lave — aussi près que le permettaient la chaleur brûlante et les fumées asphyxiantes. La lave se déplaçait comme une traînée de boue, au pas d'un homme qui ne marcherait pas très vite. Au bout de quelques jours, nous nous sommes retrouvés, elle et moi, au bord de l'océan occidental.

Là, le lit de la rivière se resserre entre deux montagnes et débouche sur un vaste croissant de sable qui borde une mer turquoise. Sur la plage, je vis un hameau de huttes de roseau, mais pas âme qui vive. Il était clair que ces pêcheurs avaient, eux aussi, prudemment décampé. Cependant, quelqu'un avait laissé sur la rive un petit acali avec sa pagaie et je décidai de le mettre à l'eau pour aller attendre, à distance respectueuse, le moment où la roche bouillonnante rencontrerait la mer. La rivière avait été incapable de résister à l'assaut de la lave, mais je savais que les eaux inépuisables de l'océan l'arrêteraient et je pensais que cette rencontre serait un spectacle impressionnant.

Le choc ne se produisit que le lendemain et auparavant, j'avais mis toutes mes affaires dans le bateau et ramé au-delà des brisants ; je me trouvais par conséquent en plein milieu de la baie. Avec ma topaze, je voyais le flot de lave ardente s'avancer en rampant sur la plage, jusqu'au bord de la mer. De la terre, je ne distinguais, à travers l'épaisse fumée et la pluie de cendres, que l'éclat rosé du Tzeboruko qui continuait à vomir les entrailles de Mictlán, traversé parfois par un éclair doré.

Alors, sur la plage, le serpent rougeoyant sembla hésiter un moment, puis rassembler ses forces pour se lancer à l'assaut de l'océan avec le fracas tonnant d'un dieu blessé, un dieu irrité et offensé. L'océan s'était mis à bouillonner si soudainement qu'il explosa en fumée et la lave se durcit si brusquement qu'elle éclata en morceaux. La vapeur se transforma en une falaise de nuages et je sentis une écume chaude ruisseler sur moi. Mon acali fut projeté si violemment en arrière que je faillis basculer. Je m'accrochai à ses parois et la pagaie tomba à l'eau.

La mer, semblant se remettre de sa surprise, se rua à l'assaut de la plage, tandis que la roche en fusion poursuivait son avance. Le grondement était incessant et le nuage de fumée se poussait vers le haut comme s'il avait voulu gagner le ciel ; sous l'attaque, l'océan recula une nouvelle fois. Ce mouvement d'avant en arrière, de la terre à la mer, s'effectua je ne sais combien de fois ; j'étais moi-même étourdi par le balancement de mon acali, mais je me rendais néanmoins compte que le flux m'emportait bien plus loin au large que le reflux ne me ramenait vers le rivage. Autour de moi, dans les eaux tourbillonnantes, des poissons et d'autres créatures marines flottaient à la surface, le ventre en l'air.

Aux dernières lueurs du jour, je me trouvais exactement entre les deux bras de la baie, trop loin de l'un ou de l'autre, pour y accéder à la nage et au-delà, c'était l'océan sans limites. Il ne me restait qu'à prendre les poissons morts qui flottaient autour de moi et à les entasser dans un coin du bateau. Ensuite, je m'allongeai, la tête sur mon sac trempé et je m'endormis.

Le lendemain, lorsque je m'éveillai, j'aurais pu croire avoir rêvé tout le chambardement de la veille, si je n'avais tant dérivé que je ne reconnaissais plus la silhouette déchiquetée des montagnes bleuâtres. Le soleil se levait dans un ciel dégagé, on ne voyait plus ni fumée ni cendres ni aucun autre signe de l'éruption du Tzeboruko parmi les reliefs distants. L'océan était aussi calme que le lac Xaltocán un jour d'été. Avec ma topaze, je regardai la terre et je m'aperçus que j'étais pris dans un courant qui m'emportait vers le nord, très loin de la côte.

Je tentai de pagayer avec mes mains, mais je dus abandonner rapidement, car soudain, il se produisit un remous et quelque chose vint heurter l'acali si violemment qu'il tangua. Je me penchai et découvris une profonde entaille dans le dur acajou et une nageoire verticale semblable à un bouclier de cuir oblong, qui fendait les eaux. Elle fit deux ou trois fois le tour de mon embarcation et je ne me risquai plus ensuite une seule fois à mettre la main en dehors du canoë.

Voyons, pensai-je, j'ai échappé au volcan et je n'ai plus qu'à craindre d'être avalé par un monstre marin, de mourir de faim et de soif ou de me noyer si la mer se lève. Je songeai alors à Quetzalcoatl, l'ancien chef des Tolteca, qui, comme moi, avait dérivé dans l'océan Oriental et qui ensuite était devenu le plus aimé des dieux, adoré par des populations très différentes qui n'avaient que ce culte en commun. La différence avec moi, c'était qu'une foule de sujets avait assisté à son départ et pleuré sa disparition, puis avait informé tout le monde qu'à partir de ce jour, l'homme Quetzalcoatl devait être vénéré comme un dieu. Moi, personne ne m'avait vu partir et ne pouvait donc demander qu'on m'élève au rang des divinités. Je résolus, par conséquent, puisque je n'avais aucun espoir de devenir un dieu, de faire tous mes efforts pour rester un homme le plus longtemps possible.

Sur les vingt-trois poissons que j'avais ramassés, il y en avait dix de comestibles. J'en nettoyai deux avec mon poignard et les mangeai tout crus, ou presque car ils avaient un peu cuit dans le chaudron qu'était devenue la baie. Je vidai et coupai en morceaux les treize poissons que je ne pouvais consommer et, après avoir sorti mon bol de mon sac, je les pressai pour extraire chaque goutte de leur jus. Je glissai ensuite le récipient et les huit autres poissons qui me restaient sous mon sac, pour les mettre à l'abri du soleil et le lendemain, je mangeai encore deux poissons relativement frais. Cependant, le troisième jour, il me fallut vraiment faire un effort pour en consommer deux autres ; je les avalai sans les mâcher tant ils étaient mauvais et visqueux et je jetai le reste par-dessus bord. Après cela, je n'eus rien d'autre, pour me soutenir, que quelques maigres gorgées de jus de poisson dont j'humectais mes lèvres desséchées.

C'est aussi, je crois, dans le courant de ce troisième jour que le dernier sommet du Monde Unique disparut à l'horizon. Jamais, je ne m'étais trouvé dans une pareille situation et je me demandais si j'allais être rejeté sur l'une de ces îles des Femmes dont parlent les légendes, mais que personne n'a réellement abordées. Il paraît qu'elles sont uniquement habitées par des femmes qui vont chercher les huîtres perlières dans les eaux profondes. Ces femmes ne voient des hommes qu'une fois par an quand ils viennent du continent pour échanger des tissus et d'autres marchandises contre ces perles. A cette occasion, elles s'unissent à eux, ne gardant, des enfants nés de ces brefs accouplements, que les filles et noyant les garçons. Je songeais à ce qui m'arriverait si j'échouais sur ces îles. Serais-je immédiatement massacré, ou soumis à un viol collectif ?

En réalité, ni ces îles mythiques, ni aucune autre n'apparurent et je continuai à dériver lamentablement sur les eaux sans bornes. L'océan m'entourait de toutes parts et j'avais l'impression angoissante d'être une fourmi tombée au fond d'une jarre bleue dont les flancs seraient glissants et insurmontables. La nuit me semblait moins inquiétante quand je rangeais ma topaze pour ne pas voir la multitude des étoiles. Dans le noir je pouvais me croire en sécurité sur quelque chose de solide, dans une forêt, ou même chez moi. J'essayais de me persuader que le bateau où j'étais balancé était mon gishe de corde et, grâce à ça, je m'endormais profondément. Le jour, par contre, je ne pouvais m'imaginer que j'étais ailleurs qu'au beau milieu d'une effrayante étendue bleue, chaude et sans ombre. Heureusement, j'avais d'autres choses à observer que les flots infinis et indifférents.

Sans en avoir jamais vu, je reconnus aussitôt les grands espadons qui bondissaient hors de l'eau et dansaient sur leur queue et aussi, les poissons-scies encore plus gros, plats et bruns, munis de nageoires allongées comme les ailerons d'un écureuil volant. J'en identifiai deux à leur terrible éperon que les guerriers de certaines tribus côtières utilisaient comme arme. Je redoutais que l'un d'eux ne vienne s'attaquer à mon acali, mais aucun ne s'approcha.

D'autres m'étaient totalement inconnus. Par exemple, des petites créatures aux longues nageoires qui leur servaient d'ailes pour jaillir de l'eau et glisser sur des distances prodigieuses. Je crus d'abord que c'étaient des insectes marins, mais l'un d'eux, ayant atterri dans mon bateau, je le saisis, le mangeai, et je m'aperçus qu'il avait un goût de poisson. Je vis aussi d'énormes poissons bleu-gris, qui me regardaient avec des yeux intelligents et un sourire figé et que je trouvai plutôt sympathiques. Ils faisaient un bout de chemin avec moi et me distrayaient par leurs acrobaties.

Cependant, d'autres poissons beaucoup plus gros me remplissaient vraiment d'effroi. C'étaient d'énormes bêtes grises qui venaient de temps à autre se chauffer à la surface et qui tournaient parfois autour de moi pendant la moitié de la journée, comme si elles avaient besoin d'une bouffée d'air et d'un rayon de soleil, ce qui est un comportement curieux chez un poisson. C'étaient les créatures les plus gigantesques que j'aie jamais vues. Vous ne me croirez peut-être pas, mes révérends, si je vous dis qu'elles étaient aussi longues que la place qui est sous nos fenêtres et que leur largeur et leur masse étaient en proportion. Quand j'avais été dans le Xoconochco, des années auparavant, on m'avait servi un plat de yeyemichi et le cuisinier m'avait dit que c'était le plus gros poisson des mers. Si c'est vraiment une tranche de ces grandes pyramides flottantes que j'ai mangée ce jour-là, je regrette bien de ne pas avoir cherché à rencontrer l'homme héroïque — ou l'armée — qui avait capturé ce monstre, pour lui exprimer mon admiration.

Tout en s'amusant, deux de ces animaux auraient pu facilement écraser mon acali et moi avec, sans même s'en apercevoir, mais aucune infortune ne m'arriva. Le sixième ou septième jour de cette expédition involontaire, alors que j'avais léché la dernière goutte du jus de poisson et que j'étais complètement desséché et anéanti, une averse vint s'abattre sur l'océan comme un voile gris. Je remplis mon bol et le vidai deux ou trois fois, mais j'étais inquiet car la pluie avait amené un vent qui agitait la mer. Mon embarcation était ballottée comme un fétu et il fallut que je me mette à écoper. Cependant, j'éprouvais un certain soulagement à voir que la pluie et le vent arrivaient derrière moi — du sud-ouest, d'après la position du soleil — et que par conséquent, je ne serais pas repoussé encore davantage vers la haute mer.

Et pourtant, peu importait l'endroit où j'irais sombrer, car il me semblait bien que cette aventure finirait ainsi. Le vent et la pluie ne cessaient pas et l'océan continuait à faire danser mon acali, aussi je ne pouvais ni dormir, ni même me reposer et j'étais obligé de vider sans cesse l'eau qui entrait dans le bateau. J'étais si faible que le bol me semblait plus lourd qu'une jarre de pierre. Je finis par sombrer dans une sorte de torpeur et je suis incapable de dire combien de jours et de nuits je passai ainsi à écoper machinalement. Je me souviens néanmoins que, vers la fin, mes mouvements étaient de plus en plus lents et le niveau de l'eau de plus en plus élevé. Lorsqu'enfin je sentis le fond du bateau toucher le fond de la mer et que je sus que j'avais sombré, je m'étonnai vaguement de ne pas sentir l'eau me recouvrir et les poissons jouer dans mes cheveux.

J'avais dû perdre connaissance, car lorsque je revins à moi, il ne pleuvait plus, le soleil brillait et je regardai autour de moi, émerveillé. Je m'étais bien échoué, mais dans un endroit peu profond. L'eau ne m'arrivait qu'à la ceinture car l'acali s'était abîmé sur une plage de galets qui s'étendait à perte de vue des deux côtés, sans un seul signe de vie humaine. A bout de forces, je sortis de mon canoë et, traînant mon ballot trempé, j'atteignis le rivage. Des cocotiers poussaient derrière la plage, mais j'étais bien trop faible pour y grimper ou même pour les secouer ou chercher une nourriture quelconque. Je sortis à grand-peine le contenu de mon sac pour le faire sécher au soleil et je retombai dans l'inconscience.

Quand je me réveillai, il faisait noir et je mis un moment pour réaliser que je n'étais plus ballotté par les vagues. Je n'avais pas la moindre idée de l'endroit où je me trouvais, mais il me semblait que je n'étais pas seul car j'entendais autour de moi des crépitements mystérieux et inquiétants. Ils semblaient venir de partout et de nulle part comme un feu de broussailles se resserrant sur moi ou comme une armée cherchant à m'encercler — sans prendre beaucoup de précautions, car j'entendais bouger les galets et craquer les brindilles qui jonchaient la plage. Je m'assis et le bruit cessa aussitôt, mais quand je me recouchai, le sinistre vacarme reprit. Pendant toute la nuit, à chaque fois que je remuais, le crépitement s'arrêtait, puis reprenait. Je n'avais pas fait de feu avec mon cristal pendant que le soleil était là et je n'avais plus aucun moyen de fabriquer une torche. Je ne pouvais rien faire d'autre que de rester éveillé à attendre que quelque chose me saute dessus quand, enfin, les premières lueurs de l'aube me permirent de voir ce dont il s'agissait.

Cette vision me donna la chair de poule. La plage tout entière, sauf un petit cercle autour de moi, était recouverte de crabes gris-brun, grands comme ma main, qui dérapaient maladroitement sur le sable en se cognant les uns aux autres. De plus, leurs deux pinces de devant étaient différentes. Ils se servaient de la petite comme d'une baguette de tambour pour taper sur la grosse, sans jamais se lasser et d'une manière très peu musicale.

L'aube semblait être le signal qu'ils attendaient pour mettre un terme à leur ridicule cérémonie. La horde innombrable s'éclaircit peu à peu, à mesure qu'ils rentraient sous les sables, mais j'arrivai à en attraper quelques-uns car je trouvais qu'ils me devaient bien une compensation pour m'avoir tenu dans l'angoisse toute la nuit. Leur corps était petit et il n'y avait presque rien à en tirer, mais la grosse pince-tambour me fit un savoureux petit déjeuner, lorsque je l'eus fait griller sur le feu.

Enfin, rassasié pour la première fois depuis bien longtemps et ayant un peu récupéré mes forces, je m'écartai du feu pour faire le point. J'étais revenu dans le Monde Unique et certainement toujours sur la côte ouest, mais bien plus au nord qu'avant. A l'ouest, la mer s'étalait toujours jusqu'à l'horizon, mais elle était bien plus calme qu'au sud ; pas de rouleaux ni même de ressac, juste un petit clapot sur le rivage. De l'autre côté, à l'est, au-delà de la ligne des cocotiers, se dressait une chaîne de montagnes qui semblaient prodigieusement hautes, mais couvertes de forêts et bien différentes des sinistres reliefs volcaniques où je me trouvais peu avant. Je n'avais aucun moyen de savoir jusqu'où le courant et l'orage m'avaient poussé, mais j'étais sûr qu'en suivant la côte vers le sud, je finirais par me retrouver un jour dans cette baie près du Tzeboruko en pays connu. De plus, si je restais sur la plage, je trouverais facilement de quoi manger et de quoi boire avec les crabes-tambours et le lait des noix de coco, si rien d'autre ne se présentait.

Mais je ne pouvais plus supporter la vue de ce maudit océan. Les montagnes m'étaient totalement inconnues et peut-être peuplées de tribus sauvages et de bêtes féroces, cependant, ce n'étaient que des montagnes, j'en avais l'expérience et j'avais déjà vécu de leurs ressources. Ce qui m'attirait le plus, c'était de savoir qu'elles allaient m'offrir une variété de paysages bien plus grande que la mer. Je restai donc sur la plage juste le temps de me reposer pendant deux ou trois jours, puis je rassemblai mes affaires et partis vers l'est en direction des premiers contreforts.

On était au milieu de l'été et c'était une chance pour moi car, même à cette saison, les nuits étaient froides. Les quelques vêtements et la couverture que j'avais emportés étaient bien usés et leur séjour dans l'eau salée ne les avait pas arrangés. Si je m'étais aventuré dans ces montagnes pendant l'hiver, j'aurais réellement souffert car les indigènes m'ont appris que la mauvaise saison apportait un froid mordant et de la neige à hauteur d'homme.

Je finis par rencontrer des gens, mais après plusieurs jours au point que je commençais à me demander si l'éruption du Tzeboruko ou quelque autre catastrophe n'avait pas complètement dépeuplé le Monde Unique.

C'était un peuple bien étrange, en vérité, qui s'appelait les Tarahumara, ce qui signifie Pieds Rapides et à juste titre, comme je vous le montrerai. Je fis ma première rencontre alors que je me trouvais sur le sommet d'une falaise, me reposant un peu après une ascension épuisante et admirant un paysage à couper le souffle. C'était une gorge très profonde où les arbres poussaient à même la paroi. Tout en bas coulait une rivière alimentée par une cascade qui jaillissait d'une échancrure de la montagne située de l'autre côté du cañon où je me trouvais. La chute avait facilement une demi-longue course de hauteur, puissante colonne d'eau en haut et gigantesque panache d'écume blanche dans le bas. J'étais en train de la contempler lorsque j'entendis crier :

« *Kuira-ba !* »

Je sursautai car c'était la première voix humaine que j'entendais depuis bien longtemps, mais elle semblait bien intentionnée et je pensais qu'il s'agissait d'un salut. Un jeune homme venait à moi en souriant. Il avait un beau visage, dans la mesure où l'on peut dire qu'un faucon est beau et il était bien bâti, quoiqu'un peu plus petit que moi. Il était correctement vêtu, mais pieds nus, comme moi du reste, car mes sandales étaient parties en lambeaux depuis bien longtemps. Sur son pagne en peau de daim, il portait un manteau aux vives couleurs, en daim également, dont la coupe était nouvelle pour moi, car il avait des manches jusqu'aux poignets, pour tenir plus chaud.

Je lui rendis son salut en répétant : « *Kuira-ba* ». Il me montra la cascade en souriant aussi fièrement que s'il en avait été le propriétaire et déclara : « *Basa séachic* », ce qui de toute évidence voulait dire Chute d'Eau. Je répétai ce mot en insistant dessus pour lui montrer que je la trouvais très belle et très impressionnante. Le jeune homme se désigna lui-même en disant : « Tes-disora », ce qui devait être son nom et qui signifie, je devais l'apprendre par la suite, Plant de Maïs. Je pointai un doigt sur moi et dit : « Mixtli », tout en lui indiquant un nuage dans le ciel. Il hocha la tête, posa la main sur sa poitrine et répondit : « Tarahumara », puis la tendit dans ma direction en disant : « Chichimeca ».

Je secouai violemment le chef et rectifiai, « Mexicatl ! » en me frappant la poitrine à plusieurs reprises. Sur quoi, il me considéra avec indulgence, comme si j'avais évoqué une des innombrables tribus des Chichimeca, Peuple Chien. Plus tard, je devais m'apercevoir que les Tarahumara n'avaient jamais entendu parler des Mexica, de notre société civilisée, de notre science, de notre puissance et de nos terres lointaines et que, de toute façon, ils s'en seraient fort peu souciés. Ils mènent une vie paisible dans leur repaire montagneux et, ne manquant de rien, ils ne cherchent à entrer en contact avec personne et s'aventurent rarement en dehors de leur territoire. Ils ne connaissent donc pas les autres peuples, sauf ceux des pays voisins d'où leur viennent parfois une horde de pillards, ou de simples voyageurs comme moi.

Au nord de leur pays, vivent les redoutables Yaki et il aurait fallu être fou pour chercher à établir des contacts avec eux. J'avais entendu parler de cette peuplade par le vieux pochtecatl scalpé. Tes-disora m'en apprit davantage quand je fus capable de comprendre son langage : « Les Yaki sont plus cruels que les bêtes les plus féroces. En guise de pagne, ils portent les cheveux de ceux qu'ils ont scalpés, avant de les massacrer et de les dévorer. S'ils tuent leur victime d'abord, ils jugent que sa chevelure n'est pas digne d'être conservée. Ils ne gardent pas les cheveux des femmes qu'ils se contentent de manger après les avoir violées, jusqu'à ce qu'elles soient complètement éventrées. »

Au sud, vivaient des tribus plus pacifiques qui ont le même dialecte et les mêmes coutumes que les Tarahumara. La côte ouest est habitée par des pêcheurs qui ne pénètrent presque jamais dans l'intérieur des terres. Toutes ces peuplades sont, sinon civilisées, du moins propres sur leur personne et dans leurs vêtements. Les seuls qui soient vraiment sales et repoussants sont les Chichimeca qui habitent dans les déserts de l'est.

J'avais la peau aussi brûlée par le soleil que les Chichimeca et j'étais presque nu. Aux yeux d'un Tarahumara, je ne pouvais être qu'un des leurs, particulièrement entreprenant, sans doute, pour avoir osé affronter les sommets. Je pense néanmoins que Tesdisora avait dû s'apercevoir, dès notre première rencontre, que je ne sentais pas mauvais. En effet, grâce à l'eau abondante des montagnes, j'avais pu me laver tous les jours, comme le font les Tarahumara. Mais en dépit de mes manières policées et de mon insistance à soutenir que j'étais un Mexicatl et à leur vanter la gloire de cette lointaine nation, je ne suis jamais arrivé à les persuader que je n'étais pas un Chichimeca fuyant son désert.

Peu importe ce qu'ils croyaient, car les Tarahumara me firent bon accueil. Je m'attardai assez longtemps chez eux, car leur façon de vivre me surprenait et me plaisait. J'y fis un séjour assez prolongé pour arriver à converser avec eux, avec force gestes de ma part et de la leur. Mais, lors de ma première rencontre avec Tes-disora, tout se passa uniquement par gestes.

Lorsque nous eûmes échangé nos noms, il mit sa main au-dessus de sa tête — j'en déduisis qu'il me parlait d'un village — et il déclara, « Guagüey-bo » en pointant son index vers le sud. Après m'avoir montré Tonatiuh dans le ciel en l'appelant « Raiénari », c'est-à-dire le Grand-Père Feu, il me fit comprendre que nous pourrions atteindre le village après une marche de trois soleils. J'exécutai toutes sortes de gestes et de grimaces pour lui exprimer ma gratitude pour son invitation et nous nous mîmes en route. A ma grande surprise, il commença à partir au trot mais, voyant que j'étais fatigué et peu désireux de courir, il ralentit et régla son allure sur la mienne. De toute évidence, il devait toujours se déplacer au pas de course pour franchir les gorges et les sommets, car malgré mes longues jambes, il nous fallut cinq jours et non trois pour arriver à Guagüey-bo.

Tes-disora me fit comprendre qu'il était chasseur. Je lui demandai alors pourquoi il avait les mains vides. Où avait-il laissé ses armes ? En souriant, il me fit signe de m'arrêter et de me tapir dans les broussailles. Au bout d'un petit moment, il me poussa du coude et me montra une forme floue et pommelée qui remuait dans les arbres. Avant que j'aie eu le temps de prendre mon cristal, Tes-disora avait bondi hors de sa cachette comme s'il avait été lui-même une flèche.

Le bois était si touffu que même avec ma topaze, je ne

parvenais pas à suivre tout le déroulement de la « chasse », mais ce que j'en voyais était suffisant pour me clouer sur place de surprise. La silhouette pommelée était celle d'une jeune biche qui avait pris la fuite presque au même moment où Tes-disora avait bondi à sa poursuite. Elle courait vite, mais le jeune homme était encore plus rapide. En moins de temps qu'il n'en faut pour le dire, il l'avait rattrapée, s'était jeté sur elle et lui avait brisé le cou avec les mains.

Tandis que nous nous régalions avec l'un des cuissots de la bête, je lui exprimais par gestes mon émerveillement pour sa vitesse et son agilité. Il prit un air modeste, en me faisant comprendre qu'il était loin d'être le chasseur le plus adroit des Pieds Rapides, que d'autres lui étaient bien supérieurs et qu'une biche n'était rien en comparaison d'un cerf adulte. Il manifesta, à son tour, un vif étonnement quand j'allumai le feu avec mon cristal ; jamais il n'avait vu un instrument aussi merveilleux dans les mains de ces barbares.

« Mexicatl ! » insistai-je avec un air vexé, mais il continua à hocher la tête. Ensuite, nous arrêtâmes tous nos discours et nous ne nous servîmes plus de nos mains et de notre bouche que pour dévorer la viande tendre et bien grillée.

Guagûey-bo était situé dans l'une des failles spectaculaires de cette région. C'était un village, au sens où il abritait une vingtaine de familles — environ trois cents personnes en tout — mais il n'y avait qu'une seule maison : une petite maison de bois habitée par le si-riame. Ce mot veut dire chef, sorcier, médecin et juge, tout à la fois, mais chez les Tarahumara, ces fonctions étaient assurées par une seule personne. La demeure du si-riame, ainsi que d'autres constructions — bains de vapeur en terre en forme de dôme, huttes à provisions ouvertes sur les côtés et une plate-forme d'ardoise pour les cérémonies — étaient bâties dans le fond du cañon, sur le bord d'une rivière aux eaux écumantes. Le reste de la population vivait dans des grottes naturelles ou creusées dans les parois qui entouraient de part et d'autre l'immense ravin. Cela ne veut pas dire que les Tarahumara soient primitifs ou paresseux, mais simplement qu'ils ont l'esprit pratique. S'ils l'avaient voulu, ils auraient tous pu avoir une maison aussi coquette que celle du si-riame, mais puisqu'il y avait des grottes, ils les avaient transformées en demeures confortables. Elles sont divisées en plusieurs pièces par des murs de roche, qui ont toutes une ouverture sur l'extérieur pour laisser entrer le soleil et la lumière. Le sol est tapissé d'aiguilles de pin à l'odeur épicée que l'on balaye et renouvelle tous les jours. Les ouvertures sont pourvues de rideaux et les murs sont tendus de peaux de cerf peintes et très colorées. Ces habitations sont bien plus confortables et bien mieux aménagées que beaucoup de maisons citadines.

Nous arrivâmes au village aussi vite que nous le permettait le fardeau que nous avions embroché sur un bâton dont nous tenions chacun une extrémité. Aussi incroyable que cela puisse paraître, Tes-disora avait le matin même abattu un cerf, une biche et un ours de taille respectable. Après avoir vidé et dépecé les bêtes, nous gagnâmes Guagüey-bo en hâte, avant qu'il ne fasse trop chaud. Le village était abondamment approvisionné en nourriture parce qu'une fête était sur le point de se dérouler. Je me félicitai d'être arrivé à un si bon moment, mais je m'aperçus ensuite que je n'aurais vraiment pas eu de chance si je n'étais pas tombé pendant une fête, ou juste avant, ou juste après. Leurs cérémonies religieuses étaient particulièrement joyeuses — on peut traduire le mot tes-güinapuri par : « Et maintenant, soûlons-nous » — et occupaient au total un bon tiers de l'année.

Comme les forêts et les rivières foisonnaient de gibier et de toutes sortes de nourriture, les Tarahumara n'avaient pas besoin, contrairement à beaucoup, de travailler toute la journée pour subvenir à leurs besoins. Ils ne cultivaient que le maïs dont la plus grande partie servait à faire du tesgüino, boisson fermentée plus alcoolisée que l'octli des Mexica, mais moins forte que le chápari des Purépecha. Sur les terres moins hautes situées à l'est, les Tarahumara récoltaient un petit cactus, le jípuri, que l'on mâche et dont je vous dévoilerai tout à l'heure les propriétés. C'est pourquoi, ayant très peu à faire et beaucoup de loisirs, ces gens avaient de bonnes raisons de passer le tiers de leur année à s'enivrer ou à se droguer avec du jípuri en remerciant les dieux de leur bonté.

En chemin, Tes-disora m'avait appris quelques bribes de sa langue, ce qui rendit notre communication plus facile et nous épargna de nombreux gestes. Lorsque nous eûmes apporté notre gibier à quelques vieilles matrones qui surveillaient les grands feux allumés au bord de la rivière, il me proposa d'aller au bain de vapeur pour nous décrasser, puis m'offrit avec beaucoup de délicatesse de me donner des vêtements propres si je voulais jeter les miens au feu, ce que je fus trop heureux d'accepter.

Après nous être déshabillés tous les deux pour entrer dans l'étuve, j'eus un court instant de surprise en voyant que Tes-disora avait des petites touffes de poils sous les bras et une autre entre les jambes et je lui fis une remarque sur cette chose curieuse. Il haussa les épaules et me dit : « Tarahumara » en se désignant, puis pointant un doigt sur moi : « Chichimeca ». Cela voulait dire qu'il n'était pas une exception ; tous les Tarahumara avaient des poils abondants autour des parties génitales et sous les bras, alors que les Chichimeca n'en avaient pas.

« Je ne suis pas un Chichimeca », lui répétai-je, mais sans grande conviction. Puis, une question me traversa l'esprit :

« Vos femmes ont-elles aussi ces petites touffes ?

— Bien sûr », me répondit-il en riant et il m'expliqua que l'apparition de ce duvet était l'un des signes qui indiquent qu'un enfant est en passe de devenir adulte. Je me demandais quelle impression cela faisait de s'unir à une femme dont le tipili n'était pas nettement visible, ou à peine voilé par un fin duvet, mais au contraire, dissimulé par une épaisse chevelure sombre.

« Vous pourrez le vérifier facilement, me dit Tesdisora comme s'il avait deviné mes pensées. Pendant les jeux du tes-güinapuri, vous n'aurez qu'à poursuivre une femme et à la renverser pour vous en rendre compte. »

Quand j'étais arrivé dans les villages, les habitants m'avaient lancé des coups d'œil dédaigneux, ce qui était bien compréhensible. Mais une fois propre, peigné, vêtu d'un pagne et d'un manteau de daim à manches, on ne me regarda plus avec mépris. A part quelques petits ricanements lorsque je commettais une erreur flagrante en parlant leur langue, les Tarahumara se montrèrent courtois et amicaux envers moi. Ma haute taille, sinon le reste de ma personne, me valut des regards intéressés ou même admiratifs des jeunes filles et des femmes seules. Il me sembla que plusieurs d'entre elles se laisseraient volontiers poursuivre par moi.

De toute façon, les Tarahumara étaient toujours en train de courir — hommes et femmes, jeunes et vieux. Tous ceux qui avaient dépassé l'âge chancelant des

770

premiers pas et qui n'étaient pas encore entrés dans celui de la décrépitude couraient. A tout moment de la journée, sauf quand ils étaient occupés à quelque tâche immobile, imbibés de tesgüino ou abrutis par le jípuri, ils couraient. A plusieurs ou tout seuls, sur les bords de la rivière ou escaladant les parois abruptes du cañon. Les hommes couraient en poussant du pied une balle de bois sculpté, soigneusement arrondie et grosse comme une tête d'homme. Les femmes, elles, couraient après un petit cerceau de paille tressée ; elles avaient chacune une petite baguette et c'était à celle qui, la première, l'atteindrait et le ferait avancer plus loin. Cette agitation frénétique et perpétuelle me semblait dépourvue d'utilité, mais voici ce que m'expliqua Tes-disora :

« Elle est en partie due aux esprits supérieurs et à notre énergie vitale, mais c'est encore bien autre chose ; c'est une cérémonie permanente à travers laquelle, par l'exercice et la sueur, nous rendons hommage à nos dieux Ta-tevarí, Ka-laumarí et Ma-tinierí. »

J'avais du mal à imaginer que les dieux pouvaient se nourrir de transpiration plutôt que de sang. Les Tarahumara adoraient les trois dieux que Tes-disora venait de citer : Grand-Père Feu, Mère Eau et Frère Cerf. Ils en avaient peut-être d'autres, mais je n'ai jamais entendu parler que de ces trois-là. Etant donné les besoins réduits de ces habitants des forêts, je suppose que cela leur suffisait.

« Ces courses incessantes, poursuivit Tes-disora, montrent aux dieux créateurs que leurs créatures sont bien vivantes. En plus, elles rendent les hommes plus aptes à l'exercice de la chasse et c'est aussi un entraînement pour les jeux auxquels vous allez assister et participer, je l'espère, au cours de la fête. Et ces jeux ne sont eux-mêmes qu'un entraînement.

— Dites-moi, je vous prie, un entraînement pour

quoi ? soupirai-je, me sentant déjà fatigué du seul fait
d'en parler.

— Pour la *vraie* course, bien sûr. Le ra-rajípuri. »
Mon expression le fit rire. « Vous verrez, c'est
l'apothéose de toutes les fêtes. »

Le tes-güinapuri débuta le lendemain quand toute la
population du village se fut rassemblée au bord de la
rivière, devant la maison du si-riame pour attendre que
celui-ci fasse son apparition et donne le signal de
commencer les festivités. Chacun avait revêtu ses habits
les plus beaux et les plus colorés ; les hommes avaient
des pagnes et des manteaux en peau de daim et les
femmes des jupes et des corsages de la même matière.
Certains s'étaient peints la figure de points et de courbes
d'un jaune éclatant et beaucoup avaient des plumes
dans les cheveux, bien que les oiseaux de ces régions
septentrionales n'aient pas un très beau plumage. La
plupart des chasseurs vétérans transpiraient déjà car ils
portaient leurs trophées sur eux : des peaux de pumas
qui leur tombaient jusqu'aux chevilles, de lourdes
fourrures d'ours ou l'épais pelage d'un animal à grandes
cornes des montagnes.

Le si-riame sortit de sa maison, entièrement vêtu de
peaux de jaguar luisantes et tenant dans sa main un
bâton terminé par une boule d'argent brut. Je fus si
stupéfait que je pris ma topaze pour m'assurer de ce que
je voyais. Sachant que le chef était aussi un sage, un
juge, un sorcier et un médecin, je m'attendais à voir une
telle sommité sous les traits d'un solennel vieillard. Mais
ce n'était ni un homme, ni un vieux, ni une personne
solennelle. C'était une femme pas plus âgée que moi,
jolie et encore embellie par un chaud sourire.

« Votre si-riame est une femme ! m'exclamai-je tandis
qu'elle entonnait les prières traditionnelles.

— Pourquoi pas ? répliqua Tes-disora.

772

— Je n'ai jamais vu une chose pareille.

— Notre ancien si-riame était un homme. Quand un si-riame meurt, tous les adultes du village, hommes et femmes, se réunissent et tous peuvent être élus. Nous mâchons beaucoup de jípuri pour entrer en transe. Cela nous donne des visions ; certains se mettent à courir furieusement et d'autres sont pris de convulsions. Cette femme a été la seule à être touchée par la lumière divine, ou du moins, elle a été la première à se réveiller et à nous dire qu'elle avait vu le Grand-Père Feu, la Mère Eau et le Frère Cerf et qu'elle leur avait parlé. Elle a été éclairée par la lumière divine et c'est la seule et unique condition pour accéder aux fonctions de si-riame. »

La femme cessa de chanter, sourit à nouveau, éleva ses beaux bras pour bénir la foule et rentra chez elle, tandis que tout le monde poussait une acclamation d'affectueux respect.

« Elle va rester enfermée ? demandai-je à Tes-disora.

— Oui, pendant les fêtes, me répondit-il avec un petit rire. Il arrive que des gens se conduisent mal pendant un tes-güinapuri. Ils se battent, commettent l'adultère ou toutes sortes d'autres méfaits. Le si-riame est une femme sage, ce qu'elle ne voit ni n'entend, elle ne le punit pas. »

J'ignorais si ce que j'avais l'intention de faire était considéré comme un méfait ; à savoir, poursuivre, attraper et m'unir à la plus attirante des femmes tarahumara. Mais les événements en décidèrent autrement et, loin d'être châtié, je fus récompensé.

D'abord, comme tous les habitants du village, je m'empiffrai de gibier et de bouillie de maïs et j'avalai des quantités de tesgüino. Ensuite, trop lourd pour me lever et trop ivre pour marcher, je tentai de me joindre à une partie de balle, mais les Tarahumara m'auraient surpassé même si je m'étais trouvé en parfaite condition. Je les laissai pour m'intéresser à un groupe de femmes qui jouaient au cerceau et, en particulier, à une très jeune fille qui m'avait attiré l'œil. J'ai bien dit l'œil, car quand j'ouvrais les deux, je voyais deux filles identiques. Je m'approchai d'elle en vacillant et je lui fis maladroitement signe en insistant lourdement de venir essayer un autre jeu.

Elle acquiesça en souriant, mais se dégagea. « Il faut d'abord m'attraper », me dit-elle en s'enfuyant dans le cañon.

Je savais que j'étais incapable de me mesurer à la course avec les hommes de ce pays, mais j'étais sûr de pouvoir rattraper une femme. Pourtant, je n'y arrivais pas, bien que j'eusse l'impression qu'elle ralentissait pour me faciliter la tâche. Je m'en serais peut-être mieux sorti si je n'avais pas tant mangé et tant bu. De plus, les distances sont difficiles à évaluer d'un seul œil, mais même si la fille était restée sans bouger, je ne l'aurais sans doute pas attrapée. Quand j'ouvrais les deux yeux, je voyais tout en double, les racines et les rochers et quand je voulais passer entre deux obstacles, je me prenais inévitablement les pieds dans l'un d'eux. Après être tombé neuf ou dix fois, je voulus sauter par-dessus un de ces doubles obstacles et je m'étalai sur le ventre si violemment que j'en eus la respiration coupée.

Tout en continuant à fuir, la fille jetait des regards en arrière. Elle s'arrêta, revint vers moi et me déclara avec un accent un peu exaspéré :

« On ne pourra pas jouer à autre chose tant que vous ne m'aurez pas vraiment attrapée, si vous voyez ce que je veux dire. »

Je n'arrivais pas à articuler le moindre mot ; j'étais plié en deux, cherchant mon souffle et bien incapable de jouer à quoi que ce soit. Elle fronça les sourcils, partageant visiblement la lamentable opinion que j'avais de moi-même. Tout à coup, son visage s'éclaira.

« Je n'ai pas pensé à vous le demander. Avez-vous pris du jípuri ? »

Je secouai faiblement la tête.

« C'est pour ça ! Les autres ont cet avantage sur vous, vous ne leur êtes pas inférieur, c'est le jípuri qui leur donne de la vigueur. Venez ! On va vous en donner. »

J'étais toujours roulé en boule, mais je commençais à retrouver ma respiration et son ordre impératif ne souffrait pas de refus. Elle me prit la main pour m'aider à me relever et elle me conduisit vers le centre du village. Je connaissais déjà les effets du jípuri car on l'importait par toutes petites quantités à Tenochtitlán où il était réservé aux prêtres qui rendaient les oracles. C'est un petit cactus qui ne paye pas de mine. Rond et rabougri, poussant au ras du sol, le jípuri devient rarement plus grand que la paume de la main. Il se divise en plusieurs renflements, ce qui le fait ressembler à une minuscule citrouille d'un gris-vert. C'est quand on le mâche tout frais qu'il fait le plus d'effet, mais on peut le faire sécher et le conserver indéfiniment. A Guagüeybo, des chapelets entiers de ces végétaux desséchés pendaient aux poutres des huttes à provisions. Je levai la main pour en attraper, mais elle m'arrêta :

« Attendez ! Est-ce que vous avez déjà mâché du jípuri ? »

Je secouai à nouveau la tête.

« Alors, vous êtes un ma-tuáne, celui qui cherche la lumière divine pour la première fois. Non, ne grognez pas. Ce ne sera pas long. » Elle jeta un regard circulaire sur les villageois qui tous mangeaient, buvaient, dansaient ou couraient.

« Ils sont trop occupés. Mais le si-riame n'a rien à

faire. Je suis sûre qu'elle voudra bien se charger de votre purification. »

Nous nous dirigeâmes vers la petite maison de bois et elle agita une cordelette suspendue à côté de la porte, où étaient enfilées des coquilles d'escargots. La femme-chef, toujours vêtue de ses peaux de jaguar, releva le rideau de daim et nous dit, « *Kuira-ba* », en nous faisant poliment signe d'entrer.

« Si-riame, commença la jeune fille, voici Mixtli, le Chichimeca qui est en visite chez nous. Comme vous le voyez, il n'est plus tout jeune, mais il ne court vraiment pas vite, même pour quelqu'un de cet âge. Il n'est pas arrivé à me rattraper et j'ai pensé que le jîpuri pourrait lui donner un coup de fouet, mais il m'a dit qu'il n'avait encore jamais cherché la lumière divine, aussi... »

Pendant ce discours peu flatteur, la femme-chef n'avait cessé de me regarder avec des yeux amusés.

« Je ne suis pas un Chichimeca », balbutiai-je, mais elle ignora ma remarque et s'adressa à la fille :

« Je comprends bien. Tu voudrais qu'il subisse son initiation le plus tôt possible. Je m'en chargerai volontiers. » Elle m'évalua du regard et son amusement sembla faire place à un autre sentiment.

« Malgré son âge, poursuivit-elle, Mixtli paraît être un individu tout à fait intéressant, surtout si l'on songe à ses origines. Je vais te donner un petit conseil que tu n'entendras jamais de la bouche de nos hommes. Tu as bien raison d'admirer la rapidité d'un homme, mais c'est sa jambe du milieu, si je peux m'exprimer ainsi, qui est le meilleur signe de sa virilité. Ce membre risque de dépérir quand son propriétaire prodigue toutes ses forces à développer ses autres muscles. Ne sois donc pas trop prompte à mépriser un coureur médiocre avant d'avoir examiné ses autres attributs.

— Naturellement, répliqua la jeune fille impatientée. C'est bien ce que je voulais dire.

— Tu pourras le faire après la cérémonie. Maintenant, tu peux t'en aller, ma fille.

— M'en aller ? protesta-t-elle. Il n'y a rien de secret dans l'initiation d'un ma-tuáne. En général, tout le village y assiste.

— Je ne veux pas interrompre le tes-güinapuri. Et puis, ce Mixtli est étranger à nos coutumes et il pourrait être intimidé par une horde de spectateurs.

— Je ne suis pas une horde ! C'est moi qui l'ai amené pour la purification.

— Je te le rendrai après. Tu pourras alors juger s'il vaut le dérangement. Maintenant, il faut que tu partes. »

La fille s'en alla, non sans nous avoir jeté un regard furibond et le si-riame me dit : « Asseyez-vous Mixtli, pendant que je prépare une décoction pour vous éclaircir l'esprit. On ne doit pas être ivre pour mâcher le jípuri. »

Je m'assis sur le sol tapissé d'aiguilles de pin. Elle mit la tisane à chauffer dans un coin de l'âtre, puis s'approcha de moi avec une petite cruche.

« C'est le jus de la plante sacrée, l'ura. » Elle m'en versa une tasse, puis avec une petite plume elle me peignit des spirales et des points d'un jaune très vif sur les joues et le front.

« Voilà », déclara-t-elle. Je sentais que le breuvage chassait miraculeusement mon ivresse.

« Je ne sais pas ce que veut dire Mixtli, mais puisque vous êtes un ma-tuáne qui cherche la lumière divine pour la première fois, vous devez choisir un nouveau nom. »

Je faillis me mettre à rire. J'avais depuis longtemps

perdu le compte de mes nombreuses dénominations, mais je me contentai de lui expliquer :

« Mixtli signifie cette chose accrochée dans le ciel que vous nommez Kurú.

— C'est un très beau nom, mais il faudrait lui ajouter un qualificatif. Disons, Su-kurú. »

Cette fois, je n'avais plus envie de rire. Su-kurú veut dire Nuage Noir et elle ne pouvait pas savoir que c'était mon nom. Je me souvins alors que les si-riame sont aussi des sorciers et je supposai que la lumière divine leur faisait voir des choses cachées pour les autres.

« Maintenant, Su-kurú, vous devez confesser tous les péchés de votre existence.

— Madame le si-riame, lui répliquai-je, je n'aurais pas assez de toute ma vie pour les énoncer.

— Vraiment ? Il y en a tant ? » Elle me considéra pensivement, puis elle ajouta : « Bon. Etant donné que la lumière divine habite uniquement chez nous, les Tara-humara, nous ne prendrons en considération que les péchés que vous avez commis ici.

— Je n'en ai commis aucun, à ma connaissance.

— Il ne s'agit pas que des actions. L'intention suffit. Par exemple, ressentir de la colère, de la haine ou avoir envie de se venger ; concevoir une pensée indigne. Vous n'avez pu assouvir votre concupiscence sur cette fille, mais vous l'avez poursuivie dans un but bien déterminé.

— C'était moins de la concupiscence que de la curiosité, Madame. »

Elle semblait interdite, aussi je lui parlai du ymaxtli, ces poils que je n'avais jamais vus et du désir que cela avait éveillé en moi. Elle éclata de rire.

« C'est bien d'un sauvage d'être étonné par une chose qui semble évidente aux gens civilisés. Je parie qu'il n'y a pas longtemps que vous autres, les barbares, n'êtes plus intrigués par le feu. »

Quand elle eut fini de rire et de se moquer de moi, elle s'essuya les yeux et me dit plus gentiment :

« Su-kurú, il faut que vous sachiez que les Tarahumara sont spérieurs aux autres peuples, physiquement et intellectuellement, et nos corps reflètent nos sentiments délicats ; nous sommes d'une grande pudeur et ces poils que vous trouvez si étranges sont conformes à notre nature. En effet, même lorsque nous sommes nus, nos parties intimes restent discrètement cachées.

— Je trouve au contraire que ça attire l'attention. C'est plutôt de la provocation que de la pudeur. »

J'étais assis, jambes croisées, et il m'était bien difficile de cacher la protubérance qui soulevait mon pagne. Son visage prit une expression d'incrédulité et elle murmura pour elle-même :

« De simples poils... aussi ordinaires que de l'herbe dans les rochers... ça peut exciter un étranger... » Puis, s'adressant à moi : « Nous acceptons cette curiosité comme un péché avoué. Et maintenant, servez-vous de jípuri. »

Elle poussa devant moi un panier rempli de ces petits cactus frais et verts. J'en choisis un qui avait de nombreux bourrelets.

« Non, prenez celui-ci qui a cinq côtes. Ceux qui en ont davantage sont réservés à la consommation quotidienne pour les coureurs qui doivent accomplir de longues distances ou pour ceux qui veulent se bercer de rêves. Le jípuri à cinq côtes est le plus rare de tous et c'est par lui qu'on approche le plus la lumière divine. » Je mordis un morceau du cactus qu'elle me tendait ; il avait une saveur légèrement amère. Elle en choisit un autre pour elle.

« Ne le mâchez pas trop vite, ma-tuáne Su-kurú. L'effet va être très rapide parce que c'est la première fois que vous en prenez. Il faut que nous soyons à l'unisson. »

En effet, à peine eus-je avalé le premier suc que je sentis les murs de la maison s'évanouir autour de moi et je vis tous les villageois occupés à jouer ou à festoyer. Je ne pouvais croire que je voyais véritablement à travers les murs, car tout était très net sans que je me serve de ma topaze. Cette vision si précise ne pouvait qu'être due au jípuri. L'instant d'après, je n'étais plus sûr de rien ; il me sembla que je me mettais à flotter, que je m'élevais et passais à travers le toit. Les silhouettes devenaient de plus en plus petites à mesure que je montais vers la cime des arbres. *Ayyo !* m'exclamai-je, mais la voix du si-riame me cria :

« Pas trop vite, il faut que vous m'attendiez ! »

Je viens de vous dire qu'elle avait crié, mais en fait, je ne l'entendais pas ; ses paroles n'atteignaient pas mon ouïe, mais ma bouche, je les dégustais, en quelque sorte. Elles étaient délicieuses et douces comme du chocolat et c'est leur saveur qui me parvenait. Tous mes sens semblaient avoir interverti leurs fonctions. J'*entendais* l'arôme des arbres et la fumée des feux de cuisine dérivant tout comme moi, parmi les branches. Au lieu d'avoir une odeur de végétation, le feuillage résonnait de façon métallique et la fumée faisait un bruit sourd comme lorsqu'on frappe doucement sur un tambour. Je ne voyais pas les couleurs, je les *sentais* ; le vert des arbres était un parfum moite et le rouge des fleurs avait une odeur épicée. Le ciel n'était pas bleu, il était empreint d'une senteur charnelle comme celle des seins d'une femme.

C'est alors que je m'aperçus que ma tête reposait effectivement entre deux seins généreux. Mon toucher n'était pas affecté par la drogue. Le si-riame m'avait rattrapé ; elle avait ouvert son corsage de jaguar, elle me serrait contre elle et nous nous élevâmes ensemble vers les nuages. Je dois dire qu'une partie de mon individu montait plus vite que le reste. Mon tepuli s'allongeait et se raidissait palpitant de désir comme si un tremblement de terre était survenu sans que je m'en aperçoive. Le siriame poussa un rire joyeux. Je goûtai son rire, rafraîchissant comme des gouttes de pluie et ses mots comme des baisers.

« C'est le plus grand bienfait de la lumière divine, Sukurú. La chaleur et l'éclat qu'elle donne à l'acte du marakame. Mélangeons nos deux feux divins. »

Elle déroula sa jupe de jaguar et s'allongea dessus, complètement nue ou du moins aussi nue que peut l'être un Tarahumara, car elle avait bien un petit triangle d'ombre en bas du ventre. Je distinguais la forme de ce coussin alléchant et frisé, mais sa couleur sombre s'était transformée en odeur. Je me penchai pour la respirer ; elle était humide, chaude et musquée.

Ce ymaxtli chatouillait mon ventre nu, comme si je m'étais enfoncé dans un épais tapis de fougère, mais il devint bien vite souple et mouillé et, si je n'avais pas su qu'il existait, je n'aurais même pas remarqué sa présence. Cependant, comme je savais que je pénétrais pour la première fois dans un tipili garni d'une épaisse toison, la chose avait une saveur nouvelle pour moi. Illusion ou réalité, l'altitude me faisait tourner la tête, ainsi que cette sensation étrange de percevoir les gémissements de la femme par la bouche et non par les oreilles, et chaque nuance de sa peau comme une odeur particulière. Le jípuri mettait toutes les sensations en valeur et je crois que j'éprouvai aussi une légère impression de danger, or le danger aiguise les sentiments et les émotions. Il est rare que les hommes s'envolent. En général, ils ont plutôt une fâcheuse tendance à tomber. Pourtant, je restais en suspension avec le si-riame, sans aucun support visible et nous n'étions donc gênés par rien. Nous nous déplacions librement, en état d'apesanteur, comme si nous étions dans l'eau. Cette liberté nous permettait des positions impossibles autrement. Elle haleta quelques paroles qui avaient le même goût que son tipili herbeux :

« Je vous crois maintenant quand vous dites que vous avez commis tant de péchés. »

Le temps me sembla passer trop vite et à nouveau, j'entendis les sons au lieu de les goûter quand elle me dit :

« Ne vous inquiétez pas, si vous n'arrivez jamais à courir très vite. »

Je voyais les couleurs, je ne les sentais plus ; je sentais les odeurs, je ne les entendais plus et je retombai de mon exaltation aussi légèrement qu'une plume.

Je me retrouvai dans la maison du si-riame, allongé contre elle sur nos vêtements froissés. Elle était couchée sur le dos et dormait profondément en souriant. Sa chevelure était tout emmêlée et son ymaxtli était collé, sa couleur sombre éclaircie par mon omicetl.

Je me sentais moi aussi imprégné d'elle et de ma propre sueur. J'avais affreusement soif et l'intérieur de mon gosier semblait lui aussi être garni de poils. J'appris ensuite que c'était une sensation normale quand on a mâché du jípuri. Tout doucement, pour ne pas la réveiller, je me levai et m'habillai pour chercher de l'eau. Avant de partir je pris ma topaze pour jeter un dernier regard sur la belle femme étendue sur les peaux de jaguar. Je pensai que c'était la première fois que j'avais des relations sexuelles avec un dirigeant et je me sentis tout fier de moi.

Pas pour longtemps. Lorsque je quittai la maison, le soleil était encore haut et la fête allait bon train. Après avoir bu tout mon soûl, je rencontrai les yeux accusateurs de la fille que j'avais poursuivie tout à l'heure. Je lui dis en souriant d'un air innocent :

« Voulez-vous qu'on fasse la course ? Je peux maintenant prendre du jípuri autant que je veux. J'ai été initié.

— Inutile de vous en vanter, me répondit-elle d'un ton rageur. Votre initiation a duré une demi-journée, une nuit entière et encore presque toute une autre journée. »

Je n'en revenais pas. Comment était-il possible qu'un temps aussi long semble si court ? Je me sentis rougir sous ses accusations.

« C'est toujours elle qui profite la première du meilleur ma-rakame que procure la lumière divine. Ce n'est pas juste. Tant pis si on me traite de rebellé et d'insolente. Je l'ai dit et je le répète, elle a fait semblant d'avoir reçu la lumière divine du Grand-Père, de la Mère et du Frère. Elle a menti afin de pouvoir profiter la première de tous les ma-tuáne qu'elle initie. »

Ces paroles rabaissèrent tant soit peu l'orgueil que j'avais conçu pour m'être uni à un chef légitime, du fait que ce chef ne valait guère mieux que les femmes qui suivent les mauvais chemins. Je fus également blessé dans mon amour-propre car le si-riame ne réclama jamais plus ma présence auprès d'elle. Elle avait eu le meilleur de moi-même.

Toutefois, j'arrivai à amadouer la colère de l'autre fille après avoir dormi et récupéré mes forces. Elle s'appelait Vi-rikóta, ce qui veut dire Terre Sainte et qui est aussi le nom de la région située à l'est de ces montagnes où l'on récolte le jípuri. La fête continua encore plusieurs jours et je parvins à la persuader de me laisser la poursuivre à nouveau. J'avais pris soin de ne pas trop manger et de ne pas boire de tesgüino et, cette fois, je la rattrapai assez facilement.

Après avoir pris quelques morceaux de jípuri, nous

partîmes tous deux en direction d'une jolie clairière au milieu des bois. Il me fallut mâcher une bonne quantité de ces cactus moins puissants pour approcher les sensations que j'avais expérimentées avec le si-riame et pour sentir mes sens changer de fonction. Cette fois les couleurs des fleurs et des papillons se mirent à chanter.

Vi-rikóta avait, elle aussi, un médaillon entre les jambes ; comme je n'en avais pas encore épuisé la nouveauté, je fis preuve, cette fois encore, de beaucoup d'initiative. Pourtant, jamais ni elle ni moi n'arrivâmes à l'extase que j'avais connue pendant mon initiation. Je n'avais pas l'impression de monter vers le ciel et j'étais toujours conscient de l'herbe moelleuse sur laquelle nous étions couchés. Cette union fut beaucoup moins mémorable, pour moi, que la précédente, sans doute parce que Vi-rikóta et moi n'avions pas droit au cactus à cinq côtes qui donne la *vraie* lumière divine.

Néanmoins, nous nous accordions si bien tous les deux que nous ne cherchâmes pas d'autres partenaires pendant toute la durée des festivités. Nous pratiquâmes le ma-rakame à plusieurs reprises et je la quittai à mon grand regret uniquement parce que mon hôte, Tes-disora, insistait pour que j'assiste à la *grande* course le ra-rajípuri, entre les meilleurs coureurs du village et ceux de Guacho-chí.

« Où sont-ils ? demandai-je. Je n'ai vu arriver personne.

— Ils arriveront quand nous serons partis. Guacho-chí est loin d'ici, vers le sud-est. »

La distance qu'il m'indiqua représentait quinze longues courses mexica ou quinze lieues espagnoles. Sans compter qu'il s'agissait d'une distance en ligne droite, alors qu'en réalité, dans un pays escarpé, les chemins suivent un parcours tortueux à travers ravins et pentes. Je calculai donc que la longueur réelle du trajet entre les deux villages devait approcher de cinquante lieues. Pourtant, Tes-disora me dit d'un ton très naturel :

« Pour un bon coureur, pour faire l'aller et retour en frappant dans la balle de bois, il faut une journée et une nuit.

— C'est impossible ! m'exclamai-je. C'est comme de courir de Tenochtitlán à Queretaro sans s'arrêter. Sans compter que la moitié du parcours se fait de nuit et, en plus, en poussant une balle. C'est impossible ! »

Comme Tes-disora ignorait tout de Tenochtitlán et de Queretaro et de la distance qui les séparait, il me répliqua avec un haussement d'épaules :

« Puisque vous croyez que c'est impossible, vous n'avez qu'à venir avec nous, pour voir.

— Moi ? En tout cas, je suis absolument certain que c'est impossible pour moi.

— Vous n'aurez qu'à nous accompagner un bout de chemin et ensuite vous attendrez notre retour. Je vais vous prêter une paire de bonnes sandales en peau d'ours. Puisque vous ne faites pas partie de l'équipe du village, ce ne sera pas tricher.

— Tricher ? Vous voulez dire qu'il y a des règles à respecter dans cette course ?

— Pas beaucoup, me répondit-il, très sérieusement. Les participants doivent partir d'ici cet après-midi, au moment précis où Grand-Père Feu touche le haut de la montagne qui est en face. Les gens de Guacho-chí se servent d'un moyen identique pour déterminer l'instant du départ. Alors, nous courons vers Guacho-chí et eux, courent vers Guagüey-bo. On se croise à mi-parcours, on se salue et on s'envoie des insultes amicales. Quand ceux de Guacho-chí arrivent dans notre village, nos femmes leur offrent des rafraîchissements et essayent par tous les moyens de les retenir, comme leurs femmes le font avec nous, mais je puis vous assurer qu'on ne les écoute pas. Nous faisons immédiatement demi-tour pour repartir en courant vers notre village où nous arrivons au moment où Grand-Père Feu touche à nouveau la montagne, soit juste avant, soit juste après. Nous pouvons déterminer ainsi le temps exact de la course ; les concurrents de Guacho-chí font la même chose et nous envoyons des messagers pour échanger nos résultats et savoir qui a gagné la course.

— J'espère que le vainqueur reçoit un prix digne de tant d'efforts.

— Un prix ? Il n'y a pas de prix.

— Quoi ? Pas même un trophée à exhiber ?' Pas d'autre motivation que de revenir chez soi, vers sa femme ? Au nom de vos trois dieux, pourquoi alors le faites-vous ?

— Parce que c'est ce que nous faisons le mieux, me répondit-il avec un haussement d'épaules. »

Je n'insistai pas parce que je sais qu'il est inutile de discuter raisonnablement avec des personnes déraisonnables. Pourtant, en y réfléchissant bien, la réponse de Tes-disora n'était pas si insensée. Moi-même, que répondrais-je si on me demandait pourquoi j'ai pratiqué toute ma vie l'art d'écrire les mots ?

Seuls, six hommes, dont Tes-disora, estimés comme les meilleurs coureurs du village, participaient réellement au ra-rajípuri. Ils s'étaient bourrés de jípuri avant de partir et emportaient chacun un peu d'eau et de la farine de pinolli qu'ils pouvaient manger sans presque ralentir leur train. Ils avaient également, accrochées à la ceinture de leur pagne, de petites courges sèches contenant un caillou dont le tintement devait les empêcher de s'endormir tout debout. Le reste de la troupe était composé de tous les mâles en bonne santé, des adolescents aux hommes mûrs, qui étaient là pour soutenir le moral des champions. Beaucoup d'entre eux étaient déjà partis depuis le matin ; c'étaient des coureurs rapides sur de courtes distances, mais qui se fatiguaient vite. Ils allaient se poster à intervalles le long du parcours et quand un des champions arrivait à leur hauteur, ils faisaient un sprint avec lui.

D'autres participants devaient porter de petits pots de braises ardentes et des torches de pin pour éclairer les coureurs pendant la nuit. D'autres encore avaient des réserves de jípuri séché, de pinolli et d'eau. Les jeunes et les anciens ne portaient rien ; leur rôle consistait à hurler sans cesse des encouragements à leur équipe. Tout le monde avait le visage, la poitrine et le dos peints de points, de cercles et de spirales jaune vif. Pour moi, je n'en avais que sur la figure car, contrairement aux autres, j'étais autorisé à garder mon manteau.

Au moment où Grand-Père Feu s'apprêtait à toucher la montagne, en fin d'après-midi, le si-riame apparut sur le seuil de sa maison, souriante, vêtue de ses peaux de jaguar, tenant d'une main son bâton à pommeau d'argent et de l'autre, une balle de bois peinte en jaune. Elle observait le soleil, tandis que les coureurs et leurs supporters semblaient impatients de prendre le départ. A l'instant où Tonatiuh se posa sur la montagne, elle lança la balle dans les pieds des six participants. Une clameur s'éleva de la foule ; les coureurs étaient partis et se la renvoyaient. Le reste du peloton suivait à distance respectueuse. Le si-riame souriait toujours et je vis la petite Vi-rikóta sautiller aussi gaiement qu'une flamme qui va s'éteindre.

Je m'attendais à être immédiatement distancé, mais j'aurais dû me douter que les concurrents ne forceraient pas leur vitesse dès le début. Ils prirent une allure modérée que j'arrivais à soutenir. Nous suivîmes d'abord la rive du fleuve et derrière nous, les acclamations des femmes, des enfants et des vieux s'éloignèrent tandis que les participants chargés de crier prenaient le relais. La course se poursuivit dans le bas des gorges jusqu'à ce que la pente devienne suffisamment douce pour qu'on puisse l'escalader facilement et nous pénétrâmes dans la forêt.

Je suis fier de pouvoir dire que je les ai accompagnés pendant un bon tiers du parcours. Sans doute grâce au jípuri car, jamais de ma vie, je n'ai couru aussi vite que lorsque j'arrivais au niveau des sprinters de service qui nous entraînaient. Nous croisâmes à plusieurs reprises les lièvres de l'équipe adverse qui attendaient le passage de leurs champions. Ils nous traitèrent joyeusement de « traînards », d' « estropiés » et autres gentillesses. J'étais particulièrement visé, étant toujours en queue du peloton.

Cette course à corps perdu parmi des forêts denses et des ravins semés de pierres sur lesquelles je me tordais les chevilles était une expérience nouvelle pour moi, mais je m'en sortis assez honorablement tant qu'il fit jour. Quand le soir commença à tomber, je dus prendre ma topaze, ce qui m'obligea à ralentir considérablement. Je vis ensuite briller devant moi les torches des éclaireurs, mais bien sûr aucun ne m'attendit et je me laissai distancer jusqu'à ce que je n'entendisse plus rien des clameurs du peloton.

Soudain, dans l'obscurité totale, je vis briller une lueur rougeoyante. Ces braves Tarahumara n'avaient pas complètement laissé tomber leur ami Su-kurú. Après avoir allumé sa torche, l'un d'eux avait déposé le petit pot de braises dans un endroit où j'étais sûr de le trouver. Je m'arrêtai pour préparer un feu et m'installai pour passer là le reste de la nuit. Malgré le jípuri, j'étais épuisé et je me serais endormi sur-le-champ si je n'avais pas eu honte en pensant à tous ceux qui étaient en train de courir. De plus, je me serais senti profondément humilié, ainsi que tout le village qui m'avait accueilli, si les coureurs de Guacho-chí avaient découvert un homme de Guagüey-bo en train de dormir sur le parcours. Je mangeai un peu de pinolli, bus quelques gorgées d'eau, mâchai un peu de jípuri et, réconforté, je passai la nuit près de mon feu, en veillant à ne pas avoir trop chaud pour ne pas m'assoupir.

Je savais que je devais voir passer deux fois les coureurs de Guacho-chí avant que n'arrivent Tes-disora et ses compagnons. Après que les deux équipes se seraient croisées à mi-parcours, les coureurs de Guacho-chí devaient arriver du nord-est et atteindre mon feu de camp exactement au milieu de la nuit. Puis, après avoir touché Guagüey-bo, ils feraient demi-tour et repasseraient devant moi dans la matinée. L'équipe de Tes-disora ne serait donc pas là avant le soleil de midi. Mes premiers calculs étaient bien exacts. Vers le milieu de la nuit, je vis effectivement poindre des torches vacillantes venant du nord-est. Je voulais leur faire croire que j'étais un sprinter de Guagüey-bo, aussi je me levai avant qu'ils n'apparaissent et plein d'entrain, je me mis à crier : « Traînards ! », « estropiés ! ». Les coureurs et les porteurs de torches ne me répondirent même pas, trop occupés à garder l'œil sur la balle qui avait perdu toute sa peinture et qui était bien entaillée. Mais les accompagnateurs me rendirent mes sarcasmes en me criant : « Alors, tu réchauffes tes vieux os ! » Je réalisai alors que ce feu devait me faire paraître bien ridicule aux yeux des Tarahumara. Cependant, il était trop tard pour l'éteindre ; ils étaient déjà tous passés et je vis les lumières chancelantes s'évanouir vers le sud-ouest.

Le ciel s'éclaircit vers l'est et Grand-Père Feu fit son apparition, puis, tout doucement — comme un grand-père qu'il était — il monta dans le firmament. D'après mes évaluations, les hommes de Guacho-chí auraient dû repasser devant moi. Je me mis face au nord-est et comme il n'y avait plus de torches pour signaler leur venue, j'essayai de percevoir des bruits avant-coureurs. Mais je n'entendis rien et je ne vis rien.

Je refis mes calculs mais je ne trouvai aucune erreur. Toujours rien en vue. Je tâchai alors de me souvenir si Tes-disora ne m'avait pas dit que les coureurs prenaient un chemin différent au retour. Le soleil était presque au zénith quand j'entendis appeler :

« Kuira-ba ! »

C'était un Tarahumara avec des petites gourdes accrochées à la ceinture de son pagne et le visage peint de motifs jaunes, mais je ne le reconnus pas, aussi je pensai qu'il était l'un des sprinters de Guacho-chí. Quand j'eus répondu à son salut, il s'avança vers moi avec un sourire amical, mais inquiet.

« J'ai vu votre feu cette nuit et j'ai quitté mon poste pour venir vous voir. Dites-moi, l'ami, comment vos concitoyens ont-ils fait pour retenir nos coureurs dans votre village. Est-ce que les femmes les attendaient, toutes nues et prêtes à s'offrir ?

— C'est une charmante idée, lui répondis-je. Mais, à ma connaissance, il n'en est rien. J'étais justement en train de me demander si votre équipe pouvait retourner par un autre chemin. »

Il allait me répondre quand il fut interrompu par un autre « Kuira-ba ! » et nous vîmes arriver Tes-disora et ses cinq compagnons. Ils titubaient de fatigue en se renvoyant mollement la balle de bois qui était maintenant grosse comme le poing.

« Nous... dit Tes-disora à l'homme de Guacho-chí et en s'arrêtant pour reprendre son souffle. Nous n'avons pas encore croisé vos coureurs. Qu'est-ce que ça veut dire ?

— Nous nous demandions justement ce qui avait bien pu se passer », lui répondit l'autre.

Tes-disora nous regardait, stupéfait et pantelant. Un de ses compagnons haleta avec un accent d'incrédulité : « Ils ne sont... pas encore... passés ici ? »

Le reste des participants arrivait peu à peu. Tout le monde hochait la tête et se regardait sans comprendre.

« Notre village », dit une voix basse et angoissée.

« Nos femmes », ajouta une autre, plus forte et encore plus inquiète.

Et l'étranger articula d'un ton tremblant :

« Les meilleurs d'entre nous. »

L'angoisse et la stupeur se lisaient dans tous les regards. Leurs yeux atterrés se tournèrent vers le nord-est et dans le bref instant de silence qu'il y eut avant qu'ils ne me quittent et se mettent à courir plus vite que jamais, j'entendis l'un d'eux prononcer ces mots : « Les Yaki ! »

Je ne les ai pas suivis à Guagüey-bo. Je n'y suis jamais retourné. J'étais un étranger et je n'avais pas ma place dans leur affliction. Je savais ce qu'ils allaient découvrir : les bandits yaki et les coureurs de Guacho-chí avaient dû arriver à peu près en même temps à Guagüey-bo et ces derniers étaient trop épuisés pour opposer une résistance à ces sauvages. Les Yaki avaient certainement scalpé tous les hommes avant de les massacrer et je ne voulais même pas songer au sort qu'avaient dû subir le si-riame, la petite Vi-rikóta et les autres femmes du village avant de mourir. Je suppose qu'ensuite les survivants s'étaient partagés pour repeupler leurs villages, mais je n'en aurai jamais la certitude.

Je n'ai jamais non plus vu de Yaki, pourtant cela m'aurait fort intéressé — à condition qu'eux ne me voient pas — car ces êtres redoutables doivent être étonnants à observer. Dans toute mon existence, je n'ai rencontré qu'un seul homme qui les ait connus, l'Ancien de la Maison des Pochteca. Vous autres, Espagnols, vous ne vous êtes jamais trouvés en leur présence, car vous ne vous êtes pas encore aventurés si loin au nord et à l'ouest. Voyez-vous, je crois que je pourrais même avoir de la pitié pour un Espagnol qui tomberait entre leurs mains.

Je regardai disparaître ces hommes dans la forêt et je leur adressai un adieu silencieux, puis, je m'accroupis pour préparer mon pinolli et je mâchai un peu de jípuri pour rester éveillé pendant le reste de la journée. Ensuite, après avoir dispersé les cendres du feu de camp, je me relevai et partis vers le sud. J'avais été heureux chez les Tarahumara et j'étais très peiné de ce qui s'était passé. Toutefois, j'avais de bons habits de daim, des sandales d'ours et des poches de cuir pour mettre l'eau et la nourriture ; il me restait ma lame de silex, ma topaze et mon cristal à feu. Je n'avais rien laissé derrière moi à Guagüey-bo, à part le temps passé. Mais même cela, j'en garde le souvenir.

I H S

✠

A.I.M.C.

*A Son Auguste et Impériale Majesté Catholique,
l'Empereur Charles Quint, Notre Roi :*

Très Superbe et Auguste Majesté, de la ville de
Mexico, capitale de la Nouvelle-Espagne, en ce jour de
la Saint-Ambroise de l'année mille cinq cent trente de
Notre Seigneur Jésus-Christ, nous vous envoyons nos
salutations.

Sire, dans nos dernières lettres, nous nous sommes
étendus sur nos activités en tant que Protecteur des
Indiens. Examinons maintenant notre fonction première qui est celle d'Evêque de Mexico chargé de
propager la Vraie Foi parmi ces Indiens. Comme Votre
Majesté le discernera sans aucun doute à travers les
pages suivantes de la chronique de l'Aztèque, ces gens
ont toujours été ridiculement superstitieux ; ils voient
des présages et des signes non seulement là où les voient
les hommes raisonnables — dans les éclipses du soleil,
par exemple —, mais aussi dans toutes choses, depuis
les coïncidences les plus banales, jusqu'aux phénomènes
naturels les plus courants. Cette tendance à la superstition et à la crédulité nous a à la fois aidé et gêné dans la
lutte incessante que nous menons pour les conduire vers
le Christ.

Dans leur première et victorieuse campagne dans ce

pays, les Conquistadores espagnols ont fait un travail admirable en jetant bas tous les temples et les idoles de ces divinités païennes et en installant à leur place la Croix du Christ et la statue de la Vierge Marie. Avec notre clergé, nous avons poursuivi cette œuvre en érigeant des édifices chrétiens sur des sites voués jusque-là aux démons et aux démones. Puisque les Indiens continuent avec obstination à préférer se réunir dans leurs anciens lieux de culte, ils trouvent à la place des êtres sanguinaires comme Huitzilopochtli et Tlaloc le Christ en Croix et Sa Bienheureuse Mère.

Pour vous donner un exemple, l'Evêque de Tlaxcala est en train de faire bâtir une Eglise Notre-Dame au sommet de la gigantesque montagne-pyramide de Cholula — qui rappelle étrangement l'orgueilleuse Tour de Babel — où était jadis adoré le Serpent à plumes Quetzalcoatl. Ici, dans la capitale de la Nouvelle-Espagne, nous avons presque achevé la Cathédrale Saint-François, édifiée sur l'emplacement de la Grande Pyramide aztèque, aussi exactement que l'architecte Garcia Bravo a pu le déterminer. Je crois même que les murs de l'église comprennent quelques pierres de ce monument à l'atrocité. Sur la langue de terre appelée Tepeyac, de l'autre côté du lac, là où les Indiens adoraient Tonantzin, sorte de déesse-mère, nous avons construit une chapelle à la Vierge Marie et, à la demande du capitaine général Cortés, nous lui avons donné le nom de Notre-Dame-de-Guadaloupe, qui vient de sa province natale d'Estramadoure.

Certains pourraient trouver inconvenant que nous dressions des tabernacles chrétiens sur les ruines des temples païens encore ruisselants du sang des sacrifices. Mais en réalité, nous ne faisons que suivre l'exemple des premiers Chrétiens qui ont placé leurs autels là où les Romains, les Grecs et les Saxons avaient adoré Jupiter,

Pan ou Eostras, afin que ces démons soient chassés par la présence du Christ et que ces lieux voués à l'abomination et à l'idolâtrie se transforment en lieux saints où le peuple se laissera plus facilement persuader par les ministres du Vrai Dieu à tourner son adoration vers Lui.

Pour cela, Sire, nous nous sommes fait complice de la superstition des Indiens. Mais il n'en est pas de même pour tout, car en plus de leur attachement à leurs superstitions, ils sont aussi hypocrites que des Pharisiens. Beaucoup de soi-disant convertis, même ceux qui professent une foi absolue dans notre religion, vivent encore dans la terreur de leurs anciens démons. Ils jugent plus prudents de continuer à manifester un certain respect à Huitzilopochtli et à sa clique et ils expliquent très sérieusement cette attitude par le fait qu'ils pensent ainsi se mettre à l'abri d'une éventuelle vengeance destructrice de ces esprits malins.

Nous avons déjà évoqué notre œuvre accomplie, en une année, à détruire des milliers d'idoles que les conquistadores avaient laissées échapper. Bien qu'apparemment il n'en reste plus une seule et que les Indiens aient juré à nos Inquisiteurs que pas une ne se cachait où que ce soit, nous soupçonnions qu'ils adoraient encore secrètement leurs anciennes divinités. Aussi nous avons donné l'ordre formel et nos prêtres et missionnaires ont fait de même, que plus une seule idole, même la plus petite, même sous forme d'amulette décorative, ne subsiste. Alors, confirmant nos soupçons, les Indiens sont venus nous remettre humblement un grand nombre de figurines de terre cuite et ils les ont brisées en notre présence.

Nous étions très satisfaits jusqu'au moment où nous avons appris que les Indiens n'avaient cherché qu'à nous amadouer ou à se moquer de nous. La différence entre les deux n'est pas bien grande et nous sommes autant offensés par ces deux attitudes. Il semble que nos sermons sévères aient fait naître toute une industrie chez les artisans indiens qui se sont mis à fabriquer à la hâte des statuettes destinées à nous être présentées et brisées sous nos yeux dans une apparente soumission à nos ordres.

Au même moment, nous avons appris, à notre grande colère, que de vraies idoles — des statues anciennes et non des contrefaçons — avaient été soustraites à la fouille des Frères. Et où croyez-vous donc, Sire, qu'ils les avaient cachées ? Dans les fondations des monuments chrétiens construits par des ouvriers indiens ! Ces fourbes croyaient qu'en dissimulant leurs effigies impies dans des lieux sacrés, elles seraient à l'abri d'une découverte. Pis encore, ils pensaient pouvoir continuer à adorer ces monstruosités cachées en faisant semblant de rendre hommage à la Vierge Marie et aux Saints.

Notre horreur devant ces révélations a été un peu atténuée par la satisfaction de dire à nos congrégations — en éprouvant un certain plaisir à leur voir courber la tête — que le diable et tous les ennemis de la Vraie Foi ne supportaient pas le voisinage de la Croix ou de toutes les autres représentations de la Foi. Après cela, sans qu'on ait eu besoin d'insister, les maçons indiens nous ont révélé les endroits où étaient cachées leurs idoles et jamais nous n'en aurions trouvé autant tout seuls.

Etant donné que nous avons la preuve que si peu d'Indiens se sont réveillés de leur erreur, malgré tous nos efforts, nous croyons qu'il faut les réveiller brutalement, comme Saül à Damas. A moins qu'on ne puisse les amener plus doucement vers une *salvatio omnibus* par quelque petit miracle, comme celui qui donna un Saint Patron à la principauté de Catalogne de Votre Majesté, il y a bien longtemps : la découverte miraculeuse de la statue noire de la Vierge de Montserrat, à moins de cent lieues de l'endroit où nous sommes nés. Mais nous ne pouvons pas prier la Vierge Marie pour qu'elle fasse un autre miracle ou qu'elle répète celui dans lequel Elle s'est déjà manifestée...

Nous remercions Votre Généreuse Majesté pour le cadeau qui est arrivé par la dernière caravelle. Ces boutures de rosiers provenant de l'Herbier Royal viendront s'ajouter à celles que nous avions apportées avec nous. Elles seront réparties équitablement entre les divers jardins des propriétés de l'Eglise. Votre Majesté sera peut-être intéressée d'apprendre que tous les rosiers que nous avons plantés dans ce pays où ils n'existaient pas, ont une floraison beaucoup plus abondante qu'ailleurs, même dans les jardins de Castille. Le climat ici est un éternel printemps et les roses fleurissent toute l'année, même en ce moment (nous sommes en décembre) qui selon le calendrier est au début de l'hiver. Nous avons aussi la chance d'avoir en notre fidèle Juan Diego un jardinier hors pair.

Malgré son nom, Sire, c'est un Indien, comme tous nos domestiques et comme eux tous, c'est un Chrétien d'une piété et d'une conviction irréprochable, contrairement à ceux dont nous avons parlé dans les paragraphes précédents. C'est Frère Bartolomé de Olmedo, le chapelain qui avait accompagné les conquistadores, qui lui a donné ce nom de baptême, il y a quelques années. Ce frère avait coutume de baptiser les Indiens en groupe, pour qu'un grand nombre d'entre eux reçoive ce sacrement le plus rapidement possible. Aussi, par commodité, il leur donnait à tous — il y en avait parfois des centaines des deux sexes à être baptisés en même temps — le nom du saint du jour. Vu la multitude des Saint-Jean dans le calendrier de l'Eglise, il semble qu'un Indien sur deux s'appelle soit Juan, soit Juana.

Quoi qu'il en soit, nous aimons beaucoup notre Juan Diego. Il a une main extraordinaire pour les fleurs, un caractère très serviable et une dévotion sincère envers la religion chrétienne et envers notre personne.

Que le Seigneur Notre Dieu répande ses bienfaits sur Votre Royale Majesté, telle est la prière constante que fait de Votre Majesté le respectueux vicaire et légat,

(*ecce signum*) Zumarraga

NONA PARS

J'en viens maintenant à ce moment de l'histoire où le peuple mexica, après avoir pendant tant de faisceaux d'années grimpé vers les cimes de la puissance et les avoir atteintes, commença à redescendre sur l'autre versant.

Sur le chemin du retour, après avoir erré encore pendant quelques mois dans les régions de l'est, je fis halte à Tolócan, jolie ville de montagne chez les Matlazinca, une des plus petites tribus alliées de la Triple Alliance. Je descendis dans une auberge, puis j'allai sur le marché acheter des habits neufs pour rentrer chez moi et un cadeau pour ma fille. Je vis passer un messager venant de Tenochtitlán, vêtu de deux manteaux. L'un était blanc, couleur du deuil qui désigne l'ouest où partent les morts et, par-dessus, il portait un manteau vert, couleur des bonnes nouvelles. Je ne fus donc pas surpris quand le gouverneur de Tolócan annonça publiquement que l'Orateur Vénéré Ahuizotl, dont l'esprit était éteint depuis deux ans, venait de mourir et que le seigneur régent, Motecuzoma le Jeune, venait d'être officiellement élevé au rang suprême de Uey tlatoani par le Conseil.

Ces nouvelles me donnaient envie de tourner le dos à Tenochtitlán, pourtant je décidai de rentrer chez moi. J'ai souvent dans ma vie nargué les pouvoirs établis mais je ne me suis jamais conduit comme un lâche ou un traître. J'étais toujours un Mexicatl et un sujet du Uey tlatoani, quel qu'il soit. De plus, j'étais un Chevalier-Aigle qui devait fidélité à l'Orateur Vénéré, même si je n'avais aucun respect pour lui.

Sans l'avoir jamais rencontré, j'éprouvais de la méfiance et de l'aversion envers Motecuzoma à cause de sa tentative pour faire échouer l'alliance d'Ahuizotl avec les Zapoteca, bien des années auparavant, et à cause de sa conduite infamante à l'égard de Béu, la sœur de Zyanya. Lui, par contre, ne me connaissait pas, et il ignorait que je savais tant de choses sur lui ; il n'avait donc aucune raison de m'en vouloir. J'aurais été bien imprudent de lui manifester mes sentiments ou même de me faire remarquer. Si, par exemple, il lui venait l'idée de compter les Chevaliers-Aigle présents à son introni-sation, il risquait de se sentir offensé de l'absence de l'un d'eux nommé Nuage Noir.

Je pris donc le chemin de Tenochtitlán. Turquoise, Chanteur Etoile et Cozcatl m'accueillirent avec trans-ports, mais Quequelmíqui se montra plus réservée et me dit, les larmes aux yeux :

« Il va nous falloir maintenant abandonner notre petite Cocóton chérie.

— Elle te sera toujours attachée, lui répondis-je. Tu pourras venir la voir aussi souvent que tu voudras.

— Ce ne sera pas la même chose que de l'*avoir*.

— Va prévenir la petite que son père est revenu, dis-je à Turquoise, et amène-la-moi. »

Elles arrivèrent toutes les deux, main dans la main. Cocóton avait quatre ans et elle avait encore l'âge de se promener toute nue dans la maison, ce qui me permit de voir tout de suite combien elle s'était transformée. Elle était toujours aussi jolie et sa ressemblance avec Zyanya s'était encore accentuée. Cependant, elle avait perdu sa rondeur de bébé dodu et elle était devenue une personne en miniature et bien proportionnée. J'avais été deux ans absent et, pendant ce temps, elle s'était transformée comme par magie en une charmante petite fille. Je me mis à regretter de ne pas avoir été là pour la voir éclore comme un nénuphar au crépuscule. Je me fis des reproches et jurai de ne plus jamais repartir.

Remplie de fierté, Turquoise fit les présentations :

« Ma petite maîtresse Ce-Malináli, surnommée Cocóton, voici ton tete Mixtli qui est enfin de retour. Va le saluer comme on te l'a appris. »

A ma grande surprise, Cocóton s'inclina gracieusement pour embrasser la terre et ne se releva pas avant que j'aie prononcé son nom. Alors, elle me sourit de toutes ses fossettes et vint se jeter dans mes bras en m'appliquant un baiser timide et mouillé.

« Tete, comme je suis contente que tu sois revenu !

— Je suis ravi de voir une petite demoiselle si bien élevée. Merci, Quequelmíqui, d'avoir tenu ta promesse. Je vois qu'elle ne m'a pas oublié. »

Cocóton regarda autour d'elle et s'exclama :

« Je n'ai pas non plus oublié ma tene. Je veux lui dire bonjour, à elle aussi. »

Tous les sourires se figèrent.

« Il faut que tu saches, ma petite fille, que les dieux ont eu besoin de ta mère pour une de leurs entreprises et qu'elle est partie très loin, dans un endroit où je n'ai pas pu l'accompagner et d'où elle ne reviendra jamais. Il va falloir que nous vivions sans elle, mais tu ne dois pas l'oublier.

— Oui, déclara solennellement l'enfant.

— Pour être sûre que tu te souviendras d'elle. Tene t'envoie un cadeau. »

Je sortis le collier que j'avais acheté à Tolócan, vingt petites pierres brillantes enfilées sur une fine chaîne d'argent et je l'attachai autour de son cou frêle. Je souris en voyant la petite vêtue de ce seul collier opale, mais les deux femmes se récrièrent d'admiration et Turquoise courut chercher un miroir.

« Cocóton, lui dis-je, chacune de ces pierres a l'éclat de ta mère. A chacun de tes anniversaires, nous en ajouterons une nouvelle et la lumière de toutes ces lucioles te rappellera toujours que tu dois la garder dans ton cœur. »

Je me rendais compte que Cozcatl avait hâte de s'installer dans sa nouvelle maison pour pouvoir s'occuper de plus près de son école de domestiques. Par contre, je voyais bien que Quequelmíqui éprouvait pour ma fille des sentiments de mère et au moment de la séparation, il fallut presque lui arracher l'enfant. Les jours suivants, ils revinrent plusieurs fois, tous les deux, chez moi pour chercher leurs affaires et Quequelmíqui trouvait toujours une excuse pour « rester une dernière fois ensemble ».

Même lorsqu'ils furent complètement installés chez eux, elle trouvait toujours une course à faire dans le coin pour venir la voir. Je ne pouvais pas m'en plaindre, et je voyais que pendant que je tâchais de gagner l'amour de Cocóton, Quequelmíqui essayait d'y renoncer. Je faisais tout mon possible pour que l'enfant accepte comme son père un homme qui était presque pour elle un inconnu total. Aussi, je comprenais combien il devait en coûter à Quequelmíqui de ne plus être une mère, après deux années passées à en jouer le rôle.

L'Orateur Vénéré était mort deux jours avant mon arrivée à Tenochtitlán, mais ses funérailles et le couronnement de Motecuzoma ne pouvaient se dérouler en dehors de la présence des chefs d'état et des grands personnages des nations du Monde Unique — dont beaucoup avaient un long chemin à parcourir. En attendant que tout le monde soit arrivé, le corps d'Ahuizotl fut conservé dans de la neige que des messagers rapides apportaient de la cime du volcan.

Le jour des funérailles arriva enfin ; je me trouvais, revêtu de mon uniforme de Chevalier-Aigle, parmi la foule qui emplissait la grande place pour ululer le cri de la chouette au moment où les porteurs de litière emmenaient le défunt Uey tlatoani vers sa dernière demeure. Il me sembla que l'île tout entière résonnait de ce long cri de lamentation et d'adieu.

Ahuizotl était assis, le corps replié, ses bras enserrant ses genoux remontés sur sa poitrine. Ses femmes avaient lavé son cadavre avec de l'eau de trèfle et l'avait parfumé. Les prêtres l'avaient revêtu de dix-sept manteaux, tous d'un coton si fin qu'ils ne faisaient presque pas d'épaisseur. Par-dessus, un costume et un masque lui donnaient l'aspect de Huitzilopochtli, le plus ancien dieu des Mexica. La couleur de Huitzilopochtli étant le bleu, toute la parure d'Ahuizotl était de cette couleur. Les traits de son masque étaient dessinés par une mosaïque de morceaux de turquoise sertis d'or, avec de l'obsidienne et de la nacre pour les yeux et des jaspes rouges pour la bouche. Son manteau était brodé de jades qui tendaient vers le bleu.

Le cortège était formé par ordre de préséance. Il fit plusieurs fois le tour du Cœur du Monde Unique, accompagné du battement sourd des tambours qui faisait un contrepoint à notre chant funèbre. Ahuizotl, dans sa litière, ouvrait la marche, au milieu du ululement incessant de la foule. A côté, marchait son successeur, Motecuzoma, traînant tristement les pieds comme l'exigeaient les circonstances. Pieds nus et vêtu de l'habit noir et loqueteux du prêtre qu'il avait jadis été, il avait les cheveux en bataille et s'était mis de la poussière de chaux dans les yeux pour pleurer. Ensuite, venaient tous les souverains étrangers, parmi lesquels je reconnus quelques vieilles connaissances.

Derrière, suivait la famille d'Ahuizotl : toutes ses femmes avec leurs nombreux enfants ainsi que les concubines et leur progéniture. Le fils aîné d'Ahuizotl, Cuauhtemoc, tenait par une chaîne d'or le petit chien qui devait accompagner le défunt dans l'autre monde. Les autres enfants portaient les objets qu'il emmènerait avec lui, ses bannières, ses bâtons, ses coiffures de plumes, tous les insignes de sa fonction, ses uniformes, ses armes et ses boucliers.

Derrière la famille marchaient les membres du Conseil ainsi que les sages et les devins. Puis venaient les nobles les plus éminents de la cour et ceux des délégations étrangères. Ensuite, les guerriers de la garde personnelle d'Ahuizotl et les vieux soldats qui avaient servi avec lui quand il n'était pas encore le Uey tlatoani ; enfin, certains de ses esclaves préférés et, bien sûr, les chevaliers des trois ordres.

Il fallait que le cortège traverse le lac car Ahuizotl devait reposer au pied de la colline de Chapultepec, juste au-dessous de l'endroit où son portrait géant était sculpté dans la roche. Tous les acali, depuis les élégants bateaux de la cour, jusqu'aux rustiques embarcations des transporteurs et des pêcheurs, avaient été réquisitionnés pour emmener le cortège funèbre et très peu de simples citoyens avaient pu le suivre. Cependant, nous trouvâmes sur la terre ferme une foule immense venue de Tlacopan, de Coyoacán et d'autres villes pour offrir un dernier hommage à Ahuizotl. Le cortège se dirigea vers la tombe creusée au pied de la colline et les prêtres se mirent à débiter, au défunt, d'interminables instructions pour qu'il puisse retrouver son chemin dans la zone inhospitalière qui s'étend entre notre monde et l'au-delà.

La seule créature qui accompagna Ahuizotl dans la tombe fut le petit chien que Cuauhtemoc avait amené. Pour accéder à l'au-delà, le premier obstacle qu'Ahuizotl devrait franchir, à ce qu'il paraît, était une rivière noire coulant au milieu d'une campagne sinistre, à l'heure la plus noire de la plus sombre nuit. Il ne pourrait la traverser qu'avec l'aide d'un chien qui, en reniflant, le guiderait sur la rive opposée. Ce chien ne devait être ni blanc ni noir. S'il était blanc, il pourrait refuser cette tâche en disant : « Maître, si je suis si propre, c'est que je suis resté très longtemps dans l'eau et je n'ai pas envie de prendre un bain. » S'il était noir, il lui rétorquerait : « Maître, vous ne me verrez pas dans le noir et si vous me lâchez, vous serez perdu. » C'est pourquoi Cuauhtemoc avait pris un chien couleur hyacinthe, d'un or cuivré comme la chaîne à laquelle il était attaché.

Après cette noire rivière, bien d'autres obstacles allaient se dresser qu'Ahuizotl devrait surmonter seul. Il lui faudrait passer entre deux gigantesques montagnes qui, par moments, s'inclinaient et venaient s'écraser l'une contre l'autre, sans aucun avertissement. Il devrait aussi escalader une autre montagne entièrement constituée d'éclats d'obsidienne coupants, ensuite, se retrouver dans une forêt de mâts presque impénétrable dont les bannières flottantes lui cacheraient le chemin et lui claqueraient dans la figure pour l'aveugler. Puis il faudrait qu'il franchisse une zone où il pleuvait des flèches. Entre-temps, il aurait à se défendre contre des serpents, des jaguars et des alligators qui chercheraient à lui manger le cœur.

S'il réussissait à surmonter tous ces dangers, il arriverait enfin à Mictlán où l'attendaient le Seigneur et la Dame des lieux. Il retirerait alors de sa bouche le morceau de jade avec lequel on l'avait enterré — s'il avait eu assez de sang-froid pour ne pas crier et le perdre en chemin. Lorsqu'il donnerait cette pierre à Mictlántecuhtli et à Mictláncihuatl, ceux-ci l'accueilleraient en souriant dans l'au-delà qu'il avait mérité et où il vivrait pour toujours dans le luxe et la félicité.

Les prêtres ne mirent un terme à leurs prières que vers la fin de l'après-midi. Alors, on assit Ahuizotl dans sa tombe, le petit chien à ses côtés ; on versa sur eux de la terre bien tassée, puis des maçons posèrent une simple pierre sur le tombeau. Il faisait nuit quand les embarcations revinrent s'amarrer à Tenochtitlán où le cortège se reforma pour regagner le Cœur du Monde Unique. La foule des citadins avait quitté la place, mais nous dûmes patienter pendant que les prêtres disaient d'autres prières du haut de la Grande Pyramide éclairée par des torches et qu'on faisait brûler de l'encens. Puis en grande cérémonie, ils escortèrent Motecuzoma, toujours pieds nus et en loques, vers le temple de Tezcatlipoca, Miroir Fumant.

Le choix de ce temple n'avait pas de signification particulière. A Texcoco et dans d'autres villes, Tezcatlipoca était considéré comme le dieu suprême, mais à Tenochtitlán, il était beaucoup moins vénéré. Il se trouvait simplement que ce temple était le seul à posséder une cour fermée. Dès que Motecuzoma en eut franchi le seuil, les prêtres refermèrent les portes sur lui. Le nouvel Orateur Vénéré devrait rester là, isolé, pendant quatre jours et quatre nuits, sans manger et sans boire, à méditer sous le soleil ardent ou sous la pluie battante, selon le choix des dieux et en dormant à même le sol de pierre. A quelques moments précis, seulement, il pourrait rentrer dans le temple pour prier les dieux qu'ils le guident dans la mission qui serait bientôt la sienne.

Le cortège se dispersa. Chacun rentra chez soi, fatigué, qui dans son palais, qui dans sa maison, qui dans sa caserne, heureux de ne pas avoir à subir une autre longue journée de cérémonie avant que Motecuzoma sorte de sa retraite.

J'arrivai chez moi si fourbu que je ne manifestai aucune surprise en voyant que c'était Quequelmíqui et non Turquoise qui venait m'ouvrir la porte. Une unique lampe éclairait l'entrée.

« Il est tard, lui dis-je. Je pense que Cocóton est au lit depuis longtemps. Comment se fait-il que tu sois encore ici ?

— Cozcatl est parti à Texcoco pour des affaires concernant l'école. Dès qu'il a pu trouver un acali après les funérailles, il est parti là-bas. J'ai saisi cette occasion pour rester un peu avec ma... avec votre fille. Turquoise est en train de préparer votre bain.

— Très bien. Je vais appeler Chanteur Etoile pour qu'il t'éclaire pour rentrer chez toi et moi, je vais vite aller me coucher pour que les domestiques puissent se reposer eux aussi.

— Attendez ! répliqua-t-elle nerveusement. Je ne veux pas partir. » Son visage, habituellement couleur de cuivre pâle, était passé au cuivre foncé, comme si la mèche de la lampe l'éclairait de l'intérieur.

« Cozcatl ne rentrera pas avant demain soir, au plus tôt. Cette nuit, Mixtli, j'aimerais que vous me preniez dans votre lit.

— Comment ? fis-je, en faisant semblant de ne pas avoir compris. Il y a quelque chose qui ne va pas, Quequelmíqui ?

— Oui, et vous savez très bien de quoi il s'agit. Elle rougit encore davantage. J'ai vingt-six ans et je suis mariée depuis plus de cinq ans et je n'ai pas encore connu d'homme !

— Cozcatl est davantage un homme que beaucoup d'autres.

— Je vous en prie, Mixtli, ne faites pas l'idiot. Vous savez bien ce qu'il lui manque.

— Si cela peut te consoler, je peux te dire que j'ai de bonnes raisons de croire que notre nouvel Orateur Vénéré n'est pas mieux loti sur ce plan que ton mari.

— J'ai du mal à vous croire, me répondit-elle. Dès qu'il est devenu régent, Motecuzoma a pris *deux* femmes.

— Alors, elles sont certainement aussi insatisfaites que toi. »

Quequelmíqui secoua la tête d'impatience.

« En tout cas, il peut au moins faire des enfants à ses femmes. Elles ont chacune un bébé. C'est plus que je ne peux espérer ! Si j'étais la femme de l'Orateur Vénéré, je pourrais au moins avoir un enfant. Mais je ne suis pas venue ici pour parler des femmes de Motecuzoma, je m'en moque comme d'une guigne !

— Et moi de même, lui répliquai-je d'un ton cassant. Mais je leur sais gré de rester dans le lit conjugal et de ne pas venir assiéger le mien.

— Ne soyez pas cruel, Mixtli. Si vous saviez ce qu'il m'en a coûté. *Cinq années,* Mixtli ! Cinq années à me résigner et à faire semblant d'être satisfaite. J'ai fait des offrandes à Xochiquetzal pour la supplier de m'aider à me contenter des attentions de mon époux. Ça n'a servi à rien. Je voudrais savoir comment c'est, vraiment, pour un homme et une femme. Et après bien des hésitations, je m'abaisse à vous le demander.

— Et c'est moi que tu as choisi pour trahir mon

meilleur ami ? Et pour risquer avec toi de mettre la tête dans la corde.

— C'est à vous que je le demande *parce que* vous êtes son ami. Vous ne laisserez pas échapper des allusions sournoises comme un autre pourrait le faire et si Cozcatl nous surprenait, il nous aime trop tous les deux pour nous dénoncer. » Elle s'arrêta de parler un moment, puis ajouta : « Si l'ami de Cozcatl refuse ce que je lui demande, il ne lui rendra pas service. Je vais vous parler franchement, si vous me repoussez, j'irai m'humilier auprès de n'importe qui. Je louerai un homme pour une nuit. J'irai aborder un étranger dans une auberge. Pensez au mal que cela fera à Cozcatl. »

Je me souvins alors qu'il m'avait dit un jour que si cette femme ne voulait pas de lui, il mettrait un terme à sa vie, d'une manière ou d'une autre et je pensai qu'il en ferait autant s'il apprenait qu'elle l'avait trahi. Je me tournai vers Quequelmíqui pour lui dire :

« En dehors de toute autre considération, Quequelmíqui, je suis si fatigué pour le moment que je ne pourrai t'être d'aucune utilité. Tu as déjà attendu cinq ans, tu attendras bien que j'ai pris mon bain et que je dorme un peu. Demain il fera jour. Rentre chez toi et réfléchis bien à tout ça. Si tu es toujours décidée...

— Je le serai, Mixtli. Je reviendrai demain. »

J'appelai Chanteur Etoile et il partit dans la nuit avec elle après avoir allumé une torche. J'étais dans mon bain quand je l'entendis rentrer. Je crois que je me serais endormi sur place si l'eau n'avait pas été si froide. Je regagnai ma chambre et m'affalai sur mon lit où je m'endormis sans même prendre la peine d'éteindre la lampe.

Cependant, dans mon lourd sommeil, je devais redouter le retour inopiné de l'impatiente Quequelmíqui, car mes yeux s'ouvrirent en même temps que la porte de ma chambre. Les premières lueurs du jour commençaient à poindre et ce que je vis me fit dresser les cheveux sur la tête.

Aucun bruit ne m'avait prévenu de cette incroyable apparition et Turquoise ou Chanteur Etoile auraient poussé un cri s'ils l'avaient vue. Bien qu'elle fût en tenue de voyage, avec un châle sur la tête et une lourde cape de lapin sur les épaules, bien qu'il fît sombre et que ma main tremblât en tenant ma topaze... je reconnus Zyanya.

« Zaa, chuchota-t-elle d'un ton joyeux. » C'était bien la voix de Zyanya. « Tu ne dors pas, Zaa ? »

Je croyais bien rêver pourtant. Je voyais l'impossible, cela ne pouvait être qu'un songe.

« Je ne veux pas te déranger », continua-t-elle, toujours à voix basse, sans doute pour atténuer le choc, pensai-je. J'aurais voulu dire quelque chose moi aussi, mais pas un son ne sortait de mes lèvres.

« Je vais aller dans l'autre chambre », me dit-elle en se mettant à dérouler son châle, très lentement, comme une personne épuisée par un voyage interminable. Je pensais à tous les obstacles — les montagnes qui s'écrasent les unes contre les autres et la rivière noire — qu'elle avait dû franchir et je frémis.

« Tu as reçu mon message ? J'espère que tu n'es pas resté éveillé à m'attendre. »

Ces paroles n'avaient aucun sens pour moi jusqu'au moment où le châle glissa de sa tête, dévoilant une chevelure uniformément noire. Ce fut alors Béu Ribé qui me dit :

« Je serais très flattée que la nouvelle de mon arrivée t'ait empêché de dormir et que tu sois si impatient de me voir. »

Je retrouvai enfin ma voix pour lui dire sur un ton acerbe :

« Je n'ai reçu aucun message. Comment oses-tu t'introduire chez moi en cachette ? Comment oses-tu faire semblant ? » Je retins mes paroles. J'aurais été injuste de l'accuser de faire exprès de ressembler à sa sœur.

Elle semblait sincèrement prise de court et balbutia :

« J'ai envoyé un gosse... Je lui ai donné un grain de cacao pour qu'il t'apporte un message. Il n'est pas venu ? Pourtant Chanteur Etoile m'a bien accueillie. Et toi, Zaa, tu ne dormais pas.

— Chanteur Etoile m'a invité un jour à le battre, cette fois, je vais le faire. »

Il y eut un court silence. J'attendais que les battements de mon cœur se calment. Béu semblait extrêmement embarrassée et elle finit par me dire sur un ton presque contrit :

« Je vais aller dormir à côté. Demain, peut-être... tu seras moins irrité de me voir. » A ces mots, elle partit de ma chambre avant même que j'aie eu le temps de lui répondre.

Le lendemain matin, pendant que mes deux esclaves me servaient mon petit déjeuner, je grognai à leur adresse :

« A l'aube, je n'apprécie pas beaucoup les surprises.

— Quelle surprise, maître ? s'étonna Turquoise.

— L'arrivée à l'improviste de Béu Ribé.

— Comment ? Elle est là, dans la maison ? fit-elle, stupéfaite.

— Oui, intervint Chanteur Etoile. Moi aussi, maître, j'ai été très surpris et j'ai pensé que vous aviez oublié de nous prévenir. »

J'en conclus que le messager de Béu ne s'était jamais présenté. Chanteur Etoile me dit qu'il avait été tiré de son sommeil par des bruits dans la rue. Il s'était levé pour ouvrir la porte à la visiteuse qui lui avait ordonné de ne pas me déranger.

« Elle était accompagnée par de nombreux porteurs, aussi j'ai cru qu'elle était attendue. »

Ceci expliquait pourquoi il n'avait pas cru, comme moi, se trouver face à une apparition de Zyanya.

« Elle m'a dit de ne pas vous réveiller puisqu'elle connaissait la maison. Elle avait beaucoup de bagages avec elle. J'ai mis toutes ses affaires dans la pièce du devant. »

J'étais heureux que mes serviteurs n'aient pas assisté à mon trouble devant la venue inattendue de Béu et qu'elle n'ait pas réveillé et effrayé Cocóton, aussi, je cessai de leur chercher chicane pour profiter tranquillement de mon petit déjeuner. Ce répit fut de courte durée. Chanteur Etoile, visiblement soucieux de ne pas me causer de nouvelles surprises, vint m'annoncer avec beaucoup de formes que j'avais encore une visite et que, cette fois, il ne l'avait pas laissée pénétrer plus loin que la porte d'entrée. Je devinai aussitôt de qui il s'agissait et, terminant mon chocolat en soupirant, je me levai pour aller voir.

« Voilà comment on me reçoit, me dit Quequelmíqui sur un ton espiègle. Nous sommes ici dans un endroit bien plus intime, Mixtli, pour ce que nous...

— Ce que nous devons oublier, coupai-je. La sœur de ma femme vient d'arriver. Tu te souviens de Béu Ribé ? »

Quequelmíqui parut un instant décontenancée, puis elle me dit :

« Dans ce cas, vous n'avez qu'à venir chez moi.

— Voyons, ma chère, je n'ai pas vu Béu Ribé depuis trois ans, ce serait extrêmement grossier de ma part de m'en aller et très difficile de lui expliquer pourquoi...

— Mais Cozcatl rentre ce soir, gémit-elle.

— Alors j'ai bien peur que cette occasion soit perdue pour nous.

— Il faut en trouver une autre, Mixtli. Comment pourrait-on faire et quand ?

— Jamais, sans doute. » Je ne savais pas si je devais être déçu ou soulagé que cette affaire se soit résolue d'elle-même.

« Il y a beaucoup trop d'yeux et d'oreilles autour de nous. Il vaut mieux que tu n'y penses plus.

— Vous étiez au courant de son arrivée, éclata-t-elle. Vous avez fait semblant d'être fatigué pour gagner du temps, sachant qu'ensuite, vous auriez une bonne excuse pour me repousser.

— Crois ce que tu veux, lui répondis-je avec une lassitude qui n'était qu'en partie feinte. Je suis obligé de refuser. »

Elle parut effondrée et, sans me regarder, elle prononça d'une voix très calme :

« Vous étiez mon ami depuis longtemps et depuis plus longtemps encore celui de Cozcatl. Vous ne vous conduisez pas en ami. » Elle se tut et s'en alla à pas lents dans la rue.

Quand je rentrai dans la maison, je trouvai Cocóton en train de prendre son petit déjeuner. J'allai chercher Chanteur Etoile et je l'envoyai avec la petite faire une course tout à fait inutile au marché de Tlatelolco. Une fois qu'ils furent partis, je me préparai à attendre que Béu descende. Ma discussion avec Quequelmíqui n'avait pas été très agréable, mais elle avait eu le mérite d'être courte. Je ne pouvais pas me permettre d'être aussi expéditif avec Béu. Elle dormit très tard et ne descendit pas avant midi, le visage encore tout chiffonné de sommeil. Je m'assis en face d'elle après que Turquoise lui eut apporté à manger et se fut retirée dans la cuisine.

« Excuse-moi de t'avoir reçue aussi désagréablement, Béu. Je n'ai pas l'habitude des visites aussi matinales et je ne suis jamais de bonne humeur à une pareille heure. Tu es bien la dernière personne que j'attendais. Puis-je te demander pourquoi tu es ici ? »

Elle parut saisie.

« Tu me le demandes, Zaa ? Tu sais bien que les liens familiaux sont très forts chez les gens du Peuple Nuage. J'ai pensé que je pourrais apporter une aide et même du réconfort au veuf de ma propre sœur et à son enfant.

— Pour le veuf, il est parti en voyage dès le lendemain de la mort de Zyanya et il a survécu à son chagrin. Quant à Cocóton, elle a été bien choyée pendant ces deux années. Quequelmíqui et Cozcatl lui ont servi de parents affectionnés et pendant ces deux années, ajoutai-je sèchement, tu ne t'es pas beaucoup préoccupée de nous.

— A qui la faute ? Tu aurais pu m'envoyer un messager rapide pour m'avertir du drame qui était survenu. Il y a seulement un an qu'un marchand qui passait m'a remis ta lettre toute froissée et tachée. Ma sœur était morte depuis un an et je l'ignorais. Ensuite, il m'a fallu encore près d'une année entière pour trouver un acheteur pour l'auberge, liquider toutes mes affaires et préparer mon départ définitif pour Tenochtitlán. C'est alors que la nouvelle nous est parvenue de la déchéance d'Ahuizotl et de sa mort prochaine, ce qui voulait dire que le bishósu Kosi Yuela n'allait pas tarder à se mettre en route pour assister aux cérémonies. J'ai attendu ce moment pour partir avec sa suite, pour plus de sécurité. Je me suis arrêtée à Coyoacán parce que je ne voulais pas me trouver dans la bousculade des funérailles et c'est de là que j'ai envoyé un gamin t'avertir de mon arrivée imminente. Je n'ai pu trouver de porteurs que ce matin de très bonne heure et je te fais mes excuses pour avoir débarqué chez toi de cette façon, mais... »

Elle s'arrêta pour reprendre son souffle. Je n'étais pas très fier de moi et je lui déclarai sincèrement :

« C'est moi qui dois m'excuser, Béu. Tu es arrivée au bon moment. Les parents provisoires de Cocóton sont repartis chez eux. L'enfant n'a plus que moi et je suis un père bien inexpérimenté. Tu es la bienvenue, ce n'est pas une formule toute faite. Après Zyanya, tu es certainement la meilleure mère possible pour Cocóton.

— Après Zyanya », répéta-t-elle. Le compliment ne parut pas lui faire tellement plaisir.

« Tu pourras lui apprendre à parler le lóochi aussi bien que le nahuatl et faire d'elle une enfant bien élevée comme ceux que j'ai vus chez vous. Grâce à toi elle deviendra une autre Zyanya et tu accompliras ainsi une très bonne action.

— Oui. Une autre Zyanya.

— A partir d'aujourd'hui, cette maison est la tienne ; l'enfant est sous ta garde et les domestiques à tes ordres. Je vais immédiatement faire vider et nettoyer à fond ta chambre pour qu'on la remeuble à ton goût. Si tu as besoin de quelque chose, tu n'auras qu'à le dire. »

Il me sembla qu'elle allait faire une remarque, mais elle se ravisa.

« Et voilà notre petite Cocóton qui rentre du marché. »

La petite entra dans la pièce, toute rayonnante dans son léger manteau jaune d'or. Elle observa longuement Béu et fronça les sourcils comme si elle essayait de se souvenir où elle pouvait l'avoir déjà vue. Se rendait-elle compte que c'était un miroir ?

« Tu ne me dis rien ? lui demanda Béu avec une émotion visible. Il y a si longtemps que j'attends...

— Tene... ? balbutia l'enfant, incrédule.

— Oh, ma chérie ! » s'exclama Béu. Elle avait les larmes aux yeux et s'agenouilla pour lui tendre les bras. La petite courut joyeusement s'y jeter.

« La mort ! » tonna le grand prêtre de Huitzilopochtli, du sommet de la grande pyramide. C'est la mort qui a jeté sur vos épaules le manteau d'Orateur Vénéré, Seigneur Motecuzoma Xocoyotl, et vous mourrez à votre tour. Il vous faudra alors rendre des comptes aux dieux sur la façon dont vous avez porté ce manteau et exercé cette fonction suprême. »

Il continua ainsi sans se lasser, avec ce dédain souverain que manifestent les prêtres à l'égard de leur auditoire. Mes compagnons chevaliers, les nobles mexica et les dignitaires étrangers étouffaient et transpiraient sous leur casque, leurs plumes, les peaux de bête, les armures et tous ces splendides costumes colorés. Les milliers d'autres Mexica massés au Cœur du Monde Unique ne portaient rien d'autre qu'un manteau de coton et je les enviais.

« Motecuzoma Xocoyotzin, poursuivit le prêtre, à partir de ce jour, votre cœur devra ressembler à celui d'un vieillard : solennel et sévère. Sachez, Seigneur, que le trône du Uey tlatoani n'est pas un moelleux coussin sur lequel on peut se prélasser à son aise. C'est le siège des soucis, du travail et de l'effort. »

Je ne crois pas que Motecuzoma transpirait comme les autres, bien qu'il portât deux manteaux, un noir et un bleu, brodés tous deux de têtes de mort et de symboles destinés à lui rappeler que même un Orateur Vénéré doit mourir un jour. Je ne pense pas que Motecuzoma ait jamais transpiré ; sa peau m'a toujours semblé froide et sèche. Le prêtre continuait son homélie :

« A partir de ce jour, vous allez faire de votre

personne un grand arbre sous lequel les multitudes pourront venir chercher de l'ombre et s'appuyer contre son tronc. Maintenant, Seigneur, vous devrez gouverner vos sujets, les défendre et les traiter avec justice. Vous devrez punir la méchanceté et châtier la désobéissance, vous montrer assidu à entreprendre les guerres nécessaires et veiller tout spécialement aux besoins des dieux, de leurs temples et de leurs prêtres, afin qu'ils ne manquent ni d'offrandes, ni de sacrifices. Ainsi les dieux se plairont à étendre leur protection sur vous et sur le peuple, et la nation mexica prospérera. »

De l'endroit où je me trouvais, les bannières de plumes légères qui flanquaient l'escalier de la grande pyramide semblaient converger vers le sommet, comme une flèche pointée vers les silhouettes minuscules et lointaines de l'Orateur Vénéré et du vieux prêtre. Lorsque, enfin, le prêtre eut terminé, ce fut au tour de Motecuzoma de prendre la parole.

« Noble et respectable prêtre, vos paroles auraient pu sortir de la bouche même du très puissant Huitzilopochtli. Elles m'ont donné à réfléchir. Je prie les dieux d'être digne des sages conseils que vous venez de me donner. Je vous remercie de votre zèle et j'apprécie l'amour avec lequel vous avez parlé. Si je veux être l'homme que souhaite mon peuple, je devrais me souvenir toujours de vos conseils et de vos avertissements... »

Prêts à déchirer les nuages dans les cieux, à la fin du discours de Motecuzoma, les prêtres levèrent leurs conques, les musiciens saisirent leurs baguettes et leurs flûtes.

« Je suis fier de ramener sur le trône l'illustre nom de mon vénéré grand-père et en l'honneur de la nation que je vais gouverner — une nation plus puissante encore que du temps de mon grand-père — mon premier décret sera de donner à la charge que j'occupe un nom qui lui conviendra mieux. »

Il se retourna pour faire face à la foule, leva très haut son bâton d'acajou et d'or et hurla : « A partir d'aujourd'hui, vous serez gouvernés, défendus et conduits vers des sommets toujours plus hauts par Motecuzoma Xocoyotzin, Cem Anahuac Uey tlatoani ! »

Si le ronron d'une demi-journée de discours avait tant soit peu endormi l'auditoire, la cacophonie qui éclata alors le réveilla en sursaut et fit trembler l'île tout entière. C'était un mélange de flûtes et de sifflets glapissants, de sonneries de trompettes et du tonnerre incroyable d'une vingtaine de tambours qui déchirent le cœur. Pourtant, même si les musiciens eux-mêmes s'étaient endormis et que leurs instruments soient restés silencieux, le choc provoqué par les dernières paroles de Motecuzoma aurait été suffisant pour faire sortir l'assistance de sa torpeur.

J'échangeai des regards en coulisse avec les Chevaliers-Aigle qui étaient à côté de moi et je vis les chefs d'état étrangers se parler entre eux en grommelant. Les gens du peuple, eux-mêmes, devaient être saisis par l'annonce faite par leur nouveau seigneur et personne, certainement, n'appréciait son audace. Jusqu'à présent, les chefs de notre pays s'étaient toujours contentés du nom de Uey tlatoani des Mexica. Motecuzoma venait de faire reculer sa souveraineté jusqu'aux limites de l'horizon.

Il s'était décerné à lui-même le titre d'Orateur Vénéré du Monde Unique.

Quand je rentrai chez moi, ce soir-là, pressé de me débarrasser de mon plumage, ma fille ne m'accueillit que par un salut désinvolte, au lieu de se jeter à mon cou comme elle le faisait habituellement. Elle était assise par terre, toute nue, curieusement cambrée en arrière et tenant au-dessus de sa tête un miroir comme si elle essayait d'y apercevoir son dos et elle était bien trop occupée pour faire attention à moi. Je trouvai Béu dans la pièce voisine et je lui demandai ce que faisait Cocóton.

« Elle est à l'âge où l'on se pose des questions.

— Au sujet des miroirs ?

— Au sujet de son corps, me répondit Béu qui ajouta dédaigneusement :

« Quequelmîqui lui a enseigné bon nombre de bêtises. Figure-toi qu'un jour Cocóton lui a demandé pourquoi elle n'avait pas de petit pendentif par-devant comme le petit garçon qui habite au bout de la rue et qui est son ami préféré et sais-tu ce que Quequelmîqui lui a répondu ? Si Cocóton est bien sage dans ce monde, elle sera récompensée en renaissant garçon dans l'autre.

— Je ne sais pas comment une femme peut trouver que c'est une récompense de naître homme.

— C'est exactement ce que j'ai répondu à Cocóton, répliqua Béu d'un air suffisant. Je lui ai dit aussi que les femmes sont bien supérieures, et bien mieux consti-tuées, par-dessus le marché, parce qu'elle n'ont pas cette chose qui se balance par-devant.

— Est-ce que par hasard elle n'essayerait pas de se faire pousser une queue à la place ? demandai-je en lui montrant l'enfant qui continuait à se tortiller pour voir son dos dans le miroir.

— Non. Elle a remarqué aujourd'hui que tous ses camarades avaient un tlacihuitztli et elle m'a demandé ce que c'était sans avoir réalisé qu'elle l'avait elle aussi. Elle est en train de tenter de l'apercevoir. »

Peut-être, mes révérends, comme la plupart des

Espagnols fraîchement arrivés ici, ignorez-vous ce qu'est le tlacihuitztli, car je crois bien que cette marque n'existe pas chez vos enfants et si vos nègres l'ont, on ne doit pas la remarquer. Tous nos enfants naissent avec une tache sombre dans le bas du dos dont la taille varie de la grandeur d'une assiette à celle d'un ongle. Elle diminue et s'estompe progressivement et, aux environs de la dixième année, elle a complètement disparu.

« J'ai dit à Cocóton, poursuivit Béu, que lorsque sa tache serait partie, elle serait une petite demoiselle.

— Une demoiselle de dix ans. Il ne faut pas lui mettre des idées pareilles dans la tête.

— Comme ces idées folles que tu lui apprends ?

— Moi ? J'ai toujours répondu à ses questions le plus honnêtement possible.

— Cocóton m'a raconté que tu l'avais emmenée un jour se promener dans le nouveau parc de Chapultepec et qu'elle t'avait demandé pourquoi l'herbe était verte. Il paraît que tu lui as répondu que c'était afin qu'on ne marche pas par erreur sur le ciel !

— Eh bien, c'est la réponse la plus honnête que j'ai trouvée. En connais-tu une meilleure ?

— L'herbe est verte, répliqua fermement Béu, parce que les dieux ont décidé qu'elle serait verte.

— Ayya, je n'y avais pas pensé ! Tu as raison, sans aucun doute. »

Elle me sourit, satisfaite de voir que j'approuvais son bon jugement. « Mais, dis-moi, ajoutai-je perfidement, pourquoi les dieux ont-ils choisi le vert plutôt que le rouge, le jaune ou une autre couleur ? »

Ah, voici Son Excellence qui arrive juste à temps pour m'éclairer. Cela s'est passé le troisième jour de la Création, n'est-ce pas ? Et vous pouvez même redire les paroles exactes de Dieu. « Que la terre produise de la verdure. » C'est incontestable. Le fait que l'herbe est verte est une évidence même pour les non-Chrétiens, mais nous autres, les Chrétiens, nous savons que c'est notre Dieu qui l'a fabriquée ainsi. Pourtant, après toutes ces années, il m'arrive encore parfois de me demander pourquoi il l'a voulue verte plutôt que...

Motecuzoma ? De quoi avait-il l'air ?

Oui, je comprends. Votre Excellence souhaiterait apprendre des choses importantes et elle a raison de s'impatienter quand j'aborde des sujets aussi insignifiants que la couleur de l'herbe ou que je lui parle de ma petite famille. Et pourtant, le grand Seigneur Motecuzoma, quel que soit le lieu où il repose maintenant, n'est plus qu'un amas informe en décomposition qui ne se signale que si l'herbe est d'un vert plus profond à cet endroit. J'ai l'impression que Dieu se préoccupe plus de la verdure de ses plantes que de la fraîcheur du souvenir des hommes illustres.

Oui, oui, Excellence. Je ferme ces parenthèses inutiles et je vais m'employer à satisfaire votre curiosité au sujet de la personnalité de l'homme Motecuzoma Xocoyotzin.

Ce n'était qu'un homme et pas autre chose. Il était plus jeune que moi d'un an environ. C'est-à-dire qu'il avait trente-cinq ans quand il monta sur le trône des Mexica, ou plutôt du Monde Unique tout entier. Il était d'une taille moyenne pour un Mexica, d'une constitution assez frêle avec une tête un peu grosse et cette légère disproportion le faisait paraître plus petit qu'il ne l'était en réalité. Il avait un teint de cuivre clair, des yeux qui brillaient d'un éclat glacé et des traits réguliers, à part un nez un peu épaté.

Au cours de la cérémonie du sacre, quand il ôta les manteaux noir et bleu de l'humilité, il apparut vêtu d'un habit d'une richesse incroyable, très révélateur des goûts qu'il allait déployer à partir de ce moment. Quand il paraissait en public il ne portait jamais le même costume, mais tous étaient plus somptueux les uns que les autres.

Il avait des maxtlatl de cuir rouge ou de coton brodé dont les pans lui retombaient jusqu'aux genoux, devant et derrière. Je le soupçonne d'avoir adopté ces pagnes si amples, afin de ne pas courir le risque de dévoiler par hasard la malformation génitale à laquelle j'ai fait allusion. Il était chaussé de sandales dorées et parfois, quand il n'avait pas à marcher, ses semelles étaient en or massif. Il ruisselait de bijoux : un collier d'or avec un médaillon lui recouvrait presque toute la poitrine ; à la lèvre inférieure, un labret de cristal avec une plume d'oiseau en inclusion ; des boucles d'oreilles en jade et une turquoise à la narine. Sur la tête, il portait un diadème d'or piqué de hautes plumes ou bien une coiffure de plumes de quetzal grandes comme le bras.

Mais le plus stupéfiant, c'étaient ses manteaux. Ils lui tombaient toujours jusqu'aux chevilles et étaient tissés de plumes éblouissantes et rares. Certains étaient d'une seule couleur, écarlate, jaune, bleu, vert et d'autres multicolores. Je me souviens particulièrement de l'un d'eux fait uniquement de plumes de colibri multicolores, irisées et scintillantes. Quand je vous aurai dit que les plumes du colibri ne sont pas plus grosses qu'un cil, Votre Excellence pourra juger du talent et du travail du plumassier et de la valeur inestimable d'une telle œuvre d'art.

Pendant ses deux années de régence, Motecuzoma avait vécu simplement avec ses deux femmes dans quelques pièces du vieux palais, alors bien délabré, de son grand-père Motecuzoma l'Ancien. Il s'habillait sobrement, ne déployait aucune pompe et se gardait d'exercer tous les pouvoirs dévolus à un régent. Il n'avait promulgué aucune nouvelle loi, ni fondé d'autres colonies de peuplement sur les frontières, ni entrepris de guerre. Il s'était contenté de régler les affaires courantes qui n'exigeaient pas de décision spectaculaire.

Mais, quand il se dépouilla de ses manteaux bleu et noir pour devenir Orateur Vénéré, il rejeta en même temps toute humilité. Je ne pourrai pas mieux vous le faire comprendre qu'en vous racontant ma première entrevue avec lui, quelques mois après son accession, quand il commença à recevoir un par un tous les nobles et tous les chevaliers. Il prétendait vouloir se familiariser avec des subordonnés qu'il ne connaissait que comme des noms sur un registre, mais je crois bien que le but réel de l'opération était de nous impressionner par sa majesté et sa magnificence. Quand il en eut terminé avec les courtisans, les nobles, les prêtres, les devins et les sorciers, vint le tour des Chevaliers-Aigle et je fus convoqué à la cour. Je m'y présentai, resplendissant et mal à l'aise dans ma tenue emplumée et le laquais qui était devant la porte de la salle du trône me dit :

« Le Seigneur Chevalier-Aigle Mixtli veut-il enlever son uniforme ?

— Certainement pas, lui répondis-je. J'ai eu bien trop de mal à y rentrer.

— Seigneur, reprit-il, visiblement embarrassé, c'est un ordre du Uey tlatoani en personne. Otez votre casque, votre bouclier et vos sandales et enfilez ceci sur votre armure.

— Ces guenilles ! m'exclamai-je en le voyant me tendre un vêtement informe de cette fibre de maguey qu'on utilise pour faire des sacs. Je ne viens ni pour supplier, ni pour quémander. Comment oses-tu ?

— Je vous en conjure, Seigneur, supplia-t-il en se tordant les mains, vous n'êtes pas le premier qui s'en offense, mais la règle est maintenant que tous ceux qui se présentent devant l'Orateur Vénéré soient nu-pieds et vêtus en mendiant. Je ne peux pas vous laisser entrer autrement ; il m'en coûterait la vie.

— Quelle folie ! » murmurai-je. Mais pour épargner le pauvre diable, je déposai mon casque, mon bouclier et mon manteau et m'affublai de la toile de sac.

« Et maintenant, quand vous entrerez...

— Merci, coupai-je sèchement. Je sais comment me comporter devant les Grands.

— Il y a un nouveau protocole, poursuivit le malheureux. Je vous en supplie, Seigneur, n'attirez pas son courroux sur vous et sur moi. Je ne fais que transmettre les ordres.

— C'est bon, marmonnai-je.

— Vous verrez trois marques à la craie sur le sol, entre la porte et le fauteuil de l'Orateur Vénéré. La première se trouve juste après le seuil. Là, vous devrez vous incliner et faire le geste du tlalqualiztli — porter les mains des lèvres au sol — et dire : « Seigneur ». Puis, vous avancerez jusqu'au second trait, vous embrasserez à nouveau la terre en disant : « Très grand Seigneur ». Ne vous relevez pas avant qu'il vous le dise et n'approchez pas plus près que la troisième marque.

— C'est incroyable ! »

Sans me regarder, le valet poursuivit :

« Vous ne devrez lui adresser la parole que lorsqu'il vous posera une question précise. N'élevez jamais la voix ; murmurez seulement. L'entrevue prendra fin quand l'Orateur Vénéré vous le signifiera. Alors, faites le tlalqualiztli à l'endroit où vous vous trouvez et sortez à reculons...

— Il est fou !

— Sortez à reculons, toujours respectueusement tourné vers lui et inclinez-vous pour embrasser la terre à

824

chaque marque de craie, jusqu'à ce que vous ayez franchi la porte. Alors, vous pourrez reprendre votre uniforme et votre rang.

— Et ma dignité, ajoutai-je d'un ton sarcastique.

— *Ayya,* je vous en conjure, Seigneur, me dit le laquais terrorisé, surtout, ne vous risquez pas à ce genre de plaisanterie en sa présence. Ce n'est pas à reculons que vous sortiriez, mais en morceaux. »

J'approchai donc du trône de cette façon humiliante. Motecuzoma me laissa ployé pendant un bon moment avant de condescendre à me dire d'une voix traînante :

« Tu peux te relever, Chevalier-Aigle Chicome-Xochitl Tlilectic-Mixtli. »

Au garde-à-vous derrière son trône, se tenaient les plus anciens membres du Conseil mais je distinguai deux ou trois nouvelles têtes et parmi elles, le Femme-Serpent, Tlacotzin. Ils étaient tous nu-pieds et au lieu de l'habituel manteau jaune, portaient comme moi une toile de sac, ce qui semblait les rendre fort malheureux. L'Orateur Vénéré était assis sur une modeste chaise basse, mais l'élégance de sa tenue — surtout comparée à la nôtre — chassait toute prétention à la modestie. Il avait sur les genoux une quantité de papiers dépliés qui retombaient jusqu'à terre. Il fit mine de consulter plusieurs documents avant de me déclarer :

« Il paraît que mon oncle Ahuizotl avait dans l'idée de t'élever au Conseil. Ce n'est pas dans mes intentions.

— Merci, Seigneur Orateur, lui répondis-je très sincèrement. Je n'ai jamais aspiré... »

Il m'interrompit d'une voix cinglante :

« Tu parleras quand je te poserai une question.

— Bien, Seigneur.

— Inutile de répondre. Tu n'as pas à exprimer ton obéissance ; elle coule de source. »

Il se replongea dans ses papiers et je restai devant lui

à me taire, écumant de rage. Jadis, je trouvais qu'Ahui-zotl était ridiculement suffisant en disant toujours « nous » pour parler de lui-même. Il me semblait maintenant qu'il était simple et chaleureux, comparé à son glacial et hautain neveu.

« Tes cartes et tes récits de voyage sont très intéressants, Chevalier Mixtli. Celles de Texcala vont bientôt nous servir, car je projette une nouvelle guerre qui mettra un terme pour toujours aux provocations de ces Texcalteca. J'ai également sous les yeux tes cartes des routes de commerce du sud, jusqu'au pays maya. Elles sont toutes merveilleusement détaillées. C'est du bon travail. » Il se tut et me lança un regard froid. « Tu pourrais dire merci quand l'Orateur Vénéré te fait des compliments.

— Merci, dis-je sur un ton soumis.

— J'ai appris que depuis que tu as remis ces cartes à mon oncle, tu avais fait d'autres voyages. » Il attendit et comme je ne répondais rien, il hurla : « Parle !

— Mon Seigneur ne m'a posé aucune question. »

Il sourit calmement et articula :

« Pendant tes derniers voyages, as-tu fait d'autres cartes ?

— Oui, Seigneur Orateur. Sur place ou dès mon retour chez moi, quand mes souvenirs étaient encore tout frais.

— Tu les apporteras au palais. J'en aurai besoin si je décide de faire d'autres guerres. »

Je ne répondis rien puisque mon obéissance était un fait acquis. Il poursuivit :

« On m'a dit aussi que tu parlais très bien plusieurs langues. » Il se tut et je lui dis :

« Merci, Seigneur Orateur.

— Ce n'était pas un compliment, ricana-t-il.

— Vous avez dit que je parlais très bien, Seigneur. »

Les membres du Conseil roulaient des yeux effarés. « Arrête tes insolences ! Quelles langues parles-tu ?

— Je parle à la fois le nahuatl classique et la forme plus courante de Tenochtitlán, de même que le nahuatl plus raffiné de Texcoco et aussi d'autres dialectes de pays étrangers comme Texcala. »

Motecuzoma tambourinait impatiemment sur ses genoux avec ses doigts.

« Je parle couramment le lóochi des Zapoteca, mais pas aussi bien le poré du Michoacán. Je me fais comprendre dans la langue des Mixteca, dans plusieurs idiomes olméca, en maya et dans les dialectes dérivés. J'ai quelques notions d'otomi et...

— Suffit ! coupa Motecuzoma. Tu auras peut-être l'occasion de pratiquer tes talents le jour où je déclarerai la guerre à l'un de ces pays. Pour l'instant, tes cartes me suffiront. Dépêche-toi de me les apporter. »

Je me taisais. Je voyais que les vieillards me faisaient des signes impératifs, mais je ne comprenais pas pourquoi, quand Motecuzoma me cria presque :

« Retire-toi, Chevalier Mixtli ! »

Je sortis à reculons comme on me l'avait prescrit et tout en enlevant mon habit de suppliant, je dis au valet :

« Cet homme est fou, mais est-il un tlahuele ou un simple xolopitli ? »

Le nahuatl possède deux mots pour désigner un fou : xolopitli indique une personne dérangée, mais inoffensive et tlahuele, un dangereux maniaque. Mes paroles firent sursauter le domestique.

« Je vous en prie, Seigneur, parlez moins haut. Je reconnais qu'il est un peu spécial. Savez-vous, par exemple, qu'il ne prend qu'un seul repas par jour, le soir, mais qu'il donne l'ordre de préparer des vingtaines et même des centaines de mets différents pour pouvoir disposer immédiatement de celui qui lui fait envie.

Souvent il ne mange que d'une seule chose et goûte du bout des lèvres à deux ou trois autres préparations.

— Et on jette le reste ?

— Oh non, il invite ses nobles favoris qui viennent par centaines, abandonnant leur propre table et c'est eux qui mangent ce que l'Orateur Vénéré refuse.

— C'est curieux, murmurai-je. Je ne pensais pas qu'il aimait tant la compagnie.

— En réalité, il ne l'aime pas. Les Seigneurs dînent dans la même salle à manger, mais ils n'ont pas le droit de parler et ils n'aperçoivent même pas l'Orateur Vénéré. Un grand paravent cache le coin où il est installé, à l'abri des regards. Les invités ne peuvent même pas savoir s'il est réellement là sauf quand, de temps en temps, il leur fait passer un mets qu'il a particulièrement apprécié et auquel tout le monde doit goûter.

— Alors, c'est qu'il n'est pas fou. Souviens-toi que le bruit a couru que le Uey tlatoani Tizoc était mort empoisonné. Tout cela peut paraître extravagant, mais ce n'est peut-être qu'une façon habile de s'assurer qu'il ne finira pas comme lui. »

Bien avant de l'avoir rencontré, j'avais conçu une aversion extrême à l'égard de Motecuzoma. En quittant le palais, ce jour-là, s'y ajoutait un vague sentiment de pitié. Oui, de pitié. La supériorité d'un chef doit s'imposer d'elle-même à ses sujets ; ils doivent baiser la terre devant lui non pas parce qu'il l'exige, mais parce qu'il le mérite. Tout ce protocole et cet appareil dont Motecuzoma s'entourait me semblaient moins impressionnants que prétentieux et même pathétiques. Tout comme la surabondance de sa parure, c'était un simulacre de grandeur imposé par un homme qui doutait de lui-même.

Ce soir-là, quand je rentrai chez moi, je trouvai Cozcatl qui m'attendait pour me donner les dernières nouvelles de son école. Tandis que je passais des vêtements plus commodes, il m'annonça en se frottant les mains de satisfaction :

« L'Orateur Vénéré m'a chargé de prendre en main la formation de tous les serviteurs et les esclaves du palais, depuis les intendants supérieurs, jusqu'aux garçons de cuisine. »

Je dis à Turquoise de nous apporter une cruche d'octli bien frais pour fêter l'événement et Chanteur Etoile accourut pour nous allumer un poquietl.

« Je reviens du palais, dis-je à Cozcatl, et j'ai eu l'impression que les domestiques étaient déjà très bien dressés, de même que les membres du Conseil et toutes les personnes en relation avec la cour.

— Oui, les domestiques font un très bon service, me répondit-il en exhalant un rond de fumée. Mais Motecuzoma les veut aussi stylés que le personnel de la cour de Nezahualpilli.

— Il semblerait que notre Orateur Vénéré ressente de la jalousie pour autre chose que les bonnes manières des serviteurs de la cour de Texcoco. Je pourrais même dire de l'animosité. Motecuzoma vient de m'apprendre qu'il se propose de lancer une attaque contre Texcala et cela ne me surprend pas ; mais ce qu'il ne m'a pas dit, et que j'ai su par ailleurs, c'est qu'il a tenté de contraindre Nezahualpilli à mener l'assaut et à former le gros des troupes avec des Acolhua. Nezahualpilli a fermement décliné cet honneur et j'en suis heureux, après tout, il n'est plus tout jeune. J'ai l'impression que Motecuzoma voudrait faire ce qu'a jadis fait Ahuizotl : décimer les Acolhua et provoquer, pourquoi pas, la mort de leur chef au combat.

— Et peut-être pour la même raison, me fit remarquer Cozcatl.

— Ai-je bien compris ce que tu veux dire ? »

Cozcatl hocha la tête.

« La petite épouse de Nezahualpilli dont on ne prononce plus jamais le nom. C'était la fille d'Ahuizotl et la cousine de Motecuzoma… et peut-être autre chose que sa cousine. En tout cas, c'est tout de suite après son exécution que Motecuzoma a endossé l'habit noir des prêtres.

— C'est une coïncidence qui donne à réfléchir, mais il a quitté la prêtrise depuis longtemps, il a deux femmes légitimes et il en prendra certainement d'autres. Espérons qu'il abandonnera son ressentiment envers Nezahualpilli et espérons surtout qu'il ne saura jamais quel rôle nous avons joué dans la vie de sa cousine.

— Ne vous faites pas de souci, me répondit Cozcatl d'un ton enjoué. Nezahualpilli a toujours fait silence sur notre participation dans cette affaire. Ahuizotl n'a jamais fait le rapprochement et Motecuzoma non plus, sinon il ne m'aurait pas donné sa clientèle.

— Tu as sûrement raison, fis-je, soulagé, et j'ajoutai en riant :

« Tu sembles imperméable au souci comme à la douleur. » Je lui montrai son poquietl. « Ça ne te fait pas mal ? »

Il ne paraissait pas s'être aperçu qu'il avait baissé la main qui tenait le poquietl, si bien que la braise touchait son autre bras. Quand je lui fis remarquer, il releva brusquement le poquietl et regarda d'un air maussade la marque rouge que la brûlure avait laissé sur la peau.

« Quand je suis préoccupé par un problème, marmonna-t-il, je ne fais pas attention à ces petites choses.

— Des petites choses ! m'écriai-je. C'est plus douloureux qu'une piqûre de guêpe ; je vais dire à Turquoise qu'elle t'apporte de la pommade.

— Non, non, ce n'est pas la peine. Je ne sens presque rien », me dit-il en se levant pour prendre congé. Sur le pas de la porte, il croisa Béu qui rentrait d'une course et la salua affectueusement, comme à l'accoutumée, mais le sourire de Béu me parut un peu forcé. Quand il fut parti, elle me dit :

« J'ai rencontré sa femme dans la rue et nous avons bavardé un moment. Je suis certaine qu'elle sait que je suis au courant de la blessure de son mari et de la façon dont leur mariage est arrangé. Pourtant elle rayonnait de bonheur et elle me regardait avec un air de défi, comme si elle voulait que je lui fasse une remarque.

— Une remarque sur quoi ? demandai-je, un peu endormi par l'octli.

— A propos de son état. Il est évident qu'elle est enceinte.

— Tu dois te tromper, tu sais bien que c'est impossible.

— Impossible, impossible, répliqua-t-elle avec un air impatienté, je suis sûre de ce que j'avance. Même une vieille fille comme moi peut le voir et son mari ne tardera pas à le découvrir. Et alors, que va-t-il se passer ? »

C'était une question sans réponse et Béu partit sans l'attendre, me laissant à mes réflexions. Quand Quequelmíqui était venue me demander ce que son mari était dans l'incapacité de lui donner, j'aurais dû me douter qu'elle souhaitait aussi quelque chose de plus durable. C'était un enfant qu'elle voulait — une Cocóton bien à elle — et quel meilleur père pourrait-elle trouver que celui de sa petite bien-aimée ? J'étais sûr, maintenant, que Quequelmíqui était venue me voir après avoir mangé de la viande de renard, de l'herbe cihuapatli ou une autre substance supposée assurer la fécondité. J'avais bien failli succomber à ses cajoleries. Seule l'arrivée inattendue de Béu m'avait fourni un prétexte pour refuser. Je n'étais pas le père et Cozcatl non plus. Pourtant il en avait bien fallu un. Elle m'avait prévenu de sa résolution. Quand je l'ai renvoyée, pensais-je, elle avait encore toute la journée devant elle...

J'aurais dû m'inquiéter davantage de cette affaire, mais à cette époque, j'étais très occupé par les cartes que le tlatoani m'avait dit de lui remettre. J'avais pris quelques libertés avec les ordres qu'il m'avait donnés et je ne lui confiai pas les originaux. J'en fis des copies que j'apportai au palais au fur et à mesure de leur exécution. J'expliquai ce délai en arguant que beaucoup de mes anciennes cartes étaient déchirées et salies, que certaines étaient dessinées sur du mauvais papier, voire sur des feuilles de vigne et que je voulais que l'Orateur Vénéré ait des documents propres et solides. Cette excuse n'était pas entièrement fausse, mais la vraie raison, c'était que je voulais conserver les originaux qui étaient pour moi des souvenirs de mes errances et du temps où j'étais avec Zyanya.

Je pourrais aussi en avoir besoin pour de nouvelles pérégrinations, peut-être même pour un voyage sans retour, si Tenochtitlán devenait un jour pour moi un séjour inconfortable. Cette éventualité me fit omettre certains détails sur les copies que je remis au Uey tlatoani. Je supprimai, par exemple, le lac noir où j'avais découvert les défenses géantes ; si par hasard, il restait encore des trésors enfouis, ils pourraient me servir un jour.

Quand je ne travaillais pas, je passais mon temps avec ma fille. J'avais pris l'habitude de lui raconter des histoires presque tous les après-midi, des histoires que j'aurais aimé qu'on me raconte quand j'avais son âge, remplies d'aventures et de violence. La plupart étaient en fait le véritable compte rendu de mes propres expéditions, un peu enjolivé ou un peu atténué, selon les cas. J'étais souvent amené à rugir comme un jaguar furieux, à glapir comme un singe-araignée en colère ou à hurler comme un coyote triste. Quand je voyais que tous ces bruits effrayaient Cocóton, je me flattais de mes talents de conteur. Mais, un jour, elle vint me trouver à un moment inaccoutumé et me déclara très solennellement :

« Tete, est-ce qu'on pourrait parler comme des grandes personnes ? »

Une telle gravité chez une petite fille de six ans me fit sourire, mais je lui répondis le plus sérieusement du monde :

« Bien sûr, ma petite. Qu'est-ce qui te tracasse ?

— Je voudrais te dire que je ne crois pas que les histoires que tu me racontes sont faites pour les petites filles. »

Surpris et même un peu vexé, je lui demandai :

« Dis-moi un peu ce qui ne te plaît pas dans mes histoires ?

— C'est sûrement de très bonnes histoires, dit-elle, comme si elle essayait de calmer un enfant trop turbulent. Je suis certaine qu'un garçon les apprécierait beaucoup. Les garçons aiment avoir peur. »

Elle réfléchit un moment, puis me dit d'une voix hésitante :

« Tete, il ne t'est jamais arrivé des aventures *tranquilles* ? »

Je ne savais pas très bien quoi lui répondre ; je ne voyais pas ce qu'on pouvait appeler des « aventures tranquilles ». Enfin, il me vint une idée.

« Un jour, il m'est arrivé une histoire complètement folle.

— *Ayyo,* j'adore les histoires folles. »

Alors, je me couchai par terre et, repliant les genoux sur la poitrine pour en faire une montagne, je lui dis :

« Ça, c'est un volcan qui s'appelle le Tzeboruko ; ce qui veut dire ronfler de colère, mais je te promets de ne pas ronfler. Assois-toi là, en plein milieu du cratère. »

Elle se percha sur mes genoux et en commençant par le traditionnel « *Oc ye nechca* », je lui racontai comment je m'étais retrouvé bêtement projeté au milieu de l'océan. Je m'abstins d'imiter le bruit de l'éruption, mais au moment le plus crucial de mon récit, je m'écriai soudain « *Uiuioni !* » en secouant les genoux et en rejetant les jambes en l'air, ce qui la délogea de son poste et la fit s'abattre sur mon ventre. Le choc me coupa la respiration et la fit se tortiller de rire et de joie.

Je tenais là un genre d'histoire qui semblait convenir parfaitement à une petite fille et pendant longtemps, l'après-midi, il me fallut jouer au volcan en éruption. Le volcan continua donc à entrer en éruption chaque jour, jusqu'au moment où Béu la jugea trop grande pour les jeux vulgaires et où Cocóton, elle-même, finit par les trouver « bébés ». J'étais un peu triste de voir que ma fille était en train de sortir de l'enfance, mais d'un autre côté, je commençais à être fatigué qu'on me tombe sur le ventre.

Un jour, je vis arriver Cozcatl dans un état pitoyable. Les yeux rougis et la voix rauque, il ne cessait d'entremêler ses doigts, comme si ses deux mains se livraient un perpétuel combat.

« Tu as pleuré, mon ami ? lui demandai-je doucement.

— J'aurais bien des raisons pour ça. Enfin… non… je

n'en ai pas. La vérité, c'est que depuis un moment, j'ai l'impression que mes yeux et ma langue s'épaississent, comme s'ils se recouvraient d'un voile.

— As-tu vu un médecin ?

— Non. Mais je ne suis pas venu pour parler de ça. Mixtli, est-ce vous ? »

Ne voulant pas jouer les ignorants, je lui répondis : « Je sais ce que tu veux dire. Béu me l'a fait remarquer il y a quelque temps. Non, ce n'est pas moi.

— Je vous crois, mais la chose n'en est que plus dure à supporter. Je ne saurai jamais qui c'est. Même si je la rouais de coups, elle ne me dirait rien, j'en suis sûr. Et de toute manière, je ne pourrai jamais la battre.

— Il faut que je te dise quelque chose, lui avouai-je, après avoir réfléchi un moment. Elle voulait que je sois le père. »

Il hochait la tête comme un vieux paralytique.

« C'est ce que j'avais pensé. Elle aurait souhaité avoir un enfant qui ressemble le plus possible à Cocóton. Si vous en aviez été le père, ça m'aurait fait mal, mais j'aurais pu le supporter... »

Tout en parlant, il passait sa main sur une étrange tache claire presque argentée qu'il avait sur la joue ; je me demandai s'il s'était encore brûlé par inadvertance. Je m'aperçus ensuite que le bout de ses doigts avaient, eux aussi, perdu presque toute couleur. Il poursuivit :

« Ma pauvre Quequelmíqui. Je crois qu'elle aurait pu continuer à supporter ce mariage avec un homme châtré, mais après avoir été la mère de votre petite fille, elle ne se sentait plus capable d'accepter une union stérile. »

Cozcatl regardait par la fenêtre ; Cocóton était en train de jouer dans la rue avec ses camarades. Il avait l'air très malheureux.

« J'espérais... J'ai essayé de trouver une solution de

remplacement. J'ai créé une classe spéciale pour les enfants des esclaves qui étaient déjà chez moi, pour les préparer à devenir des domestiques comme leurs parents. En réalité, je pensais qu'elle reporterait son affection sur eux, qu'elle apprendrait à les aimer. Mais ce n'étaient pas ses enfants... et elle ne les connaissait pas depuis leur plus tendre enfance, comme Cocóton.

— Ecoute-moi, Cozcatl. Cet enfant qu'elle porte n'est pas de toi, bien sûr, mais c'est *son* enfant et elle est ta femme bien-aimée. Suppose que tu aies épousé une veuve déjà mère d'un petit, est-ce que tu te tortureras de la sorte ?

— Elle m'a déjà donné cet argument. Mais dans ce cas, elle ne m'aurait pas trahi. Après toutes ces années de bonheur... pour moi, du moins. »

Je pensai au temps où Zyanya et moi étions tout l'un pour l'autre et j'essayai de m'imaginer ce que j'aurais ressenti si elle m'avait été infidèle.

« Je te plains sincèrement, Cozcatl, mais c'est le seul salut pour Quequelmíqui. C'est une jolie femme et elle aura sûrement un bel enfant. Je t'assure que tu l'accepteras et que tu t'attacheras très vite à lui. Je connais ta nature et je sais que tu aimeras aussi fort cet enfant sans père que j'aime ma petite fille sans mère.

— Il ne sera pas vraiment sans père, grommela-t-il.

— Ce sera l'enfant de ta femme et c'est toi qui en seras le père. Personne n'est au courant de ce qui t'est arrivé, sauf Béu et moi et tu peux être certain que nous nous tairons toujours. Le pauvre Gourmand de Sang est mort depuis bien longtemps ainsi que le médecin qui t'avait soigné. Je ne vois personne d'autre...

— Moi si ! s'exclama-t-il avec un air farouche. L'homme qui *est* le père. C'est peut-être un ivrogne qui s'est vanté de sa conquête dans tous les cabarets. Un jour, il viendra chez moi pour réclamer...

— Je suppose que Quequelmíqui a su choisir quelqu'un de discret, lui dis-je, sans en être bien sûr moi-même.

— Et puis, il y a autre chose. Maintenant qu'elle a eu de vrais rapports avec un homme, saura-t-elle se contenter de moi ?

— Tu es en train de te faire souffrir inutilement avec ces suppositions ridicules. Elle voulait un enfant et elle va l'avoir. Les jeunes mères ont bien assez à faire sans les aventures.

— *Yya ouiya,* soupira-t-il. Comme j'aurais aimé que vous soyez le père, Mixtli, vous qui êtes mon plus vieil ami. Oh, bien sûr, ça m'aurait pris du temps, mais j'aurais fini par l'accepter.

— Ne dis pas ça, Cozcatl ! » m'écriai-je. Je me sentais doublement coupable : d'avoir failli coucher avec sa femme, et de ne l'avoir pas fait.

« Il y a d'autres problèmes, mais peu importe, ajouta-t-il d'un air vague. Si c'était votre enfant, je me serais forcé à attendre... J'aurais pu être un père pendant un moment au moins... »

Il me semblait en proie à des réflexions insensées. Je tentai vainement de le ramener à la réalité, mais il éclata soudain en sanglots — les sanglots âpres et rauques des hommes qui n'ont rien à voir avec les pleurs doux, modulés et presque chantants des femmes — et il s'enfuit hors de la maison.

Je ne devais jamais plus le revoir. Ce qui s'est passé ensuite est bien triste et je vais vous le raconter brièvement. Le soir même de ce jour, Cozcatl quitta sa maison, son école et ses élèves pour aller s'engager dans les troupes de la Triple Alliance contre Texcala et il marcha tout droit sur la pointe d'une lance ennemie.

Son départ inopiné et sa mort si soudaine intriguèrent

et peinèrent profondément ses amis et ses associés qui supposèrent qu'il avait voulu faire preuve d'un dévouement exagéré envers l'Orateur Vénéré. Ni Béu, ni Quequelmíqui, ni moi, nous ne vînmes jeter le doute sur cette hypothèse et tout le monde crut que la rondeur qui se dessinait sous les jupes de Quequelmíqui était le fait de Cozcatl.

Quant à moi, je ne fis part à personne, pas même à Béu, d'une idée qui m'était venue. Je m'étais rappelé les bouts de phrases inachevées prononcés par Cozcatl : « Je me serais forcé à attendre... j'aurais pu être un père pendant un moment... » et je revoyais la brûlure qu'il s'était faite sans la sentir, sa voix épaisse, ses yeux rouges et la tache argentée sur sa figure.

On ramena son macquauitl et son bouclier pour le service funèbre. Je présentai à la veuve des condoléances formelles et distantes et après cela, je l'évitai délibérément. J'allais trouver le soldat qui avait apporté ses armes et qui avait assisté à leur enterrement et je lui posai une question à brûle-pourpoint. Après avoir un peu hésité, il me répondit :

« Oui, Seigneur. Quand le médecin du régiment a déchiré sa cuirasse autour de la blessure, il a découvert que sa peau partait en lambeaux sur tout son corps. Vous avez deviné juste, il était atteint par le teococoliztli.

Ce mot signifie « Celui qui est mangé par les dieux » et c'est une maladie qui doit sévir aussi dans le monde d'où vous venez, car les premiers Espagnols arrivés ici se sont écriés : « La lèpre ! » en voyant des hommes et des femmes à qui il manquait les doigts, le nez et même dans le stade final, presque toute la figure.

Les dieux mangent ceux qu'ils ont choisis de façon soudaine ou progressive. Mais celui qui est mangé ne se sent guère honoré de ce choix. Au début, il peut y avoir une certaine insensibilité, comme chez Cozcatl qui n'avait pas senti la brûlure sur son bras. Ensuite, il peut se produire un épaississement des tissus à l'intérieur des paupières, du nez et de la gorge, et le malade voit moins bien, parle avec une voix enrouée et a du mal à avaler et à respirer. La peau de son corps se dessèche et tombe en lambeaux ou se couvre d'excroissances innombrables qui se transforment en plaies suppurantes. L'issue est toujours fatale, mais l'évolution est très lente. Les extrémités du corps — doigts, nez, oreilles, tepuli — sont les premières à être grignotées et il ne subsiste à la place que des trous et des moignons.

Mais les dieux continuent leur repas sans se presser et le teococox peut survivre des années dans cet état, cloué au lit, impuissant et puant la pourriture, avant de finir par mourir d'étouffement. Mais beaucoup refusent cette fin effroyable, ou bien ce sont leurs proches qui ne peuvent plus supporter de les soigner. Quand ils s'aperçoivent qu'ils n'ont plus rien d'humain, la plupart de ces malheureux trouvent un moyen pour se supprimer, comme l'a fait Cozcatl en allant vers la Mort Fleurie.

Il savait ce qui l'attendait, mais il aimait tant Quequelmíqui qu'il aurait supporté sa maladie aussi longtemps qu'il l'aurait pu, ou qu'elle l'aurait pu sans reculer devant sa vue. Même après avoir su que sa femme l'avait trompé, Cozcatl serait peut-être resté pour avoir l'enfant — pour être un père pendant un moment, comme il me l'avait dit — si cet enfant avait été de moi. Mais sa femme l'avait trahi avec un étranger et il n'avait aucune envie, ni aucune raison de retarder l'inévitable. Alors, il était parti et s'était fait embrocher par une lance texcalteca.

J'éprouvais plus que du chagrin d'avoir perdu mon ami Cozcatl. Je m'étais occupé de lui pendant une grande partie de sa vie depuis qu'il était devenu mon petit esclave à Texcoco. Déjà, à cette époque, j'avais failli causer sa perte en le compromettant dans ma vengeance contre Seigneur Joie. Plus tard, il avait perdu sa virilité en essayant de me protéger contre Chimali. C'est parce que j'avais demandé à Quequelmíqui d'être une mère pour Cocóton qu'elle avait si ardemment souhaité la maternité, et seules les circonstances m'avaient empêché de commettre l'adultère et non ma loyauté et mon honnêteté envers Cozcatl. Là encore, je lui avais fait du tort. Si j'avais fécondé sa femme, il aurait peut-être vécu encore un moment et même été heureux en attendant que les dieux finissent de le manger...

En réfléchissant à toutes ces choses, je me suis souvent demandé pourquoi Cozcatl m'appelait son ami.

Pendant quelques mois, la veuve de Cozcatl assura la direction de l'école. Puis, elle arriva à terme et accoucha de son maudit bâtard. Maudit, c'est bien le mot, car elle mit au monde un enfant mort-né. Je ne sais même plus de quel sexe il était. Quand Quequelmíqui put se lever, elle quitta Tenochtitlán, comme Cozcatl, et ne revint jamais. L'école se trouva plongée dans une grande perturbation et les professeurs qui n'étaient plus payés menacèrent de partir. Motecuzoma, irrité par l'idée de voir ses domestiques lui revenir à moitié formés, décréta sa confiscation. Il plaça à sa tête des prêtres-professeurs recrutés dans un calmecac et l'école continua à exister aussi longtemps que la ville de Tenochtitlán.

C'est vers cette époque que ma fille atteignit sa septième année et tout le monde cessa de l'appeler Cocóton. Après bien des délibérations et des hésitations, je choisis d'ajouter au nom de son jour de naissance, Une Herbe, le nom d'adulte Zyanya-Nochipa, Toujours Toujours, deux fois répété dans la langue maternelle de sa mère et en nahuatl.

Pour célébrer ce jour, j'avais préparé avec Béu une grande fête où furent invités tous les camarades de ma fille avec leurs parents. Auparavant, il avait fallu aller faire inscrire son nom sur le registre des habitants de la ville. Comme Zyanya-Nochipa était la fille d'un Chevalier-Aigle, nous nous adressâmes au tonalpouhqui du palais qui gardait le registre des citoyens d'élite et non à celui qui tenait le compte des sujets ordinaires.

Le vieux fonctionnaire grommela :

« C'est mon devoir et mon privilège de consulter le tonalamatl divinatoire et d'utiliser mes dons d'interprétation pour choisir le nom de l'enfant. Où va-t-on si les parents se mettent à me dire comment il faut l'appeler ? Qui plus est, Seigneur Chevalier, vous voulez donner à cette pauvre petite deux noms qui ont la même signification et aucun d'eux ne désigne une *chose*. Ne pourriez-vous pas au moins l'appeler Toujours Diamantée, par exemple ?

— Non, lui dis-je fermement. Ce sera Toujours Toujours.

— Et pourquoi pas Jamais Jamais ? répliqua-t-il, exaspéré. Comment voulez-vous que je trace sur le registre des symboles de mots abstraits ? Comment puis-je dessiner des sons sans signification ?

— Mais si, ils ont un sens. Voyez-vous, Seigneur Tonalpouhqui, j'ai pensé à cette objection et j'ai quelque chose à vous proposer. J'étais scribe autrefois. »

Je lui montrai le dessin que j'avais fait : une main tenant une flèche sur laquelle était perché un papillon. Il lut à haute voix les mots flèche, main, papillon, noma, chichiquili, papalotl.

« Ah, je vois que vous connaissez cette façon si commode de décrire une chose par les seuls sons. En effet, le premier son de ces trois mots donnent bien no-chi-pa. Toujours. »

Il semblait lui en coûter de me manifester son admiration et je compris que le vieux sage craignait qu'une partie de ses honoraires lui file sous le nez, puisqu'il n'avait plus qu'un travail de copie à faire. Je lui donnai assez de poudre d'or pour payer plusieurs nuits et plusieurs journées de recherches dans ses livres divinatoires et après cela il cessa de grogner et se mit avec ardeur au travail. Il peignit les symboles sur son registre avec bien plus de roseaux et de pinceaux qu'il n'en fallait : le point et la touffe d'herbe, puis les symboles que j'avais trouvés, répétés deux fois.

Désormais, ma fille s'appelait Ce-Malinali Zyanya-Nochipa, et plus familièrement, Nochipa.

Au moment où Motecuzoma monta sur le trône, Tenochtitlán ne s'était que partiellement relevée de ses ruines. Plusieurs milliers de ses habitants vivaient encore entassés chez des parents qui avaient eu la chance de conserver un toit ou dans des cabanes construites avec des décombres ou avec des feuilles de maguey rapportées de la terre ferme, ou, plus misérablement encore, dans des canoës amarrés aux jetées de la ville. Il fallut encore deux années avant que la reconstruction de la ville soit complètement achevée, sous la gouverne de Motecuzoma.

Il en profita pour se faire bâtir un magnifique palais sur la berge d'un canal, à l'extrémité sud du Cœur du Monde Unique. C'était le palais le plus grand, le plus luxueux et le mieux aménagé qui ait jamais existé dans tout le Monde Unique. Il était plus vaste que le palais de ville et toutes les résidences de campagne de Nezahualpilli réunis. Motecuzoma, décidé à surpasser celui-ci en tout, se fit construire aussi une élégante demeure des champs, aux environs de cette jolie ville de montagne de Cuauhnáhuac dont je vous ai souvent parlé. Si vous êtes allés rendre visite à votre capitaine général Cortés, qui s'est attribué ce palais comme résidence personnelle, vous avez pu voir, Seigneurs Frères, que ces jardins sont les plus étendus, les plus beaux et les plus variés qui soient.

La reconstruction de Tenochtitlán aurait pu être plus rapide, et toutes les possessions des Mexica prospérer davantage, si Motecuzoma n'avait pas entrepris guerre sur guerre, et parfois même deux à la fois, du jour où il était monté sur le trône. Il avait immédiatement lancé une attaque contre ce pays si souvent assiégé, mais si opiniâtre qu'était Texcala ; mais ceci n'avait rien de surprenant. En effet, tout Orateur Vénéré nouvellement installé avait toujours inauguré son règne de la sorte et, par sa proximité et son hostilité permanente, ce pays faisait une cible toute désignée, même si sa conquête ne présentait pas une bien grande utilité.

Cependant, notre Orateur Vénéré ne se consacrait pas uniquement à la politique extérieure. Quand il ne complotait pas une nouvelle guerre, il restait dans son palais à se mettre martel en tête à cause de la grande pyramide. Si cela vous semble extravagant, mes révérends, je puis vous assurer qu'il en était de même pour la plupart de ses sujets. Motecuzoma était obsédé par un « défaut » qu'il avait découvert dans l'édifice. En effet, deux jours par an, au printemps et à l'automne, quand la nuit et le jour ont exactement la même durée, le monument projetait une ombre réduite, mais manifeste, en plein midi. D'après lui, le temple n'aurait dû faire aucune ombre à ces moments de l'année et cela voulait donc dire que la grande pyramide déviait légèrement —

d'un doigt ou deux à peine — de l'axe qu'elle aurait dû avoir par rapport à la position de Tonatiuh dans le ciel.

Cela faisait pourtant plus de dix-neuf années, à compter du jour de son achèvement et de sa consécration et plus de cent ans, depuis le moment où Motecuzoma l'Ancien avait entrepris sa construction, que la grande pyramide était sagement en place. Mais voilà, Motecuzoma était fort marri de constater qu'elle n'était pas tout à fait dans l'axe et souvent, on le voyait considérer l'édifice d'un air morose. Le seul moyen de remédier à l'erreur aurait été de tout démolir et de la reconstruire ensuite, et je crois bien qu'il s'y serait décidé s'il n'avait pas eu d'autres chats à fouetter.

En effet, c'est à cette époque que se produisit une série de présages alarmants dont tout le monde est maintenant persuadé qu'ils annonçaient la chute des Mexica, l'anéantissement de toutes les civilisations qui avaient fleuri sur ces terres, la mort de nos dieux et la fin du Monde Unique.

Un jour, vers la fin de l'année Un Lapin, un page du palais vint me chercher pour que je me présente sans délai devant le Uey tlatoani. Je mentionne le nom de l'année, parce qu'elle a une signification funeste en elle-même, comme je vous l'expliquerai plus tard.

Cette fois, l'Orateur Vénéré était seul, mais je remarquai deux nouveautés. De chaque côté de son trône, pendait une grande roue de métal fixée par des chaînes dans un cadre de bois sculpté. L'une était en or et l'autre en argent et leur diamètre faisait deux ou trois fois celui d'un bouclier. Ces deux disques étaient gravés de scènes de victoire de Motecuzoma et ils avaient une valeur incalculable, ne serait-ce que par le poids du métal précieux et le travail de l'artiste leur en donnait encore davantage. J'appris plus tard qu'ils n'étaient pas uniquement décoratifs. Lorsque l'Orateur Vénéré frappait du poing dessus, ces disques résonnaient dans tout le palais. Ils rendaient chacun un son différent ; celui d'argent suscitait l'apparition instantanée de l'intendant du palais et le grondement de la roue d'or, celle d'une troupe entière de gardes en armes.

Sans m'adresser la moindre parole de bienvenue, mais avec beaucoup moins de froideur que de coutume, Motecuzoma me demanda :

« Chevalier Mixtli, tu connais bien le pays des Maya ?

— Oui, Seigneur Orateur.

— Penses-tu que c'est un peuple particulièrement prompt à s'exciter ?

— Pas du tout, Seigneur. Au contraire, la plupart de ces gens sont aussi mous que des tapirs ou des lamantins.

— Comme beaucoup de prêtres. Mais cela ne les empêche pas d'avoir des visions de mauvais augure. En est-il de même chez les Maya ?

— D'avoir des visions ? Les dieux en accordent parfois aux mortels les plus apathiques. Surtout quand ils se sont drogués avec des champignons. Mais ces misérables descendants des Maya se rendent à peine compte de ce qui se passe autour d'eux, à moins d'un événement tout à fait extraordinaire. Si mon Seigneur veut bien m'en dire davantage...

— Un messager maya vient de traverser la ville au pas de course — il n'était pas du tout apathique — et il s'est arrêté juste le temps de confier en haletant un message aux gardes du palais. Ensuite, il a pris en toute hâte la direction de Tlacopan, avant que j'aie pu donner l'ordre de le retenir pour le questionner. Il paraît que les Maya dépêchent ainsi des messagers dans tous les pays pour leur annoncer une chose extraordinaire. Tu connais la péninsule d'Uluümil Kutz qui s'avance dans

845

l'océan du Nord ? Eh bien, les Maya qui y vivent ont vu au large deux apparitions effrayantes. » Il ne put résister au plaisir de me tenir un moment en haleine. « Une sorte de maison gigantesque qui flottait sur la mer et quelque chose qui avançait avec de grandes ailes déployées. »

Je ne pus m'empêcher de sourire et il grogna :

« Est-ce que tu vas me répondre que les Maya sont des fous visionnaires ?

— Non, Seigneur, fis-je, souriant toujours. Mais je crois savoir de quoi il s'agit. Puis-je vous poser une question ? » Il hocha sèchement la tête. « Y avait-il une ou deux choses ?

— Le messager est parti avant qu'on puisse lui demander des détails, gronda Motecuzoma. Il a dit qu'on avait vu deux choses. Je suppose que l'une était la maison flottante et l'autre l'objet ailé. En tout cas, il paraît qu'ils étaient très loin, aussi on ne peut pas en avoir une description détaillée. Pourquoi souris-tu ainsi ?

— Ces gens n'ont pas eu des visions, Seigneur, mais ils sont trop paresseux pour chercher à savoir ce que c'est. S'ils avaient eu l'idée ou le courage de s'en approcher, ils se seraient rendu compte qu'il ne s'agissait que de créatures marines et ils ne seraient pas allés répandre partout ces nouvelles alarmantes.

— Veux-tu dire que tu en as déjà vu ? me demanda Motecuzoma, impressionné. Des maisons qui flottent ?

— Non, pas une maison, Seigneur, mais un poisson plus gros qu'une maison. Les pêcheurs l'appellent le yeyemichi. » Après lui avoir fait le récit de mon aventure, j'ajoutai : « l'Orateur Vénéré aura peut-être du mal à me croire, mais si un yeyemichi venait mettre sa tête contre la fenêtre qui est là, sa queue irait battre contre les ruines du palais du regretté Orateur Ahuizotl, de l'autre côté de la place.

— Vraiment ! » Motecuzoma regarda par la fenêtre d'un air rêveur. « As-tu rencontré également des créatures marines ailées ?

— Oui Seigneur. Des essaims entiers. J'ai d'abord cru que c'étaient des insectes, mais j'en ai attrapé un et je l'ai mangé ; c'était indiscutablement un poisson qui volait. »

Motecuzoma semblait soulagé. « Ce ne sont que des poissons, murmura-t-il. Maudits soient ces imbéciles de Maya ! Ils vont semer la panique avec leurs histoires à dormir debout. Je vais tout de suite faire rétablir la vérité. Merci, Chevalier Mixtli, tu nous as rendu un grand service et tu mérites une récompense. Je t'invite avec toute ta famille à faire partie du petit nombre qui m'accompagnera sur le sommet du Huixachtecatl pour la cérémonie du Feu Nouveau, le mois prochain.

— Je suis très honoré, Seigneur », lui répondis-je très sincèrement.

Cette cérémonie n'a lieu qu'une seule fois par génération et le citoyen moyen ne peut jamais la voir de près, car le Huixachtecatl ne pouvait accueillir qu'un nombre restreint de spectateurs, en plus des officiants.

« Des poissons, répéta Motecuzoma. Mais c'est en pleine mer que tu les as rencontrés. S'ils se sont approchés assez près du rivage pour que les Maya puissent les voir, c'est peut-être tout de même un présage... »

Je n'ai rien à ajouter, mes révérends et je rougis de ma présomptueuse incrédulité. Les deux apparitions aperçues par les Maya étaient, vous vous en doutez, vos navires à voiles. Je sais maintenant que c'étaient vos bateaux venus repérer le rivage.

Je m'étais trompé ; il s'agissait bien d'un présage.

Motecuzoma m'avait reçu vers la fin de l'année, à l'approche des jours sans vie et nous étions, je le répète, dans l'année Un Lapin — en l'an mille cinq cent six de votre calendrier.

Vous savez que pendant ces journées, nous vivions dans la hantise d'un désastre quelconque. Mais, cette fois-là, ce fut encore pire car l'année Un Lapin était la dernière des cinquante-deux années qui constituent un faisceau, ce qui nous faisait redouter la catastrophe suprême : la disparition totale de l'humanité. Nous pensions qu'après avoir déjà par quatre fois supprimé la race des hommes, les dieux choisiraient un moment comme celui-là pour nous exterminer à nouveau. Pendant les cinq jours qui séparaient l'année Un Lapin de l'année Un Roseau, tout le monde se replia dans son coin. On avait même éteint le feu qui brûlait sans désemparer depuis cinquante-deux ans sur le sommet du Huixachtecatl.

Dans toutes les familles, pauvres ou riches, on avait brisé les ustensiles de cuisine en terre, on avait enterré ou jeté dans le lac les pierres à broyer le maïs et tous les objets en pierre, en cuivre ou en métal précieux, on avait brûlé les cuillers de bois, les batteurs à chocolat et tous les instruments du même genre. Pendant ces cinq jours, on n'avait presque rien absorbé, on s'était servi de feuilles de maguey en guise d'assiettes et on avait mangé les camotli froids ou de la purée d'atolli préparée à l'avance, avec les doigts. Depuis l'Orateur Vénéré jusqu'au plus humble des esclaves, tout le monde attendait en essayant de passer inaperçu.

Bien que rien de remarquable ne se soit produit pendant ces cinq journées, la tension et l'appréhension ne cessèrent de croître, pour atteindre leur maximum quand Tonatiuh alla se coucher au soir du cinquième

848

jour. Allait-il se lever le lendemain et annoncer un nouveau jour, une nouvelle année et un nouveau faisceau ? Le peuple ne pouvait rien faire. C'était la tâche des prêtres d'essayer tous les moyens de persuasion qu'ils avaient en leur possession. Peu après le coucher du soleil, quand il fit complètement nuit, un cortège formé par les chefs des prêtres de chaque dieu et de chaque déesse, costumés, masqués et fardés pour ressembler aux divinités, quitta Tenochtitlán pour le Huixachtecatl.

L'Orateur Vénéré et ses invités leur emboîtèrent le pas et je me trouvais parmi eux, tenant Nochipa par la main.

« Tu n'as que neuf ans, lui avais-je dit, et il est bien possible que tu sois encore là au moment du prochain Nouveau Feu, mais tu ne seras peut-être pas invitée à assister à la cérémonie. Tu as beaucoup de chance de voir ça. »

Elle était tout excitée par cette perspective, car c'était la première grande fête religieuse où je l'amenais. Si l'occasion n'avait pas été aussi solennelle, elle aurait bien gambadé auprès de moi, mais, au contraire, elle marchait posément, comme il convenait, le visage dissimulé derrière un masque que je lui avais confectionné dans une feuille de maguey. Tout en suivant le cortège dans les ténèbres, je pensais à ce temps lointain où j'avais accompagné mon père à la cérémonie en l'honneur d'Atlaua, le dieu des oiseleurs, à Xaltocán.

Comme tous les enfants, Nochipa avait la figure cachée par un masque, car on croyait — ou du moins, on espérait — que si les dieux décidaient de débarrasser la terre des hommes, ils ne prendraient pas ces enfants masqués pour des créatures humaines et qu'ils les épargneraient. Ainsi, il resterait au moins quelques survivants pour perpétuer la race. Les adultes n'avaient

849

pas recours à de tels procédés, mais ils ne se laissaient pas pour autant sombrer dans un sommeil résigné. Partout, les gens passaient la nuit sur les terrasses de leurs maisons à se pousser du coude et à se pincer pour rester éveillés, les yeux fixés sur le sommet du Huixachtecatl et priant pour que le rougeoiement du Feu Nouveau vienne leur annoncer que les dieux avaient encore une fois différé le désastre final.

Cette colline forme un promontoire qui sépare les lacs Texcoco et Xochimilco, au sud de la ville d'Ixtapalapan. Son nom lui vient des buissons de huixachi qui, à cette saison, commençaient à peine à donner leurs petites fleurs jaunes au parfum entêtant. C'est la seule éminence qui puisse être vue par tous les habitants de cette région depuis Texcoco, à l'est jusqu'à Xaltocán, au nord. C'est pour cette raison qu'elle avait été choisie, il y a fort longtemps, pour être le site du Feu Nouveau.

Comme nous suivions le sentier qui grimpe en douceur jusqu'au sommet de la colline, j'entendis Motecuzoma murmurer d'un air préoccupé à l'un de ses conseillers :

« Les chiquacentetl *vont* se lever cette nuit, n'est-ce pas ? »

Le sage, un astronome d'un certain âge, mais qui possédait encore une vue perçante, lui répondit en haussant les épaules :

« Elles se sont toujours levées, Seigneur et rien dans mes observations ne me permet de penser que ça ne va pas continuer. »

Motecuzoma parlait de la petite constellation des six pâles étoiles dont l'ascension dans le ciel expliquait notre présence ici. L'astronome chargé de calculer et de prédire les mouvements des astres semblait suffisamment sûr de lui pour dissiper toutes les craintes. Cet homme était réputé pour son irréligion notoire et son franc-parler et il déclara froidement :

« Aucun dieu, de tous ceux que nous connaissons, ne s'est jamais montré capable d'interrompre l'harmonieux mouvement des corps célestes.

— Si les dieux les ont placés là, vieux mécréant, répliqua sèchement un devin, ils peuvent aussi les déplacer à leur guise. S'ils ne le font pas, c'est qu'ils n'en ont pas envie. De toute façon, la question n'est pas tant de savoir si les étoiles vont se lever, mais si elles seront à la bonne place au milieu précis de la nuit.

— Chose qui dépend moins des dieux que de la notion du temps du prêtre qui va souffler dans la trompette de minuit et je parie qu'il sera soûl depuis longtemps. »

Motecuzoma riait sous cape et ne semblait plus s'inquiéter de l'issue de la nuit. Ensuite, ils s'éloignèrent et je n'entendis plus leur conversation.

De jeunes prêtres nous avaient précédés au sommet de la colline et ils avaient préparé une pile de torches ainsi qu'une haute pyramide de bûches pour le feu. Ils avaient placé également une pierre et un bâton à feu, des mèches roussies, de fines lamelles d'écorce et des touffes de coton imbibé d'huile. Le xochimiqui, un jeune guerrier texcalteca, était déjà couché sur la pierre du sacrifice. La seule lumière provenait des étoiles et du quartier de lune qui se reflétait dans le lac. Mais les yeux s'étant habitués à l'obscurité, on discernait les plis et les contours du terrain et les villes apparemment mortes et désertes, à nos pieds. Un banc de nuages barrait l'horizon à l'est, aussi on ne vit pas tout de suite apparaître les étoiles tant attendues. Elles se montrèrent enfin, d'abord la pâle constellation et ensuite l'éclatante étoile rouge qui la suit toujours. La foule était haletante, mais rien ne se produisit. Les astres ne disparurent pas, ils ne se dispersèrent pas et ils ne s'écartèrent pas de leur course habituelle. Un soupir de soulagement collectif monta de la colline quand le prêtre souffla dans sa conque bêlante pour annoncer le milieu de la nuit. On entendit des murmures : « Elles sont arrivées au bon endroit, au bon moment », et le chef de tous les prêtres présents, le grand prêtre de Huitzilopochtli, clama d'une voix puissante : « Allumez le Feu Nouveau ! »

L'un des prêtres plaça la pierre à feu sur la poitrine du xochimiqui et étala soigneusement les mèches par-dessus. De l'autre côté de la pierre du sacrifice, un autre prêtre se pencha en frottant le bâton à feu entre ses mains. Tous les spectateurs attendaient anxieusement. Les dieux pouvaient refuser l'étincelle de vie. Mais une volute de fumée s'éleva de la mèche et l'instant d'après on vit rougeoyer une faible lueur. Le prêtre, maintenant en place, d'une main, la pierre à feu et de l'autre, réchauffant l'étincelle naissante avec des touffes de coton huilé et des écorces sèches finit par obtenir une petite flamme vacillante.

Un prêtre sortit alors son couteau et manœuvra si adroitement que le jeune homme allongé tressaillit à peine. Un autre arracha le cœur palpitant de la poitrine ouverte tandis que son collègue plaçait la pierre à feu sur la plaie béante. Lorsque la flamme qui montait de la poitrine du xochimiqui eut atteint une hauteur convenable, un autre prêtre déposa avec beaucoup de précautions le cœur au milieu du feu. Les flammes momentanément étouffées par le sang, s'élevèrent ensuite avec une vigueur accrue et on entendait même le cœur grésiller.

Une clameur monta de l'assemblée : « Le Feu Nouveau est allumé ! » et la foule jusque-là immobile commença à s'agiter. L'un après l'autre, les prêtres vinrent prendre une torche qu'ils allumèrent au Feu Nouveau et ils les emportèrent en courant. Le premier s'en servit pour mettre le feu à la pyramide de bois pour que tous ceux qui avaient les yeux fixés sur la colline voient le grand embrasement et sachent ainsi que le danger était passé et que tout allait pour le mieux dans le Monde Unique. Je m'imaginais entendre les rires et les acclamations monter des terrasses avoisinant le lac. Les prêtres dévalèrent le sentier de la colline et les torches dansaient derrière eux comme des chevelures de feu. En bas, les attendaient les prêtres des autres communautés qui s'emparèrent des flambeaux et se dispersèrent dans toutes les directions pour apporter le précieux feu dans les temples des villes et des villages.

« Enlève ton masque, Nochipa, dis-je à ma fille. Tu ne risques plus rien maintenant, et tu verras mieux si tu l'ôtes. »

Nous vîmes alors des feux naître de toutes parts, au-dessous de nous. Ixtapalapan, la ville la plus proche, fut la première à rallumer le feu du temple, puis ce fut le tour de Mexicaltzingo. Les habitants attendaient devant chaque sanctuaire pour plonger leur torche dans le feu sacré et couraient ensuite rallumer leur foyer éteint depuis plusieurs jours et peu à peu, la vaste dépression des lacs renaissait à la lumière et à la vie. C'était un spectacle sublime et saisissant et je voulais l'imprimer en moi comme l'un de mes plus beaux souvenirs, car je savais que je ne le reverrais jamais. Comme si elle avait lu dans mes pensées, ma fille me dit doucement :

« Oh ! père, comme j'espère vivre longtemps. J'aimerais tant voir cette merveille une autre fois. »

Au moment où nous nous apprêtions à quitter la colline, je vis quatre hommes en grand conciliabule à côté du feu. C'était l'Orateur Vénéré, le chef des prêtres de Huitzilopochtli, le devin et l'astronome qui mettaient

853

au point la proclamation que ferait le Uey tlatoani, le lendemain, pour annoncer au peuple ce que promettait le Feu Nouveau pour les années à venir. Le devin, penché sur un croquis qu'il avait tracé sur le sol avec la pointe d'un bâton, venait manifestement de faire une prophétie et l'astronome était en train de répliquer d'un ton railleur :

« Alors, plus de sécheresse, plus de malheurs, un faisceau d'années prospères en perspective ! C'est très rassurant tout ça, l'ami sorcier, mais ne voyez-vous aucun présage dans les cieux ?

— Les cieux sont votre affaire, rétorqua sèchement le devin. C'est vous qui en dressez la carte et je lirai ce que les cartes ont à nous dire.

— Vous trouveriez davantage d'inspiration, ricana l'astronome, si une fois de temps en temps, vous regardiez les astres au lieu de vous enfermer dans les cercles et les angles ridicules que vous dessinez. » Puis, montrant les graffiti sur le sol, il ajouta : « Vous ne voyez donc aucune yqualoca qui s'annonce ? »

Yqualoca veut dire éclipse. Le devin, le prêtre et l'Orateur Vénéré répétèrent d'une voix tremblante : « Eclipse !

— De soleil, précisa l'astronome. Le vieux drôle, lui-même, aurait pu la prévoir s'il s'était penché un peu sur l'histoire du passé au lieu de prétendre connaître l'avenir. »

Le devin resta sans voix. Motecuzoma le foudroya du regard et l'astronome poursuivit :

« Il est écrit, Seigneur Orateur, que les Maya du sud ont vu une yqualoca mordre goulûment Tonatiuh au cours de l'année Dix Maison. Le mois prochain, le jour Sept Lézard, cela fera exactement dix-huit ans et onze jours que s'est produit ce phénomène et d'après les recherches que nous avons faites, mes prédécesseurs et moi, l'éclipse du soleil survient régulièrement toutes les dix-huit années, *quelque part* dans le Monde Unique. Je puis prédire avec certitude que Tonatiuh sera caché par une ombre le jour Sept Lézard. Malheureusement, comme je ne suis pas devin, je ne sais pas quelle importance aura cette yqualoca, ni dans quel pays on pourra l'observer. Néanmoins, ceux qui la verront risquent de la prendre pour un présage particulièrement funeste, étant si proche du Feu Nouveau et je pense qu'il serait judicieux, Seigneur, d'avertir tous les peuples afin que leur frayeur soit moins grande.

— Tu as raison, dit Motecuzoma. Je vais envoyer des messagers partout, même chez nos ennemis, afin qu'ils n'interprètent pas ce présage comme un signe d'affaiblissement. Merci, Seigneur Astronome. Quant à toi... » Il se tourna vers le devin tremblant, avec une expression glacée. « Il arrive aux plus sages et aux plus savants de se tromper et c'est une chose pardonnable. Mais un devin complètement incapable est un danger pour le pays. Quand nous serons de retour en ville, tu iras trouver ma garde pour qu'elle t'exécute. »

Le surlendemain matin, jour Deux Roseau de l'année du même nom, le grand marché de Tlatelolco, comme tous les marchés du Monde Unique, regorgeait d'acheteurs venus se réapprovisionner en ustensiles domestiques. Bien qu'ils aient peu dormi depuis la nuit du Feu Nouveau, les gens étaient gais et bruyants, heureux d'avoir remis leurs plus beaux vêtements et leurs bijoux et que les dieux les aient jugés dignes de continuer à vivre.

A midi, du haut de la grande pyramide, le Uey tlatoani Motecuzoma adressa au peuple son message traditionnel. Il reprit les prédictions du devin tout en diluant prudemment ce doux miel avec l'avertissement que les dieux continueraient à prodiguer leurs bienfaits aussi longtemps qu'ils seraient satisfaits des Mexica. Par conséquent, les hommes devraient se montrer durs à la tâche et les femmes économes. Il faudrait mener les guerres avec vaillance et faire des offrandes et des sacrifices pendant les cérémonies. En somme, tout continuait comme par le passé. Il n'y avait rien de neuf dans l'allocution de Motecuzoma, sauf l'annonce, faite aussi naturellement que s'il s'agissait d'une réjouissance populaire, de l'éclipse de soleil.

Tandis qu'il pérorait au sommet de la pyramide, ses messagers avaient déjà quitté Tenochtitlán vers tous les points de l'horizon pour apporter aux dirigeants et aux Anciens de toutes les communautés du Monde Unique la nouvelle de l'imminence de l'éclipse, en insistant sur le fait que les dieux avaient d'abord prévenu nos astronomes de l'événement. Mais c'est une chose d'être averti d'un phénomène terrifiant et c'en est une autre quand il survient en réalité.

Même moi, qui avais été l'un des premiers à être au courant, je ne pus garder une attitude d'indifférence quand elle se produisit. Je prétendais être très calme, car Béu, Nochipa et mes deux esclaves étaient montés avec moi sur la terrasse de la maison, le jour Sept Lézard et je me devais de leur montrer l'exemple.

J'ignore ce qui se passa dans le reste du Monde Unique, mais ici, à Tenochtitlán, Tonatiuh sembla entièrement avalé pour un temps qui nous parut une éternité. Ce jour-là, le ciel était couvert, ce qui nous permit de regarder le soleil en face. L'ombre lui entama d'abord un coin, puis s'étendit tandis que la clarté s'obscurcissait et que la douceur du printemps faisait place à une froidure hivernale. Les oiseaux voletaient au-dessus des toits et on entendait hurler les chiens. Bientôt, toute la face de Tonatiuh se trouva masquée et il fit aussi noir que la figure d'un Chiapa. Pendant un instant, le soleil devint plus sombre que les nuages qui l'entouraient et il disparut complètement de notre vue.

Les seules lumières réconfortantes provenaient des feux qui brûlaient à l'extérieur des temples et de la lueur rosée qui flottait au-dessus du Popocatepetl. Les oiseaux s'étaient arrêtés de voler et j'en vis un qui s'était mis la tête sous l'aile, comme pour dormir. J'aurais bien voulu en faire autant. Des maisons voisines, montaient des cris, des lamentations et des prières. Cependant, Béu et Nochipa étaient silencieuses et Chanteur Etoile gémissait doucement en compagnie de Turquoise ; ce qui me fit supposer que mon attitude stoïque avait eu un effet rassurant.

Enfin, on vit reparaître dans les cieux un mince croissant de lumière qui s'élargit et s'éclaira. L'ombre de l'éclipse semblait reculer à regret ; le croissant grandit, redevint un disque complet et le monde fut à nouveau inondé de clarté. Sur une branche voisine, un oiseau releva la tête, regarda autour de lui avec une stupéfaction comique et s'envola. Sur les visages, le sourire refleurissait.

« Voilà, c'est fini », annonçai-je d'un ton sans réplique. Et tout le monde alla reprendre ses activités.

A tort ou à raison, le bruit courut que l'Orateur Vénéré avait volontairement menti à ses sujets en leur disant que l'éclipse n'était pas un présage funeste. En effet, quelques jours après, toute la région des lacs fut ébranlée par un tremblement de terre. Ce n'était qu'une faible secousse comparée à celle que j'avais vécue avec Zyanya et bien que ma maison ait tremblé, comme les autres, elle résista aussi bien que pendant la grande inondation. Cependant, la secousse fut l'une des plus fortes que la région ait jamais connue et à Tenochtitlán, à Tlacopan, à Texcoco et dans d'autres villes de moindre importance, de nombreuses maisons s'effondrèrent, écrasant leurs occupants sous leurs décombres. Il y eut environ deux mille morts et la colère des survivants contre Motecuzoma fut telle qu'il ne put l'ignorer. Cela ne veut pas dire qu'il leur offrit des dédommagements, mais il invita le peuple tout entier à venir au Cœur du Monde Unique pour assister à la strangulation de l'astronome qui avait prédit l'éclipse.

Cela ne mit pas pour autant fin aux présages, si toutefois, il s'agissait bien de présages. Je déclare tout net que certains des phénomènes qui se produisirent alors n'en étaient pas. Par exemple, dans la seule année Deux Roseau, on vit plus d'étoiles tomber du ciel qu'on en avait vu depuis le moment où les astronomes avaient commencé à les enregistrer. Pendant ces dix-huit mois, à chaque fois qu'une étoile tombait, toutes les personnes qui l'avaient vue allaient l'annoncer au palais. Comme il ne voulait pas risquer d'être à nouveau accusé de tromper ses sujets, Motecuzoma annonça publiquement cet apparent déluge d'étoiles dont le total grimpa de façon alarmante.

Pour moi et pour d'autres, la raison de cette pluie d'astres sans précédent était évidente. Depuis l'éclipse, nombreux étaient ceux qui observaient les cieux avec une certaine crainte et chacun s'empressait d'annoncer ce qui lui paraissait étrange. Si les observateurs sont nombreux, le nombre des phénomènes en est multiplié d'autant.

Ce jeu stérile qui consistait à collectionner les étoiles aurait pu durer encore longtemps si l'année suivante, Trois Couteau, la population n'en avait été détournée par un autre présage qui impliquait directement Motecuzoma. Sa sœur Papantzin, Dame Oiseau du Matin, choisit ce moment pour mourir. Cela n'avait rien d'extraordinaire, si ce n'est qu'elle était encore jeune, car elle succomba à une maladie de femme. Mais, plus inquiétant, fut le fait que deux ou trois jours après son enterrement, plusieurs citoyens de Tenochtitlán prétendirent l'avoir rencontrée dans la nuit, se tordant les mains et criant des avertissements. Selon ces dires, la Dame de Papan aurait quitté sa tombe pour apporter un message, car elle aurait vu de l'autre monde de grandes armées arrivant du sud pour conquérir Tenochtitlán.

J'en conclus à part moi que ces racontars avaient été propagés par des personnes qui avaient tout simplement vu le vieux fantôme de la Femme qui pleure, qui erre partout en se lamentant et en se tordant les mains. Volontairement ou non, ils avaient mal interprété ses ennuyeuses jérémiades. Mais Motecuzoma ne pouvait pas aussi facilement désavouer le spectre de sa propre sœur. La seule chose qu'il pouvait faire pour mettre un terme aux commérages, c'était de donner l'ordre d'ouvrir la tombe de Papan, de nuit, pour prouver qu'elle y était bien tranquillement couchée.

Je ne fus pas au nombre de ceux qui accomplirent cette excursion nocturne, mais l'incident tragique qui se produisit à cette occasion se répandit parmi toute la population. Motecuzoma s'y rendit en compagnie de plusieurs prêtres et courtisans qui devaient servir de témoins. Les prêtres enlevèrent la terre et remontèrent le cadavre enveloppé dans un splendide linceul. Ils déroulèrent les linges qui entouraient la tête de la morte afin de l'identifier sans erreur possible. Elle n'était pas trop décomposée et il s'agissait bien de Dame Oiseau du Matin.

Soudain, il paraît que Motecuzoma poussa un cri de terreur et que même les impassibles prêtres reculèrent d'un pas, quand les paupières de la morte se soulevèrent doucement, tandis qu'une lumière irréelle d'un blanc verdâtre irradiait ses orbites. Cet éclat, dit-on, se fixa sur Motecuzoma qui, sous le coup de l'horreur, lui adressa un long discours incohérent. Certains ont prétendu qu'il s'excusait de l'avoir dérangée, et d'autres qu'il lui confessait ses fautes et ils ajoutèrent par la suite que la maladie de la sœur soi-disant vierge de l'Orateur Vénéré n'était en fait qu'une grossesse avortée.

Ragots mis à part, tous les témoins affirmèrent que le Uey tlatoani s'était enfui à toutes jambes avant de pouvoir remarquer que l'un des yeux phosphorescents du cadavre se mettait à remuer et à glisser le long de la joue décharnée. Ce n'était rien de surnaturel ; seulement un vilain mille-pattes velu qui scintillait dans l'obscurité comme un ver luisant. Deux de ces créatures s'étaient nichées là et mangeaient à leur aise dans le crâne de la dame. Cette nuit, dérangées par tout ce remue-ménage, elles avaient rampé lentement hors des orbites, puis avaient disparu à nouveau en se faufilant entre les lèvres.

Quand, enfin, cette année mouvementée se termina et que commença l'année Quatre Maison, Nezahualpilli arriva à l'improviste de Texcoco. On disait qu'il était venu à Tenochtitlán pour assister à la fête de Quiauitl eua. Mais, en vérité, c'était pour avoir un entretien secret avec Motecuzoma. Les deux dirigeants étaient ensemble depuis quelques heures à peine, lorsqu'ils envoyèrent chercher une troisième personne pour se joindre à leur conversation et à ma grande surprise, ce tiers, c'était moi.

Je me présentai dans la salle du trône, vêtu de la toile de sac traditionnelle, avec encore plus d'humilité que l'exigeait le protocole, puisqu'il y avait deux Orateurs Vénérés ce matin-là. Je fus un peu saisi de voir que Nezahualpilli était presque chauve et que le peu de cheveux qui lui restait était devenu tout gris. Lorsque je me redressai, l'Orateur Vénéré de Texcoco me reconnut soudain et il s'écria presque joyeusement :

« Mais c'est Tête Haute ! Mon scribe la Taupe ! Mon héroïque soldat Nuage Noir !

— Oui, c'est bien Nuage Noir, grommela Motecuzoma en me regardant d'un œil torve. Vous connaissez donc ce misérable, mon ami ?

— *Ayyo,* nous étions très intimes à une époque, repartit Nezahualpilli avec un large sourire. Quand vous m'avez parlé d'un Chevalier-Aigle du nom de Mixtli, je n'ai pas fait le rapprochement. J'aurais pourtant dû me douter qu'il ferait son chemin. Je te félicite, chevalier de l'ordre de l'Aigle. »

J'espère avoir fait une réponse convenable, mais j'étais surtout occupé à me réjouir de porter ce large sac, car mes genoux s'entrechoquaient légèrement.

« Est-ce qu'il a toujours été aussi menteur ? demanda Motecuzoma.

— Jamais, mon cher ami, je vous assure. Mixtli a toujours dit la vérité comme il la voyait. Le malheur, c'est que sa façon de voir les choses ne concorde pas toujours avec celle des autres.

— Tu as fait croire à tout le monde qu'il n'y avait rien à redouter de... »

Nezahualpilli s'interposa, cherchant à l'apaiser :

« Si vous me permettez, mon ami. Mixtli ?

— Oui, Seigneur, dis-je d'une voix rauque, sans trop savoir dans quel guêpier je m'étais fourré.

— Il y a un peu plus de deux ans, les Maya ont envoyé des messagers partout pour signaler des choses étranges — des maisons flottantes, à ce qu'ils disaient — qu'ils avaient aperçues au large de la péninsule d'Uluü-mil Kutz. Tu t'en souviens ?

— Parfaitement, Seigneur. J'ai pensé qu'il s'agissait d'un très gros poisson et d'un poisson volant.

— Explication rassurante qui a été répandue par l'Orateur Vénéré Motecuzoma et que tout le monde a adoptée, à son plus grand soulagement.

— Et à mon plus grand embarras », ajouta lugubrement Motecuzóma.

Nezahualpilli lui fit signe de se calmer et me dit : « Les Maya qui ont vu cette apparition en ont fait des dessins, jeune Mixtli, et l'un d'eux vient de tomber entre mes mains. Me diras-tu encore que c'est un poisson ? »

Il me tendit un petit bout de papier d'écorce tout déchiré que j'examinai avec la plus grande attention. C'était bien un croquis à la manière maya, minuscule et entortillé et ce n'était pas facile de distinguer ce qu'il représentait. Pourtant, je fus obligé de reconnaître qu'il ressemblait plus à une maison qu'à un gros poisson.

« Et le poisson volant ? me demanda Nezahualpilli.

— Non, Seigneur. Les ailes des poissons volants que j'ai vus se déployaient sur le côté. Pour autant qu'on puisse en juger, cette chose semble avoir des ailes qui se dressent vers le haut, au-dessus du toit.

— Et ces rangées de points entre les ailes et le toit, qu'est-ce que tu en fais ?

— C'est bien difficile à deviner sur un si mauvais dessin. Ce sont peut-être des têtes d'hommes. »

Piteusement, je levai les yeux du papier et les posai tour à tour sur les deux Orateurs.

« Mes Seigneurs, je retire ma première interprétation. Ma seule excuse est d'avoir été mal renseigné. Si j'avais pu voir ce dessin avant, j'aurais reconnu que les Maya avaient eu raison de s'affoler et de nous prévenir tous. Je vous aurais dit qu'il s'agissait d'immenses canoës mus par des ailes et remplis d'hommes. Cependant, je n'aurais pas su dire qui ils étaient, ni d'où ils venaient, sauf que des étrangers capables de construire de pareilles embarcations peuvent aussi venir nous attaquer et que ce sera une guerre bien plus terrible que toutes celles que nous avons connues jusqu'ici.

— Vous voyez ! s'écria Nezahualpilli. Au risque de déplaire à son Orateur Vénéré, Mixtli n'hésite pas à révéler la vérité qu'il voit — quand il la voit. Mes devins ont dit exactement la même chose en voyant ce dessin.

— Si on avait pu déchiffrer ces présages plus tôt, murmura Motecuzoma, j'aurais eu deux années de plus pour fortifier les côtes de la péninsule d'Uluümil Kutz.

— Et pour quoi faire ? demanda Nezahualpilli. Si ces étrangers choisissent de porter leurs coups à cet endroit, laissons les Maya en faire les frais. Mais s'ils viennent de la mer sans bornes, comme on peut le supposer, ils auront pour aborder des rivages sans limite, à l'est, à l'ouest, au sud et au nord. Nous n'aurons pas assez de tous les guerriers de tous les pays pour défendre nos côtes et vous feriez mieux de concentrer vos troupes dans un rayon plus restreint autour de chez vous.

— Moi ? s'écria Motecuzoma. Et vous alors ?

— Ah, je serai mort, déclara Nezahualpilli en bâillant et en s'étirant voluptueusement. Les devins me l'ont affirmé et j'en suis bien heureux. Je vais pouvoir vivre mes dernières années dans la paix. J'ai décidé de ne plus faire aucune guerre et mon fils Fleur Noire, de même, quand il me succédera. »

J'étais fort gêné. On semblait m'avoir complètement oublié. Motecuzoma regardait Nezahualpilli avec stupéfaction.

« Vous vous retirez de la Triple Alliance ? Je ne voudrais pas prononcer des mots comme trahison et lâcheté...

— Alors, ne les prononcez pas. Il faut que nous conservions toutes nos forces en vue d'une invasion éventuelle. Quand je dis " nous ", je parle de nous tous. Il ne faut plus gaspiller notre énergie à nous battre entre nous. Nous devons suspendre toutes nos rancunes et nos rivalités et nous grouper pour repousser les envahisseurs. Voilà mon opinion. Je vais passer le reste de ma vie, et Fleur Noire poursuivra mon œuvre, à prêcher pour la paix entre les nations et pour l'Union contre les étrangers.

— C'est très bien pour vous et pour votre héritier si soumis, s'écria Motecuzoma sur un ton insultant. Mais nous, nous sommes des Mexica. Depuis que nous dominons le Monde Unique, personne n'a mis le pied sur une seule de nos possessions sans notre autorisation. Il en sera toujours ainsi, quitte à nous battre seuls contre tous si nos alliés nous abandonnent ou se retournent contre nous. »

J'étais un peu déçu de voir que Nezahualpilli ne prenait pas ombrage de ce discours méprisant. Il se contenta de répondre avec une certaine mélancolie :

« Je vais vous raconter une légende, mon ami. Les Mexica l'ont peut-être oubliée, mais elle est inscrite dans les archives de Texcoco. Lorsque vos ancêtres Azteca se sont aventurés pour la première fois en dehors de leur pays d'origine, l'Aztlán, pour des années d'errance qui s'achevèrent ici, ils ignoraient quels obstacles ils rencontreraient sur leur chemin. Ils savaient, du moins, qu'ils risquaient de tomber sur des peuples si hostiles qu'il vaudrait mieux faire machine arrière et rentrer chez eux. Dans cette éventualité, ils prirent leurs dispositions pour pouvoir organiser une retraite rapide et, en plusieurs endroits, entre l'Aztlán et la région des lacs, ils cachèrent d'importants stocks d'armes et de vivres. De cette façon, s'ils étaient contraints à se replier, ils pourraient le faire tranquillement, bien armés et bien nourris. C'est du moins ce que raconte la légende. Malheureusement, on ignore où sont ces cachettes. Je vous conseille respectueusement, mon ami, d'envoyer des hommes vers le nord pour essayer de les découvrir, ou bien alors, installez d'autres réserves. Si vous ne faites pas dès maintenant la paix avec toutes les nations, viendra un moment où tout le monde vous tournera le dos et où vous serez content d'avoir préparé votre repli. Nous autres, les Acolhua, nous préférons nous entourer d'amis. »

Motecuzoma ne répondit rien, arrondissant le dos comme s'il se ramassait à l'approche d'une tempête. Soudain, il se redressa, rejeta les épaules en arrière et déclara :

« Et si ces étrangers ne viennent jamais ? Vous vous serez exposé à être piétiné par le premier de vos *amis* qui se sentira assez fort pour le faire.

— Ils viendront.

— Vous semblez bien sûr de vous.

— Assez pour faire un pari, s'exclama Nezahualpilli. Je vous lance un défi, mon ami. Disputons une partie de tlachtli. Pas avec des équipes. Seulement vous et moi. Disons une partie en trois manches. Si je perds, je considérerai que c'est un présage qui contredit tous les autres. Je rétracterai tous ces sombres avertissements et je mettrai mes armées sous vos ordres. Si vous perdez...

— Eh bien ?

— Je ne vous demanderai qu'une chose : que vous me dégagiez de toute participation à vos opérations militaires, afin que je puisse consacrer mes dernières années à des occupations plus paisibles et plus agréables.

— Accordé, répliqua aussitôt Motecuzoma, avec un méchant sourire. En trois manches. »

Motecuzoma n'était pas le seul à penser que Neza-hualpilli était fou de l'avoir défié. A part moi qui avait juré le secret, personne ne savait, bien sûr, quel était l'enjeu de la partie. Pour les citoyens de Tenochtitlán, il ne s'agissait que d'un divertissement supplémentaire ou d'un honneur de plus rendu à Tlaloc pour cette fête de l' « Arbre s'élève ». Ce n'était un secret pour personne que Motecuzoma avait vingt ans de moins que Nezahualpilli et qu'il valait mieux être jeune et robuste pour jouer à ce jeu brutal.

Tout autour du terrain de jeu, la foule s'était massée, nobles et gens du peuple, écrasés les uns contre les autres. Un sur cent, à peine, pouvait espérer apercevoir quelque chose, mais lorsqu'ils entendaient les spectateurs plus favorisés placés près du terrain crier « Ayyo ! » ou « Ayya ! » ou haleter « Hoo-oo-ooo », tous ceux qui se trouvaient sur la plaza reprenaient ces clameurs sans même savoir pourquoi.

De chaque côté du terrain, les gradins de pierre étaient occupés par les nobles les plus éminents de Tenochtitlán et de Texcoco. En échange, sans doute, du secret que je leur avais promis, les deux orateurs m'avaient attribué une place de choix et j'étais le plus humble personnage de cette auguste assemblée, exceptée Nochipa que j'avais perchée sur mes genoux.

« Regarde bien, ma fille, lui avais-je murmuré à l'oreille. C'est quelque chose qu'on n'a encore jamais vu. Les deux hommes les plus puissants de tout le Monde Unique, face à face et en public. Regarde bien pour t'en souvenir toute ta vie. Jamais, tu ne le reverras.

— Mais père, le joueur qui a le casque bleu, c'est un vieux, dit-elle en pointant discrètement son menton en direction de Nezahualpilli.

— Celui qui a le casque vert a mon âge et il n'est pas tout jeune non plus.

— On dirait que tu es pour le vieux.

— J'espère que tu vas l'encourager avec moi. J'ai parié une petite fortune sur lui. »

Nochipa se retourna brusquement et planta ses yeux dans les miens.

« Mais tu es fou, père. Pourquoi avoir fait ça ?

— Je n'en sais rien. Et maintenant, reste tranquille, tu es bien assez lourde quand tu ne bouges pas. »

Ma fille venait d'avoir douze ans. Elle se faisait femme et commençait à prendre des courbes gracieuses, mais heureusement, elle n'avait pas hérité la taille de son père, sinon je n'aurais pas pu la prendre sur mes genoux.

Le prêtre de Tlaloc marmonna des prières et des invocations interminables avant de lancer la balle en l'air pour le premier jeu. Je ne vais pas vous décrire tous les coups, mes révérends, puisque vous ignorez les règles du tlachtli. Le prêtre détala du terrain comme un cafard, laissant seuls Motecuzoma et Nezahualpilli.

Les deux adversaires avaient la tête protégée par un bandeau de cuir matelassé, de grosses pièces de cuir aux coudes et aux genoux et un pagne rembourré sur lequel ils avaient enfilé une large ceinture de cuir rembourrée. Leurs vêtements étaient de couleur différente, bleu pour Nezahualpilli et vert pour Motecuzoma. Mais, même sans ce signe distinctif et sans ma topaze, j'aurais facilement reconnu les joueurs. Sous le rembourrage, on se rendait compte que le corps de Motecuzoma était ferme, souple et musclé, alors que Nezahualpilli était décharné et osseux. Motecuzoma se déplaçait avec agilité, il rebondissait comme de l'oli ; Nezahualpilli était raide et maladroit ; il faisait peine à voir. Je sentis un coup de coude dans mon dos. C'était le Seigneur Cuitlahuac, le plus jeune frère de Motecuzoma, qui commandait toutes les armées des Mexica. Il me lança un sourire de défi. J'avais parié avec lui un joli tas d'or.

Motecuzoma sautait, courait, flottait, volait. Nezahualpilli clopinait, soufflait et son crâne chauve luisait de sueur sous les lanières de son casque. La balle était toujours dans le camp de Motecuzoma ; Nezahualpilli n'était jamais assez rapide pour l'intercepter et l'autre se trouvait toujours où il fallait pour la frapper à nouveau du coude, du genou ou de la hanche. A chaque fois qu'il marquait un point, les spectateurs l'ovationnaient, sauf Nochipa, les courtisans de Nezahualpilli et moi.

Motecuzoma remporta la première manche. Il sortit du terrain en sautant comme un jeune cerf pour se livrer aux mains des masseurs et avaler une gorgée de chocolat. Et déjà, il se relevait, prêt à reprendre la partie, alors que Nezahualpilli, tout en sueur, venait à peine de s'asseoir.

« On va être pauvres, père ? » me demanda Nochipa. Cuitlahuac l'entendit et s'esclaffa tout haut, mais il ne rit plus quand la partie reprit.

Longtemps, les vieux joueurs de tlachtli ont discuté pour essayer d'expliquer ce qui s'était passé. Certains dirent que Nezahualpilli avait mis du temps à s'échauffer ; d'autres, que Motecuzoma avait trop forcé au début et qu'il s'était fatigué. On fit mille autres suppositions et moi j'avais la mienne. Je connaissais Nezahualpilli de longue date et j'avais vu trop souvent ce même pathétique vieillard boitillant, cet homme cacao. Pendant cette partie de tlachtli, j'ai assisté, je crois, à son dernier simulacre de décrépitude, quand il abandonna la manche à Motecuzoma.

Pourtant aucune hypothèse, y compris la mienne, ne peut vraiment expliquer le miracle qui se produisit. Motecuzoma, ayant gagné la première manche, remit la balle en jeu. Il la lança en l'air avec son genou et ce fut la dernière fois qu'il la toucha.

Naturellement, tous les yeux étaient fixés sur Motecuzoma car on s'attendait à ce qu'il intercepte la balle avant même que son adversaire ait eu le temps de faire un pas. Mais, soudain, Nochipa qui, pour une raison quelconque, regardait Nezahualpilli, poussa un cri de joie qui fit se lever tous les spectateurs. La balle était en train de se faufiler joyeusement dans l'anneau de marbre du mur nord, puis elle retomba de l'autre côté, loin de Nezahualpilli qui l'y avait envoyée.

Des clameurs d'allégresse s'élevèrent des gradins. Motecuzoma se précipita pour féliciter son adversaire ; les gardiens de but et les seigneurs s'agitaient en tous sens ; le prêtre de Tlaloc s'élança en dansant sur le terrain, agitant les bras, en plein délire. Je pense qu'il annonçait que c'était là une marque de faveur de la part de Tlaloc, mais le vacarme couvrait sa voix. Les spectateurs sautaient de joie en braillant « *AYYO !* » et l'acclamation se fit encore plus tonitruante quand la foule sur la place apprit ce qui s'était passé. Vous avez deviné, mes révérends, que Nezahualpilli venait de gagner la seconde manche. Le seul fait de rentrer la balle dans l'anneau de pierre lui aurait valu la victoire, même si Motecuzoma avait déjà marqué plusieurs points.

Mais vous devez savoir aussi qu'un tel coup d'adresse faisait autant battre le cœur des spectateurs que celui du joueur. C'était si rare, si incroyable que je ne sais pas comment vous le faire comprendre. Imaginez que vous ayez une balle très dure, grosse comme une tête d'enfant et un anneau de pierre dont l'ouverture est à peine plus large que le diamètre de la balle, placé verticalement et très haut sur le mur du terrain. Essayez donc d'y faire entrer la balle, sans vous servir de vos mains, mais seulement avec les hanches, les coudes, les genoux et le postérieur. On peut s'entraîner pendant des journées entières sans y parvenir une seule fois et dans la rapidité d'une partie, c'est un exploit qui tient du miracle.

Tandis que la foule continuait à l'acclamer, Nezahual-pilli buvait du chocolat en souriant modestement et Motecuzoma souriait lui aussi d'un air approbateur. Il pouvait se permettre de sourire car il ne lui manquait qu'une manche pour gagner la partie et ce coup de maître — bien qu'il fût le fait de son adversaire — assurerait à sa victoire finale un souvenir indélébile.

Ce fut, en effet, une journée mémorable. Quand le brouhaha s'apaisa, les deux joueurs se replacèrent face à face et ce fut à Nezahualpilli de mettre la balle en jeu. Il la frappa du genou et, au même instant, il se précipita à l'endroit où il savait qu'elle allait redescendre. Là, toujours avec son genou et toujours avec la même précision, il la renvoya dans l'anneau de pierre. Tout cela fut si rapide que Motecuzoma n'eut pas le temps d'intervenir. Nezahualpilli, lui-même, paraissait incrédule. Remettre deux fois de suite la balle dans l'anneau, c'était un prodige, un fait sans exemple dans les annales du jeu, un exploit proprement phénoménal.

Pas un son ne monta des gradins. Rien ne bougeait, pas même les yeux des spectateurs qui étaient rivés sur l'Orateur Vénéré de Texcoco. Enfin, on entendit un murmure retenu. Des nobles marmonnaient que Tlaloc était si content de nous qu'il avait lui-même pris part à la partie. D'autres, que Nezahualpilli avait ensorcelé le jeu avec des pratiques magiques. Les nobles de Texcoco réfutèrent cette accusation, mais sans hausser le ton. Cuitlahuac, même, ne dit pas un mot en me tendant une bourse de cuir remplie de poudre d'or. Nochipa me regardait, médusée, comme si elle me soupçonnait d'être un sorcier.

C'est vrai, grâce à mon intuition, ou à un reste de fidélité ou encore à d'autres motifs indéterminés qui m'avaient fait parier sur mon ancien protecteur, j'ai gagné beaucoup d'or, ce jour-là. Pourtant, je donnerais tout cet or — si je l'avais encore — et même mille et mille fois plus, pour avoir perdu.

Oh, non, je ne dis pas cela parce que la victoire de Nezahualpilli venait confirmer ses prédictions. J'y croyais déjà ; le méchant dessin maya m'avait convaincu. Si je regrette amèrement son triomphe, c'est qu'il fut pour moi, et pour moi seulement, la cause d'une tragédie.

Mes ennuis commencèrent dès l'instant où Motecuzoma quitta le terrain, en proie à une violente colère. Je ne sais comment, le temps que les spectateurs aient évacué leurs places, ils savaient déjà que la partie était plus importante qu'il n'y paraissait et qu'elle avait été une épreuve de force entre les devins des deux Orateurs. Tout le monde comprit que la victoire de Nezahualpilli apportait du crédit à ses prédictions funestes et apprit la nature de ces prophéties. Sans doute, un des courtisans de Texcoco les avait divulguées en voulant étouffer le bruit que son seigneur avait gagné grâce à des moyens magiques. Tout ce dont je suis sûr, c'est que la vérité finit par éclater, mais ce n'était pas par ma faute.

« Si ce n'est pas de ta faute, me dit Motecuzoma sur un ton de fureur glacée, si tu n'as rien fait qui mérite un châtiment, alors, je ne te punis pas. »

Nezahualpilli venait de quitter Tenochtitlán et deux gardes du palais m'avaient presque emmené de force devant l'Orateur Vénéré qui m'avait appris le sort qu'il me réservait.

« Mais mon Seigneur m'ordonne de mener une expédition militaire, protestai-je, au mépris de tout protocole. Si ce n'est pas un châtiment, c'est bien un bannissement et je n'ai rien fait.

— Chevalier Mixtli, coupa-t-il, ce commandement que je te donne est une sorte d'expérience. Tous les présages annoncent que les envahisseurs viendront du sud. Il faut donc renforcer nos défenses de ce côté. Si ton expédition réussit, j'enverrai d'autres chevaliers avec d'autres convois d'émigrants dans cette région.

— Mais, Seigneur, insistai-je, je n'ai aucune qualité dans ce domaine.

— Je n'en avais pas, moi non plus, jusqu'à ce qu'on me prie de faire exactement la même chose dans le Xoconochco. » Je ne pouvais pas le contredire, en ayant été un peu responsable. Il poursuivit : « Tu emmèneras avec toi une quarantaine de familles, environ deux cents personnes, hommes, femmes et enfants. Ce sont des paysans sans terres. Tu les établiras dans le sud et tu veilleras à ce qu'ils bâtissent un village convenable et bien défendu. Voici l'endroit que j'ai choisi. »

Il me montra une carte que j'avais moi-même tracée, mais la région qu'il indiquait était vide car je n'y avais pas pénétré.

« Seigneur Orateur, c'est sur le territoire des Teohuacana. Je ne sais pas s'ils apprécieront d'être envahis par des étrangers.

— Ton vieil ami Nezahualpilli nous a conseillé de lier amitié avec nos voisins, n'est-ce pas ? Une de tes tâches consistera à convaincre les Teohuacana que tu es venu avec de bonnes intentions et en farouche défenseur de leur pays, comme du nôtre.

— Oui, Seigneur, fis-je tristement.

— L'Orateur Vénéré Chimalpopoca de Tlacopan a la bonté de te fournir une escorte armée. Tu auras sous tes ordres un détachement de quarante soldats tecpaneca.

— Pas même des Mexica ? balbutiai-je. Mais, Seigneur Orateur, jamais des soldats tecpaneca n'obéiront à un chevalier mexicatl. »

Il le savait aussi bien que moi ; c'était pure perversité

872

de sa part, une façon de me punir d'avoir été l'ami de Nezahualpilli.

« Les soldats te serviront de protection pendant le voyage et ensuite, ils resteront dans la forteresse que tu construiras. Quant à toi, tu demeureras sur place jusqu'à ce que les familles soient complètement installées. Cette colonie s'appellera Yanquitlan, l'Endroit Nouveau.

— Puis-je au moins recruter quelques bons vétérans pour être mes sous-officiers, Seigneur ? » hasardai-je. Je savais qu'il aurait immédiatement refusé si je n'avais ajouté : « Ce sont de vieux soldats qui ont été mis à pied en raison de leur âge. »

Il renifla d'un air méprisant et me dit :

« Si tu as besoin de guerriers supplémentaires pour te sentir en sécurité, tu n'auras qu'à les payer de ta poche.

— Bien sûr, Seigneur », m'empressai-je de répondre. Pressé de partir avant qu'il ne change d'idée, je m'inclinai en murmurant : « L'Orateur Vénéré a-t-il d'autres ordres à me donner ?

— Que tu t'en ailles sur-le-champ. Les soldats et les familles sont en ce moment à Ixtapalapan. Je veux qu'ils arrivent à temps à Yanquitlan pour les semailles de printemps. Fais ce que je te dis.

— Je pars immédiatement », lui dis-je et, traînant les pieds à reculons, je sortis de la salle du trône.

Bien que ce fût par pur esprit de vengeance que Motecuzoma m'avait confié cette mission, je n'avais pas trop le droit de m'en plaindre puisque c'était de moi que venait, au départ, cette idée de colonisation. De plus, pour être honnête, je commençais à me lasser de la vie oisive d'homme riche que je menais et je hantais la

Maison des Pochteca à l'affût d'une affaire extraordinaire qui m'appellerait au loin. En fait, j'aurais bien accueilli cette expédition si Motecuzoma ne m'avait pas intimé l'ordre de rester sur place jusqu'à ce que les colons soient parfaitement installés. Je risquais d'être bloqué là pour une année, sinon davantage. Quand j'étais plus jeune et que mes chemins et mes jours me semblaient infinis, je ressentais moins le temps perdu, mais j'avais quarante-deux ans et je haïssais l'idée de consacrer une des années qui me restaient à vivre à accomplir une tâche monotone dans un village sinistre alors que, peut-être, des occasions plus enthousiasmantes pourraient se présenter.

Je préparai néanmoins cette expédition avec le plus grand soin et je fis d'abord venir tous les membres de ma maisonnée pour les mettre au courant de ma mission.

« Je suis trop égoïste pour me passer de ma famille pendant si longtemps. Nochipa, mon enfant, tu n'as jamais dépassé les chaussées de Tenochtitlán. Le voyage risque d'être pénible, mais si tu veux venir avec moi, je crois qu'il te sera profitable et que tu apprendras beaucoup de choses sur les pays que nous allons traverser.

— Et tu me le demandes ! s'exclama-t-elle. Mais... et mes études, père, à la Maison de l'Apprentissage des Manières ?

— Tu n'auras qu'à dire à tes professeurs que tu pars en voyage et que ton père leur garantit que tu en apprendras davantage sur les routes qu'entre quatre murs. J'aimerais bien que tu viennes aussi, Béu.

— Oh, oui, me répondit-elle immédiatement, les yeux brillants. Je suis contente que tu ne veuilles plus voyager seul, Zaa. Si je peux être...

— Tu le seras. Une jeune fille de l'âge de Nochipa a besoin d'un chaperon.

— Ah, fit-elle et l'éclat disparut de son regard.

— Une troupe de soldats et de paysans, ce n'est pas une compagnie idéale ; je voudrais que tu ne quittes pas Nochipa et que tu dormes avec elle.

— Que je dorme avec elle, répéta Béu.

— Turquoise et toi, Chanteur Etoile, je vous confie la garde de la maison et de toutes mes affaires. »

Ils me promirent de s'occuper de tout et m'assurèrent que je retrouverais ma maison en parfait état, quelle que soit la durée de mon absence.

« Je n'en doute pas, leur répondis-je. Et maintenant, Chanteur Etoile, j'ai une commission pour toi. »

Je l'envoyai chercher les sept vieux soldats qui m'avaient déjà servi d'escorte. Je fus attristé, mais pas réellement surpris, quand il revint en m'annonçant que trois d'entre eux étaient morts. Les quatre restants n'avaient pas rajeuni, mais ils répondirent sans hésitation à mon appel. Ils se présentèrent bravement devant moi, se redressant du mieux qu'ils le pouvaient pour que je ne voie pas leurs muscles avachis et leurs articulations noueuses. Ils parlaient et riaient très haut pour détourner mon attention des rides et des plis de leur visage. Je ne leur fis pas l'insulte de le leur faire remarquer ; leur empressement à accepter ma proposition était une preuve de leur vaillance et je les aurais engagés même si je les avais vus arriver appuyés sur des bâtons. Je leur expliquai en quoi consisterait notre expédition, puis je m'adressai personnellement au plus âgé, Qualánqui, ce qui veut dire : Furieux contre tous.

« Les soldats tecpaneca et les deux cents civils nous attendent à Ixtapalapan. Allez vous assurer qu'ils sont prêts à se mettre en route, Qualánqui. J'ai bien peur qu'ils n'aient pas pris toutes les dispositions nécessaires, ils n'ont pas l'habitude de voyager. Vous autres, allez acheter tout l'équipement et les provisions dont nous aurons besoin, vous quatre, ma fille, ma sœur et moi. »

La façon dont les émigrants se comporteraient pendant le voyage me préoccupait davantage que l'accueil que leur réserverait la population du Teohuacan. Ces gens étaient des paysans, comme ceux que je devais escorter. Je comptais même qu'ils seraient heureux de l'arrivée de ces nouveaux colons avec qui ils pourraient se mélanger et se marier.

Teohuacan est l'appellation nahuatl. En réalité, les Teohuacana sont un rameau des Mixteca, ou Tya Nya, comme ils se nomment eux-mêmes. Les Mexica n'ont jamais cherché à les soumettre au tribut, car excepté les produits agricoles, ce pays n'a guère de trésors à offrir. Leur principale richesse leur vient de sources d'eau chaude, difficilement confiscables et de toute manière les Tya Nya n'avaient jamais fait de difficulté pour nous céder des fioles d'eau minérale au goût et à l'odeur atroces, mais très réputée comme fortifiant. Les médecins prescrivaient souvent à leurs malades d'aller dans ce pays pour se baigner dans ces eaux chaudes et puantes et les indigènes avaient construit plusieurs auberges relativement luxueuses à proximité des sources. En somme, je n'avais pas grand-chose à redouter d'une population de cultivateurs et d'aubergistes.

Le lendemain, je vis revenir Qualánqui qui me dit :

« Vous aviez raison, Chevalier Mixtli. Ces rustres avaient pris leurs meules à grain et les effigies de leurs dieux préférés, au lieu d'emporter des semences et de la farine de pinolli pour le voyage. Ils ont fort rouspété, mais je les ai obligés à abandonner tout ça.

— Et ces gens, pensez-vous qu'ils vont pouvoir former une communauté capable de se suffire à elle-même ?

— Je crois. Ce sont tous des paysans, mais il y en a parmi eux qui sont aussi maçons, plâtriers ou charpentiers. Toutefois, ils se plaignent d'une chose : ils n'ont pas de prêtres parmi eux.

— Je n'ai jamais vu une communauté s'installer quelque part sans qu'aussitôt une multitude de prêtres surgisse d'on ne sait où, exigeant d'être bien nourrie, crainte et respectée. »

Cependant, je prévins le palais et on nous attribua six ou sept tlamacazque novices, si jeunes que leur robe noire n'avait pas eu le temps de s'imprégner de sang et de crasse.

Je franchis la chaussée de Tenochtitlán avec Béu et Nochipa la veille du jour fixé pour le grand départ et nous passâmes la nuit à Ixtapalapan. Je me présentai, donnai l'ordre d'être prêt à partir aux premières lueurs de l'aube et vérifiai que les chargements étaient équitablement répartis entre tous. Mes quatre sous-officiers rassemblèrent les soldats tecpaneca et je les passai en revue avec ma topaze, ce qui suscita des sarcasmes étouffés dans les rangs. A partir de ce jour, les soldats m'appelèrent entre eux Mixteloxixtli, astucieuse combinaison de mots qui pourrait se traduire grossièrement par Mixtli à l'œil d'urine.

Les civils durent certainement me donner des surnoms encore moins flatteurs, car leurs griefs étaient nombreux, le principal étant qu'ils n'avaient jamais voulu émigrer. Motecuzoma avait omis de me dire que ce n'étaient pas des volontaires mais un « surplus de population » ramassé par ses troupes. Ces gens avaient, à juste titre, l'impression d'avoir été injustement bannis. Les soldats étaient tout aussi mécontents ; ils n'appréciaient pas ce rôle de gardiens qu'on leur faisait jouer et rechignaient à partir si loin de Tlacopan, non pas vers quelque champ de bataille glorieux, mais vers une monotone garnison. Pour toutes ces raisons, j'appréhendais fort que le commandant Mixtli Œil d'urine ne soit en butte à des mutineries et à des désertions.

Moi aussi, j'ai souvent eu envie de déserter. Les soldats, au moins, savaient marcher, mais les civils traînaient, s'égaraient ; ils avaient mal aux pieds, ils boitaient, ils grognaient, ils pleurnichaient. Il y en avait toujours un qui avait envie de se reposer. Les femmes demandaient sans cesse à s'arrêter pour donner le sein à leurs enfants. Les prêtres devaient faire halte à heure fixe pour adresser des prières à tel ou tel dieu. Quand j'imposais une allure rapide, les paresseux se plaignaient que j'allais les tuer. Quand je ralentissais pour faire plaisir aux traînards, les autres prétendaient qu'ils seraient morts de vieillesse avant d'arriver à destination.

La seule chose qui rendait mon voyage agréable, c'était la présence de Nochipa. Tout comme sa mère à son premier voyage, Nochipa s'extasiait joyeusement devant chaque paysage nouveau. Elle trouvait toujours quelque chose qui lui réjouissait les yeux et le cœur. Nous suivions la principale route de commerce du sud qui traverse des endroits magnifiques, mais trop connus pour Béu, mes sous-officiers et moi. Quant aux émigrants, ils étaient incapables de se passionner pour autre chose que leurs malheurs personnels. Même si nous avions parcouru les étendues désolées de Mictlán, je crois que Nochipa les aurait trouvées merveilleuses.

Parfois, elle se mettait à chanter sans raison apparente, comme un oiseau et, comme ma sœur Tzitzitlini, elle avait récolté à l'école de nombreux lauriers pour ses talents à chanter et à danser. Quand elle chantait, même les plus grincheux cessaient un moment de geindre pour l'écouter. Quand elle n'était pas trop fatiguée par la longue journée de marche, elle éclairait notre sombre nuit en dansant après le repas du soir. Un de mes vieux soldats l'accompagnait à la flûte et ces soirs-là, les gens allaient se coucher sur le sol raboteux en gémissant un peu moins qu'à l'ordinaire.

Pendant cet ennuyeux voyage, je fus frappé par un seul incident. Un soir, je m'étais un peu éloigné du campement pour me soulager contre un arbre et, un moment après, j'aperçus Béu — sans qu'elle me vît — en train d'accomplir une tâche singulière. Elle était agenouillée devant ce même arbre et ramassait la boue formée par mon urine. Je pensai qu'elle voulait préparer un cataplasme pour quelque ampoule ou quelque cheville foulée et je ne lui posai jamais de questions à ce sujet.

Cependant, il faut que je vous dise, mes révérends, que chez nous il y a des femmes, de vieilles femmes en général — vous les appelez des sorcières — qui connaissent des pratiques secrètes. Une de leurs spécialités consiste à fabriquer une effigie grossière d'un homme avec la boue d'un endroit où il a uriné. Ensuite, elle jette des maléfices sur cette poupée et l'homme est alors atteint de douleurs inexplicables, de maladie, de folie, d'amnésie ou bien encore il perd tous ses biens. Comme je n'avais aucune raison de croire que Béu avait été une sorcière toute sa vie sans que je m'en sois aperçu, je pensai que c'était une simple coïncidence et je n'y pensai plus.

Vingt jours après notre départ de Tenochtitlán — il en aurait fallu douze pour un marcheur aguerri et peu chargé — nous arrivâmes au village de Huajuapan que je connaissais depuis longtemps. Après y avoir passé la nuit, nous obliquâmes vers le nord-est, sur une petite route qui était nouvelle pour tout le monde. Le chemin serpentait à travers d'agréables vallées verdoyantes et de jolies montagnes bleues, peu élevées, en direction de la capitale, Tya Nya ou Teohuacan. Après quatre jours de marche, nous nous trouvâmes dans une vallée très dégagée où un gué traversait un cours d'eau large, mais peu profond. Je pris un peu d'eau dans ma main pour la goûter. Qualánqui s'approcha de moi et me demanda :

« Qu'en pensez-vous ?

— Elle n'est ni amère, ni chaude, ni malodorante. C'est de l'eau potable et elle pourrait servir à arroser ces terres qui paraissent riches. Je ne vois aucune habitation, ni aucune culture. Je crois que c'est l'endroit idéal pour fonder notre Yanquitlan. Allez le leur dire. »

Qualánqui se retourna et se mit à hurler :

« Posez vos paquets. On est arrivés !

— Qu'ils se reposent aujourd'hui. On se mettra au travail demain.

— Demain, s'écria un prêtre à côté de moi, après-demain et après après-demain seront des journées réservées à la consécration de la terre. Avec votre permission, bien entendu.

— C'est la première colonie que je fonde, jeune seigneur prêtre, je n'ai pas l'habitude de toutes ces formalités. Faites tout ce que demandent les dieux. »

Oui, c'est exactement les paroles que j'ai prononcées, sans penser qu'elles seraient considérées comme une permission à tous les abus de la religion, sans prévoir la manière dont elles pourraient être interprétées et sans me douter le moins du monde que je les regretterais amèrement toute ma vie.

La cérémonie de consécration des terres dura trois jours entiers, avec prières, invocations et fumées d'encens. Certains rites étaient uniquement l'affaire des prêtres, mais d'autres requéraient la participation de tous. Je ne fis aucune objection car soldats et colons se réjouissaient à l'idée de ces journées de repos et de détente. Nochipa et Béu étaient, elles aussi, visiblement ravies d'avoir l'occasion de revêtir des habits plus riches et plus féminins que la tenue de voyage qu'elles avaient sur le dos depuis si longtemps.

La plupart des hommes de la caravane avaient femme et enfants ; cependant, il y avait deux ou trois veufs qui profitèrent de la fête pour faire, l'un après l'autre, la cour à Béu. Certains jeunes garçons firent également des avances maladroites à Nochipa. Je ne pouvais les critiquer car Béu et Nochipa étaient infiniment plus belles, plus fines et plus désirables que les paysannes lourdes et trapues qui les accompagnaient.

Quand elle croyait que je ne la voyais pas, Béu repoussait avec hauteur les hommes qui venaient lui demander de danser avec eux ou qui trouvaient un prétexte quelconque pour s'approcher d'elle. Mais parfois, quand elle savait que j'étais dans les parages, elle aguichait outrageusement un pauvre rustre avec des yeux et un sourire si doux que le malheureux en transpirait d'émotion. Je voyais bien qu'elle agissait ainsi pour me montrer qu'elle était encore une femme attirante, mais c'était inutile, car Béu était aussi belle que Zyanya l'avait été. Pour moi, contrairement à ces paysans qui l'adulaient, j'étais depuis longtemps accoutumé à ses manigances et à ses ruses. Je me contentais de faire de grands sourires et d'opiner du chef, comme un frère qui donne sa bénédiction. Alors, son regard se glaçait, sa voix se faisait cinglante et le malheureux, si soudainement congédié, n'avait plus qu'à battre piteusement en retraite.

Nochipa, elle, ignorait ces jeux. Elle était aussi pure que les danses qu'elle exécutait. Quand un jeune homme s'approchait d'elle, elle le considérait avec tant d'étonnement et de candeur qu'après avoir balbutié quelques mots, il baissait les yeux, rougissait et s'éclipsait furtivement. Son innocence même la rendait inviolable, une innocence qui faisait honte au galant comme s'il s'était conduit de façon indécente. Je restais à l'écart, doublement fier de ma fille ; fier de la voir si belle et fier de savoir qu'elle saurait attendre l'homme qu'elle aimerait. Combien de fois depuis, ai-je regretté que les dieux ne m'aient pas terrassé à ce même instant en punition de ma vanité. Mais les dieux ont des châtiments bien plus cruels en réserve.

Le soir du troisième jour, quand les prêtres épuisés eurent annoncé que la cérémonie était terminée et qu'on pouvait se mettre au travail pour édifier la nouvelle communauté sur des terres consacrées, je dis à Qualánqui :

« Demain, les femmes vont commencer à couper des branches pour faire les huttes et les hommes vont défricher les bords de la rivière. Motecuzoma a donné l'ordre que les semailles se fassent le plus rapidement possible et les colons n'auront besoin que d'abris rudimentaires pendant ce temps. Plus tard, avant la saison des pluies, nous tracerons les rues et nous ferons les habitations définitives. En attendant, les soldats vont se trouver inactifs, aussi, comme la nouvelle de notre installation a dû déjà parvenir à la capitale, je crois que nous devrions nous hâter d'aller rendre visite au Uey tlatoani des Teohuacana pour lui faire connaître nos intentions. Nous emmènerons les soldats avec nous. Ils sont assez nombreux pour empêcher qu'on nous fasse prisonniers ou qu'on nous expulse, mais pas assez tout de même pour faire que nous venons en agresseurs. »

Je me tournai ensuite vers Béu pour lui dire :

« Un jour, ta sœur m'a prêté son charme pour m'aider à circonvenir un chef étranger, un homme très puissant. Si je me présente à la cour de Teohuacan en compagnie d'une jolie femme, ma mission paraîtra plus amicale qu'audacieuse. Puis-je te demander, Béu, de...

— De t'accompagner, Zaa, comme ton épouse ? »

— Oui, pour les apparences. Inutile de leur révéler que tu n'es que ma belle-sœur. A notre âge, le fait que nous prenions des chambres séparées ne suscitera pas d'étonnement.

— A notre âge ! » explosa-t-elle soudain. Mais elle se calma aussitôt et murmura :

« Bien sûr, on ne dira rien. Ta belle-sœur est à ta disposition. Pourtant, Seigneur mon frère, tu m'avais précédemment donné l'ordre de ne pas quitter Nochipa. Si je viens avec toi, que deviendra-t-elle ?

— C'est vrai, père, que deviendrai-je ? me demanda ma fille en me tirant par le manteau. Est-ce que je viens avec vous, moi aussi, père ?

— Non, tu resteras ici, mon enfant. Je ne pense pas rencontrer des difficultés en chemin, mais on ne sait jamais. Ici, tu es en sécurité. La présence des prêtres est suffisante pour décourager quiconque de vous attaquer. Tu cours moins de danger ici que sur la grand-route, Nochipa, et nous serons bientôt de retour. »

Elle avait l'air si déçu que j'ajoutai :

« Quand je reviendrai, nous aurons tout notre temps et je te promets de te faire visiter le pays. Nous partirons tous les deux, Nochipa, libres et légers comme deux oiseaux.

— Oh, oui, ce sera encore mieux, fit-elle en s'illuminant. Rien que toi et moi. Je veux bien rester ici, père, et le soir, quand les hommes seront fatigués par leur journée de travail, je leur ferai oublier leur lassitude en dansant pour eux. »

Bien que nous fussions débarrassés de la caravane des colons, il nous fallut cinq bonnes journées pour atteindre Teohuacan. Je me souviens que nous fûmes très aimablement accueillis par le chef et son épouse, mais je ne me rappelle pas leur nom, ni combien de jours nous fûmes leurs hôtes dans l'édifice bien délabré qu'ils appelaient palais. J'ai encore en mémoire les paroles que m'adressa le chef : « Ces terres que vous avez occupées, Chevalier-Aigle Mixtli, sont parmi les plus belles et les plus fertiles de notre pays, mais, s'empressa-t-il d'ajouter, nous n'avons personne pour les cultiver. Vos colons sont donc les bienvenus. Une nation profite toujours d'un apport de sang neuf. »

Il poursuivit ainsi longtemps sur le même thème et me remit des cadeaux en échange de ceux que je lui avais apportés de la part de Motecuzoma. On nous traita princièrement et nous dûmes nous forcer à avaler cette horrible eau minérale dont les Teohuacana sont si fiers, en nous léchant les babines pour leur faire croire que nous nous régalions. Je remarquai quelques sourcils qui se relevaient quand je demandai deux chambres pour Béu et moi. Pourtant, j'ai le vague souvenir qu'elle est venue me voir une nuit. Elle m'a dit quelque chose, elle m'a supplié. Je lui ai répondu très durement ; elle m'a imploré. Je crois que je l'ai giflée, mais je ne me rappelle plus...

Non, Seigneur scribe, ne me regardez pas comme ça. Je ne suis pas en train de perdre brusquement la mémoire. Toutes ces choses sont restées obscures pour moi, parce qu'un autre événement est survenu peu après qui a laissé une telle marque dans mon souvenir qu'il a occulté tout ce qui s'était passé juste avant. Je me souviens que nous avons quitté nos hôtes après maintes salutations et que toute la population était venue dans la rue pour nous acclamer. Seule Béu n'avait pas l'air heureuse du succès de notre ambassade. Il me semble qu'il nous a fallu aussi cinq jours pour revenir...

Le jour tombait quand nous arrivâmes au bord de la rivière sur la rive opposée à Yanquitlan. Très peu de huttes paraissaient avoir été construites depuis notre départ, mais il devait y avoir une autre fête en cours, car on voyait plusieurs feux flamber très haut et très fort, bien que la nuit ne fût pas encore tout à fait installée.

Au lieu de passer tout de suite sur l'autre rive, nous nous arrêtâmes un moment pour écouter les cris et les rires qui nous parvenaient et jamais ces manants ne nous avaient semblé aussi joyeux. Soudain, un homme surgit de la rivière. En nous apercevant, il accourut en pataugeant dans l'eau et me salua respectueusement :

« *Mixpantzinco !* En votre auguste présence. Soyez le bienvenu au village, Chevalier-Aigle. Nous avions peur que vous manquiez toute la cérémonie.

— Quelle cérémonie ? fis-je. Je ne connais aucune cérémonie où les participants doivent se mettre à l'eau.

— Oh, c'est une idée à moi, s'esclaffa-t-il. J'ai eu si chaud en dansant et en m'amusant que j'ai eu envie de me rafraîchir un peu. Mais, j'ai déjà été béni par l'os. »

Je me taisais et il dût prendre mon silence pour de l'incompréhension, car il poursuivit :

« Vous avez dit vous-même aux prêtres de faire tout ce que demandaient les dieux. Vous savez sûrement que le mois de Tlacaxipeualiztli était déjà bien entamé quand vous êtes partis et qu'on n'avait pas encore prié les dieux de bénir le défrichage des terres pour pouvoir commencer à planter. »

Je savais tout cela, en effet, mais je voulais repousser une pensée qui me broyait le cœur. Le drôle continua ses explications, comme s'il était fier d'être le premier à me mettre au courant.

« Certains d'entre nous voulaient attendre votre retour, Seigneur Chevalier. Mais les prêtres ont dû hâter les préparatifs et les préliminaires. Vous savez qu'on n'avait pas grand-chose pour régaler l'élue, ni d'instruments pour faire de la bonne musique. Alors, on a chanté très fort et on a brûlé de l'encens. Comme il n'y avait pas de temple pour les accouplements indispensables, les prêtres ont béni un endroit d'herbe tendre caché par des buissons et je vous assure que les volontaires n'ont pas manqué. Certains y sont même retournés plusieurs fois. On s'est tous mis d'accord pour faire honneur à notre commandant, même en son absence et le choix de l'élue a été unanime. Vous arrivez juste à temps pour voir le dieu représenté dans la personne de... »

Il s'arrêta net, car je venais de lui balancer mon macquauitl au travers de la gorge. Béu poussa un cri et derrière elle, les soldats allongeaient le cou, les yeux écarquillés. L'homme tangua, la tête légèrement penchée, remuant silencieusement la bouche et les lèvres béantes et rouges qui venaient de s'ouvrir sous son menton. Soudain, sa tête partit en arrière, le sang gicla et il s'écroula à mes pieds.

« Pourquoi ? Pourquoi as-tu fait ça ? dit Béu, hébétée.

— Silence, femme ! » hurla Qualánqui. Il me saisit par le bras, sinon je serais tombé et me dit : « Il est peut-être encore temps, Mixtli.

— Non, c'est trop tard, répondis-je en secouant la tête. Vous avez entendu, il a dit qu'il avait été béni par l'os. Tout est accompli, comme les dieux l'ont demandé. »

Un camarade de Qualánqui me prit l'autre bras et me demanda :

« Voulez-vous nous attendre ici, Mixtli, pendant que nous allons voir ce qui se passe de l'autre côté ?

— Non. Je suis toujours le chef. C'est moi qui décide de tout ce qui se fait à Yanquitlan. »

Le vétéran hocha la tête, puis il cria aux soldats qui attendaient sur le sentier :

« Mettez-vous en ligne de chaque côté de la rivière. En vitesse !

— Dites-moi ce qui se passe, implorait Béu, en se tordant les mains. Dites-moi ce que nous allons faire.

— Rien, coassai-je. Tu ne fais rien, Béu. » Je ravalai les sanglots qui montaient dans ma gorge en faisant des efforts surhumains pour ne pas m'effondrer. « Tu n'as rien d'autre à faire qu'à rester ici. Quoi qu'il arrive, ne bouge pas tant que je ne serai pas venu te chercher.

— Il faut que je reste ici toute seule, avec ça ? s'écria-t-elle en montrant le cadavre.

— Tu n'as rien à craindre de lui. Il a eu de la chance. Dans mon premier mouvement de fureur, j'ai été trop rapide. Il s'en est bien tiré, celui-là.

— Soldats ! hurla Qualánqui. Encerclez le village. Personne ne doit s'échapper. Ensuite, vous attendrez les ordres. Venez, Mixtli, puisque vous jugez qu'il le faut.

— Oui. Il le faut », dis-je en entrant le premier dans l'eau.

Nochipa m'avait dit qu'elle danserait pour les habitants de Yanquitlán et, en effet, elle dansait, mais pas de cette façon pudique et retenue que je lui connaissais. Dans la pénombre empourprée créée par le crépuscule et la lueur des feux, je vis qu'elle était complètement nue, qu'elle se mouvait sans grâce en jetant indécemment les jambes en tous sens, tandis qu'elle agitait deux os blancs au-dessus de sa tête, avec lesquels elle donnait, de temps à autre, un petit coup sur les personnes qui passaient à sa portée. Je ne pus m'empêcher de prendre ma topaze pour mieux voir. Elle ne portait que le collier d'opales que je lui avais offert pour ses quatre ans et auquel j'avais ajouté une pierre à chacun de ses anniversaires. Ses cheveux, habituellement sagement nattés, étaient défaits et se répandaient sur ses épaules. Ses petits seins étaient toujours fermes et ses fesses bien galbées, mais, entre ses cuisses, à l'endroit de son virginal tipili, il y avait une fente dans la peau, par où sortait un tepuli flasque. Les bâtons blancs qu'elle agitait, c'étaient ses propres fémurs, mais les mains qui les tenaient étaient des mains d'homme, tandis que les siennes, à moitié coupées, pendaient mollement à ses poignets.

Au moment où je pénétrai dans le cercle des danseurs, tout le monde m'acclama. L'effigie de Nochipa s'approcha de moi en se trémoussant et en levant l'os luisant comme pour me donner une bénédiction avant que je la serre dans une étreinte paternelle. Cette chose obscène vint près de moi et je vis ses yeux qui n'étaient pas ceux de Nochipa. Alors, les pieds cessèrent de s'agiter, stoppés dans leur trépignement par mon regard de haine et de dégoût. Au même instant, la foule joyeuse s'arrêta de rire et de danser et les gens, mal à l'aise, se rendirent compte qu'ils étaient encerclés par les soldats. J'attendis que le silence se fut complètement établi ; on n'entendait plus que le crépitement du feu. Alors, sans m'adresser à personne en particulier, je dis :

« Saisissez-vous de cette infâme créature, mais faites doucement, car c'est tout ce qu'il reste de ma fille. »

Le prêtre recouvert de la peau de Nochipa était figé de stupeur ; deux soldats s'emparèrent de lui. Les autres prêtres s'avancèrent alors en se frayant un chemin parmi la foule, en protestant avec véhémence contre cette interruption de la cérémonie. Je les ignorai et dis aux hommes qui tenaient le prêtre-dieu :

« Son visage a été séparé de son corps. Enlevez-le avec le plus grand soin. Apportez-le respectueusement près d'un feu et après avoir adressé une prière à celle qui lui a donné la beauté, brûlez-le. Rapportez-moi les opales qu'elle avait autour du cou. »

Je détournai le regard pendant qu'ils exécutaient mes

ordres. Les prêtres suffoquaient d'indignation, mais Qualánqui les rudoya si furieusement qu'ils se firent aussi tranquilles et aussi soumis que le reste de l'assistance.

« C'est fait, chevalier Mixtli », me dit l'un de mes hommes en me tendant le collier. Quelques pierres étaient rougies par le sang de Nochipa. Je me tournai vers le prêtre captif. Il n'avait plus les cheveux et les traits de ma fille et son visage était déformé par la terreur.

« Couchez-le sur le dos, là. Faites bien attention de ne pas abîmer la chair de ma fille. Clouez-lui les mains et les pieds au sol. »

Comme tous les prêtres que j'avais emmenés, il était très jeune. Il cria comme un petit garçon quand on lui enfonça le premier pieu dans la main gauche. Il hurla quatre fois en tout. Les autres prêtres et les colons commençaient à s'agiter et à murmurer, inquiets, à juste titre, de leur propre sort. Mais les soldats étaient armés et personne n'osa donner le signal de la fuite. Je regardai la grotesque silhouette allongée par terre, écartelée entre les quatre pieux qui la fixaient au sol. Les jeunes seins de Nochipa pointaient fièrement vers le ciel, mais les parties mâles qui sortaient des jambes écartées pendaient lamentablement.

« Préparez de l'eau de chaux très concentrée et répandez-la sur la peau. Vous continuerez à en verser pendant toute la nuit pour qu'elle soit complètement imprégnée. Ensuite, nous attendrons que le soleil se lève. »

Qualánqui me lança un coup d'œil approbateur.

« Et les autres ? Nous attendons vos ordres, chevalier Mixtli. »

Sous le coup de la peur, l'un des prêtres vint se jeter entre nous et, s'agenouillant devant moi en attrapant le bord de mon manteau avec ses mains ensanglantées, me dit :

« Chevalier commandant, c'est avec votre permission que nous avons fait cette cérémonie. Tout le monde ici se serait réjoui qu'on choisisse son fils ou sa fille, mais c'est la vôtre qui répondait le mieux à toutes les exigences. Une fois désignée par la population et acceptée par les prêtres, vous *n'auriez pas pu refuser de la livrer.* ».

Il baissa les yeux sous mon regard et balbutia :

« A Tenochtitlán, en tout cas, vous n'auriez pas pu refuser. » Il tirait sur mon manteau et ajouta d'une voix implorante : « Elle était vierge et suffisamment développée pour tenir son rôle de femme. Vous me l'avez dit vous-même, Seigneur Chevalier : faites tout ce que demandent les dieux. La Mort Fleurie de votre fille a consacré la nouvelle colonie et assuré la fertilité de la terre. Vous n'auriez pas pu refuser cette bénédiction. Croyez-moi, Chevalier commandant, nous avons seulement voulu rendre *hommage...* à Xipe Totec... à votre fille et... à vous-même ! »

Je lui donnai un coup si violent qu'il vacilla et je dis à Qualánqui :

« Vous savez quel genre *d'hommages* on rend dans ces circonstances ?

— Oui, mon ami.

— Alors vous savez ce qu'on a fait à cette pauvre innocente. Faites la même chose à ces ordures. Tout ce que vous voudrez. Vous avez assez de soldats ; ils pourront tout se permettre et qu'ils prennent leur temps ! Ensuite, je veux qu'il ne reste pas un seul survivant à Yanquitlan. »

Ce fut le dernier ordre que je donnai dans ce maudit lieu. Qualánqui se chargea de tout. La foule se mit à hurler comme si elle était déjà à l'agonie, mais les soldats furent prompts à exécuter les instructions. Pendant que quelques-uns d'entre eux rassemblaient les hommes adultes et les tenaient sous bonne garde, les autres posaient leurs armes et retiraient leurs vêtements pour se mettre à l'œuvre. Quand l'un d'entre eux était fatigué, il changeait de place avec un camarade de la garde.

Toute la nuit, j'assistai à ce spectacle, éclairé par les grands feux qui brûlèrent jusqu'au matin. Je ne voyais pas réellement ce qui se déroulait sous mes yeux ; je ne prenais aucun plaisir à ma vengeance. J'entendais et je voyais seulement Nochipa danser gracieusement à la lueur du feu, chantant mélodieusement, accompagnée de la flûte.

Voici exactement comment les choses se passèrent : Les plus jeunes enfants et les bébés en maillot furent mis en morceaux par les soldats, lentement, comme on pèle et on coupe un fruit avant de le manger, sous les yeux de leurs parents. Les autres, garçons et filles, jugés assez grands pour servir sexuellement, furent violés par les Tecpaneca, tandis qu'on obligeait leurs sœurs et leurs frères aînés ainsi que leur père et leur mère à regarder. Quand ces enfants furent dans un tel état qu'on ne pouvait plus les utiliser, les soldats les laissèrent mourir. Ils s'emparèrent ensuite des adolescents, filles et garçons et des jeunes gens et des jeunes femmes. J'ai déjà dit que les prêtres étaient jeunes et ils furent tous pris dans le lot. Le prêtre qui était cloué au sol assistait à tout cela en gémissant, en jetant des yeux terrorisés sur ses propres parties si vulnérablement exposées. Mais, même dans leur fureur lubrique, les Tecpaneca avaient senti qu'ils ne devaient pas toucher à celui-là.

De temps à autre, les hommes parqués dans un coin essayaient de se libérer quand ils voyaient violer leur femme, leur sœur ou leur fille. Mais le cordon de gardes les tenait prisonniers et ne les laissait même pas se détourner du spectacle. Quand ils en eurent terminé avec les jeunes, les soldats, quoique leurs appétits et leurs capacités se fussent considérablement émoussés, réussirent à violer les femmes d'âge mûr et même les deux ou trois grand-mères qui étaient du voyage.

Le soleil était déjà haut quand ils achevèrent leur tâche. Qualánqui leur donna l'ordre de relâcher les hommes. Alors, les pères, les frères et les oncles des victimes allèrent se jeter sur les corps désarticulés, souillés de sang et d'omicetl. Avec leurs couteaux d'obsidienne, les Tecpaneca les mutilèrent et les tuèrent.

Pendant ce temps, le prêtre écartelé était resté bien tranquille, espérant peut-être qu'on l'avait oublié. Mais à mesure que le soleil montait, il comprit que sa mort serait encore plus atroce que les autres car, saturée d'eau de chaux, la peau commençait lentement mais inexorablement à se rétracter en séchant. Les seins de Nochipa s'aplatissaient tandis que la peau resserrait son étreinte sur la poitrine du prêtre. Il suffoquait.

Le cou, les poignets et les chevilles de Nochipa le serraient comme un garrot. La figure, les mains et les pieds du prêtre prirent une vilaine couleur pourpre. De ses lèvres béantes, s'échappait un « euh... euh... euh... » qui devenait de plus en plus inaudible.

Les soldats parcouraient le terrain, examinant chaque cadavre pour s'assurer que, selon mes ordres, pas un seul survivant ne réchapperait.

Plus rien ne nous retenait à Yanquitlan, sauf le spectacle du prêtre en train de mourir.

Avec quatre de mes compagnons, je m'approchai de lui pour le regarder agoniser. La peau le comprimait de plus en plus. Son torse et ses membres étaient de plus en plus minces, tandis que ses extrémités enflaient. Sa tête était une informe courge noire.

Il était encore vaguement en vie, mais notre vengeance était accomplie. Qualánqui donna aux Tecpaneca l'ordre de se préparer à partir et pendant ce temps, je repassai le gué avec les trois autres vétérans pour retourner à l'endroit où attendait Béu. Sans dire un seul mot, je lui montrai les opales ensanglantées. Je ne savais pas au juste ce qu'elle avait vu, entendu et deviné et je ne sais pas non plus de quoi j'avais l'air à cet instant. Elle posa sur moi un regard plein d'horreur, de pitié, de reproche et de tristesse — c'était l'horreur qui dominait — elle se déroba quand je voulus poser ma main sur son bras.

« Allons, viens, Béu, lui dis-je d'un ton froid. Je vais te ramener à la maison. »

I H S

✠

A.I.M.C.

A Son Auguste et Impériale Majesté Catholique,
l'Empereur Charles-Quint, Notre Roi :

Très Subtil et Très Judicieux Prince : de la ville de
Mexico, capitale de la Nouvelle-Espagne, en ce troisième jour après la fête de la Purification, de l'année
mille cinq cent trente de Notre Seigneur, nous vous
adressons nos salutations.

Sire, nous ne pouvons qu'exprimer notre admiration
devant la profondeur et l'audace des réflexions de notre
Souverain dans le domaine des suppositions hagiologi-
ques et notre sincère émerveillement devant la brillante
hypothèse contenue dans la dernière lettre de Votre
Majesté, à savoir que la divinité favorite des Indiens,
Quetzalcoatl, auquel notre Aztèque fait si souvent
référence, serait, en réalité, l'apôtre Thomas qui serait
venu sur ces terres, il y a quinze siècles, pour faire
connaître l'évangile aux païens.

Bien entendu, Sire, même en tant qu'évêque de
Mexico, nous ne pouvons donner notre *imprimatur* à
une théorie aussi osée avant de l'avoir soumise aux plus
hautes autorités de la hiérarchie de l'Eglise. Cependant,
nous pouvons attester qu'il existe tout un *corpus* de faits

895

qui viennent à l'appui de la supposition si novatrice de Votre Majesté.

Primo : le soi-disant Serpent à plumes a été le seul être surnaturel à être reconnu par toutes les nations et par toutes les religions de l'actuelle Nouvelle-Espagne. Il s'appelle Quetzalcoatl pour ceux qui parlent nahuatl, Kukulkan, chez les Maya, Gukumatz pour les peuples encore plus méridionaux, etc.

Secundo : tous ces peuples s'accordent pour dire que Quetzalcoatl a d'abord été un homme mortel, un roi ou un empereur qui a vécu une vie terrestre avant de se transformer en une divinité immatérielle et immortelle. Etant donné que le calendrier indien est désespérément inutile et qu'il n'existe plus aucun livre, même d'une histoire mythique, il se peut qu'on ne puisse jamais dater le règne terrestre de Quetzalcoatl. Par conséquent, rien ne s'oppose à ce qu'il ait été un contemporain de saint Thomas.

Tertio : tous ces peuples reconnaissent également que Quetzalcoatl était moins un dirigeant — ou un tyran comme l'ont été presque tous les chefs de ces pays — qu'un professeur, un prêcheur et, ce qui est à noter, un célibataire par conviction religieuse. On lui attribue l'invention et l'introduction de plusieurs choses, coutumes et croyances encore en vigueur jusqu'à ce jour.

Quarto : Quetzalcoatl est l'une des rares divinités de ces pays à n'avoir jamais exigé de sacrifices humains. Les offrandes qu'on lui faisait étaient toujours très anodines : oiseaux, papillons, fleurs, etc.

Quinto : l'Eglise considère comme un fait historique que saint Thomas est allé dans les Indes Orientales, où il a converti de nombreux païens au Christianisme. Par conséquent, comme le suggère Votre Majesté : « N'est-ce pas une supposition raisonnable de penser que l'Apôtre a pu faire la même chose dans les Indes

Occidentales ? » Un matérialiste invétéré pourrait faire remarquer que le Bienheureux Thomas disposait d'une route terrestre passant par la Terre Sainte pour gagner les Indes Orientales, alors qu'il aurait pu rencontrer certaines difficultés pour traverser l'océan quinze siècles avant l'apparition de la marine moderne. Mais toute mise en doute des pouvoirs de l'un des douze Apôtres serait aussi mal venue que le doute jadis ressenti par saint Thomas lui-même et que lui reprocha le Christ en personne.

Sexto et mirabile dictu : un simple soldat espagnol nommé Diaz, qui occupe ses moments de loisir à explorer les anciennes ruines de la région, vient de visiter la ville de Tolan, ou Tula. Les Aztèques considèrent cette cité comme la capitale légendaire des Toltèques dont le chef fut ce roi qui devint un dieu, Quetzalcoatl. Dans les racines d'un arbre poussant dans une fente d'un vieux mur de pierre, Diaz a découvert une boîte très ancienne en onyx sculpté, dans laquelle il a trouvé de fines gaufrettes blanches, sans aucun rapport avec un produit fabriqué par les Indiens. Diaz les a aussitôt reconnues et quand il nous les a apportées, nous avons confirmé qu'il s'agissait bien de Saintes Hosties.

Comment ces gaufrettes sacrées se sont-elles trouvées là, depuis combien de siècles et comment se fait-il qu'elles ne se soient pas complètement desséchées et décomposées ? Nul ne peut le dire. Votre Savante Majesté aurait-elle une réponse à nous fournir ? Ces hosties pourraient-elles être un témoignage laissé par saint Thomas ?

Nous allons envoyer dès aujourd'hui un rapport de toutes ces données à la *Congregatio de Propaganda Fïdei,* en donnant la part qu'il convient à la contribution éclairée de Votre Majesté et nous attendrons avec impatience la réponse des théologiens romains dont les connaissances sont bien supérieures aux nôtres.

Que le Seigneur Notre Dieu continue à protéger et à favoriser les entreprises de Votre Impériale Majesté à qui tous ses sujets vouent une admiration sans bornes, tel est le vœu de V.M. le dévoué chapelain et serviteur,

(*ecce signum*) Zumarraga

DECIMA PARS

Je n'ai conservé qu'un vague souvenir des événements qui suivirent la destruction de Yanquitlan. Nous avions repris la route du nord en direction de Tenochtitlán et je suppose que le voyage s'est déroulé sans incident, car seulement deux brèves conversations me sont restées en mémoire.

La première, avec Béu : elle n'avait pas cessé pratiquement de pleurer depuis que je lui avais appris la mort de Nochipa. Mais, un jour, elle s'était brusquement arrêtée à la fois de pleurer et de marcher et, regardant autour d'elle comme quelqu'un qui vient de se réveiller, elle m'avait dit :

« Je croyais que tu me ramenais à la maison. Mais, c'est vers le nord que nous marchons.

— Bien sûr, lui avais-je répondu.

— Et pourquoi pas vers le sud, vers Tehuantepec ?

— Nous n'avons pas de maison là-bas, pas de famille et sans doute pas d'amis. Cela fait... voyons... huit ans que tu en es partie.

— Et qu'est-ce que j'ai à Tenochtitlán ? »

J'aurais pu lui faire remarquer qu'elle y avait au moins un toit pour dormir, mais je savais de quoi elle voulait parler, aussi, je m'étais contenté de lui répondre :

« Tu y retrouveras la même chose que moi, Béu. Des souvenirs.

— De bien tristes souvenirs, Zaa.

— Je le sais bien, fis-je, sans gentillesse. C'est pareil pour moi. Ils nous suivront partout, de toute manière à Tenochtitlán, tu pourras du moins pleurer et te lamenter confortablement. Mais personne ne t'oblige à me suivre. Tu fais ce que tu veux. »

Je me remis alors en marche sans regarder derrière moi, aussi je ne sais pas combien de temps il lui fallut pour se décider ; mais lorsque je suis sorti de ma rêverie, elle était à nouveau à mes côtés.

C'est avec Qualánqui que j'eus la seconde conversation. Depuis le départ, mes hommes avaient respecté ma tristesse et ma solitude, mais, un jour, Qualánqui s'était approché de moi en me disant :

« Excusez-moi de faire intrusion dans votre chagrin, Mixtli, mais nous allons bientôt arriver à Tenochtitlán et il faut penser à certaines choses. Nous avons inventé une petite histoire, tous les quatre et nous avons donné des instructions aux Tecpaneca pour qu'ils disent comme nous. Voilà : alors que nous étions partis — vous, nous et les soldats — pour rendre visite à la cour de Teohuacan, la colonie a été attaquée par des brigands qui l'ont pillée et qui ont massacré tout le monde. A notre retour, nous nous sommes lancés à la poursuite des malfaiteurs, mais sans aucun résultat. Nous n'avons même pas trouvé une seule flèche dont les plumes auraient pu nous renseigner sur l'origine des pillards. Cette incertitude sur l'identité des criminels empêchera ainsi Motecuzoma de déclarer une guerre immédiate à ces malheureux Teohuacana.

900

— Très bien, opinai-je. Je dirai la même chose. C'est une très bonne idée, Qualánqui.

— L'ennui, poursuivit Qualánqui en toussotant, c'est que vous ne pouvez pas aller raconter ça vous-même à Motecuzoma. Même s'il vous croit, il vous rendra responsable de l'échec de cette expédition et, soit il vous passera une guirlande de fleurs autour du cou soit, s'il est dans de bonnes dispositions, il vous donnera une seconde chance, c'est-à-dire qu'il vous renverra dans ce lieu maudit avec un autre contingent de colons.

— Je n'y retournerai jamais.

— Je le sais bien. Et, en outre, la vérité finira toujours par transpirer. Il se trouvera bien un soldat tecpaneca pour aller se vanter de la part qu'il a prise au massacre, pour dire qu'il a violé six enfants et un prêtre, par exemple. Motecuzoma l'apprendra et il vous fera mettre à mort. Je pense que vous devriez nous laisser le soin de lui raconter notre histoire. Nous ne sommes que des mercenaires. Motecuzoma ne s'intéresse pas à nous et nous courons donc moins de danger. Je crois aussi que vous feriez mieux de ne pas rentrer à Tenochtitlán pour le moment, puisque deux éventualités vous y attendent : la mort ou le renvoi à Yanquitlan.

— Vous avez raison. Je n'ai pensé qu'aux jours sombres qui sont derrière moi, sans envisager ceux qui sont devant. Un vieux proverbe dit que nous sommes nés pour souffrir. Qualánqui, je vous remercie de vos conseils et de votre amitié. Je vais réfléchir à tout ça. »

A notre arrivée à Cuauhnáhuac, nous prîmes des chambres dans une auberge où je me fis servir à dîner avec Béu et mes quatre compagnons. A la fin du repas, je pris une bourse de poudre d'or dans ma ceinture et je la posai sur la table.

« Voici pour vos services, mes amis.

— C'est beaucoup trop, me dit Qualánqui.

— Je ne pourrai jamais assez vous payer de ce que vous avez fait pour moi. J'ai une autre bourse avec du cuivre et des grains de cacao qui sera bien suffisante pour ce que je vais faire maintenant.

— Faire maintenant ? fit écho l'un des vétérans.

— Ce soir, je vous remets mon commandement. Voici mes dernières instructions : Demain, vous prendrez la rive occidentale des lacs pour ramener les troupes à Tlacopan. Ensuite vous gagnerez Tenochtitlán et vous escorterez Dame Béu chez elle, avant de vous rendre au palais de l'Orateur Vénéré à qui vous raconterez votre astucieuse version des faits, en ajoutant que je me suis puni moi-même de mon échec. Dites-lui que je me suis volontairement exilé.

— Nous exécuterons vos ordres, Commandant Mixtli, me dit Qualánqui et les trois autres approuvèrent silencieusement.

— Où vas-tu aller, Zaa ? me demanda Béu.

— A la recherche d'une légende. » Je leur racontai alors l'histoire de Nezahualpilli et je conclus par ces mots : « Je vais refaire la longue marche que nos ancêtres ont accomplie du temps où ils s'appelaient les Azteca. Je vais partir vers le nord en suivant leur route le plus fidèlement possible, jusqu'à leur terre natale d'Aztlan, si elle existe encore et si elle a jamais existé. Si ces errants ont vraiment enterré des armes et des provisions sur leur chemin, je les trouverai et je dresserai une carte de leurs emplacements qui sera d'un grand intérêt stratégique pour Motecuzoma. Insistez beaucoup là-dessus, Qualánqui. » J'ajoutai en souriant tristement : « Peut-être m'accueillera-t-il alors avec des fleurs plutôt qu'avec la guirlande, quand je reviendrai.

— Si tu reviens, répliqua Béu.

— Je crois que mon tonalli m'oblige toujours à revenir, mais un peu plus seul à chaque fois. Un jour, si je rencontre un dieu, je lui dirai : " Pourquoi les dieux ne s'en prennent-ils pas à moi qui ai tant fait pour mériter leur colère, au lieu de frapper toujours les innocents qui m'entourent ? " »

Les vieux soldats paraissaient un peu gênés de cette sortie et ils furent soulagés quand Béu leur dit :

« Mes amis, soyez assez aimables pour vous retirer afin que Zaa et moi puissions échanger quelques mots en privé. »

Ils se levèrent et quand ils furent partis, je lui dis avec brusquerie :

« Si tu as l'intention de me demander de t'emmener avec moi, Béu, tu perds ton temps. »

Elle se tut pendant un long moment, les yeux baissés et les mains nerveusement entrelacées. Enfin, elle se mit à parler et ses premiers mots me semblèrent totalement hors de propos.

« Le jour de mes sept ans, on m'a appelée Lune en Attente. Je me suis longtemps demandé pourquoi, mais je le sais maintenant et je crois que Lune en Attente a assez attendu. » Elle posa ses beaux yeux dans les miens et, pour une fois, j'y vis une prière au lieu de la moquerie habituelle et elle parvint même à rougir pudiquement.

« Marions-nous, Zaa. »

Ainsi, c'était cela, pensai-je, en me souvenant de la boue qu'elle avait ramassée en cachette. Je m'étais vaguement demandé auparavant si elle avait fabriqué une effigie de moi pour me jeter un mauvais sort et si c'était à cause de cela que j'avais perdu Nochipa. Mais ce n'avait été qu'un soupçon fugitif dont j'avais eu aussitôt honte. Je savais que Béu aimait tendrement Nochipa et ses pleurs avaient laissé voir un chagrin aussi sincère que ma douleur sans larmes. Aussi, avais-je oublié la poupée de boue jusqu'à ce moment où ses paroles l'avaient trahie. Elle n'avait pas fait ça pour briser ma vie, mais pour affaiblir ma volonté afin que je ne rejette pas sa proposition, spontanée en apparence, mais qui, en réalité, était méditée de longue date. Je ne lui répondis pas immédiatement. J'attendis qu'elle m'ait récité tous ses arguments soigneusement étudiés.

« Tu viens de dire il y a un instant, Zaa, que tu étais de plus en plus seul. Moi aussi, vois-tu. Nous sommes seuls tous les deux. Tu n'as plus que moi et je n'ai plus que toi. »

Elle me dit ensuite :

« Je pouvais vivre avec toi tant que j'étais là pour m'occuper de ta fille. Mais, maintenant que Nochipa... maintenant que je n'ai plus ce rôle à jouer, je ne peux décemment pas continuer à partager ton toit. »

Elle dit encore en rougissant de nouveau :

« Je sais bien qu'on ne pourra jamais remplacer notre Nochipa bien-aimée. Mais, peut-être... je ne suis pas encore trop âgée... »

Elle laissa tomber sa voix en simulant parfaitement la pudeur et l'incapacité d'en dire plus long. Je soutins son regard jusqu'au moment où son visage flamboya comme du cuivre chaud.

« C'était inutile de faire toute cette comédie, Béu. J'avais l'intention de te demander la même chose, ce soir même. Puisque tu y consens, nous nous marierons demain matin, aussitôt que j'aurai pu réveiller un prêtre.

— Quoi ? murmura-t-elle.

— Comme tu viens de me le rappeler, je n'ai plus personne et je suis riche. Si je meurs sans héritier, ma fortune ira au trésor public. Comme je n'ai aucune envie qu'elle revienne à Motecuzoma, je dirai au prêtre d'établir un document t'instituant mon unique héritière, en même temps que notre certificat de mariage. »

Béu se leva lentement en balbutiant :

« Ce n'était pas ce que... Je n'ai jamais pensé à... Zaa, ce que je voulais te dire...

— Et je viens de tout gâcher ? dis-je en souriant. Tu n'avais pas besoin de te donner tant de mal, tu vois. Enfin, ça te servira peut-être pour plus tard, c'est un bon entraînement pour le jour où tu seras une veuve riche et esseulée.

— Arrête, Zaa, s'écria-t-elle. Tu refuses de m'écouter. C'est difficile pour moi ; ce n'est pas à une femme de dire ces choses.

— Je t'en prie, Béu ; ça suffit. Nous connaissons trop notre mutuelle aversion. Il est trop tard pour nous dire des mots doux ; les dieux n'en reviendraient pas. Du moins, à partir de demain, notre haine sera officialisée, comme c'est le cas pour la plupart des couples.

— Comme tu es dur ! Tu es insensible à toute tendresse et tu rejettes la main qu'on te tend.

— J'ai trop souvent senti le dur revers de ta tendre main. Est-ce que tu ne vas pas te mettre à rire maintenant en me disant que cette histoire de mariage n'était qu'une autre raillerie de ta part ?

— Non, je parlais sérieusement. Et toi ?

— Moi aussi, lui répondis-je en levant ma coupe d'octli. Que les dieux aient pitié de nous.

— Quel vœu éloquent, Zaa. Je l'accepte tout de même. Je t'épouserai demain. »

Et à ces mots, elle s'enfuit de la pièce.

Je restai là à siroter mélancoliquement mon verre d'octli, en regardant les autres clients de l'auberge, pour la plupart des pochteca qui rentraient à Tenochtitlán et qui fêtaient leur expédition fructueuse en se soûlant copieusement, ce à quoi ils étaient encouragés par les nombreuses femmes de l'établissement. L'aubergiste, sachant que Béu et moi faisions chambre à part, se glissa vers moi pour me demander :

« Le Seigneur Chevalier aimerait-il une douceur pour terminer son repas ? Une de nos charmantes maatitl ?

— Elles n'ont pas l'air bien charmantes, maugréai-je.

— Oh, il ne faut pas se fier aux apparences, Seigneur. Vous devriez le savoir puisque votre belle compagne semble si froide. Le charme peut se trouver ailleurs que dans le visage ou dans la silhouette. Regardez cette femme, là-bas, par exemple. »

Il me montrait une fille qui était sans doute la moins repoussante de tout l'établissement. Sa poitrine s'affaissait comme de l'argile humide et ses cheveux, à force d'être décolorés et recolorés, ressemblaient à du foin séché. Devant ma grimace, l'aubergiste se mit à rire.

« Je sais, je sais ; à voir cette femme, on aurait plutôt envie d'un garçon. A première vue, on croirait que c'est une grand-mère et pourtant, je vous assure qu'elle a tout juste trente ans. Me croirez-vous, Seigneur Chevalier, si je vous dis que tous ceux qui ont essayé Quequelyéhua une fois, la redemandent toujours. Elle a des clients fidèles qui ne veulent pas entendre parler d'une autre maatitl. Sans l'avoir pratiquée moi-même, je sais de source sûre qu'elle connaît des moyens extraordinaires pour faire plaisir aux hommes. »

Je repris ma topaze pour examiner plus attentivement la souillon aux cheveux en bataille et à l'œil larmoyant. C'était la représentation vivante de la maladie nanaua et cet efféminé d'aubergiste prenait un malin plaisir à essayer de me la refiler.

« Dans le noir toutes les femmes se ressemblent. Les garçons aussi, du reste. Ce n'est donc pas l'apparence qui compte. Quequelyéhua a déjà certainement toute une liste d'attente pour cette nuit ; mais un Chevalier-

Aigle peut exiger la préséance sur de simples pochteca. Voulez-vous que je l'appelle, Seigneur?

— Quequelyéhua, répétai-je. Je me souviens d'une belle fille qui s'appelait Quequelmíqui.

— Chatouilleuse? gloussa l'aubergiste. D'après son nom, elle devait être une partenaire fort enjouée. Mais, celle-ci est certainement encore bien mieux. Quequelyé-hua, Celle qui chatouille. »

Tout cela me donnait la nausée.

« Je vous remercie, je n'en veux pas. » Je repris une rasade d'octli. « Et cette fille toute maigre qui est assise dans son coin, qu'en dites-vous?

— C'est Pluie Fine, fit l'aubergiste sur un ton indifférent. On l'appelle comme ça parce qu'elle pleure tout le temps pendant qu'elle... euh... pendant qu'elle exerce ses fonctions. C'est une nouvelle, mais il paraît qu'elle est très compétente.

— Envoyez-la dans ma chambre dès que je serai assez ivre pour y aller moi-même.

— A vos ordres, Seigneur Chevalier-Aigle. Je ne me mêle pas des affaires de mes clients, mais je suis un peu curieux. Pourriez-vous me dire pourquoi vous avez choisi Pluie Fine?

— Tout simplement parce qu'elle ne me rappelle aucune femme que j'aie connue. »

La cérémonie du mariage se déroula dans le calme et la simplicité. Mes quatre compagnons nous servirent de témoins. L'aubergiste avait préparé les tamales pour le repas rituel et nous avions invité les clients matinaux de l'auberge. Cuauhnáhuac étant l'agglomération principale des Tlahuica, j'avais trouvé un prêtre de leur principale divinité, le bon dieu Quetzalcoatl. Ce prêtre, voyant qu'il avait affaire à un couple qui n'était plus dans sa prime jeunesse, nous épargna fort à propos les avertissements coutumiers donnés aux filles supposées innocentes et les exhortations habituelles aux mâles libidineux. Sa harangue fut donc brève.

Pourtant, cette cérémonie rapide souleva une certaine émotion chez Béu, ou du moins, c'est ce qu'elle voulut faire croire. Elle versa quelques larmes virginales au milieu desquelles fleurissaient quelques sourires tremblants. Je dois reconnaître que cette comédie la rendait encore plus belle. Elle était vêtue de façon très aguichante et quand je la regardais sans ma topaze, elle me semblait aussi jeune que ma Zyanya de vingt ans. C'est pour cette raison que j'avais fait un usage répété de la dénommée Pluie Fine pendant toute la nuit précédente. Je voulais m'ôter toutes possibilités de désirer Béu malgré moi.

Pour la dernière fois, le prêtre balança son encensoir de copal autour de nous. Ensuite, il nous regarda pendant que nous nous faisions mutuellement manger un morceau de tamal fumant ; puis, il noua un coin de mon manteau avec un coin de la jupe de Béu et nous souhaita beaucoup de chance dans notre nouvelle vie.

« Merci, Seigneur Prêtre, dis-je en lui remettant ses honoraires. Merci surtout pour vos bons vœux. » Je défis le nœud qui m'attachait à Béu. « J'aurai sûrement besoin de l'aide des dieux, là où je vais. » Et, chargeant mon sac sur mon épaule, je dis au revoir à Béu.

— Au revoir ? répéta-t-elle avec un petit cri. Mais, Zaa, c'est le jour de notre mariage.

— Je t'avais prévenue que je partirais. Mes hommes vont te conduire à la maison.

— Mais... mais, je pensais... que tu resterais au moins une nuit. Pour la... »

Elle jeta un coup d'œil autour d'elle et vit qu'on la regardait. Elle rougit violemment et haussa le ton : « Zaa, je suis ta femme, maintenant.

— Tu m'as épousé, rectifiai-je. C'est ce que tu

voulais. Tu seras ma veuve et mon héritière. C'est Zyanya qui était ma femme.

— Mais Zyanya est morte depuis dix ans !

— Sa mort n'a pas brisé notre lien. Je n'aurai jamais d'autre femme.

— Hypocrite ! Tu n'es pas resté chaste pendant dix ans. Tu as eu d'autres femmes depuis. Pourquoi ne veux-tu pas de celle que tu viens d'épouser ? Pourquoi ne veux-tu pas de moi ? »

A part l'aubergiste qui ricanait d'un air égrillard, la plupart des assistants avait l'air bien embarrassé, tout comme le prêtre qui s'arma de courage et me dit :

« Seigneur, c'est la coutume de sceller ces promesses avec un acte de... afin de mieux se connaître...

— Votre sollicitude vous honore, Seigneur Prêtre, coupai-je. Mais je connais déjà cette femme bien trop intimement.

— Quel mensonge ! s'exclama Béu. Nous n'avons pas une seule fois...

— Et nous ne le ferons jamais, Lune en Attente. Je te connais trop bien, et je sais qu'un homme est le plus vulnérable quand il fait l'amour avec une femme. Je ne te donnerai pas l'occasion de me repousser dédaigneusement, de te moquer de moi ou de me diminuer par un de ces moyens que tu pratiques et que tu perfectionnes depuis si longtemps.

— Et toi, cria-t-elle, qu'est-ce que tu es en train de faire en ce moment ?

— La même chose, mais cette fois, j'ai pris les devants. Bien, le jour s'avance, il faut que je m'en aille. »

Quand je partis, je vis Béu se tamponner les yeux avec le coin chiffonné de sa robe qui avait servi à faire le nœud du mariage.

Il était inutile que je reprenne le long chemin de mes ancêtres à partir de son terme, à Tenochtitlán, ni à partir d'aucun des sites qu'ils avaient précédemment occupés dans la région des lacs, car je savais très bien que je n'y trouverais rien. Selon d'anciennes légendes, avant de s'implanter sur le lac, les Azteca s'étaient installés plus au nord, dans un lieu appelé Atlitalácan. Par conséquent, en quittant Cuauhnáhuac, je pris la direction du nord-ouest, puis du nord et enfin du nord-est, en restant toujours en dehors des frontières de la Triple Alliance et je finis par arriver dans une région peu peuplée, située au-delà d'Oxitípan, la ville de garnison la plus septentrionale occupée par des soldats mexica. Là, je demandai des renseignements au sujet d'Atlitalácan, mais pour toute réponse, je ne récoltai que des regards interloqués ou des haussements d'épaules. En effet, je me heurtais à deux difficultés.

Premièrement, je n'avais aucune idée de ce que pouvait être Atlitalácan. Etait-ce une communauté du temps des Azteca et qui avait disparu après leur passage, ou bien un simple campement auquel ils avaient momentanément donné ce nom ? Deuxièmement, je me trouvais dans le sud du pays des Otomi, ou plus précisément, dans une région où les Otomi s'étaient installés à contrecœur quand ils avaient été refoulés de la région des lacs par les vagues successives des Culhua, des Acolhua, des Azteca et d'autres envahisseurs parlant le nahuatl. Dans cette région frontalière indéterminée, j'avais des difficultés pour me faire comprendre. Certains parlaient le nahuatl ou le poré de leurs voisins de l'ouest, mais d'autres ne connaissaient que l'otomite que je maniais fort mal et beaucoup parlaient un infâme pot-pourri de ces trois idiomes, aussi, je ne trouvai aucun indigène capable de m'expliquer où se trouvait l'antique Atlitalácan.

Il me fallut donc la découvrir tout seul. Son nom était déjà en soi une indication ; il veut dire : « Là où l'eau jaillit » et, un jour, j'arrivai dans un petit village bien tenu qui s'appelait D'ntado Dehé, ce qui en otomite signifie à peu près la même chose. Ce village s'était établi près de la seule source de toute une région extrêmement aride. Il me semblait que les Azteca avaient très bien pu y faire halte, car un ancien chemin traversait le village venant du nord et repartant vers le sud en direction du lac Zumpango.

La maigre population de D'ntado Dehé me vit débarquer avec une méfiance somme toute assez naturelle, mais une vieille femme, trop pauvre pour avoir des scrupules, consentit à me loger dans le grenier presque vide de sa misérable cabane d'adobe. Je déployai toute ma séduction pour me faire bien voir de ces taciturnes Otomi et pour essayer de les faire parler, mais en vain. Je me mis donc à écumer les alentours du village à la recherche de ce qu'auraient pu laisser mes ancêtres, mais sans me faire beaucoup d'illusions. Si les Azteca avaient caché des armes et des provisions sur leur chemin, ils devaient avoir pris des précautions pour que personne d'autres qu'eux ne puisse les découvrir, en marquant les caches de signes connus d'eux seuls et aucun de leurs descendants, moi compris, n'avait la moindre idée de la nature de ces signes.

Néanmoins, avec un gros pieu, je me mis en devoir de fouiller chaque endroit qui me semblait suspect : petites buttes de terre, buissons touffus ou ruines d'anciennes habitations. Je ne sais pas si ce comportement étrange éveilla chez les villageois de l'amusement, de la pitié ou de la simple curiosité, mais ils m'invitèrent à venir m'expliquer devant leurs deux plus vénérables

Anciens. Ceux-ci répondirent à mes questions le plus simplement possible. Non, ils n'avaient jamais entendu parler d'Atlitalácan, mais puisque ce nom avait le même sens que D'ntado Dehé, c'était sans doute aussi le même endroit. Oui, d'après les aïeux de leurs aïeux, une tribu d'étrangers loqueteux et sauvages s'était jadis installée près de la source pendant quelques années, avant de disparaître vers le sud. Quand je leur demandai s'ils avaient pu laisser quelque chose, ils secouèrent la tête en disant « *n'yéhina* », c'est-à-dire non et ils me répétèrent plusieurs fois une phrase que j'avais du mal à comprendre :

« Les Azteca sont venus ici, mais ils n'avaient rien apporté avec eux et ils n'ont rien laissé en partant. »

J'arrivai ensuite dans une région où les habitants ne parlaient que l'otomite. Je n'avançais pas en ligne droite, car il m'aurait fallu escalader des falaises impressionnantes et me frayer un passage au travers de cactus inextricables. J'étais sûr que les Azteca n'étaient pas passés par là et je suivis donc les routes, quand elles existaient, ou des sentiers bien tracés. Quoique sinueux, mon itinéraire continuait à me conduire vers le nord.

J'étais toujours sur un haut plateau, mais je descendais insensiblement chaque jour, et les journées étaient de plus en plus chaudes. C'était une chance pour moi car il n'y avait pas d'auberge et les villages où j'aurais pu trouver à me loger étaient souvent éloignés. Cette région étant très peu peuplée, même les animaux les plus craintifs habituellement n'étaient pas farouches. Bien que je n'eusse rien d'autre que mon macquauitl, arme assez bien conçue pour chasser le petit gibier, il me suffisait généralement de le lancer de côté pour me procurer un plat de viande fraîche.

Ce nom d'Otomi est une abréviation d'un mot très

long et très difficile à prononcer qui signifie en gros : « Les hommes dont les flèches abattent les oiseaux », mais il y a fort longtemps que la chasse n'est plus leur activité principale. Les tribus otomi sont très nombreuses et toutes vivent de l'agriculture : maïs, xitomatl et autres légumes. Leurs champs et leurs vergers étaient si prospères qu'ils envoyaient le surplus de leur production au marché de Tlatelolco et dans d'autres villes. Les Mexica appelaient ce pays Atoctli, la Terre Fertile.

Nulle part, je n'ai trouvé aucune cachette, ni aucune trace du passage des Azteca. Parfois, dans un village, un vieux conteur se souvenait que des faisceaux et des faisceaux d'années auparavant, une horde de va-nu-pieds était venue traîner dans le voisinage pendant quelque temps, mais tous ces vieillards me répétaient à chaque fois : « Ils n'avaient rien apporté avec eux et ils n'ont rien laissé en partant. » C'était décourageant, mais, après tout, moi qui étais un descendant direct de ces vagabonds, je n'avais rien apporté non plus. Une fois, pourtant, pendant mon séjour en pays otomi, j'ai peut-être laissé quelque chose.

Chez les Otomi, les hommes sont petits et trapus et comme beaucoup de paysans, ils ont un caractère assez renfrogné. Les femmes sont petites, elles aussi, mais elles sont minces et bien plus vives que leurs lourdauds de maris.

Les Otomi s'embellissent — c'est du moins ce qu'ils croient — en se teignant les dents en bleu et en rouge et en ornant leurs corps de dessins bleus gravés dans la peau avec des épines pour qu'ils soient indélébiles. Certains ont juste une petite décoration sur le front ou sur la joue, mais d'autres en ont le corps entièrement couvert.

A mon avis, les hommes n'étaient ni enlaidis, ni embellis par cette ornementation ; par contre, je trouvais dommage que les femmes dissimulent leur beauté derrière toutes ces spirales et tous ces entrelacs ineffaçables. Cependant, à mesure que je m'y habituai, ces décorations se mirent à me fasciner. Ce voile semblait rendre les femmes intouchables et donc désirables.

Un jour, alors que je me trouvais à l'extrémité nord du territoire otomi, j'arrivai dans un village nommé M'boshte où je rencontrai une jeune femme qui s'appelait R'zoöno M'donwe, ce qui signifie Fleur de Lune. Fleurie, elle l'était en effet. Elle était couverte de pétales et de feuilles bleues et derrière ce jardin artificiel, je découvris un visage et un corps très agréables. Je plus aussi à Fleur de Lune, sans doute pour la même raison qu'elle m'avait plu. On est souvent attiré par l'insolite et ma taille, déjà haute pour un Mexica, faisait de moi un géant comparé aux Otomi. Elle me fit comprendre qu'elle n'avait pas d'attaches pour le moment. Son mari était mort récemment dans la R'donte Sh'mboi, la Rivière Ardoise qui traversait le village.

Je passai donc ma nuit à M'boshte dans le lit de Fleur de Lune. Je ne sais pas ce qu'il en est des autres femmes otomi, mais elle était entièrement décorée, sauf les lèvres, les paupières, le bout des doigts et le bout des seins. Elle avait dû souffrir atrocement quand l'artiste lui avait incisé des fleurs sur les bords mêmes de son tipili. Au cours de cette nuit, j'ai pu admirer toute cette végétation, car elle avait voulu que je commence par examiner, caresser et goûter la moindre fleur de son jardin secret. J'avais l'impression d'être un cerf broutant une généreuse prairie et je me disais que ces animaux avaient bien de la chance.

Le lendemain, pendant que je me préparais à partir, Fleur de Lune me fit comprendre qu'elle espérait bien que je l'avais mise enceinte, ce que son défunt mari n'avait jamais réussi à faire. Je souris, très flatté de ce compliment, mais elle m'expliqua qu'étant donné que j'étais très grand, l'enfant aurait des chances de l'être aussi et avoir ainsi une surface de peau considérable à décorer, ce qui ferait de lui un sujet d'envie pour les autres Otomi. Déçu, je la quittai en soupirant.

Tant que je continuai à longer les rives de la R'donte Sh'mboi, le paysage demeurait verdoyant et fleuri. Mais le but de mon voyage était de retrouver les Azteca et c'est du désert, et d'au-delà, qu'ils venaient. Je tournai alors le dos aux terres habitées pour pénétrer dans des espaces vides, brûlés et hostiles.

Les déserts sont des lieux maudits par les dieux, quand ceux-ci ne les ignorent pas totalement.

Le matin, Tonatiuh bondissait de sa couche sans la cérémonie préalable de l'aube où il choisit d'ordinaire ses lances et ses flèches pour la journée. Chaque soir, il s'effondrait dans son lit, sans même se donner la peine d'endosser son éclatant manteau de plumes, ni d'étaler sa couverture de fleurs colorées. Entre ces deux moments, Tonatiuh n'était qu'une tache d'un jaune un peu plus intense dans un ciel également jaune. Accablant, obstiné, aspirant tout l'air, il se frayait dans le ciel un chemin embrasé, aussi lentement et aussi péniblement que je cheminais sur les sables arides. Quant à Tlaloc, le dieu-pluie, il s'intéressait encore moins au désert, bien que ce fût la saison des pluies.

Il m'est arrivé de voir ou d'entendre un coyote ; c'est un animal qui semble s'acclimater partout. J'ai vu aussi quelques lapins et souvent, un ou deux vautours planaient au-dessus de moi en cercle. A part cela, les habitants du désert faisaient partie de l'espèce rampante : serpents à sonnettes, lézards de toutes sortes et scorpions presque aussi gros qu'une main.

Les dieux des végétaux ne s'occupent pas non plus beaucoup du désert. En fait d'arbres, à part les cactus, on ne voit guère que quelques mizquitl rabougris, ou des yuca aux feuilles en forme de lance.

La seule bonne déesse qui ose se promener dans ces lieux déshérités, c'est Xochiquetzal, la déesse de l'amour et des fleurs. Chaque printemps, elle vient embellir le moindre buisson et le moindre cactus.

S'il arrive qu'une déesse fréquente impunément le désert, il n'en est pas de même pour les humains. Un homme qui voudrait le traverser sans y être préparé y trouverait un trépas assuré et un trépas lent et douloureux. Pour moi, bien que ce fût la première fois que je m'aventurais dans ces solitudes, je n'étais pas tout à fait inexpérimenté. Pendant mon enfance, le quachic Gourmand de Sang avait inclus dans son enseignement quelques principes pour survivre dans le désert. Grâce à lui, je n'ai jamais manqué d'eau. Comme son nom l'indique, le cactus comitl a une forme de cruche. J'en choisissais toujours un qui eût une bonne taille et, après l'avoir entouré de brindilles auxquelles je mettais le feu, j'attendais que la chaleur se condense à l'intérieur. Ensuite, je n'avais plus qu'à découper le sommet du cactus, puis à presser la pulpe pour en faire couler le jus dans ma gourde de cuir.

J'avais rarement de la viande sauf, de temps en temps, un lézard et une fois un lapin. Mais la viande n'est pas une nourriture indispensable. A longueur d'année, l'arbre mizquitl porte des guirlandes de gousses fraîches et vertes et de gousses desséchées qui restent de l'année précédente. On peut faire cuire les pois verts dans de l'eau et les réduire en purée. Les pois secs, on les écrase entre deux pierres pour en faire de la farine que l'on mélange avec de l'eau, comme le pinolli, quand on n'a pas autre chose à se mettre sous la dent.

Vous voyez, j'ai survécu pendant toute une année dans ce sinistre désert. Je vous dirai simplement, pour que vous ayez une idée de son immensité et de sa désolation, que j'y ai marché pendant plus d'un mois avant de rencontrer un seul être humain.

De loin j'avais cru que c'était un monticule de sable, mais en m'approchant, je me rendis compte que c'était une personne assise. Tout heureux, je la hélai mais elle ne répondit pas. J'appelai encore et je m'aperçus que sa bouche était grande ouverte, comme pour crier.

C'était une femme entièrement nue, assise sur le sable. Elle avait dû effectivement crier, mais maintenant, elle était morte, les yeux et la bouche béants. Elle avait les jambes écartées et les mains posées à plat sur le sol comme si elle avait fait des efforts désespérés pour se relever. Je tâtai son épaule poussiéreuse ; la chair était encore souple et tiède. Elle n'était pas morte depuis bien longtemps. Elle ne présentait aucun signe de maladie, ni aucune blessure et je me demandais de quoi elle avait bien pu mourir.

J'avais pris l'habitude de parler tout seul, par manque de compagnie et je me mis à bougonner :

« Ce désert est vraiment maudit des dieux. J'ai la chance de rencontrer un être humain qui est peut-être le seul dans toute cette solitude et une femme par-dessus le marché. Et voilà qu'elle est morte. Si j'étais arrivé un peu plus tôt, elle aurait sans doute accepté avec plaisir de profiter de ma couverture et de mes petites attentions. Maintenant, la seule attention que je puisse lui témoigner, c'est de l'enterrer avant que les vautours ne rappliquent. »

Je posai mon sac et ma gourde et entrepris de faire un trou dans le sable avec mon macquauitl. Il me sembla voir un reproche dans ses yeux, aussi je pensai que je pourrais l'allonger pendant que je creusais sa tombe. Je la pris par les épaules pour la mettre sur le dos, mais, oh ! surprise ! elle résista à tout prix. Ses muscles ne s'étaient pourtant pas encore raidis.

Je reculai d'un pas, pour considérer ce cadavre si bizarrement têtu et soudain, je reçus un coup violent entre les omoplates. Je me retournai vivement pour me voir entouré par un demi-cercle de flèches pointées sur moi. Les hommes qui tenaient les arcs me regardaient méchamment. Ils n'avaient pour tout vêtement qu'un pagne de cuir graisseux et déchiré, une couche de crasse sur tout le corps et quelques plumes dans leurs cheveux embroussaillés. Ils étaient neuf. Tout occupé par ma singulière découverte, je ne les avais pas entendus arriver, pourtant j'aurais dû les sentir car ils puaient dix fois plus que la morte.

Les Chichimeca ! pensai-je et peut-être même l'ai-je dit à haute voix.

« Je viens de tomber sur cette malheureuse, leur expliquai-je, et je m'apprêtais à faire quelque chose pour elle. »

J'avais parlé très vite, espérant arrêter leurs flèches, aussi j'avais utilisé ma langue maternelle en accompagnant mes paroles de force gestes destinés à me faire comprendre de ces sauvages. Mais, à mon grand étonnement, l'un d'eux me répondit en un nahuatl très correct :

« C'est ma femme. »

Les flèches des Chichimeca étaient toujours braquées sur moi et je me hâtai de dire :

« Ce n'est pas moi qui l'ai tuée. Je l'ai trouvée comme ça. Je ne lui aurais pas fait de mal, même si elle avait été en vie. »

L'homme eut un sourire féroce.

« Je voulais l'enterrer, poursuivis-je, avant que les vautours ne viennent s'en repaître. »

L'homme regarda le sillon que j'avais commencé à creuser, puis il leva les yeux vers les charognards qui planaient au-dessus de nous. Son visage sévère s'adoucit un peu quand il me déclara en baissant son arc :

« C'est très aimable à vous, étranger. »

Ses compagnons l'imitèrent et glissèrent leurs flèches dans leur chevelure en bataille. L'un d'eux saisit mon macquauitl et l'examina admirativement. Un autre entreprit de fouiller mon sac. Je pensais qu'ils allaient peut-être me voler le peu que je possédais, mais j'espérais qu'ils ne me tueraient pas. Tâchant de maintenir ce climat de cordialité, je dis au veuf :

« Je compatis à votre douleur. Votre femme était jeune et avenante. De quoi est-elle morte ?

— D'avoir été une mauvaise femme, répliqua-t-il d'un air sombre. Elle a été mordue par un serpent à sonnette. »

Je ne voyais pas très bien le rapport entre les deux mais je me contentai de remarquer : « C'est bizarre, elle ne semble pas avoir été malade.

— Elle a survécu à la morsure, grommela-t-il. Mais elle s'était d'abord confessée à Mangeuse de Saleté et j'étais à côté d'elle. Elle a avoué à Tlazolteotl qu'elle avait couché avec un homme d'une autre tribu et par malheur, elle n'est pas morte après. » Il secoua tristement la tête et continua son récit. « On a attendu qu'elle soit guérie, car on n'exécute pas une femme malade. Quand elle a été tout à fait remise, on l'a amenée ici, ce matin, pour la faire mourir. »

Je regardai le cadavre en me demandant quel genre d'exécution pouvait laisser pour seuls stigmates des yeux fixes et une bouche hurlant silencieusement.

« On est venu pour l'emporter », conclut le veuf. Il

me posa une main amicale sur l'épaule. « On va s'en occuper ; ensuite, peut-être voudrez-vous partager notre repas au campement ?

— Avec plaisir », répondis-je.

L'homme s'approcha de sa femme et la déplaça en la tirant vers le haut avec beaucoup de difficulté. J'entendis un effrayant bruit d'arrachement, et l'homme la dégagea du pieu sur lequel elle était empalée.

Les neuf hommes me conduisirent ensuite jusqu'à leur campement et ils me traitèrent très courtoisement. Ils procédèrent à une fouille minutieuse de mes affaires, mais ils ne me prirent rien, pas même mon petit pécule de numéraire de cuivre. Je pense toutefois qu'ils se seraient sans doute comportés différemment s'ils avaient trouvé des objets de valeur. Après tout, c'étaient des Chichimeca.

Les Mexica ont toujours prononcé ce nom avec mépris, dérision ou même avec haine, de la même façon que les Espagnols parlent des « barbares » et des « sauvages ». Ce nom vient de chichime, un mot qui veut dire chien et il regroupe toutes les peuplades de ce Peuple Chien chez lequel je venais d'arriver, toutes ces tribus errantes et sordides qui habitent dans le désert, au nord du territoire des Otomi. (C'est pourquoi, dix ans auparavant, j'avais été si vexé que les Tarahumara, Pieds Agiles, m'aient pris pour un Chichimeca.) Cependant, je dois dire qu'après avoir parcouru ces déserts pendant près d'une année, je n'ai trouvé aucune tribu supérieure ou inférieure aux autres. Elles étaient toutes aussi ignorantes, sauvages et cruelles, mais je crois que c'est la faute de ce désert inhumain.

Ces gens vivaient dans une saleté qui aurait écœuré un homme civilisé ou un Chrétien. Ils n'avaient ni maison, ni occupation fixe, car ils vagabondaient éternellement à la recherche de la maigre pitance qu'ils arrachaient au désert. Les tribus chichimeca parmi lesquelles j'ai séjourné parlaient toutes le nahuatl ou un dialecte dérivé, mais elles ignoraient l'écriture ou toute autre forme de connaissance et certaines de leurs coutumes étaient franchement abominables. Cependant, il faut dire à leur décharge que les Chichimeca ont su s'adapter admirablement à ce désert, ce que bien peu d'hommes civilisés auraient été capables de faire.

Pendant mon séjour chez les tribus chichimeca, j'ai toujours veillé à ne jamais badiner avec leurs femmes, à ne manquer à aucune de leurs lois et à ne les offenser en aucune façon, aussi m'ont-ils toujours traité comme un des leurs. Jamais, je n'ai été volé ou maltraité et ils m'ont toujours fait partager leur maigre chère et le peu d'agréments qu'ils arrivaient à arracher au désert.

La seule chose que je leur ai jamais demandée, c'était ce qu'ils savaient des Azteca, de leur périple et des éventuelles réserves qu'ils auraient enterrées en chemin. Tous me dirent :

« Oui, une tribu a traversé ce pays autrefois, mais nous ignorons tout d'elle, sauf qu'elle n'avait rien apporté et qu'elle n'a rien laissé derrière elle. »

Un jour, le deuxième été que je passais dans ce désert maudit, ma question reçut une réponse légèrement différente. Je suivais alors la tribu mapimi qui errait dans la région la plus chaude, la plus sèche et la plus sinistre de toutes celles que j'avais traversées jusque-là. Je m'étais avancé si loin au nord des terres habitées que je me demandais comment le désert pouvait encore continuer. Et pourtant, les Mapimi m'avaient affirmé qu'il s'étendait encore sur des espaces infinis. Cette information m'avait profondément déprimé et c'est sur un ton las et désabusé que je posai à l'un d'eux ma sempiternelle question sur les Azteca.

« Oui, me répondit-il. Cette tribu a bien existé et elle a fait ce voyage dont vous parlez. Mais elle n'a rien apporté avec elle et...

— Et, achevai-je d'une voix aigre, elle n'a rien laissé derrière elle.

— Sauf nous », fit-il.

Ces paroles mirent un certain temps à m'atteindre, tant était grand mon abattement, mais soudain, je me réveillai et je le regardai avec stupéfaction. Il me fit un sourire édenté. Il s'appelait Patzcatl et c'était le chef des Mapimi. Il était très vieux, tout ratatiné et desséché par le soleil.

« Vous avez dit que les Azteca venaient d'un pays inconnu nommé Aztlán et qu'à la fin de leur périple, ils ont fondé une grande ville, loin, très loin, vers le sud. Depuis les faisceaux et les faisceaux d'années que nous vivons ici, nous, les Mapimi et d'autres Chichimeca, nous avons entendu parler de cette cité et de sa splendeur, mais aucun de nous ne l'a jamais vue. Alors, dites-moi, Mixtli, n'avez-vous jamais été frappé par le fait que tout barbares que nous sommes, nous parlions néanmoins le même nahuatl que vous ?

— Oui, chef Patzcatl, lui répondis-je. J'ai été surpris et heureux de pouvoir parler avec tant de tribus différentes, mais je ne me suis jamais posé la question. Avez-vous une théorie à ce sujet ?

— Mieux qu'une théorie, se rengorgea-t-il. Je suis très vieux et je descends d'une lignée d'aïeux qui ont tous atteint un âge très avancé. Mais nous n'avons pas toujours été vieux et dans notre jeunesse, nous étions curieux. Chacun de nous a posé des questions et s'est souvenu des réponses aussi, nous nous sommes transmis les connaissances sur les origines de notre peuple, de génération en génération.

— Je vous serais très reconnaissant si vous pouviez m'en faire part, vénérable chef.

— Voilà, dit-il. La légende raconte que *sept* différentes tribus — parmi lesquelles vos Azteca — ont quitté Aztlán, il y a très longtemps, à la recherche d'une terre plus hospitalière que la leur. Toutes ces tribus étaient apparentées, elles parlaient le même langage, adoraient les mêmes dieux, respectaient les mêmes traditions et, pendant un certain temps, elles s'entendirent bien. Mais, comme on peut s'y attendre pendant un aussi long voyage, des dissensions et des tiraillements se produisirent. En chemin, certains groupes se séparèrent — des familles, des clans et même des tribus entières. Certains partirent de leur côté, d'autres, fatigués d'avancer, décidèrent de se fixer là où ils étaient. Au cours des ans, ces tribus errantes se sont souvent fragmentées, elles aussi. On sait que les Azteca ont continué leur marche jusqu'à l'endroit où s'élève maintenant Tenochtitlán et peut-être d'autres tribus les ont accompagnés. C'est pourquoi, je vous ai dit ceci : quand vos Azteca ont traversé ce désert, ils n'ont rien laissé derrière eux, excepté nous. »

Je soupirai :

« J'aimerais bien, tout de même, découvrir le pays d'origine des Azteca. »

Le chef hocha la tête. « C'est loin d'ici. Je vous l'ai dit, les sept tribus sont restées longtemps ensemble avant de commencer à se séparer. »

Je regardai vers le nord, là où l'on m'avait dit que le désert s'étendait sans limites et je grognai : « *Ayya*, alors il faut que je continue à marcher dans ces terres maudites et désolées ?

— Vous êtes déjà allé trop au nord. En restant toujours dans le désert, poursuivit-il en riant, vous vous êtes dirigé vers le nord et vers l'ouest, mais pas suffisamment vers l'ouest. D'après les pères de mes pères, *notre* Aztlán se situerait quelque part au sud-ouest d'ici, au bord du grand océan. Mes ancêtres et les vôtres ont dû beaucoup vagabonder et tourner en rond avant que leur ultime marche les conduise à ce qui est maintenant votre ville, comme le raconte votre légende. A mon avis, Aztlán devrait se trouver au nord-ouest de votre capitale.

— Alors, il faut que je fasse marche arrière, vers le sud-ouest, murmurai-je en pensant aux marches fastidieuses, à la saleté et aux fatigues endurées pour rien.

— En tout cas, si vous voulez continuer je vous conseille de ne pas aller vers le nord. Aztlán n'est pas là et vous y trouveriez un désert bien plus terrible et bien plus impitoyable que celui où nous sommes, où même nous autres, les Mapimi, ne pourrions survivre. Il n'y a que les Yaki qui osent s'y aventurer parfois, parce qu'ils sont plus cruels encore que le désert lui-même.

— Je sais de quoi ils sont capables, fis-je en évoquant de bien sombres souvenirs. Je vais suivre votre conseil, chef Patzcatl.

— Allez par là. » Il fit un geste en direction du sud-ouest, là où Tonatiuh était en train de disparaître derrière les montagnes grisâtres qui m'avaient accompagné de loin pendant toute ma traversée du désert. « Aztlán est de l'autre côté. »

Je partis vers le sud-ouest et je franchis ces montagnes dont j'avais contemplé la pâle silhouette pendant plus d'une année, m'attendant à devoir escalader des murailles de granit. Pourtant, à mesure que je m'en rapprochais, je constatai que c'était la distance qui leur avait donné cet aspect si abrupt. Sur les premières pentes, ne poussaient que quelques buissons rabougris pareils à ceux du désert, mais plus je m'avançais, plus la végétation se faisait dense. Quand je pénétrai dans la haute montagne, je découvris une région aussi verdoyante et aussi hospitalière que le pays des Tarahumara et, du reste, j'y trouvai des villages creusés dans le roc dont les habitants leur ressemblaient beaucoup et parlaient une langue très voisine. Ils m'apprirent d'ailleurs qu'ils leur étaient apparentés.

Lorsqu'enfin je redescendis sur l'autre versant, j'arrivai sur une plage quelque part au sud de celle où j'avais abordé lors de mon involontaire expédition maritime, dix ans auparavant. J'appris par les tribus de pêcheurs qui peuplaient la côte, que ce pays s'appelait le Sinaloa. Ces gens, les Kaita, ne firent pas preuve d'hostilité à mon égard, mais ils ne se montrèrent pas non plus accueillants ; ils étaient simplement indifférents et leurs femmes sentaient le poisson. Je ne m'attardai donc pas chez eux et poursuivis ma route vers le sud, espérant trouver Aztlán, quelque part « au bord du grand océan », comme l'avait dit le vieux chef mapimi.

En général, je suivais la plage, mais parfois j'étais obligé de m'enfoncer dans l'intérieur des terres pour contourner une lagune, un marécage ou une impénétrable forêt de palétuviers. Parfois aussi, il me fallait attendre au bord d'un fleuve grouillant d'alligators, qu'un pêcheur passe pour qu'il me fasse passer sur l'autre rive avec son bateau, en maugréant, la plupart du temps.

Cependant, dans l'ensemble, tout se passa très bien. La brise fraîche qui venait de la mer tempérait l'ardeur du jour et la nuit, le sable tiède faisait une couche où je dormais confortablement.

Aux plages, succédèrent des fourrés inextricables où la végétation se mêlait aux palétuviers couverts de mousses et aux racines innombrables. A marée basse, le sol était boueux, glissant et parsemé de flaques d'eau stagnante et à marée haute, il était complètement recouvert par l'eau salée. Ces marais étaient torrides, humides, poisseux, puants et infestés de moustiques voraces. J'avais essayé d'obliquer vers l'est pour les contourner, mais ils semblaient s'étendre jusqu'au pied des montagnes. Il me fallut donc les traverser, obligé de patauger dans la boue et la vase nauséabonde, quand je ne pouvais pas sauter d'un endroit sec à un autre.

Je ne sais plus combien de jours j'ai passés dans cette odieuse contrée. Je me nourrissais de pousses de palmes et de cresson mexixin. La nuit, je choisissais un creux dans un arbre où je pourrais dormir hors de portée des alligators et des brumes nocturnes qui rasaient le sol. Je ne m'étonnais pas de ne rencontrer âme qui vive, car personne n'aurait voulu vivre dans un endroit aussi malsain. J'ignorais totalement à quel pays il pouvait appartenir ; je savais seulement que je me trouvais loin au sud du Sinaloa et je pensais être dans les parages du Nayarit, sans en avoir la certitude puisque je n'avais encore vu personne.

Enfin, un jour, au plus profond de ce sordide marécage, je rencontrai un être humain. C'était un jeune homme vêtu d'un pagne, penché au-dessus d'un trou d'eau et qui tenait à la main une rudimentaire fourche à trois pointes. J'étais si surpris et si heureux que je fis une chose impardonnable : je le hélai d'une voix sonore au moment même où il enfonçait sa perche dans l'eau. Il releva la tête, me foudroya du regard et gronda :

« Vous me l'avez fait rater. »

Je restai interdit, non pas à cause de ses paroles, car en somme, il avait bien raison de m'en vouloir, mais parce que, contrairement à mon attente, il ne s'était pas exprimé en poré.

« Je suis désolé », fis-je, moins haut.

Il dégagea sa fourche de la vase et je m'approchai de lui sans faire de bruit. Il l'enfonça une nouvelle fois d'un coup sec et la ressortit aussitôt. Cette fois, une grenouille frétillait au bout de l'une des pointes.

« Vous parlez nahuatl », constatai-je. Il grogna et jeta la grenouille dans un panier tressé où elle alla rejoindre plusieurs de ses congénères. Pensant que j'étais peut-être tombé sur un descendant des ancêtres du chef mapimi qui étaient restés sur place, je lui demandai :

« Vous êtes un Chichimecatl ? »

J'aurais été bien étonné s'il m'avait répondu affirmativement, mais ce qu'il dit me laissa encore plus stupéfait.

« Je suis un Aztecatl. » Puis, il ajouta en se penchant sur la mare : « Et je suis très occupé.

— Et vous avez une façon bien peu courtoise d'accueillir les étrangers », rétorquai-je. Sa hargne avait fait retomber toute l'excitation que j'aurais dû ressentir en présence d'un descendant direct des Azteca.

« La courtoisie n'est pas de mise envers un étranger assez fou pour venir ici, grommela-t-il, sans même me regarder et en embrochant une autre grenouille. Il faut avoir le cerveau dérangé pour s'aventurer dans ce cloaque.

— Voilà deux ans que je marche à la recherche d'un endroit qui s'appelle Aztlán, fis-je aigrement. Peut-être pourriez-vous me dire...

— Vous l'avez trouvé, coupa-t-il d'une voix morne.

— C'est ici ? m'exclamai-je.

— C'est là-bas, bougonna-t-il, en faisant un signe par-dessus son épaule, toujours sans lever les yeux de sa mare boueuse. Suivez le sentier jusqu'à la lagune et appelez un bateau pour qu'il vous fasse traverser. » Je me retournai et je vis qu'il y avait bien un sentier dans le fouillis de la végétation. Je m'y engageai, n'osant croire...

Mais, soudain, je réalisai que je n'avais même pas remercié le jeune homme et je revins près de lui.

« Merci », lui dis-je et en même temps, je le fis basculer dans l'eau stagnante. Quand il refit surface, la tête coiffée d'algues gluantes, je lançai le panier de grenouilles sur lui et je le laissai à ses imprécations, tandis que je prenais la direction de l'Endroit des Blanches Aigrettes, le légendaire Aztlán.

Que croyais-je découvrir ? Peut-être un petit Tenoch-titlán ? Une cité de pyramides, de temples et de tours ? Je ne sais trop. En tout cas, ce que j'y trouvai était bien misérable.

Je suivis le sentier qui serpentait au sec dans le marais. Peu à peu, les arbres s'espacèrent et le terrain devint de plus en plus boueux et glissant. Les palétuviers aux racines pendantes cédèrent la place à des roseaux qui émergeaient de l'eau. Là, le chemin s'arrêta au bord d'un lac empourpré par le soleil couchant. C'était une grande nappe d'eau saumâtre et peu profonde à en juger par les roseaux et les joncs qui y poussaient et les aigrettes blanches posées un peu partout. Devant moi, j'aperçus une île, environ à deux portées de flèche de la rive. Je pris mon cristal pour la regarder.

Aztlán était donc une île sur un lac, tout comme Tenochtitlán. Mais là, s'arrêtait toute similitude. C'était un petit mamelon de terre ferme, à peine rehaussé par la ville qui était construite dessus, car il n'y avait pas un seul bâtiment de plus d'un étage. Pas une seule pyra-mide, pas un seul temple assez haut pour se distinguer du reste. L'île, ensanglantée par le crépuscule, était environnée par la fumée bleue des feux du soir. De tous les endroits du lac, des pirogues se préparaient à regagner l'île. Je hélai la plus proche de moi. Le pêcheur fit glisser son canoë entre les roseaux et m'observa d'un air soupçonneux. Puis, après avoir marmonné un juron, il me dit :

« Vous n'êtes pas le… vous êtes étranger. »

Et toi, pensai-je, tu es un autre de ces malappris. Je montai sur le bateau avant qu'il ait eu le temps de s'en aller.

« Si vous êtes venu chercher le chasseur de grenouilles, je peux vous dire qu'il est occupé. Emmenez-moi sur l'île, s'il vous plaît. »

A part un autre juron, il n'émit aucune protestation, ne montra aucune curiosité et ne prononça pas un seul mot, tandis qu'il manœuvrait sa barque. Il me déposa à l'extrémité de l'île, puis il repartit vers ce que je découvris par la suite être des canaux — autre ressemblance avec Tenochtitlán. Je partis dans la ville. Outre une voie assez large qui faisait le tour de l'île, il n'y avait en tout que quatre rues ; deux dans le sens de la longueur et deux dans le sens de la largeur, grossièrement pavées de coquilles d'huîtres et de palourdes. Les maisons et les cabanes qui se pressaient le long des rues et des canaux étaient blanchies avec un enduit fabriqué avec de la poudre de coquillage.

L'île était ovale et très étendue. Elle était aussi grande que Tenochtitlán, sans le quartier de Tlatelolco. Je pense qu'il y avait aussi autant de maisons, mais comme elles n'avaient qu'un seul étage, le nombre de ses habitants était sans comparaison avec la population grouillante de Tenochtitlán. Du centre de l'île, je pouvais voir tout le lac et je m'aperçus que celui-ci était encerclé de toutes parts par le même marécage insalubre. Les Azteca ne vivaient pas sur ce marais empesté, mais cela ne valait guère mieux. Les eaux du lac n'empêchaient pas les brumes, les miasmes et les moustiques d'envahir l'île. Aztlán était vraiment un endroit affreux et je me réjouissais que mes ancêtres aient eu la bonne idée de l'abandonner.

J'en conclus que les habitants actuels étaient les descendants de ceux qui avaient été trop apathiques pour partir chercher fortune ailleurs et d'après ce que je voyais, ils n'étaient guère devenus plus entreprenants avec le temps. Ils paraissaient tous écrasés par leur sinistre environnement, pleins de ressentiment à son égard, mais résignés à leur sort. Les gens que je croisais dans les rues voyaient bien que j'étais un étranger, ce qui devait être une rareté pour eux, mais personne ne me fit la moindre remarque, ni pour me saluer, ni pour me demander si j'avais faim.

La nuit tomba et les rues commencèrent à se vider. L'obscurité était entrecoupée par les lueurs des foyers et des lampes à huile qui filtraient des maisons. J'arrêtai un passant qui essayait de filer sans être vu et je lui demandai où était le palais de l'Orateur Vénéré.

« Le palais ? répéta-t-il, les yeux ronds. L'Orateur Vénéré ? »

J'aurais dû me douter qu'il ne pouvait y avoir de palais dans ce ramassis de bicoques et j'aurais dû me souvenir que le titre d'Orateur Vénéré avait été adopté longtemps après que les Azteca furent devenus des Mexica. Je corrigeai ma question.

« Je voudrais voir votre chef. Où habite-t-il ?

— Ah, le tecuhtli », fit l'homme. Il me renseigna à la hâte, puis il conclut : « Et maintenant, je vais être en retard. » Et il disparut dans la nuit.

Pour des gens perdus au milieu de nulle part, et qui n'avaient rien de bien urgent à faire, ils paraissaient se complaire à prétendre être occupés et pressés. Les

Azteca parlaient nahuatl, mais ils avaient gardé beaucoup de termes tombés en désuétude chez les Mexica depuis très longtemps et ils en avaient emprunté d'autres aux tribus voisines. En revanche, ils ne comprenaient pas certains mots nahuatl que j'employais.

Le « palais » était du moins une maison décente, revêtue d'un enduit d'un blanc éclatant et composée de plusieurs pièces. Une jeune femme vint m'ouvrir et me dit qu'elle était l'épouse du tecuhtli. Elle ne me pria pas d'entrer et me demanda ce que je voulais sur un ton brusque.

« Je voudrais voir le tecuhtli, répondis-je, à bout de patience. Je viens de très loin, spécialement pour le voir.

— Vraiment ? fit-elle. Il a peu de visites et il ne tient pas à en recevoir. De toute manière, il n'est pas encore rentré.

— Puis-je l'attendre ici ? » insistai-je.

Elle réfléchit un moment, puis elle me dit sans conviction :

« Oui, peut-être, mais il aura faim quand il rentrera et il voudra manger d'abord. » J'allais lui faire remarquer que j'étais dans le même cas, mais elle poursuivit : « Il avait envie de manger des cuisses de grenouille, ce soir. Il est parti en chercher sur la terre ferme, parce qu'ici, il n'y en a pas. Le lac est trop salé. Il n'a pas dû en prendre beaucoup ; il est bien long à rentrer. »

Je faillis partir en courant, puis je me demandai si la punition pour avoir envoyé le tecuhtli au bain serait pire que de passer la nuit à essayer de l'éviter en errant dans cette île infestée de moustiques. Je suivis la femme dans une pièce où des vieux et des enfants étaient en train de manger un plat de légumes. Ils me dévisagèrent sans dire un mot et ne m'offrirent pas de partager leur repas.

On me fit entrer dans une pièce vide et je me laissai tomber avec délice sur une chaise.

« Comment doit-on s'adresser au tecuhtli ? demandai-je à la femme.

— Il s'appelle Tlilectic-Mixtli. »

Je faillis tomber à la renverse. Quelle incroyable coïncidence ! Si lui aussi s'appelait Nuage Noir, sous quel nom allais-je me présenter ? Après l'avoir fait tomber dans une mare, cet homme croirait vraiment que je continuais à me moquer de lui si je prétendais avoir le même nom que lui. J'entendis alors qu'il venait d'arriver et la femme courut à la rencontre de son seigneur et maître. Je perçus le murmure de sa voix, puis le mari qui s'écriait :

« Quoi ! Un visiteur ! Qu'il aille au diable ! Je meurs de faim. Femme, va me préparer ces grenouilles. Il a fallu que je les pêche deux fois. »

La femme murmura à nouveau et il éclata :

« Comment ? Un étranger ? »

D'un geste brusque, il écarta le rideau de la pièce où j'étais assis. C'était bien lui ; il avait encore des algues dans les cheveux et il était tout crotté jusqu'à la taille. Le regard fulminant, il hurla : « Vous ! »

Je m'inclinai pour faire le geste de baiser la terre, tout en gardant la main droite sur le manche du couteau que j'avais à la ceinture. Alors, à ma grande stupéfaction, il éclata de rire, s'avança vers moi et m'entoura amicalement de ses bras. Sa femme et les autres membres de sa famille avaient passé la tête dans l'embrasure de la porte, les yeux agrandis par la surprise.

« Bienvenue, étranger ! s'exclama-t-il en riant toujours. Par les jambes écartées de la déesse Coyaulxauhqui, je suis content de vous retrouver. Regardez un peu dans quel état je suis à cause de vous. Quand j'ai réussi à me sortir de cette fosse, tous les bateaux étaient partis, je suis rentré en traversant le lac à pied.

— Et vous avez trouvé ça drôle ? demandai-je prudemment.

— Par le tipili sec de la déesse Lune, pour ça oui ! C'est la première fois de toute mon existence dans ce trou lugubre qu'il m'arrive quelque chose d'inattendu. Je vous remercie d'avoir interrompu cet abîme de monotonie. Comment vous appelez-vous ?

— Je m'appelle... euh... Tepetzalan, répondis-je, empruntant le nom de mon père pour cette occasion.

— Vallée, fit-il. C'est bien la plus haute vallée que j'aie jamais vue. Eh bien, ne craignez aucune représaille de ma part. Par les tétons flasques de la déesse, quel plaisir de rencontrer un homme qui a des testicules sous son pagne. Si les hommes de ma tribu en ont, ils ne les montrent qu'à leur femme. » Il se retourna alors pour crier à la sienne : « Il y a assez de grenouilles pour mon ami et moi. Prépare-les pendant que je vais à l'étuve. Ami Tepetzalan, peut-être aimeriez-vous vous rafraîchir, vous aussi ? »

Pendant que nous nous déshabillions dans l'étuve qui était derrière la maison, le tecuhtli me dit :

« Vous êtes sûrement un de nos lointains cousins du désert. Aucun de nos voisins ne parle notre langue.

— Oui, je suis bien un de vos cousins, mais je ne viens pas du désert. Avez-vous entendu parler de la nation mexica et de la grande ville de Tenochtitlán ?

— Non, répondit-il, comme s'il n'avait pas honte de son ignorance. Aztlán est la seule ville au milieu de ces villages misérables. » Je me gardai de rire et il poursuivit : « Nous nous flattons de nous suffire à nous-mêmes ici, aussi nous sortons rarement de chez nous pour faire des échanges avec les autres tribus. Nous connaissons seulement nos plus proches voisins, mais nous ne nous mêlons pas à eux. Au nord de ces marécages, vivent les Kaita. Puisque c'est de là que vous venez, vous avez dû vous rendre compte de leur pauvreté. Au sud d'ici, il n'y a qu'un tout petit village, Yakoreke. »

C'était une bonne nouvelle. Si Yakoreke était le village le plus proche, cela voulait dire que j'étais moins loin de chez moi que je l'avais cru. Yakoreke est l'avant-poste d'un territoire assujetti aux Purépecha. De là, le Michoacán n'était pas bien loin et ensuite, c'étaient les pays de la Triple Alliance.

« A l'est, poursuivit le jeune homme, se trouvent de hautes montagnes où vivent les Cora et les Huichol et au-delà de ces montagnes s'étend un très vaste désert où des gens pauvres de chez nous se sont exilés il y a très longtemps. Il arrive très rarement que l'un d'entre eux revienne à la terre de ses ancêtres.

— Je connais ces parents pauvres dont vous parlez, mais je vous le répète, je n'en suis pas et je sais aussi que tous vos parents éloignés ne sont pas tous restés pauvres. Parmi ceux qui sont partis d'ici pour chercher fortune ailleurs, il en est qui l'ont trouvée et une fortune qui dépasse tout ce que vous pouvez imaginer.

— Je suis bien heureux de l'apprendre, dit-il sur un ton indifférent. Le grand-père de ma femme s'en réjouira encore davantage ; c'est le conteur de " l'histoire d'Aztlán ". »

Cette remarque me fit réaliser que les Azteca ne connaissaient pas l'art des mots que les Mexica n'avaient acquis que beaucoup plus tard. Ils n'avaient donc ni livres d'histoire, ni archives et c'était un vieillard qui en était le dépositaire, maillon d'une longue lignée d'hommes qui s'étaient transmis ce patrimoine de génération en génération.

« Les dieux savent que ce trou n'est pas un endroit bien attrayant. Pourtant nous avons tout ce qu'il nous faut sur place. La marée nous procure de quoi manger sans même que nous ayons à chercher. Les cocotiers nous donnent le sucre, l'huile de nos lampes et une boisson fermentée. Nous tirons d'un palmier les fibres dont nous tissons nos vêtements ; d'un autre, la farine et d'un autre encore des fruits, les coyacapúli. Nous n'avons pas besoin de faire des échanges avec les autres tribus et les marais qui nous entourent nous mettent à l'abri de leurs attaques. »

Il continua ainsi à m'énumérer, sans grand enthousiasme, les avantages naturels d'Aztlán, mais j'avais cessé de l'écouter et je pensais combien j'étais loin de ce « cousin » qui portait le même nom que moi. Peut-être même avions-nous un ancêtre commun, mais nous avions évolué d'une façon totalement différente à cause de l'énorme disparité de notre éducation et de notre environnement. Ce cousin aurait très bien pu vivre dans l'antique Aztlán que ses aïeux avaient refusé de quitter. Ignorants de l'écriture, ils ignoraient également tout ce qui en découle : l'arithmétique, la géographie, l'architecture, le commerce, les conquêtes. Ils en savaient encore moins que les Chichimeca, ces barbares cousins qu'ils méprisaient tant et qui eux, du moins, avaient osé s'aventurer en dehors de l'horizon borné d'Aztlán.

Parce que mes ancêtres avaient abandonné ce cul-de-basse-fosse, j'avais hérité des connaissances et de l'expérience accumulées par les Azteca-Mexica, sans parler des arts et des sciences des civilisations antérieures. Du point de vue culturel et intellectuel, j'étais aussi supérieur à mon cousin Mixtli que les dieux l'étaient par rapport à moi. Cependant, je m'abstins de faire étalage de ma supériorité, car il n'était pas responsable de la condition dans laquelle l'avait plongé l'apathie de ses pères. Je me sentais prêt à faire tout mon possible pour le persuader d'abandonner Aztlán pour un monde de lumière.

Canautli, le vieux conteur, assistait à notre repas et nous regardait déguster les cuisses de grenouilles d'un œil envieux.

Tout affamé que j'étais, je trouvai le moyen de leur raconter brièvement, entre deux bouchées, ce qu'étaient devenus les Azteca après avoir quitté Aztlán. De temps à autre, ils hochaient la tête, en signe de muette admiration ou peut-être d'incrédulité, tandis que je dressais ce glorieux tableau. J'esquissai une rapide biographie de l'actuel Uey tlatoani Motecuzoma et une description lyrique de Tenochtitlán. Le vieux grand-père ferma les yeux en soupirant, comme s'il voulait imaginer toutes ces merveilles dans sa tête.

« Jamais les Mexica ne seraient montés si haut et si vite sans l'écriture, poursuivis-je. Vous aussi, tecuhtli Mixtli, vous pourriez faire d'Aztlán une grande cité et égaler vos cousins mexica si vous appreniez l'art de consigner les paroles.

— On est très bien comme on est », répliqua-t-il. Pourtant, son intérêt s'éveilla quand je lui montrai comment son nom s'écrivait, en grattant le sol de terre battue avec un os de grenouille.

Il se faisait tard et mon cousin m'offrit une paillasse pour dormir. J'achevai mon allocution en leur expliquant comment j'étais arrivé à Aztlán en remettant mes pas dans ceux de mes ancêtres pour tenter de prouver la véracité de la légende.

« Vous pourrez peut-être me répondre, vénérable conteur, dis-je en me tournant vers le vieux Canautli. Ont-ils emporté des provisions en vue d'un éventuel repli quand ils sont partis d'ici ? »

Je ne reçus pas de réponse ; le vénérable conteur s'était endormi.

« Vos aïeux sont partis avec presque rien », me dit-il le lendemain matin.

Je venais de déjeuner avec toute la famille de poissons minuscules et de champignons grillés. Mon homonyme était parti pour s'occuper des affaires de la cité et m'avait laissé en compagnie du grand-père. Contrairement à la veille, c'est lui qui fit, ce jour-là, tous les frais de la conversation.

« Si nos conteurs ont dit vrai, les émigrants n'ont emporté que quelques affaires et de maigres provisions de route. Ils ont pris l'effigie de leur nouveau dieu, une statue de bois faite à la va-vite, parce qu'ils étaient pressés de partir. Je pense que depuis vous en avez fabriqué d'autres pour la remplacer. A Aztlán, nous avons une autre divinité suprême dont nous ne possédons qu'une seule représentation. Mais nous reconnaissons aussi les autres dieux à qui nous nous adressons quand c'est nécessaire. Par exemple, Tlazolteotl nous débarrasse de nos péchés et Atlaua remplit les filets des oiseleurs. Mais nous avons une divinité qui est au-dessus de toutes les autres. Venez, cousin, je vais vous la montrer. »

Tandis qu'il m'emmenait dans les rues pavées de coquillages, ses petits yeux d'oiseau, noyés dans les rides, me lançaient des regards obliques, des regards perçants et malicieux.

« Tepetzalan, me dit-il, vous avez fait preuve de courtoisie et de discrétion. Vous n'avez pas dit ce que vous pensiez de vos cousins mais je crois l'avoir deviné. Je parie que vous considérez ceux qui sont restés comme le rebut, alors que les meilleurs sont partis. Vous croyez que nos ancêtres étaient des hommes trop paresseux ou trop timorés pour oser lever les yeux vers la gloire, qu'ils avaient peur des risques et qu'ainsi ils ont laissé passer l'occasion et qu'en revanche, vos aïeux se sont courageusement lancés dans l'aventure, certains qu'ils étaient destinés à dominer le monde. Voici le temple. »

Canautli s'était arrêté devant l'entrée d'une construction basse dont la façade était recouverte de l'habituel enduit de poudre de coquillage et décorée d'incrustations de conques marines.

« C'est notre unique temple ; il n'est pas bien grand. Si vous voulez bien entrer... »

Une fois à l'intérieur, je pris ma topaze pour mieux voir ce qui m'entourait.

« C'est Coyaulxauhqui, dis-je, avec une admiration sincère. Quelle magnifique œuvre d'art !

— Vous l'avez reconnue ? s'étonna-t-il. J'aurais cru que vous l'aviez oubliée depuis longtemps.

— Je dois admettre, vénérable vieillard, qu'elle n'est considérée chez nous que comme une divinité mineure ; mais sa légende est très ancienne et nous nous en souvenons encore. »

Mes révérends, il faut que je vous raconte rapidement cette légende. Coyaulxauhqui, dont le nom signifie Ornée de Grelots, était la sœur de Huitzilopochtli. Elle poussa ses autres frères, les Centzonhuitznahuá, à le tuer. Pour se venger, Huitzilopochtli lui trancha la tête. Les Centzonhuitznahua allèrent se confondre avec les autres étoiles, tandis que Coyaulxauhqui devenait la déesse de l'obscurité de la nuit.

« Pour nous, dit le vieux conteur, Coyaulxauhqui a toujours été la déesse-lune et nous l'adorons sous cette forme.

— Pourquoi adorez-vous la lune ? lui demandai-je. Elle ne sert à rien, sauf à nous éclairer la nuit et sa lumière est bien pâle.

— A cause des marées qui nous sont d'une grande utilité. A son extrémité ouest, notre lac n'est séparé de l'océan que par une petite barrière rocheuse. Quand la marée monte, elle déverse du poisson, des crabes et des coquillages dans la lagune et nous les récupérons quand la marée se retire.

— Mais la lune alors ? Vous croyez qu'elle est la cause des marées ?

— La cause ? Je n'en sais rien. Mais c'est elle qui nous en avertit. Quand la lune n'est qu'un fin croissant et qu'ensuite elle est pleine, nous savons qu'un certain temps après, la marée montera à son plus haut niveau et qu'elle déversera ses dons en abondance. C'est donc que la déesse a quelque chose à voir là-dedans.

— C'est possible », répondis-je en considérant l'effigie de Coyaulxauhqui avec plus de respect.

Ce n'était pas une statue mais un disque de pierre aussi parfaitement rond que la pleine lune et presque aussi grand que la Pierre du Soleil à Tenochtitlán. La déesse y était sculptée en relief, après son exécution par Huitzilopochtli. Son torse occupait le centre de la pierre. Sa tête coiffée de plumes était figurée de profil et sur sa joue était gravé le grelot dont elle tirait son nom. Ses bras et ses jambes, ornés de bracelets, étaient disposés tout autour. Il n'y avait aucune trace d'écriture, évidemment, mais on y voyait encore un peu de peinture, bleu pâle pour le fond et jaune pâle pour la déesse. Je demandai au vieillard à quand remontait cette effigie.

« Seule la déesse le sait. Elle était là bien avant que vos ancêtres s'en aillent. Elle est là depuis des temps immémoriaux.

— Comment lui rendez-vous hommage ? » dis-je en regardant autour de moi. La salle était complètement vide et sentait très fort le poisson. « Je ne vois aucun signe de sacrifices.

— Vous voulez dire que vous ne voyez aucune trace

de sang ? Vos pères, eux aussi, recherchaient le sang et c'est pourquoi ils sont partis. Coyaulxauhqui n'a jamais exigé de sacrifices humains. Nous ne lui offrons que des créatures inférieures de la mer ou de la nuit : des chouettes, des hérons de nuit ainsi que de petits poissons si gras qu'ils brûlent comme une chandelle après qu'on les ait fait sécher. Les fidèles viennent les allumer quand ils sentent le besoin d'entrer en communication avec la déesse. »

Tandis que nous ressortions dans la rue, le vieil homme poursuivit :

« Sachez, cousin Tepetzalan, que jadis, les Azteca n'étaient pas confinés ici. Aztlán était la capitale d'un vaste territoire qui s'étendait de la côte jusqu'aux montagnes et où vivaient plusieurs tribus composées de nombreux clans et qui obéissaient toutes à un seul tecuhtli qui n'était pas — contrairement à mon petit-fils — un chef purement nominal. C'était un peuple puissant mais pacifique, qui se satisfaisait de ce qu'il était et qui s'estimait protégé des dieux.

— Jusqu'au moment où certains devinrent plus ambitieux, suggérai-je.

— Jusqu'au moment où certains firent preuve de faiblesse ! rectifia-t-il vivement. Les récits disent qu'un jour des hommes qui chassaient dans les hautes montagnes rencontrèrent quelqu'un venu d'une terre lointaine qui se moqua de la vie simple qu'ils menaient, de leur religion si peu exigeante et qui leur demanda pourquoi, parmi les innombrables divinités, ils avaient choisi d'adorer la plus insignifiante, une déesse qui avait bien mérité d'être humiliée et exécutée, et pourquoi ils ne vénéreraient pas plutôt celui qui l'avait vaincue, le farouche, le puissant, le viril Huitzilopochtli. »

Je me demandais qui pouvait être cet étranger. Un Tolteca de l'ancien temps ? Non, un Tolteca aurait proposé le bienfaisant Quetzalcoatl en remplacement de Coyaulxauhqui.

« Ces hommes furent les premiers de notre peuple à subir cette mauvaise influence, poursuivit le vieux. On leur dit : " Adorez Huitzilopochtli " et ils l'adorèrent. On leur dit : " Il faut du sang pour nourrir Huitzilopochtli. " Ils lui en donnèrent. D'après nos conteurs, c'est à ce moment que se produisirent les premiers sacrifices humains exécutés par des hommes qui n'étaient pas des sauvages. Ils célébraient leurs cérémonies en secret dans sept grandes grottes de la montagne en prenant soin de ne répandre que le sang des orphelins et des vieillards sans défense. Puis on leur dit : " Huitzilopochtli est le dieu de la guerre. Suivez-le et il vous entraînera à la conquête de terres riches. " Les gens qui écoutaient cette voix étaient de plus en plus nombreux et ils offraient de plus en plus de sacrifices. Ils étaient insatisfaits de la vie qu'ils menaient et avides de verser le sang. »

Il se tut un moment. Je regardais autour de moi les hommes et les femmes qui passaient dans la rue, les descendants des Azteca. S'ils étaient un peu mieux vêtus, pensai-je, ils pourraient être des citoyens de Tenochtitlán.

« Quand le tecuhtli apprit ce qui se passait sur son territoire, il comprit qui seraient les premières victimes du dieu de la guerre. Les Azteca pacifiques qui se contentaient d'adorer Coyaulxauhqui. Y avait-il une conquête plus facile pour les adeptes de Huitzilopochtli ? Le tecuhtli n'avait pas d'armée, mais il avait des gardes courageux et fidèles. Ensemble, ils partirent vers les montagnes, prirent ces mécréants par surprise et en massacrèrent un grand nombre. Ils désarmèrent les survivants et les condamnèrent au bannissement. " Puisque vous avez choisi de suivre ce nouveau dieu, leur dit le tecuhtli, suivez-le, emmenez vos femmes et vos enfants et quittez ce pays. Vous avez jusqu'à demain pour partir ou pour mourir. " Au matin, ils étaient tous partis et on ne sait plus combien ils étaient. Je suis content de savoir qu'ils n'ont pas revendiqué le nom d'Azteca. »

Confondu, je restai un moment sans mot dire, puis je lui demandai :

« Et cet étranger, qu'est-il devenu ?

— Oh, elle a été parmi les premières victimes.

— Elle ?

— Je ne vous avais pas dit que c'était une femme ? Tous nos conteurs ont rapporté que c'était une femme yaki en fuite.

— Mais c'est impossible ! m'exclamai-je. Comment une yaki aurait-elle pu connaître Huitzilopochtli, Coyaulxauhqui et les autres dieux azteca ?

— Avant d'arriver chez nous, elle avait dû traverser beaucoup de pays et apprendre beaucoup de choses. On est sûr qu'elle parlait notre langue. Certains de nos conteurs ont pensé que c'était une sorcière.

— Même si cela était, insistai-je, pourquoi aurait-elle prêché pour le culte de Huitzilopochtli plutôt que pour celui de l'un des dieux yaki ?

— On ne peut que faire des suppositions, mais on sait que les Yaki vivaient surtout de la chasse au cerf et que leur dieu principal était Mixcoatl, dieu de la chasse. Quand les Yaki voyaient les hordes s'éclaircir, ils s'emparaient des femmes les moins indispensables, les ligotaient, les vidaient et les mangeaient comme ils l'auraient fait pour un cerf. Dans leur foi simple et primitive, ils croyaient que cette cérémonie inciterait le dieu de la chasse à repeupler les troupeaux. Cette femme yaki se serait enfuie pour échapper au sort qui lui était réservé. Je vous le répète, ce n'est qu'une supposition, mais nos conteurs ont toujours pensé que cette femme brûlait d'envie de voir les hommes subir le sort qu'elle aurait dû subir. Elle les haïssait tous sans distinction et c'est ici qu'elle aurait trouvé une occasion d'assouvir sa vengeance. Peut-être, en faisant croire qu'elle admirait Huitzilopochtli, espérait-elle dresser nos hommes les uns contre les autres pour qu'ils s'entre-tuent. »

J'étais si interdit que je ne pus que murmurer : « Une femme ! Ce serait une femme sans nom qui aurait conçu l'idée du sacrifice humain.

— Il est possible que cette hypothèse soit entière-ment fausse. Cela s'est passé il y a si longtemps. En tout cas, son idée a eu du succès, puisque partout, depuis, les hommes n'ont pas cessé de massacrer leurs semblables au nom des dieux. »

Je ne savais que dire.

« Vous voyez bien, conclut le vieillard, que les Azteca qui ont quitté Aztlán n'étaient ni les meilleurs, ni les plus courageux. Au contraire, c'étaient des indésirables et ils sont partis parce qu'on les a chassés. Vous avez dit que vous recherchiez des réserves que vos ancêtres auraient cachées sur leur chemin. Abandonnez cette quête, mon cousin. Elle est vaine. Même si on les avait autorisés à emporter leurs biens avec eux, ils ne les auraient pas enterrés en vue d'un retour possible. Ils savaient bien qu'ils ne pourraient jamais revenir. »

Je ne m'attardai pas longtemps à Aztlán, bien que mon cousin me pressât de rester. Il s'était mis en tête d'apprendre l'art des mots et il tenta de me garder pour que je le lui enseigne en m'offrant une cabane particu-lière et une de ses jeunes sœurs pour me tenir compa-gnie. Elle était jolie et d'un caractère enjoué, mais je dus dire à son frère que l'art des mots ne s'apprenait pas

aussi rapidement que l'art d'embrocher les grenouilles.
Je lui montrai comment représenter les choses concrètes
avec un dessin simplifié et j'ajoutai :

« Pour enseigner à utiliser ces images pour constituer
un langage écrit, il faut un professeur. Les meilleurs
sont à Tenochtitlán. Je vous conseille d'y venir.

— Par les membres raides de la déesse, grogna-t-il
avec un peu de son ancienne maussaderie. C'est tout
simplement que vous avez envie de partir. Mais moi, je
ne peux pas abandonner mes administrés avec pour
seule excuse l'envie soudaine que j'ai de vouloir m'instruire.

— Je connais une bien meilleure excuse, dis-je. Les
Mexica ont étendu très loin leurs possessions, mais ils
n'ont aucune colonie sur la côte nord de l'océan
Occidental. Notre Uey tlatoani serait ravi d'apprendre
qu'il a des cousins. Si vous alliez vous présenter à
Motecuzoma avec un cadeau convenable, vous pourriez
vous voir promu gouverneur d'une nouvelle province de
la Triple Alliance qui prendrait une importance autre
que ce qu'elle a en ce moment.

— Et quel cadeau ? ironisa-t-il. Du poisson ? Des
grenouilles ? Une de mes sœurs ?

— Et pourquoi pas la Pierre de la Lune », fis-je,
comme si je venais seulement d'y penser.

Il tituba sous le choc. « Quoi ! Notre seule et unique
image sacrée !

— Motecuzoma fera peut-être fi de la déesse, mais il
saura reconnaître une œuvre d'art.

— Donner la Pierre de la Lune, s'exclama-t-il. On
me haïrait encore plus que cette maudite sorcière yaki
dont parle le grand-père.

— Bien au contraire. Elle a été la cause de la
désintégration des Azteca et vous seriez l'artisan de sa

réconciliation. Penser que vous vous uniriez à la plus puissante nation du monde connu. »

Et c'est ainsi que lorsque je pris congé de tout le monde, j'entendis mon cousin Mixtli maugréer : « Je ne peux pas la pousser tout seul. Il faudrait convaincre les autres... »

Je n'avais plus aucune raison de poursuivre mon exploration. Il était temps que je rentre chez moi. Je ne vous parlerai pas des montagnes que j'ai traversées, ni des peuples que j'ai rencontrés. Pendant ce voyage de retour, j'eus constamment l'esprit occupé par toutes les choses que j'avais apprises... ou désapprises.

Cette invention d'une lignée incomparable ne tenait pas debout. Nos ancêtres n'ont pas quitté Aztlán à l'appel de la gloire, ils ont simplement été dupés par une femme folle ou vindicative, issue de la tribu la plus inhumaine qui soit. Même si cette légendaire sorcière yaki n'était qu'un mythe, ils s'étaient conduits de façon si odieuse que leurs propres frères les avaient chassés. Mes pères avaient quitté Aztlán sous la menace de l'épée ; ils avaient fui honteusement sous le couvert de la nuit. La plupart de leurs descendants vivaient toujours en marge de la société, dans l'exil perpétuel d'un lugubre désert. Seuls quelques-uns étaient parvenus jusqu'à la région des lacs et c'était uniquement à cause de cela qu'ils... que nous... que moi et tous les autres Mexica, nous ne menions plus une existence errante et stérile.

Tout en cheminant lentement vers l'est, je me perdais dans ces troublantes réflexions. Les Mexica étaient très fiers de leurs origines et voilà que j'en avais honte. Mais ces deux attitudes étaient également stupides et il ne fallait ni blâmer, ni louer nos ancêtres pour ce que nous étions devenus. Nous avions aspiré à autre chose qu'une vie dans un marécage et nous avions émigré de l'île d'Aztlán vers une autre île dont nous avions fait la plus prestigieuse des cités, la capitale d'un empire incomparable, le centre d'une civilisation qui ne cessait d'étendre son influence dans tout le Monde Unique. Il nous suffisait de dire : « Nous sommes les Mexica ! » pour imposer le respect à toutes les autres nations.

Rasséréné par ces méditations, je relevai la tête et me remis fièrement en marche vers le Cœur du Monde Unique.

Malheureusement, je me rendis vite compte que je ne pourrais pas soutenir longtemps cette allure altière et décidée. Plus je m'approchais de mon pays, plus j'avais l'impression de porter sur mon dos tout le poids de ces faisceaux d'années. J'avançais moins rapidement qu'autrefois, je m'essoufflais dans les côtes et quand j'escaladais des pentes trop raides, mon cœur cognait furieusement dans ma poitrine.

Je décidai de faire un crochet ; je voulais voir le premier site occupé dans la région des lacs, le berceau de notre civilisation : Teotihuacán, « Le lieu où les dieux sont créés ».

On ignore le nombre des faisceaux d'années qui se cachent derrière les ruines silencieuses et majestueuses de Teotihuacán. Les dalles de ses larges avenues sont depuis longtemps enfouies sous le sable apporté par le vent et sous l'herbe envahissante. Ses temples ne sont plus que des amoncellements de pierre. Ses pyramides dominent toujours la plaine, mais leurs cimes se sont épointées, leurs angles vifs se sont émoussés, sous l'assaut des ans et des intempéries. Les teintes éblouissantes qui faisaient resplendir la cité se sont fanées

— l'éclat du calcaire blanc, le miroitement des ors et le flamboiement des couleurs — et tout a sombré dans un gris triste et uniforme. Selon la tradition mexica, les dieux auraient élevé cette ville pour s'y réunir quand ils élaborèrent les plans de la création du monde. Mais d'après mon ancien professeur d'histoire, cette version ne serait qu'une légende romantique et la ville aurait en réalité été construite par des hommes, les anciens Tolteca, ces prodigieux maîtres-artisans.

Découvrir Teotihuacán comme je l'ai vue, à l'heure où ses pyramides incendiées par le soleil couchant semblaient gainées d'or rouge et où elles se profilaient sur l'arrière-plan du ciel bleu sombre, était un spectacle si saisissant qu'on pouvait croire, en effet, que c'était l'œuvre des dieux.

Je pénétrai dans la ville par le sud et je m'approchai de la pyramide qui, d'après les sages mexica, était dédiée à la lune, en enjambant les gros blocs éparpillés à la base. Elle avait perdu le tiers de sa hauteur et ses escaliers montaient vers un fouillis de pierres descellées.

Je ne m'y attardai pas et je pris l'avenue centrale qui est longue et large comme une belle vallée, mais beaucoup plus plane. C'est Miccaótli, la Voie des Morts et bien qu'elle soit envahie par des broussailles grouillantes de serpents et de lapins, il est toujours agréable de s'y promener. Elle s'étale sur plus d'une longue course et des temples en ruine la bordent de chaque côté, jusqu'à mi-parcours, à l'endroit où s'élève la masse gigantesque de l'icpac tlamanacalli que nos sages ont appelé la Pyramide du Soleil.

Quand je vous aurai dit que toute la ville de Teotihuacán est impressionnante, mais que la pyramide du Soleil la fait paraître insignifiante, vous aurez peut-être une idée de sa taille et de sa majesté. Elle est facilement une demi-fois plus grande que la grande pyramide de

Tenochtitlán, mais en réalité, personne ne peut dire quelle est sa hauteur exacte parce que sa base est en partie enfouie sous la terre amenée par le vent et la pluie depuis que Teotihuacán a été abandonnée. Cependant, ce qui reste est saisissant. Elle mesure deux cent trente pieds de côté, au niveau du sol et elle s'élève à la hauteur de vingt maisons ordinaires empilées les unes sur les autres. La surface du monument est inégale et déchiquetée parce que les dalles qui l'habillaient se sont toutes détachées et je pense que bien avant qu'elles ne commencent à tomber, elles avaient perdu leur enduit originel de plâtre blanc et leurs vives couleurs. La pyramide est formée de quatre étages superposés et chacun d'eux s'incline vers le haut avec un angle différent. Grâce à cet artifice, le monument paraît encore plus grand qu'il ne l'est en réalité. Trois larges terrasses en font le tour et au sommet il y a une petite plate-forme sur laquelle devait se trouver un temple. Il n'était certainement pas conçu pour les sacrifices humains, car il devait être tout petit. L'escalier qui monte à l'assaut de la pyramide est si ruiné que l'on distingue à peine ses marches.

La pyramide du Soleil est orientée vers le soleil couchant et sa façade était couleur de flamme et d'or quand j'y arrivai. Puis les ombres des temples en ruine la grignotèrent peu à peu et je me hâtai de gravir les degrés éboulés, pour chercher à échapper à l'ombre envahissante.

J'accédai à la dernière plate-forme en même temps que le dernier rayon du soleil et je m'y assis, cherchant à retrouver mon souffle. Un papillon attardé vint se poser près de moi. C'était un gros papillon tout noir qui battait doucement des ailes comme s'il avait eu, lui aussi, du mal à monter jusque-là. Toute la ville était maintenant plongée dans la pénombre, une brume légère montait du sol et la pyramide, toute massive qu'elle fût, semblait flotter dans les airs. La cité virait à l'argent et au bleu sombre. Elle était paisible et ensommeillée. Elle paraissait plus vieille que le temps et si inébranlable qu'elle semblait devoir durer encore après lui.

Je parcourus du regard son étendue et je vis soudain des lueurs lointaines qui grossissaient de plus en plus. La cité morte allait-elle reprendre vie ? Je me rendis alors compte que c'était une double rangée de torches et je me sentis un peu contrarié de ne plus avoir la ville à moi tout seul. Je savais qu'on y faisait de nombreux pèlerinages de Tenochtitlán, de Texcoco et d'ailleurs, pour déposer des offrandes ou pour prier. Un emplacement était même prévu pour accueillir les visiteurs : une grande prairie rectangulaire située à l'extrémité sud de l'avenue principale. Là où on pense que se trouvait l'ancienne place du marché.

Il faisait nuit noire quand la procession arriva sur cette place. Certaines torches s'arrêtèrent et se mirent en cercle, tandis que d'autres se déplaçaient çà et là. Assuré que personne ne s'aventurerait à l'intérieur de la ville avant le lendemain matin, je contournai la plate-forme pour me mettre face à l'est et assister au lever de la lune. Elle était pleine, parfaitement ronde et aussi belle que la pierre de Coyaulxauhqui à Aztlán. Ensuite, je me retournai à nouveau pour contempler Teotihuacán à sa lueur. La brise avait chassé la brume et chaque détail des édifices se détachait nettement dans le clair de lune bleuté.

J'avais connu jusque-là une existence mouvementée avec quelques rares moments de tranquillité et j'espérais qu'il en serait de même jusqu'à la fin. Pourtant, je savourais cet instant de sérénité et j'étais si ému que je composai alors le seul poème de ma vie. Il ne parlait pas de faits historiques, il était inspiré par la beauté et le silence de ce lieu inondé par la clarté lunaire. Lorsque j'eus fait le poème dans ma tête, je me dressai au sommet de la pyramide du Soleil pour le déclamer à la face de la cité déserte :

> *Jadis, quand rien n'existait que la nuit,*
> *Ils s'assemblèrent, en des temps oubliés*
> *Les dieux les plus puissants*
> *Pour décréter l'aube et la lumière.*
> *Ici...*
> *A Teotihuacán.*

« Félicitations », fit une voix derrière moi. Je fus si surpris que je faillis dégringoler de la pyramide. La voix répéta le poème, mot pour mot et je la reconnus. Par la suite, j'ai eu l'occasion d'entendre mon œuvrette récitée par d'autres personnes, mais jamais plus par le Seigneur Motecuzoma Xocoyotl Cem-Anahuac Uey tlatoani, Orateur Vénéré du Monde Unique.

« Félicitations, répéta-t-il. D'autant que les Chevaliers-Aigle ne sont pas spécialement réputés pour leur esprit poétique.

— Ni parfois pour leur esprit chevaleresque, dis-je, sachant que lui aussi m'avait reconnu.

— Ne crains rien, Chevalier Mixtli. Tes subordonnés ont pris sur eux tout le blâme de l'échec de Yanquitlan et ils ont été dûment exécutés. Plus aucun doute ne subsiste. Avant d'aller au-devant de la guirlande fleurie, ils m'ont parlé de l'exploration que tu projetais. Quel en a été le résultat ?

— Guère meilleur qu'à Yanquitlan, Seigneur, fis-je, réprimant un soupir en pensant aux amis qui étaient morts à ma place. Je n'ai réussi qu'à prouver que les prétendues réserves des Azteca n'ont jamais existé. »

Après lui avoir fait le résumé de mon voyage, je conclus par ces mots que j'avais entendu prononcer partout en plusieurs langues différentes. Motecuzoma hocha pensivement la tête et les répéta, le regard perdu dans la nuit, comme s'il pouvait voir toute l'étendue de ses possessions et ses paroles résonnèrent alors comme une sinistre épitaphe :

« Les Azteca sont passés ici, mais ils n'avaient rien amené avec eux et ils n'ont rien laissé en partant. »

« Je n'ai eu aucune nouvelle de Tenochtitlán et de la Triple Alliance depuis plus de deux ans, dis-je après un silence embarrassé. Quelle est la situation en ce moment, Seigneur Orateur ?

— Aussi sombre qu'à Aztlán. Nos guerres ne nous ont rien rapporté. Nos possessions ne se sont pas agrandies d'une main et pendant ce temps les présages se sont multipliés qui prévoient une catastrophe terrible et mystérieuse. »

Il me fit alors un court récit des derniers événements. Il n'avait cessé de harceler nos indépendants voisins texcalteca pour qu'ils se soumettent, mais sans succès. Ils étaient toujours aussi indépendants et plus hostiles que jamais envers Tenochtitlán. La seule action récente que Motecuzoma aurait pu considérer comme une victoire n'était en fait qu'une mesure de représailles. Les habitants de la ville de Tlaxiaco, dans le pays mixteca, avaient intercepté et gardé pour eux un tribut destiné à Tenochtitlán, envoyé par des villes du sud. Motecuzoma avait pris personnellement la tête de son armée et avait plongé Tlaxiaco dans un bain de sang.

« Et pourtant, poursuivit Motecuzoma, tout cela est moins inquiétant que certains phénomènes naturels. Un matin, il y a environ un an et demi, le lac de Texcoco tout entier s'est soudain agité comme une mer en furie. Pendant un jour et une nuit, il a tempêté, écumé et inondé toutes les zones basses. Sans aucune raison, car il n'y avait ni orage, ni vent, ni tremblement de terre.

Ensuite, l'année dernière, le temple de Huitzilopochtli a pris feu et a été totalement détruit. Depuis on l'a restauré et le dieu n'a pas semblé offensé. Cet incendie au sommet de la grande pyramide se voyait de partout tout autour du lac et il a semé la terreur dans tous les esprits.

— C'est étrange, en effet. Comment un temple de pierre peut-il prendre feu, même si un fou y jette une torche enflammée ? La pierre ne brûle pas.

— Oui, mais le sang coagulé brûle et l'intérieur du temple en était tapissé d'une couche épaisse. L'odeur a persisté dans la ville pendant plusieurs jours. Après tous ces événements, voilà qu'est apparue cette chose maudite. »

Il me montra le ciel et je pris ma topaze pour regarder. Je poussai un grognement involontaire en découvrant la chose. Je n'en avais jamais vue auparavant et je ne l'aurais certainement pas distinguée si on ne me l'avait pas indiquée. Pourtant je reconnus aussitôt ce que nous appelons une étoile fumante et que vous, Espagnols, nommez étoile chevelue ou comète. Elle était très belle ; on aurait dit une grosse touffe de duvet parmi les autres étoiles.

« Les astronomes de la cour l'ont aperçue pour la première fois il y a un mois, me dit Motecuzoma, quand elle était encore trop petite pour être vue par un œil non exercé. Depuis, elle est là toutes les nuits, au même endroit et elle devient de plus en plus grosse et brillante. Beaucoup de gens n'osent plus sortir la nuit et même les plus téméraires enferment leurs enfants à la maison pour les mettre à l'abri de son éclat maléfique.

— C'est cette étoile fumante qui a poussé le Seigneur Orateur à venir rechercher la compagnie des dieux dans la cité sacrée ?

— Ce n'est pas seulement ça, soupira-t-il. Cette

apparition est troublante, mais il y a eu d'autres signes encore plus funestes. Tu sais que le dieu suprême de Teotihuacán est le Serpent à plumes et qu'on croit qu'il reviendra un jour avec ses Tolteca pour reprendre ses territoires.

— Je connais toutes ces vieilles légendes, Seigneur Orateur. Quetzalcoatl aurait construit un radeau magique et aurait dérivé sur l'océan Oriental après avoir juré de revenir un jour.

— Et tu te rappelles, Chevalier Mixtli, ce jour où nous avons parlé avec l'Orateur Vénéré Nezahualpilli d'un dessin venu du pays des Maya ?

— Oui, Seigneur, répondis-je, embarrassé par ce souvenir bien peu agréable. Une grande maison qui flottait sur la mer.

— Sur l'océan Oriental, insista-t-il. Sur le dessin, cette maison flottante semblait contenir des occupants. Nezahualpilli et toi vous les avez appelés des Etrangers.

— Je m'en souviens très bien, Seigneur. Est-ce que ce ne sont pas des Etrangers ? Voulez-vous dire que le dessin représentait Quetzalcoatl revenant chez lui avec les Tolteca qu'il aurait fait sortir du royaume des morts ?

— Je ne sais pas, répondit-il avec une humilité bien inhabituelle. On vient de me prévenir qu'une autre de ces maisons flottantes était apparue une nouvelle fois au large de la côte maya. Elle s'est retournée comme une maison secouée par un tremblement de terre et deux de ses occupants sont venus s'échouer sur le rivage, à moitié morts. S'il y en avait d'autres dans la maison, ils se sont certainement noyés. Les deux survivants se sont remis et ils vivent maintenant dans le village de Tihó dont le chef a envoyé un messager pour me demander ce qu'il fallait en faire car il affirme que ce sont des dieux et il dit qu'il ne sait pas comment procéder avec les dieux.

— Mais Seigneur, ce sont vraiment des dieux ? bredouillai-je sous le coup d'une stupéfaction croissante.

— Je ne sais pas, répéta-t-il. Le message est typique de ces imbéciles de Maya. Il est si incohérent qu'on ne sait même pas s'il s'agit d'hommes, de femmes ou encore d'un couple comme la Dame et le Seigneur. Il paraît qu'ils ont la peau très blanche, le corps et le visage velus et qu'ils parlent un langage incompréhensible même pour les plus sages des sages de l'endroit. Je pense que les dieux sont différents de nous et qu'ils parlent autrement, n'est-ce pas aussi ton avis ?

— Les dieux doivent prendre l'aspect qui leur plaît et parler toutes les langues humaines. Ce qui m'étonne c'est que des dieux aient pu chavirer et se soient presque noyés comme des marins maladroits. Qu'avez-vous conseillé au chef, Seigneur Orateur ?

— D'abord, de se taire tant que nous ne serons pas certains de la nature de ces êtres. Ensuite, de leur donner à boire et à manger tant qu'ils le voudront et de leur fournir une compagnie du sexe opposé s'ils le désirent, afin qu'ils se plaisent à Tihó et enfin, ce qui est le plus important, qu'il les garde là et qu'il les mette à l'abri des regards indiscrets pour qu'on ignore leur existence le plus longtemps possible. Cet événement ne troublerait peut-être pas beaucoup les apathiques Maya, mais si la nouvelle parvenait chez des peuples plus perspicaces, elle pourrait causer de l'émoi, ce que je ne veux à aucun prix.

— Je connais Tihó, lui dis-je. C'est plus qu'un village, c'est une petite ville. Ses habitants sont des Xiu et ils sont bien supérieurs aux autres Maya. Je pense qu'ils suivront vos ordres, Seigneur Orateur et qu'ils garderont le secret. »

Dans le clair de lune, je vis Motecuzoma se tourner vers moi.

« Tu parles les langues maya, fit-il brusquement.

— Le dialecte xiu, oui, Seigneur. Assez bien.

— Et tu auras vite fait d'apprendre les autres »,
poursuivit-il avant que j'aie eu le temps d'ajouter autre
chose. Il semblait parler pour lui-même. « Je suis venu à
Teotihuacán, la cité de Quetzalcoatl, en espérant qu'il
m'enverrait un signe, une indication pour me dire
comment faire face à la situation. Et qu'est-ce que je
trouve à Teotihuacán ? » Il se mit à rire, mais son rire
me parut forcé. « Tu pourrais faire oublier tes négligences passées, Chevalier Mixtli, si tu te portais volontaire
pour entreprendre une démarche exceptionnelle, si tu
voulais être l'émissaire des Mexica et de toute l'humanité auprès des dieux. »

Il avait prononcé ces paroles sur un ton moqueur,
comme s'il n'y croyait pas lui-même. Nous savions
pourtant tous les deux que ce n'était pas totalement
incroyable. Quelle aventure extraordinaire ! Etre le
premier homme à entrer en contact avec des êtres qui
nous étaient tellement supérieurs. Parler à des... oui, à
des *dieux* !

Mais, pour le moment, je restais sans voix et Motecuzoma rit à nouveau de mon ébahissement. Il se dressa au
sommet de la pyramide et, m'attrapant par l'épaule, il
me dit sur un ton enjoué :

« Alors, Chevalier Mixtli, on est trop faible pour
répondre. Viens, mes serviteurs vont te préparer un bon
repas. Tu vas pouvoir nourrir ta résolution. »

Nous redescendîmes prudemment de la pyramide du
côté éclairé par la lune et la descente fut presque aussi
pénible que la montée. Nous prîmes ensuite la voie des
Morts pour gagner la grande esplanade où s'était établi
le campement. Des esclaves étaient en train de faire la
cuisine et ils avaient installé des paillasses protégées par
des moustiquaires pour les prêtres, les chevaliers et les

courtisans qui accompagnaient Motecuzoma. Le grand prêtre que j'avais vu officier à la cérémonie du Feu Nouveau, cinq ans auparavant, vint à notre rencontre. Il ne m'accorda qu'un regard fugitif et déclara d'un air gonflé d'importance :

« Seigneur Orateur, pour les requêtes que nous adresserons demain aux anciens dieux, j'ai pensé que...

— Ne te casse pas la tête, coupa Motecuzoma. Plus besoin de requêtes. On rentre à Tenochtitlán dès demain matin.

— Mais, Seigneur, protesta le prêtre, maintenant que tout le monde est là, votre suite, vos nobles invités...

— Il arrive parfois que les dieux accordent leurs faveurs avant même qu'on les leur ait demandées, lui répondit Motecuzoma en me lançant un coup d'œil complice. L'ennui, c'est qu'on ne sait jamais s'ils sont sérieux ou s'ils veulent se moquer de nous. »

Je m'assis à côté de lui, entouré d'un cercle de gardes du palais et d'autres chevaliers dont beaucoup me reconnurent et me saluèrent. Malgré ma tenue sale et loqueteuse qui détonnait étrangement dans cette assemblée couverte de plumes et de bijoux, le Uey tlatoani m'avait donné la place d'honneur, à sa droite. Il me parla longuement de la mission qu'il m'avait confiée. Il me suggéra des questions à poser aux dieux quand j'aurais appris leur langage et me conseilla la prudence dans les réponses que je leur ferais. Quand enfin il se tut pour manger une caille grillée, je m'enhardis à lui demander :

« Seigneur, puis-je vous adresser une seule requête ? Me permettez-vous de me reposer chez moi un moment avant d'entreprendre ce voyage ? Quand je suis parti, j'étais dans la force de l'âge et j'ai l'impression maintenant de rentrer dans l'âge de jamais.

— Bien sûr. Inutile de t'excuser, c'est le sort commun

de tous les hommes. Nous finissons tous pour atteindre le ueyquin ayquic. »

Je vois, mes révérends que vous ne savez pas ce que veut dire ueyquin ayquic, l' « âge de jamais ». Non, non, Seigneurs, il ne s'agit pas d'un âge déterminé. Il arrive tôt pour certains et plus tard pour d'autres. J'avais alors quarante-cinq ans, j'étais entré dans la maturité et j'avais échappé à ses griffes plus longtemps que la plupart de mes semblables. Le ueyquin ayquic arrive avec le moment où l'on commence à se plaindre : « *Ayya,* jamais les côtes ne m'ont semblé aussi raides », ou bien « *Ayya,* mon dos ne m'avait jamais fait tant souffrir » ou encore : « *Ayya,* jamais je n'avais trouvé un cheveu gris ».

Voilà ce que veut dire l'âge de jamais.

« Repose-toi bien avant de partir, poursuivit Motecuzoma. Mais cette fois, tu n'iras pas à pied. Un émissaire officiel des Mexica doit voyager en grande pompe, surtout qu'il va conférer avec des dieux. Tu auras une litière confortable, une escorte de soldats et tu revêtiras ta plus belle tenue de Chevalier-Aigle. »

Motecuzoma fit alors venir un de ses messagers et lui donna des instructions. L'homme prit aussitôt le pas de course en direction de Tenochtitlán pour avertir les miens de mon arrivée imminente. L'Orateur avait agi dans une bonne intention, pour que ma femme et mes domestiques aient le temps de se préparer à m'accueillir, mais le résultat faillit bien être catastrophique.

Le lendemain, en début d'après-midi, j'arrivai à Tenochtitlán. J'avais un aspect aussi engageant qu'un mendiant lépreux et les gens faisaient un grand détour pour m'éviter ou ramenaient ostensiblement leur manteau sur eux pour éviter mon contact. Cependant, en arrivant dans mon quartier, je reconnus des voisins qui me saluèrent poliment. En arrivant devant chez moi, j'aperçus la maîtresse de maison en haut des marches de la porte d'entrée. J'ajustai ma topaze et je faillis m'évanouir au beau milieu de la rue. C'était Zyanya qui m'attendait.

Elle se détachait dans la lumière du jour, vêtue seulement d'un corsage et d'une jupe, tête nue, et dans ses cheveux flottants, je voyais une mèche blanche. Le choc me transperça de part en part. Soudain, tout se brouilla autour de moi ; les maisons et les gens se mirent à tournoyer. Ma gorge se serra tant que je ne pouvais plus respirer. Mon cœur bondit de joie, puis il se mit à cogner plus fort qu'il ne l'avait jamais fait quand j'escaladais les pentes. Je chancelai et cherchai à me rattraper à un poteau d'éclairage.

« Zaa ! » s'écria-t-elle, en me retenant. Je ne l'avais pas vu accourir à ma rencontre. « Es-tu blessé ? Es-tu malade ?

— Tu es bien Zyanya ? » parvins-je à articuler dans un souffle. La rue s'était obscurcie mais je voyais toujours luire sa mèche de cheveux.

« Mon cher... mon cher... vieux... Zaa... » Elle me pressa sur son doux sein.

« Mais alors, c'est moi qui suis venu ! » Je riais de bonheur d'être mort. « Tu m'as attendu pendant tout ce temps à la frontière du lointain pays...

— Mais non, tu n'es pas mort, roucoula-t-elle. Tu es seulement très fatigué. J'ai agi sans réfléchir, j'aurais dû te cacher cette surprise.

— Quelle surprise ? » m'exclamai-je. Ma vision s'éclaircissait et je levai les yeux vers son visage. C'était celui de Zyanya et il était plus beau que celui d'aucune femme, mais ce n'était pas ma Zyanya de vingt ans. Ce visage avait le même âge que moi, alors que les morts échappent au temps. Zyanya était toujours jeune,

958

comme Cozcatl, et ma Nochipa aurait éternellement douze ans. Moi seul étais resté sur cette terre à connaître l'âge sombre de jamais.

Béu Ribé avait dû lire une terrible menace dans mon regard, car elle me lâcha et recula prudemment. Le choc était passé, mais je sentais tout mon corps se glacer. Je me redressai et lui dis durement :

« Cette fois tu l'as fait exprès. Tu as voulu me tromper.

— Je pensais... je croyais que ça t'aurait fait plaisir, fit-elle d'une voix tremblante, en continuant de s'éloigner de moi. — Je m'étais dit que si ta femme était comme celle que tu avais aimée... » Sa voix n'était plus qu'un murmure. « Tu sais bien, Zaa, que la seule différence visible entre nous, c'est cette mèche.

— La seule différence ! grondai-je.

— Hier soir, après que le messager fut venu m'avertir de ton arrivée, j'ai préparé du lait de chaux et je me suis décolorée une mèche. Je pensais qu'ainsi tu voudrais bien de moi, au moins pour un moment.

— J'ai failli en mourir, grinçai-je. D'ailleurs, j'en aurais été bien content. Je te jure que c'est la dernière fois que tu me joues tes perfides tours. C'en est fini de tes manigances et de tes sorcelleries. »

J'avais pris les lanières de mon sac dans la main droite et avec la gauche, je la saisis par le poignet et la fis rouler à terre.

« Zaa, cria-t-elle, désespérée. Toi aussi tu as du blanc dans tes cheveux maintenant ! »

Des voisins s'étaient assemblés dans la rue. Ils avaient souri en voyant ma femme accourir au-devant d'un mari prodigue, mais leur sourire se figea quand je commençai à la battre. Je crois bien que je l'aurais tuée si j'en avais eu la force. Mais j'étais fatigué, comme elle me l'avait fait remarquer et je n'étais plus jeune, non plus, comme elle l'avait également souligné. Néanmoins, le cuir lacéra ses légers vêtements qui se déchirèrent et découvrirent sa nudité. Son corps, couleur de miel, qui aurait pu être le corps de Zyanya, se couvrit de marbrures rouges, mais les coups que je lui donnais n'étaient pas assez violents pour faire jaillir le sang. Elle s'évanouit sous le coup de la douleur et je l'abandonnai là, exposée à tous les regards. Je montai l'escalier en chancelant pour entrer dans la maison, plus qu'à moitié mort.

La vieille Turquoise — elle était vieille maintenant — s'écarta craintivement sur mon passage. Je n'avais plus de voix et je lui fis comprendre par gestes d'aller s'occuper de sa maîtresse. Je parvins, je ne sais comment, à monter au premier étage. On avait préparé une seule chambre. En jurant, je passai dans l'autre pièce et, avec beaucoup de difficulté, je déroulai les couvertures qu'on avait rangées là puis je m'y laissai tomber, sans forces. Je sombrai dans le sommeil, comme je sombrerai un jour dans les bras de la mort et dans ceux de Zyanya.

Je dormis jusqu'au lendemain midi et Turquoise attendait anxieusement mon réveil devant la porte. L'autre chambre était fermée et aucun son n'en sortait. Je ne lui demandai pas des nouvelles de Béu et lui donnai l'ordre de me préparer un bain, de chauffer les pierres de l'étuve, de me sortir des vêtements propres et de me faire à manger en grande quantité. Quand j'eus bien transpiré et bien trempé, je m'habillai et descendis pour dévorer à moi tout seul la ration de trois hommes.

Tandis que la servante m'apportait le second plat et le troisième pot de chocolat, je lui dis :

« Il va me falloir ma tenue, mon armure et tous mes accessoires de Chevalier-Aigle. Quand tu auras fini de me servir mon repas, tu les sortiras pour les aérer et tu lisseras bien les plumes. Pour l'instant, va me chercher Chanteur Etoile.

— Maître, j'ai le regret de vous apprendre que Chanteur Etoile est mort d'un coup de froid l'hiver dernier.

— Alors, c'est toi qui iras, Turquoise, répondis-je, fort peiné de cette nouvelle. Avant de t'occuper de mon uniforme, il faut que tu ailles au palais...

— Moi, maître ? Au palais ? Jamais les gardes ne me laisseront approcher.

— Dis-leur que tu viens de ma part et ils te feront entrer, m'impatientai-je. Tu devras délivrer mon message au Uey tlatoani et à lui seul.

— Au Uey... !

— Silence, femme ! Voici ce que tu vas lui dire. Retiens-le bien : " L'émissaire de l'Orateur Vénéré n'est plus fatigué. Nuage Noir est prêt à partir en mission dès que l'escorte sera formée. " »

Et, sans même avoir revu Lune en Attente, je me mis en route pour aller rendre visite aux dieux en attente.

I H S

✠

A.I.M.C.

A Son Auguste et Impériale Majesté Catholique,
L'Empereur Charles Quint, Notre Roi :

Très Haute Majesté, Premier de tous les Princes, de
la ville de Mexico, capitale de la Nouvelle-Espagne, en
cette veille de la fête du Corpus Christi de l'année mille
cinq cent trente et un de Notre Seigneur, nous vous
adressons nos salutations.

Ce sont la douleur, la colère et la contrition qui nous
dictent ces lignes. Dans notre dernière lettre, nous
exprimions notre exaltation à propos des sages observations de notre Souverain concernant une possible,
que dis-je une irréfutable, similitude entre la divinité
indienne Quetzalcoatl et notre saint Thomas. Nous
sommes maintenant dans l'obligation d'annoncer avec
une grande tristesse et un grand embarras de très
mauvaises nouvelles.

Nous nous empressons de signaler qu'aucun doute n'a
été jeté sur la brillante théorie, *per se*, de Votre
Bienveillante Majesté, mais nous devons vous faire
savoir que votre dévoué chapelain a montré trop de hâte
en voulant apporter des preuves à cette hypothèse.

Les hosties enfermées dans le coffret découvert dans
l'antique cité de Tula nous avaient paru un témoignage

certain de la véracité de cette supposition. Et voilà que nous venons d'apprendre — comme Votre Majesté le lira dans les pages ci-jointes — en écoutant le récit de notre Aztèque que nous avons été trompés par un acte de superstition des Indiens accompli il n'y a pas très longtemps. Ils y auraient été encouragés par un prêtre espagnol apostat qui s'était auparavant rendu coupable d'un vol inqualifiable et sacrilège. Par conséquent, nous avons dû, à notre grand regret, écrire à la Congregatio de Propaganda Fidei pour confesser notre crédulité et pour lui demander qu'elle ne tienne pas compte de cette fausse preuve. Etant donné que les autres relations apparentes entre saint Thomas et le mythique Serpent à plumes sont purement accidentelles, il faut s'attendre à ce que la Congregatio rejette la théorie de Votre Majesté, du moins avant d'avoir des preuves plus tangibles.

Nous souffrons d'avoir à faire une réponse aussi décourageante, mais nous soutenons que la faute n'en incombe pas à notre trop grand empressement à vouloir prouver la perspicacité de Votre Majesté, *elle est uniquement le fait de ce vieux singe d'Aztèque !*

Il savait très bien que nous étions en possession de ce coffret et il était parfaitement conscient de l'excitation qu'il avait suscitée chez nous et chez tous les Chrétiens de ce pays. Ce misérable aurait pu nous dire comment cet objet s'est trouvé là où on l'a découvert. Il aurait pu empêcher toute cette joie prématurée et les nombreux offices célébrés en son honneur, ainsi que le respect dans lequel nous tenions cette relique apparemment divine. Et par-dessus tout, il aurait pu nous épargner de nous ridiculiser en faisant connaître l'affaire jusqu'à Rome.

Mais non, ce gredin a été témoin de notre félicité en dissimulant une méchante gaieté et il n'a pas dit un mot pour ouvrir nos yeux abusés. Ce n'est que lorsqu'il était trop tard que, dans le cours de son récit et avec un air détaché, il a dévoilé la véritable origine de ces hosties et la façon dont elles avaient été cachées à Tula. Nous nous sentons personnellement humiliés, sachant que nos supérieurs de Rome vont se gausser de cette mystification. Mais nous sommes encore plus contrits parce que dans notre empressement à informer la Congregatio, nous avons paru attribuer la même crédulité à Notre Très Respecté Empereur, bien que nous ayons fait tout cela dans le seul but de laisser à Votre Majesté tout le crédit d'une découverte qui aurait réjoui les Chrétiens du monde entier.

Nous savons que vous voudrez bien rejeter tout le blâme de notre confusion sur le vrai coupable, cet Indien fourbe et perfide dont le silence est parfois aussi offensant que les paroles. (Dans ces dernières pages, Sire, vous verrez qu'il utilise la noble langue castillane comme prétexte pour prononcer des mots qui jamais encore n'étaient tombés dans l'oreille d'un évêque.) Notre Souverain reconnaîtra peut-être enfin que quand cette créature se moque effrontément du vicaire de Votre Majesté, elle se moque du même coup de Votre Majesté elle-même et de façon tout à fait consciente. Peut-être, Sire, trouverez-vous qu'il est grand temps de renvoyer ce vieux barbare dépravé dont nous souffrons la présence importune et les grossières révélations depuis plus d'un an et demi.

Nous supplions Votre Majesté d'excuser la brièveté, l'amertume et la brusquerie de cette missive. Notre contrariété est trop forte pour le moment pour que nous puissions écrire plus longuement et sur le ton de la dignité compatible avec notre Saint Office.

Que la bonté et la vertu qui émanent de Votre

Radieuse Majesté continuent à éclairer le monde, tel est le vœu du dévoué (et confus) chapelain de Votre Majesté,

(*ecce signum*) Zumarraga

UNDECIMA PARS

Ayyo! Après une aussi longue absence, voici Votre Excellence revenue parmi nous. Je crois en deviner la raison. C'est parce que je vais parler de ces dieux nouveaux venus et les dieux intéressent toujours un homme d'église. Votre présence nous honore, Seigneur Evêque, aussi, pour ne pas abuser de votre temps précieux, je vais me hâter d'en venir à cette confrontation. Je ferai seulement une petite digression pour vous parler d'une rencontre que je fis en chemin avec un être de moindre importance, car elle se révéla par la suite particulièrement significative.

Je quittai Tenochtitlán un jour seulement après y être arrivé et j'effectuai ce départ en grand style. L'inquiétante étoile fumante ne se voyant pas dans la journée, les rues grouillaient de monde et un public nombreux assista à la parade. Je portais mon casque au bec féroce et mon armure emplumée de Chevalier-Aigle et je tenais contre moi mon bouclier avec les symboles de mon nom. Cependant, dès que j'eus franchi la chaussée, je confiai tout cela à l'esclave chargé de porter mon étendard et mes autres insignes. J'enfilai des vêtements plus commodes pour voyager et je ne me parais plus de mes beaux atours que lorsque nous arrivions dans une localité importante où je voulais impressionner le chef par mon rang.

Le Uey tlatoani avait mis à ma disposition une litière dorée et ornée de pierreries où je montais quand j'étais fatigué de marcher et une autre litière remplie de présents pour le chef Xiu Ah Tutal ainsi que d'autres cadeaux que je devrais remettre aux dieux, s'ils s'avéraient en être et s'ils ne méprisaient pas nos offrandes. Outre les porteurs de litière et les hommes qui convoyaient les provisions de route, j'étais accompagné d'une escorte recrutée parmi les gardes du palais les plus solides et les plus imposants, tous formidablement armés et somptueusement vêtus.

Inutile de vous dire que pas un seul malfaiteur n'osa s'attaquer à notre convoi. Inutile aussi de décrire la façon dont nous fûmes reçus à chaque halte. Je ne raconterai que notre passage à Coatzacoalcos, ville-marché sur la côte nord de l'étroite bande de terre qui sépare les deux grands océans.

J'y arrivai avec toute mon escorte le soir d'un jour de marché particulièrement animé, aussi je ne cherchai pas à pénétrer dans le centre de la ville pour trouver un logement digne des visiteurs de marque que nous étions. Nous installâmes simplement notre campement dans un champ à l'extérieur de la cité où d'autres caravanes s'étaient également arrêtées. La plus proche de nous était celle d'un marchand d'esclaves qui venait vendre à ce marché une quantité considérable d'hommes, de femmes et d'enfants. Après le dîner, j'allai faire un tour de leur côté avec le vague espoir d'y trouver un remplaçant pour Chanteur Etoile en pensant que je ferais une bonne affaire si je pouvais l'acheter avant les enchères du lendemain.

Le pochtecatl m'apprit qu'il avait acheté son troupeau humain dans l'intérieur de la région olmeca chez les

Coatlicamac et les Cupílco. Les pauvres diables marchaient, dormaient et mangeaient attachés les uns aux autres par une longue corde enfilée dans la cloison nasale de chacun d'eux. On libérait les femmes et les enfants pour qu'ils installent le camp, pour qu'ils fassent le feu et la cuisine et pour qu'ils aillent chercher l'eau et le bois. Tandis que je me promenais en regardant distraitement la marchandise, une jeune fille qui portait une jarre s'approcha timidement de moi et me demanda d'une voix douce :

« Le Seigneur Chevalier aimerait-il boire un peu d'eau fraîche ? Au bout du champ, il y a une rivière qui se jette dans la mer et j'ai puisé cette eau il y a assez longtemps pour que toutes les impuretés aient eu le temps de se déposer. »

Tout en buvant, je l'examinai. C'était sans aucun doute une fille de la campagne, petite, mince, pas très propre, elle était vêtue d'une longue blouse en toile de sac. Cependant, elle était assez fine et elle avait le teint clair. Elle était même plutôt jolie, à la manière d'une adolescente pas encore formée. Contrairement à la gent féminine de la région, elle ne mâchait pas de tzictli et elle ne semblait pas trop ignorante.

« Tu m'as parlé en nahuatl. Comment se fait-il que tu connaisses cette langue ? »

La fille prit un air affligé et murmura :

« On voyage beaucoup à être constamment vendu et racheté. Ça m'a au moins servi d'instruction. Ma langue maternelle est le coatlicamac, Seigneur, mais j'ai appris certains dialectes maya et le nahuatl. »

Elle me dit alors s'appeler Ce-Malinali.

« Une Herbe, dis-je. Ce n'est qu'une date. Ça ne fait que la moitié d'un nom.

— Eh oui, soupira-t-elle tragiquement. Même les enfants d'esclaves ont un nom à sept ans, mais pas moi.

Je suis encore moins qu'une enfant d'esclave. Je suis orpheline de naissance. »

Elle m'expliqua que sa mère était une putain coatlica-matl, mise enceinte par les œuvres d'un de ses clients et qui avait accouché dans un fossé alors qu'elle travaillait aux champs, aussi indifféremment qu'elle aurait fait ses besoins naturels. Elle avait abandonné le bébé sur place, sans s'en soucier davantage que de ses excréments. Une brave femme qui était peut-être en mal d'enfant, avait découvert l'enfant avant qu'elle ne meure et l'avait emmenée chez elle.

« Je ne me souviens plus d'elle, me dit Ce-Malinali. J'étais encore petite quand elle m'a vendue pour avoir de quoi manger et depuis, j'ai passé de main en main. » Elle prit un air tragique pour ajouter : « Tout ce que je sais, c'est que je suis née le jour Une Herbe de l'année Cinq Maison.

— Ça alors ! m'exclamai-je. Ma fille est née le même jour à Tenochtitlán. Elle s'appelait aussi Ce-Malinali avant de prendre le nom de Zyanya-Nochipa à sept ans. Tu es petite pour ton âge, mais tu as exactement le même...

— Alors, achetez-moi, Seigneur Chevalier. Je serai la servante et la compagne de votre demoiselle.

— *Ayya,* soupirai-je. Elle est morte, il y a presque trois ans déjà.

— Achetez-moi quand même, je m'occuperai de votre maison et je veillerai sur vous comme l'aurait fait votre fille. Emmenez-moi à Tenochtitlán. Je sais tout faire. » Elle baissa pudiquement les yeux et murmura : « Et aussi des choses qu'une fille ne fait pas. »

Je faillis renverser l'eau que j'étais en train de boire, aussi elle s'empressa de me dire :

« Vous pourrez me vendre à Tenochtitlán, Seigneur, si vous avez passé l'âge de ces désirs.

— Petite effrontée, répliquai-je vivement. Les femmes que je désire, je n'ai pas besoin de les acheter. »

Elle ne broncha pas et rétorqua hardiment :

« Je ne demande pas à être achetée seulement pour mon corps. J'ai d'autres qualités et j'aimerais bien pouvoir les utiliser. » Elle m'attrapa par le bras pour appuyer sa requête. « Je voudrais aller quelque part où l'on saurait m'apprécier à ma juste valeur. Je veux tenter ma chance dans une grande ville. J'ai de l'ambition, Seigneur, et j'ai fait des projets. Mais comment les mettre à exécution si je suis condamnée à rester toute ma vie une esclave dans ces sinistres provinces.

— Une esclave est toujours une esclave, même à Tenochtitlán.

— Pas forcément à vie, insista-t-elle. Dans une ville de gens civilisés, on reconnaîtrait peut-être ma valeur, mon intelligence et mes aspirations. Un seigneur pourrait m'élever au rang de concubine et, pourquoi pas, me donner la liberté. Ce sont des choses qui arrivent, n'est-ce pas ?

— Bien sûr, je l'ai fait moi-même.

— Vous voyez », fit-elle, comme si elle venait de m'arracher une concession.

Elle me pressa le bras et me dit d'une voix cajoleuse :

« Vous n'avez pas besoin de concubine, Seigneur. Vous êtes assez bel homme pour ne pas avoir à acheter une femme. Mais il en est d'autres — les vieux et les laids — qui sont obligés d'en passer par là. Vous pourriez me revendre avec profit à l'un d'eux quand vous serez de retour à Tenochtitlán. »

Peut-être aurais-je pu me laisser attendrir. Moi aussi, j'avais été jeune et débordant d'ambition et j'avais brûlé de tenter ma chance dans la plus grande de toutes les cités. Mais, il y avait tant de détermination et de dureté dans la manière que Ce-Malinali avait de se faire valoir qu'elle me rebutait.

« On dirait que tu as une très haute opinion de toi-même et que tu estimes bien peu les hommes, ma fille.

— Les hommes utilisent bien les femmes pour leur plaisir. Pourquoi donc les femmes ne se serviraient-elles pas des hommes pour arriver à leurs fins ? Bien que je n'aime pas faire l'amour, je sais faire semblant et bien que je n'aie pas une grande expérience dans ce domaine, je me débrouille assez bien. Si ce talent peut m'aider à me sortir de mon état d'esclave… eh bien… j'ai entendu dire que la concubine d'un grand seigneur avait plus de privilèges et plus de pouvoir que sa première femme légitime. Même l'Orateur Vénéré des Mexica a des concubines, pas vrai ?

— Petite drôlesse ! Je vois que tu as en effet beaucoup d'ambition, lui répondis-je en riant.

— Je sais que j'ai davantage à offrir qu'un simple trou entre mes jambes, persifla-t-elle. Pour ça, il suffit d'acheter une chienne techichi.

— Apprends, ma fille, lui répondis-je en dégageant mon bras, qu'un chien peut être également un compagnon affectueux. Je ne vois aucune disposition à l'affection chez toi. Un techichi peut aussi faire un bon repas et toi, tu n'es ni assez propre, ni assez appétissante pour qu'on te mange. Tu es intelligente pour ton âge, surtout si l'on tient compte de tes origines, mais tu n'es qu'une sale gamine qui n'a rien d'autre à offrir que ses prétentions, sa vanité et sa cupidité. Tu as reconnu que tu ne tirais aucun plaisir à te servir de ce trou dont tu tires tant de fierté et qui est ta seule richesse. Si tu penses valoir plus que tes sœurs esclaves, tu te fais des idées.

— Je vais aller à la rivière pour me laver et me rendre appétissante, ragea-t-elle. Si j'étais bien habillée, je passerais pour une belle dame. Je sais feindre l'affection et faire croire qu'elle est sincère. Quelle est la femme qui a agi autrement avec vous, Seigneur, quand elle voulait être autre chose qu'un réceptacle pour votre tepuli ? »

J'avais fort envie de la punir de son impertinence, mais elle était trop grande pour être fessée comme une enfant et trop jeune pour être fouettée comme une adulte. Je me contentai de la prendre par les épaules en la serrant suffisamment fort pour lui faire mal.

« C'est vrai, j'ai rencontré des femmes comme toi, vénales et perfides, mais j'en ai connu d'autres qui ne l'étaient pas. Ma fille, qui portait le même nom que toi, par exemple. Pourquoi est-elle morte, alors que toi tu vis ? » éclatai-je, incapable de réprimer ma colère. Je la secouai si violemment qu'elle laissa tomber la cruche d'eau qui se brisa, mais je ne prêtai pas attention à ce signe de mauvais augure. Je criai si fort que tout le monde se tourna vers nous et le marchand d'esclaves vint me supplier de ne pas endommager son bien. Je crois que pour un instant, je reçus un don de double vue qui me fit entrevoir l'avenir, car voici ce que je lui ai dit :

« Tu couvriras ton nom de honte et de boue et tout le monde crachera de dégoût en le prononçant. »

Je note que Votre Excellence s'impatiente au récit de cette rencontre. Ce fut pourtant un incident très révélateur. Qui était cette fille ? Que devint-elle par la suite et quel fut le résultat de ses ambitions précoces ? Toutes ces choses sont de la plus grande importance. Sans elle, Votre Excellence ne serait peut-être pas notre estimé évêque de Mexico.

Quant à moi, j'oubliai bien vite cette fille et je

m'endormis ce soir-là sous la funeste étoile fumante accrochée dans le ciel sombre. Le lendemain, je quittai Coatzacoalcos avec mon escorte et en suivant la côte, je traversai les villes de Xicalango et de Kimpéch pour arriver enfin dans ce lieu où m'attendaient les dieux présumés, à Tihó, capitale des Xiu, située à l'extrême nord de la péninsule d'Uluümil Kutz. J'avais revêtu pour la circonstance mon grand uniforme de Chevalier-Aigle et nous fûmes accueillis à l'entrée de la ville par la garde personnelle du chef Xiu Ah Tutal. Nous fûmes conduits en cortège solonnel jusqu'au palais, par les rues de la cité toute blanche. En fait, ce n'était pas un palais. Il ne faut pas s'attendre à beaucoup de magnificence de la part des descendants des Maya. C'était une bâtisse d'un seul étage, en briques d'adobe passées à la chaux, recouverte d'un toit de chaume et disposée autour d'une cour intérieure carrée.

Ah Tutal, seigneur d'âge mur affecté d'un magnifique strabisme, fut très impressionné par la somptuosité des cadeaux envoyés par Motecuzoma. On me régala d'un banquet de bienvenue et après avoir échangé quelques banalités qui me permirent d'évaluer ma compréhension du dialecte xiu, nous en vînmes à la raison de ma visite.

« Seigneur Mère, lui dis-je, car c'est ainsi qu'on s'adresse aux chefs dans ces régions. Dites-moi, est-ce que ces étrangers sont vraiment des dieux ?

— Chevalier Ek Muyal, me répondit-il en utilisant la version maya de mon nom. Quand j'ai averti votre Orateur Vénéré, j'en étais persuadé, mais maintenant... » Il fit une grimace d'incertitude.

« Pensez-vous que l'un d'eux puisse être Quetzalcoatl, ce dieu que vous appelez Kukulkán ?

— Non. En tout cas, ils n'ont ni l'un, ni l'autre l'aspect d'un serpent à plumes. Comment reconnaître un dieu s'il n'a pas une apparence extraordinaire ?

soupira-t-il. Ces deux-là ont l'air tout à fait humain, bien qu'ils soient plus poilus et plus grands que la normale.

— Si l'on en croit les légendes, les dieux ont souvent emprunté l'apparence des hommes pour venir rendre visite aux mortels. Il semble normal qu'ils choisissent des corps qui en imposent.

— Ils étaient quatre dans l'étrange canot qui est venu s'échouer au nord d'ici. Mais quand on les a ramenés à Tihó, on s'est aperçu que deux d'entre eux étaient morts. Les dieux peuvent-ils mourir ?

— Morts... murmurai-je. Ou alors, c'est qu'ils n'étaient *pas encore vivants*. C'étaient peut-être des corps de rechange que les deux autres avaient amenés avec eux pour s'y glisser si l'envie leur en prenait.

— Je n'avais pas pensé à ça, fit Ah Tutal, mal à l'aise. Il est certain que leur comportement et leurs goûts sont très particuliers et que leur langage est tout à fait incompréhensible. Ne pensez-vous pas que des dieux qui apparaîtraient aux hommes prendraient la peine d'apprendre leur langue ?

— Il y a beaucoup de langages humains, Seigneur Mère. Peut-être celui qu'ils ont choisi ne se parle-t-il pas dans cette région. Il se pourrait que je le reconnaisse.

— Seigneur Chevalier, me dit le chef avec un peu d'aigreur, vous avez réponse à tout, comme les prêtres. Pourriez-vous m'expliquer pourquoi ces deux créatures ne veulent pas prendre de bain ?

— Vous voulez parler de bain dans l'eau ? »

Il me regarda comme s'il se demandait si Motecuzoma avait choisi un imbécile pour émissaire et il reprit en articulant bien chaque mot :

« Oui, dans l'eau. Dans quoi d'autre pourrait-on se baigner ? »

Je toussai poliment et lui répondis : « Peut-on savoir

si les dieux n'ont pas coutume de se baigner dans l'air pur ou même dans la lumière du soleil?

— Parce qu'ils *puent*! s'écria Ah Tutal, triomphant et dégoûté à la fois. Ils ont une odeur de viande avariée, d'haleine fétide et de saleté incrustée. De plus, comme si tout cela ne suffisait pas, ils vont se soulager derrière leur maison, ils laissent s'accumuler ces immondices et ils s'accommodent parfaitement de cette effrayante puanteur. Ils semblent tous les deux aussi peu habitués à la propreté qu'à la liberté et à la bonne nourriture que nous leur donnons.

— Que voulez-vous dire par : peu habitués à la liberté? »

Ah Tutal me montra une construction basse située de l'autre côté de la cour et que l'on apercevait par les fenêtres bancales de la salle du trône.

« Ils sont là et ils n'en bougent pas.

— Vous ne gardez tout de même pas des dieux prisonniers? m'exclamai-je.

— Non, non, c'est de leur plein gré. Je vous dis qu'ils se comportent de façon étrange. Ils ne sont pas sortis une seule fois depuis leur arrivée ici.

— Pardonnez ma question, Seigneur Mère. N'ont-ils pas été maltraités au début? »

Ah Tutal parut offensé et me répliqua d'un ton glacé :

« On les a toujours traités avec cordialité et même avec respect. Comme je vous l'ai déjà dit, deux d'entre eux sont morts — c'est du moins ce qu'ont pensé nos meilleurs médecins. Aussi, conformément aux habitudes des gens civilisés, nous leur avons rendu tous les honneurs funéraires et nous avons cuit et mangé les parties nobles de leur individu. C'est à ce moment que les deux dieux vivants se sont terrés chez eux et qu'ils n'en ont plus bougé.

— Ils étaient peut-être fâchés que vous ayez disposé si rapidement de leurs corps de réserve. »

Ah Tutal fit un geste d'exaspération. « En tout cas, cette réclusion volontaire aurait épuisé le corps qu'ils portent en ce moment si je ne leur avais pas envoyé régulièrement à boire et à manger. Ils se nourrissent très peu, ils prennent les fruits, les légumes et les graines mais ils laissent des mets aussi raffinés que le tapir ou le lamantin. Seigneur Ek Muyal, je vous assure que j'ai essayé par tous les moyens de découvrir ce qui leur ferait plaisir. Tenez, en ce qui concerne les femmes...

— Ils agissent avec les femmes de la même façon que les mortels ?

— Oui, oui, s'impatienta Ah Tutal. D'après les femmes, ce sont des hommes à tous les points de vue, si ce n'est leur excessive pilosité et j'imagine qu'un dieu qui est équipé comme un homme se comporte aussi de la même façon. Tout bien considéré, Seigneur Chevalier, il n'y a pas trente-six manières de se servir de ça, même pour un dieu.

— Vous avez raison, Seigneur Mère, mais poursuivez, je vous prie.

— Je n'ai cessé de leur envoyer des femmes, toujours deux par deux. Mais ils ne les ont jamais gardées plus de trois nuits consécutives. Nos femmes ne semblent pas, non plus, les trouver très à leur goût. Ils souhaitent peut-être un type de femme particulier, mais comment le savoir ? Un soir, je leur ai envoyé deux jolis garçons, mais ils ont fait un tapage épouvantable, ils les ont battus et les ont jetés dehors. Il ne reste plus beaucoup de femmes disponibles à Tihó ou dans les environs. Ils ont eu les femmes et les filles de tous les Xiu excepté moi et quelques autres nobles. Ce qui m'ennuie, c'est que je risque de me heurter à une rébellion de nos femmes, car je suis obligé d'employer la force pour envoyer la plus indigne des esclaves dans leur antre fétide. Elles disent que leurs parties intimes sont elles aussi recouvertes de poils et qu'ils sentent encore plus mauvais à cet endroit que partout ailleurs. Je sais que votre Orateur Vénéré pense que c'est un grand honneur pour moi d'être l'hôte de ces dieux, ou prétendus tels, mais j'aimerais bien que Motecuzoma vienne ici pour voir un peu ce qu'il ferait avec ces deux pestiférés. Je vous le dis, Seigneur Chevalier, je commence à trouver que cet honneur est plutôt une épreuve et un tourment. Combien de temps cela va-t-il durer ? Je voudrais bien le savoir. Je remercie les autres dieux d'avoir choisi de les loger à l'autre bout de la cour mais, selon les caprices du dieu-vent, il m'arrive parfois des effluves nauséabonds de ces créatures qui manquent à tout coup de me terrasser. Dans un jour ou deux, cette puanteur n'aura plus besoin du vent pour gagner. Déjà, certains de mes courtisans sont atteints d'une étrange maladie que les médecins ne connaissent pas. Je pense, pour ma part, qu'ils ont été empoisonnés par l'odeur de ces étrangers malpropres. Je crois deviner la raison pour laquelle Motecuzoma m'a envoyé de si riches présents. Il espère me soudoyer pour que je les garde loin de sa ville immaculée. Je dirai même plus...

— Je vois que vous avez été très éprouvé, Seigneur Mère, m'empressai-je de lui dire pour arrêter ce torrent de doléances. La façon dont vous avez si longtemps fait face à cette situation est tout à votre honneur. Mais, maintenant, je suis là et je vais pouvoir vous venir en aide. Mais, avant d'être officiellement présenté à ces êtres, j'aimerais bien les entendre parler sans qu'ils sachent que je suis là.

— C'est facile, grommela Ah Tutal. Vous n'avez qu'à traverser la cour et vous placer à côté de leur fenêtre de façon à ce qu'ils ne vous voient pas. Ils n'arrêtent pas de jacasser à longueur de journée, comme des singes. Seulement, un conseil : bouchez-vous le nez ! »

J'esquissai un petit sourire, pensant que le Seigneur Mère exagérait dans ce domaine comme dans ses autres jugements sur ces étrangers. J'avais tort. Quand j'arrivai près de chez eux, la puanteur était telle que je faillis rejeter le repas que je venais de manger. J'éternuai pour bien me dégager le nez, puis je le serrai bien fort entre mes doigts en m'aplatissant contre le mur de la maison. J'entendis un murmure de voix et je me rapprochai de la porte pour tenter de distinguer des mots intelligibles. Vous pensez bien qu'en ce temps-là, les sons de la langue espagnole n'avaient aucun sens pour moi ; néanmoins, j'avais conscience que c'était un moment historique et je fus saisi d'une sorte d'éblouissement en entendant telles que je me les rappelle encore aujourd'hui, les paroles emphatiques prononcées par cette étrange créature qui était peut-être un dieu :

« Par Santiago, je te jure que j'en ai marre de baiser ces cons chauves ! »

Et l'autre voix répondit...

Ayya !

Vous m'avez fait peur, Excellence. Quelle agilité pour un homme qui est entré depuis longtemps dans l'âge de jamais. Franchement, j'envie votre...

Sauf votre respect, Excellence, je regrette de ne pouvoir retirer ces paroles puisqu'elles ne sont pas de mon cru. Je les ai retenues comme un perroquet, en les répétant. Il pourrait se faire qu'un perroquet se mette à caqueter de la sorte au beau milieu de votre cathédrale, Excellence, sans savoir ce qu'il dit. Même le perroquet le plus intelligent serait incapable de comprendre le sens de ces mots, puisque sa femelle ne possède pas ce qu'on appelle un...

Bien, bien, Excellence, je n'évoquerai plus ce sujet et je ne vous répéterai pas les sons émis par l'autre étranger. En d'autres termes, il avait dit que lui aussi regrettait les services d'une bonne putain de Castille, abondamment poilue sur ses parties intimes. Je n'ai pas pu en entendre davantage car je dus me sauver à toutes jambes avant que l'odeur ne me rende malade. Je me hâtai de retourner dans la salle du trône et je dis à Ah Tutal :

« En effet, Seigneur Mère, vous n'aviez pas surestimé leur puanteur. Comme il faut que je les voie et que je tente de leur parler, je préférerais que notre entrevue se déroule à l'extérieur.

— Je peux faire mettre une drogue dans leur repas pour qu'on puisse les tirer de leur antre pendant qu'ils seront endormis.

— Ce n'est pas nécessaire. Mes gardes vont les sortir de là tout de suite.

— Quoi ! Vous porteriez la main sur des dieux !

— S'ils déclenchent des éclairs et que nous tombons tous raides morts, au moins nous serons assurés de leur divinité. »

Rien de tel ne se produisit. Leur apparition ne donna lieu à aucun fracas terrifiant, ni à aucun phénomène surnaturel. Ils tombèrent à genoux devant moi en bafouillant pitoyablement. Ils faisaient des gestes bizarres avec leurs mains. Je sais maintenant qu'ils récitaient des prières en latin et qu'ils se signaient désespérément.

Je ne fus pas long à comprendre que s'ils étaient restés tapis dans la maison, c'est parce qu'ils avaient été épouvantés par la façon dont les Xiu avaient disposé de leurs compagnons morts. Par conséquent, si ces créatures avaient pu être terrorisées par les Xiu qui sont des gens à l'aspect débonnaire, il semblait assez logique qu'ils fussent morts de peur en se trouvant confrontés à mes guerriers mexica en tenue de combat, casqués, emplumés et armés d'épées d'obsidienne.

Je me contentai d'abord de les examiner à travers mon cristal, ce qui fit redoubler leurs piaillements. Je suis depuis longtemps habitué à l'aspect déplaisant des Blancs, mais à cet instant, je fus à la fois intrigué et rebuté par leur visage blafard ; en effet, chez nous le blanc est la couleur de la mort et du deuil. Jamais, je n'avais vu un être humain de cette couleur, à part les monstres de la ménagerie. Cependant, ces deux-là avaient des yeux sombres, des cheveux bruns anormalement bouclés et des poils qui leur recouvraient la figure. Le reste de leur personne était dissimulé sous une accumulation de vêtements qui me parut bien curieuse. Je connais maintenant toutes ces chemises, ces pourpoints, ces chausses, ces gantelets, ces bottes et autres, que je trouve bien mal commodes comparés à nos pagnes et à nos manteaux.

« Déshabillez-les », ordonnai-je aux gardes qui me lancèrent des regards furibonds avant de s'exécuter. Les deux étrangers se débattirent et hurlèrent de plus belle, comme si c'était leur peau qu'on leur retirait et non leurs vêtements. C'est pourtant nous qui aurions dû nous plaindre, étant donné qu'à chaque fois qu'on leur ôtait une pièce de leur accoutrement, des exhalaisons nouvelles s'en dégageaient. Quand on en vint aux bottes… *yya ayya !* Tout le monde battit en retraite et le plus loin possible.

J'ai déjà évoqué la saleté des Chichimeca du désert en remarquant qu'elle s'expliquait par leurs conditions de vie. Mais les Chichimeca sont des fleurs délicates comparés à ces hommes blancs qui semblaient considérer la propreté comme une marque de faiblesse et un manque de virilité. Bien sûr, Excellence, je parle des soldats qui, de l'homme de troupe jusqu'au commandant Cortés, partageaient tous cette singularité. Je connais mal les habitudes des nouveaux venus mieux éduqués comme Votre Excellence, mais je me suis très vite rendu compte que tous ces gentilshommes usent généreusement de parfums et de pommades pour donner l'illusion qu'ils prennent des bains fréquents.

Les deux étrangers n'étaient pas des géants, contrairement à ce que la description d'Ah Tutal m'avait laissé supposer. L'un d'eux était un peu plus grand que moi et l'autre avait à peu près ma taille. Mais étant donné qu'ils étaient tout ployés et tremblants, comme s'ils s'attendaient à être fouettés et qu'ils cachaient leurs parties génitales avec leurs mains comme l'auraient fait deux jeunes vierges craignant d'être violées, leur carrure semblait beaucoup moins impressionnante. La blancheur de leur corps, plus pâle encore que leur figure renforçait cette apparence de pathétique faiblesse.

« Jamais je ne pourrai les approcher d'assez près pour les interroger, Seigneur Mère, dis-je à Ah Tutal. S'ils refusent de se laver eux-mêmes, il faudra les nettoyer de force.

— A aucun prix je ne prêterai mes baignoires et mes étuves, me répondit-il. Il faudrait ensuite les démolir et les reconstruire.

— Je vous comprends très bien. Dites à vos esclaves d'apporter de l'eau et du savon. On va les décrasser ici même. »

Bien que les esclaves eussent pris de l'eau tiède, du savon de cendres doux et des éponges moelleuses, les objets de leurs soins se mirent à glapir et à se débattre comme si on les avait enduits de graisse pour les faire cuire à la broche. Pendant qu'ils continuaient leur

982

chahut, j'allai m'entretenir avec les femmes qui avaient passé une ou plusieurs nuits avec eux. Elles me rapportèrent les quelques mots de leur langage qu'elles avaient appris, mais ils touchaient uniquement au sexe et ne pouvaient me servir pour les interroger. Ces femmes me confièrent également que le membre de ces étrangers était proportionné à leur grand corps. Elles se seraient toutes réjouies d'avoir un tepuli aussi conséquent à leur disposition s'il n'avait pas été coiffé d'une couche de crasse à soulever le cœur. « Il n'y aurait qu'une femelle de vautour pour prendre plaisir à s'accoupler avec ces créatures », me dit une jeune fille.

Cependant, les femmes affirmaient avoir fait de leur mieux pour remplir les devoirs de l'hospitalité et elles prétendaient avoir été interloquées que ces étrangers repoussent d'un air compassé et réprobateur certaines de leurs propositions. Apparemment, ils ne connaissaient qu'une seule position pour prendre et pour donner du plaisir et ils avaient refusé avec une obstination puérile d'essayer la moindre variation.

Même si le contexte général avait pu laisser penser que ces créatures étaient bien des dieux, le témoignage des femmes xiu m'en aurait fait douter. D'après ce que je savais des dieux, ils n'avaient jamais manifesté de grande pruderie dans leur comportement. C'est pourquoi je fus très vite persuadé qu'ils n'étaient pas de nature divine mais ce n'est que bien plus tard que j'appris qu'ils étaient simplement de bons chrétiens. Leur ignorance et leur inexpérience des fantaisies sexuelles n'étaient que le reflet de leur appartenance à la morale chrétienne. Je n'ai jamais vu un Espagnol s'écarter de ces règles strictes, même quand il était en train d'accomplir un viol brutal.

Même lorsqu'on les eut déclarés aussi propres qu'ils pouvaient l'être à moins de les faire bouillir pendant deux ou trois jours, le voisinage des deux étrangers restait assez désagréable. Les esclaves n'avaient pas pu faire grand-chose pour améliorer leurs dents moussues et leur haleine fétide. Après avoir jeté au feu leurs vêtements infestés de vermine, on leur donna des manteaux propres et les gardes les emmenèrent dans le coin de la cour où Ah Tutal et moi étions assis sur des chaises basses, en les faisant s'asseoir par terre devant nous. Ah Tutal avait eu la bonne idée de faire préparer un de ces pots à fumer perforés rempli du meilleur picietl et d'herbes aromatiques. Il enflamma le mélange et, plongeant nos roseaux dans les trous, nous exhalâmes des nuages de fumée qui faisaient un écran olfactif entre nos hôtes et nous. Comme je les voyais trembler, je pensais qu'ils n'étaient pas encore secs ou qu'ils ne s'étaient pas encore remis d'être devenus propres. J'appris par la suite qu'ils avaient été terrifiés de voir pour la première fois « des hommes qui respiraient du feu ».

Quoi qu'il en soit, si nous ne leur plaisions pas, ils ne nous plaisaient pas non plus. Ils étaient encore plus pâles d'avoir perdu les nombreuses couches de saleté accumulée depuis si longtemps, et la peau qu'on entrevoyait sous leur barbe n'était pas lisse comme la nôtre. L'un d'eux avait la figure toute trouée comme un morceau de pierre volcanique et l'autre était couvert de boutons et de pustules infectées. Lorsque je sus manier assez bien leur langue pour leur poser délicatement une question à ce sujet, ils haussèrent les épaules en me disant que chez eux, presque tout le monde, hommes et femmes, était touché, un jour ou l'autre, par la « petite vérole ». Quelques-uns en mouraient, mais la plupart n'en gardaient qu'un visage défiguré et comme c'était le lot commun de la majorité, personne ne pensait que la beauté pût en souffrir. C'est bien possible, mais moi, je trouvais que c'était une horrible mutilation. C'était du moins mon sentiment à l'époque. Maintenant que tant de mes compatriotes ont aussi la figure trouée comme de la pierre volcanique, j'essaye de ne pas faire la grimace en les regardant.

Je commençai à apprendre la langue de ces étrangers en leur montrant les objets qui nous entouraient pour qu'ils me disent le nom qu'ils leur donnaient. Notre premier entretien se poursuivit fort tard dans la nuit jusqu'au moment où ils commencèrent à somnoler. Je pensai que le bain, le premier de leur vie, peut-être, les avait fatigués et je les laissai regagner leur chambre. Le lendemain, j'allai les tirer du lit de bonne heure et après les avoir reniflés, je leur donnai à choisir entre se laver eux-mêmes ou être étrillés de force. Bien qu'ils parussent stupéfaits et choqués de devoir subir une pareille épreuve deux fois de suite, ils se résignèrent à le faire. Par la suite, ils se lavèrent tous les matins assez correctement pour que je puisse passer la journée en leur compagnie sans trop souffrir. Nos séances duraient du matin au soir et, même pendant les repas, nous échangions les mots concernant les plats que nous apportaient les domestiques du palais. A ce propos, je dois signaler qu'ils se mirent à manger de la viande lorsque je fus à même de pouvoir leur expliquer de quel animal elle provenait.

De temps à autre, pour remercier mes instructeurs de leur coopération, ou pour les soutenir quand ils étaient fatigués ou chagrins, je les régalais d'un peu d'octli. Parmi les « présents pour les dieux » dont m'avait chargé Motecuzoma figuraient plusieurs jarres du meilleur octli et c'est bien le seul cadeau que je leur aie jamais remis. La première fois qu'ils y goûtèrent, ils firent la grimace en disant : « Bière amère. » Cependant ils eurent tôt fait de s'y habituer et un soir que je leur en avais laissé boire à leur aise pour faire une expérience, je fus heureux de constater qu'ils étaient capables de se soûler tout aussi bien que nous.

A mesure que les jours passaient, mon vocabulaire s'enrichissait et j'appris beaucoup de choses dont la plus importante fut qu'ils étaient des hommes et non des dieux, des hommes tout à fait ordinaires en dépit de leur aspect inusité. Ils ne prétendaient être ni des dieux, ni des êtres surnaturels venus préparer la venue de maîtres divins. Ils furent sincèrement interloqués et un tantinet choqués quand je leur appris que les gens de notre peuple s'attendaient à ce que les dieux reviennent un jour dans le Monde Unique. Ils m'affirmèrent alors avec beaucoup d'autorité qu'aucun dieu n'avait mis les pieds sur la terre depuis plus de mille cinq cents ans et d'après eux, il s'agissait d'un dieu *unique*. Eux-mêmes n'étaient que de simples mortels, adeptes dévoués de ce dieu dans ce monde et dans l'autre. Sur terre, ils étaient les sujets fidèles d'un roi qui était un homme bien sûr, mais un homme hors du commun, l'équivalent, pensai-je, de notre Orateur Vénéré.

Cependant, comme je vous l'expliquerai plus tard, Excellence, tout le monde chez nous n'était pas disposé à croire que ces étrangers n'étaient que des hommes comme ils le prétendaient. Pour ma part, dès le début, je n'en ai jamais douté et il s'avéra que j'avais raison. C'est pourquoi, Excellence, je ne vais plus désormais les qualifier d'étrangers ou de créatures mystérieuses, mais tout simplement d'hommes.

Celui qui était couvert de boutons et de pustules s'appelait Gonzalo Guerrero et il était charpentier de son état. Son compagnon à la figure trouée se nommait Jerónimo de Aguilar et c'était un scribe professionnel, comme vous, mes révérends. Il est possible que l'un de vous l'ait connu jadis, car son ambition première avait été de devenir prêtre de son dieu et il avait fréquenté pendant quelque temps un calmecac ou ce qui est chez vous une école de prêtres.

Ils me dirent qu'ils venaient d'un pays situé à l'est, très loin sur l'océan. Je m'en étais bien douté et je ne fus pas très avancé quand ils m'eurent appris que ce pays s'appelait Cuba et que c'était une des nombreuses colonies d'une nation beaucoup plus grande, loin, très loin à l'est, qu'ils nommaient Espagne ou Castille. C'est de là, ajoutèrent-ils, que leur roi gouvernait toutes ses possessions. Ils me dirent aussi qu'en Espagne ou Castille, tout le monde avait la peau blanche, sauf quelques inférieurs, les Maures, qui étaient complètement noirs. A première vue, cette déclaration me sembla si incroyable que je me mis à douter de tout ce qu'ils m'avaient raconté jusque-là, mais je pensai ensuite que puisque chez nous les monstres étaient blancs, ils pouvaient bien être noirs dans un pays de blancs.

Aguilar et Guerrero m'expliquèrent qu'ils avaient échoué sur nos côtes tout à fait par hasard. Ils avaient quitté Cuba en compagnie de plusieurs centaines d'hommes et de femmes sur douze grandes maisons flottantes qu'ils appelèrent navires, commandés par un certain capitaine Diego de Nicuesa qui avait été nommé gouverneur d'un endroit nommé Castilla de Oro, très loin à l'est de chez nous. Mais la malchance avait accablé cette expédition et ils en rendaient responsable la funeste « étoile chevelue ».

Une terrible tempête avait dispersé les bâtiments et leur navire avait sombré après s'être fracassé sur des rochers. Seuls Aguilar, Guerrero et deux autres avaient pu fuir le vaisseau naufragé dans un canot placé sur le pont en prévision de ce genre d'accident et ils avaient été fort surpris de se voir rejetés sur une plage très peu de temps après. Leurs deux compagnons s'étaient noyés dans les puissantes vagues déferlantes et ils seraient certainement morts eux aussi si des « hommes rouges » n'étaient pas venus leur porter secours.

Aguilar et Guerrero m'exprimèrent leur gratitude d'avoir été sauvés, accueillis et nourris avec tant d'hospitalité. Mais ils seraient encore plus reconnaissants, me dirent-ils, si les hommes rouges voulaient bien les ramener à leur canot. Guerrero, qui était charpentier, était certain d'être capable de le réparer et de fabriquer des rames pour le faire avancer et ni l'un ni l'autre ne doutait de pouvoir retrouver Cuba en prenant la direction de l'est, si leur dieu leur accordait un temps favorable.

« Dois-je les laisser partir ? me demanda Ah Tutal à qui je rendais compte de nos entrevues quotidiennement.

— S'ils peuvent retourner à Cuba en partant d'ici, ils n'auront aucune difficulté à revenir ensuite à Uluümil Kutz et je vous l'ai dit, ce Cuba me semble grouiller d'hommes blancs avides de nouvelles colonies. Est-ce que vous avez envie de les voir envahir votre pays, Seigneur Mère ?

— Non, bien sûr, fit-il, visiblement inquiet. Cependant, ils pourraient ramener un médecin capable de soigner cette étrange maladie qui se propage parmi nous. Les nôtres ont essayé tous les remèdes qu'ils ont en leur possession, mais il y a chaque jour de nouveaux malades et déjà trois personnes sont mortes.

— Ces deux hommes savent peut-être quoi faire, suggérai-je. Emmenons-les voir les malades. »

Ah Tutal me conduisit avec Aguilar dans une hutte où nous trouvâmes un médecin en train de marmonner en se caressant le menton et en fronçant les sourcils au chevet d'une jeune fille tremblante de fièvre. Elle avait le visage luisant de sueur et les yeux brillants et perdus dans le vague. La peau blanche d'Aguilar rosit légèrement quand il s'aperçut que c'était l'une des femmes qui étaient venues lui rendre visite.

« Je regrette de vous apprendre qu'elle a la petite vérole, me dit-il en parlant lentement pour que je le comprenne. Vous voyez, l'éruption commence à envahir son front. »

Je traduisis ses paroles au médecin qui me regarda d'un air incrédule mais qui me dit néanmoins :

« Demandez-lui comment on soigne cette maladie dans son pays. »

Aguilar haussa les épaules et répondit : « On prie.

— Ce sont vraiment des gens arriérés », grommela le médecin, puis il ajouta : « Demandez-lui quel dieu ils prient.

— Comment ! s'exclama Aguilar, mais le Seigneur Dieu, évidemment. »

Nous n'étions guère avancés, mais soudain l'idée me vint de lui demander :

« Nous serait-il possible d'imiter la façon dont vous priez ce dieu ? »

Il se lança dans des explications beaucoup trop compliquées pour la connaissance que j'avais de sa langue et il jugea qu'il serait préférable qu'il nous fasse une démonstration. Nous lui emboîtâmes le pas jusqu'au palais et il se précipita dans sa chambre d'où il ressortit un instant après avec un objet dans chaque main. Le premier était une petite boîte bien fermée qu'Aguilar ouvrit pour nous en faire voir le contenu : un nombre incalculable de petits disques qui semblaient avoir été découpés dans du papier blanc et épais. D'après ce qu'il me dit, je crus comprendre qu'il avait gardé illicitement ou volé cette boîte en souvenir du temps où il était à l'école des prêtres. Je sus ensuite que ces disques étaient faits dans un pain spécial qui était une nourriture sacrée et très puissante, car celui qui en mangeait participait de la force du Dieu Tout-Puissant.

Le second objet était une chaîne de petites perles assemblées à intervalles irréguliers avec des perles plus grosses. Elles étaient toutes d'une même matière bleue que je ne connaissais pas. Bleue et dure comme la turquoise, mais aussi transparente que de l'eau. Je déduisis du commentaire d'Aguilar que chaque perle représentait une prière. Cela me rappela notre coutume de mettre un éclat de jade dans la bouche des morts et je pensai que ces perles-prières s'utilisaient peut-être pour ceux qui n'ont pas encore trépassé, aussi, j'interrompis brusquement Aguilar pour lui demander :

« Est-ce que vous mettez ces pierres dans la bouche ?

— Mais non, on les tient dans la main. » Il poussa un cri car je venais de lui arracher la boîte et les perles.

« Tenez, dis-je au médecin, en lui donnant deux perles que j'avais retirées de la chaîne et en lui traduisant ce que j'avais compris des instructions d'Aguilar. Allez mettre une perle dans chaque main de la fille.

— Mais non, ce n'est pas ça du tout, gémit Aguilar. Prier est bien autre chose.

— Taisez-vous, lui ordonnai-je dans sa langue. Le temps presse. »

Je farfouillai ensuite dans la boîte et j'en sortis un petit morceau de pain pour le mettre dans ma bouche. Il avait goût de papier et fondit sur ma langue sans que j'aie besoin de le mâcher. Je n'en ressentis aucune vigueur nouvelle, mais je pensai que ce pain aurait au moins le mérite d'être facilement ingéré par la malade à demi inconsciente.

« Non, non, se remit à hurler Aguilar quand il me vit

manger le pain. C'est inadmissible ! Vous ne pouvez pas recevoir le Sacrement ! »

Il me regardait avec la même expression d'horreur que je vois en ce moment sur le visage de Votre Excellence. Je regrette vivement de m'être conduit de façon aussi brutale et choquante, mais vous devez vous souvenir qu'à l'époque je n'étais qu'un pauvre païen ignare et que mon seul souci était de sauver cette fille. Je fourrai plusieurs petits disques dans les mains du médecin en lui disant :

« C'est une nourriture divine, une nourriture magique. Elle s'avale facilement ; vous pouvez la lui mettre de force dans la bouche sans qu'elle risque de s'étouffer. »

Et le médecin partit en courant aussi vite que sa dignité le lui permettait...

Exactement comme vient de le faire Son Excellence.

« Excusez-moi d'avoir pris les choses en main, dis-je à Aguilar en lui tapant amicalement sur l'épaule. Si la fille guérit, tout le mérite vous en reviendra et vous en tirerez une grande considération. Et maintenant, allons chercher Guerrero et parlons un peu de votre pays. »

J'avais encore de nombreuses choses à demander à Jerónimo de Aguilar et à Gonzalo Guerrero et maintenant que nous arrivions à nous comprendre assez bien, ils étaient curieux, eux aussi, de savoir ce qui se passait chez nous. Ils me posaient parfois des questions que je faisais semblant de ne pas comprendre : « Qui est votre roi ? », « A-t-il une armée puissante ? », « Possède-t-il beaucoup d'or ? » Il arrivait aussi que je ne les comprenne réellement pas, par exemple, quand ils me disaient : « Qui sont vos ducs, vos comtes, vos marquis ? Qui est le pape de votre Eglise ? » Quant à certaines de leurs questions, personne, je crois, n'aurait pu y répondre : « Pourquoi vos femmes n'ont-elles pas de poils ? » Je les éludais alors en leur en posant d'autres et ils y répondaient sans hésitation et sans fourberie apparente.

Je serais bien resté avec eux pendant une bonne année pour améliorer ma connaissance de leur langue et pour leur poser des questions toujours nouvelles, mais je pris la décision de les quitter rapidement quand, deux ou trois jours après notre visite à la jeune malade, le médecin vint me chercher et me fit signe silencieusement de le suivre. En arrivant dans la hutte, je vis que la jeune fille était morte ; elle était complètement défigurée et son visage avait pris une horrible teinte pourpre.

« Les vaisseaux ont éclaté et les tissus se sont gonflés, me dit le médecin. Y compris dans le nez et la bouche. Elle a agonisé en cherchant à respirer. Cette nourriture divine que vous m'avez donnée n'est pas magique du tout, ajouta-t-il sur un ton méprisant.

— Combien avez-vous guéri de malades sans avoir recours à cette magie ?

— Aucun, soupira-t-il en perdant de sa superbe. Ni moi ni mes collègues. Certains malades sont morts d'étouffement, comme cette fille. D'autres ont rejeté un flot de sang par le nez et par la bouche et d'autres ont été la proie d'un délire frénétique. Je crains qu'ils ne meurent tous, et d'une mort bien atroce.

— Cette fille m'avait dit que seule une femelle de vautour pourrait prendre du plaisir avec ces hommes blancs, fis-je en contemplant cette chose qui avait été une belle enfant. Elle avait dû avoir un pressentiment. Maintenant, les vautours seraient ravis de se repaître de son cadavre et sa mort est, en quelque sorte, la faute de ces Blancs. »

Je retournai ensuite au palais pour rendre compte des événements à Ah Tutal et il me dit d'un air résolu : « Je ne veux plus de ces étrangers malpropres ici ! » Je ne saurais dire si ses yeux louches me regardaient ou non, mais il était indéniable qu'ils étaient pleins de colère. « Est-ce que je les laisse repartir dans leur canot ou bien est-ce que vous les emmenez à Tenochtitlán ?

— Ni l'un ni l'autre. Et ne les tuez pas non plus, Seigneur Mère, à moins que Motecuzoma ne vous en donne la permission. J'ai une idée. Je vous conseille de vous en débarrasser en les offrant comme esclaves. Donnez-les à des chefs de tribus éloignées ; ils seront très flattés de recevoir un tel cadeau. L'Orateur Vénéré des Mexica, lui-même, ne possède pas d'esclaves blancs.

— Heu… oui, fit Ah Tutal d'un air pensif. Il y a en effet deux chefs dont je me méfie et que je n'aime pas du tout. Je ne serais pas fâché que ces Blancs leur causent des ennuis. » Il me considéra avec plus de bienveillance. « Mais voyons, Seigneur Ek Muyal, Motecuzoma vous a envoyé jusqu'ici pour ces étrangers, que va-t-il dire si vous revenez les mains vides ?

— Elles ne sont pas vraiment vides. Je lui ramène la boîte de nourriture divine, les petites prières bleues et j'ai beaucoup de chose à lui raconter. » Je fus frappé d'une idée subite. « Mais oui, Seigneur Mère, il y aura peut-être aussi quelque chose d'autre à lui montrer. Si l'une des femmes qui ont couché avec ces blancs était enceinte et qu'elle n'ait pas attrapé la petite vérole ! S'il naît des enfants, envoyez-les à Tenochtitlán. L'Orateur Vénéré pourra les exhiber dans sa ménagerie. Ils feront des monstres uniques parmi les autres monstres. »

La nouvelle de mon retour à Tenochtitlán m'avait précédé de plusieurs jours et je pensais que Motecuzoma devait bouillir d'impatience de connaître les nouvelles — ou les hôtes — que j'allais lui ramener. Pourtant, il était toujours ce vieux Motecuzoma et il ne me fit pas tout de suite admettre en sa présence. Je dus d'abord échanger mon uniforme de Chevalier-Aigle contre la toile de sac des suppliants et accomplir tout le rituel imposé avant d'arriver devant lui. Malgré cette réception froide et peu empressée, je voyais bien qu'il voulait être le premier — sinon le seul — à entendre mon rapport, car aucun des membres du Conseil n'était présent. Il m'autorisa à parler sans qu'il m'ait posé de question préalable et je lui racontai tout ce que je viens de vous dire, mes révérends, plus quelques détails que j'avais appris de vos deux compatriotes.

« Si mes calculs sont exacts, Seigneur Orateur, cela doit faire une vingtaine d'années que les premières maisons flottantes que l'on nomme navires, ont quitté la lointaine terre d'Espagne pour explorer l'océan. Ces navires n'ont pas atteint nos côtes parce qu'il semble y avoir de nombreuses îles, grandes et petites, entre l'Espagne et nous. Il y avait déjà des habitants sur ces îles et je pense qu'ils doivent ressembler aux barbares Chichimeca du désert du nord. Certains de ces indigènes ont essayé de repousser les hommes blancs et d'autres les ont laissé faire, mais tous sont maintenant devenus des sujets de ces Espagnols et de leur roi. Pendant vingt ans, les Blancs se sont installés sur ces îles, ils ont pillé leurs ressources et fait du commerce avec leur terre natale. Seuls quelques rares navires allant d'une île à l'autre, ont pu à l'occasion apercevoir nos côtes. Espérons que ces Blancs auront de quoi s'occuper pendant de nombreuses années, mais je me permets d'en douter. Une île, si grande soit-elle, n'est jamais qu'une île, par conséquent ses richesses et ses terres sont limitées. Ces Espagnols semblent être d'une curiosité et d'une rapacité incroyables. Ils cherchent déjà à trouver d'autres territoires et d'autres occasions. Tôt ou tard, leur exploration les amènera par ici et il se produira ce que l'Orateur Vénéré Nezahualpilli avait prédit : une invasion contre laquelle nous ferions bien de nous préparer.

— Nous préparer ! éclata Motecuzoma, sans doute piqué au vif par le souvenir de la partie de tlachtli. Ce vieillard stupide se prépare en se croisant les bras. Il n'a même pas voulu m'aider dans ma lutte contre les Texcalteca. »

Je n'osais lui rappeler que Nezahualpilli avait dit également que nous devrions tous mettre fin à nos querelles et nous unir contre une éventuelle invasion.

« Tu as parlé d'invasion, poursuivit Motecuzoma et tu m'as dit aussi que ces deux étrangers n'étaient pas armés et qu'ils étaient tout à fait inoffensifs. Ce serait donc une invasion pacifique.

— S'ils avaient des armes, elles ont disparu dans le naufrage de leur navire et ils ne m'en ont pas parlé. D'ailleurs, ils n'ont pas besoin d'armes s'ils sont capables d'infliger des maladies mortelles auxquelles ils résistent personnellement.

— Oui, ce serait une arme terrible en effet, une arme qui était jusqu'à présent réservée aux dieux. Et cependant, tu affirmes qu'ils n'en sont pas. »

Il examina pensivement la petite boîte et son contenu. « Ils ont avec eux une nourriture divine. » Il tâta les perles bleues. « Ils possèdent des prières tangibles faites dans une pierre mystérieuse et cependant tu affirmes que ce ne sont pas des dieux.

— Oui, Seigneur. Ils se soûlent comme nous, ils couchent avec des femmes comme nous, ils...

— *Ayyo!* s'exclama-t-il triomphalement. C'est précisément pour cette raison que Quetzalcoatl est parti. Selon les légendes, il se serait enivré et aurait commis une faute charnelle, ensuite, honteux de ce qu'il avait fait, il aurait abdiqué son rôle de chef des Tolteca.

— Et toujours selon les légendes, fis-je sèchement, au temps de Quetzalcoatl, ce pays embaumait les fleurs et le vent soufflait partout de doux parfums. L'odeur de ces deux hommes aurait asphyxié le dieu-vent lui-même. Ces Espagnols ne sont que des hommes, répétai-je patiemment. Ils diffèrent de nous par leur peau blanche, leurs poils et le fait qu'ils sont peut-être un peu plus grands que nous en moyenne.

— Les statues des Tolteca à Tolan sont bien plus grandes que nous, s'obstina Motecuzoma et on ne voit plus leur couleur. Il paraît que les Tolteca avaient la peau blanche. » Un profond soupir d'exaspération m'échappa, mais il ne le remarqua pas. « Je vais mettre les historiens à l'étude minutieuse des vieilles archives et nous saurons à quoi ressemblaient les Tolteca. En attendant, je vais dire aux grands prêtres de placer cette nourriture divine dans un coffret précieux pour qu'ils l'apportent à Tolan et la déposent près des statues des Tolteca...

— Seigneur Orateur, dans mes conversations avec les hommes blancs, j'ai souvent mentionné le nom des Tolteca. C'est un nom qui ne leur dit absolument rien.

— Mais bien sûr, s'écria-t-il avec un sourire victorieux. Comment ce nom pourrait-il évoquer quelque chose à de vrais Tolteca ? Nous les avons appelés les Maîtres-Artisans parce que nous ne savions pas quel nom ils s'étaient eux-mêmes donné. »

Il avait parfaitement raison et j'étais fort embarrassé. Je bredouillai : « Je ne sais même pas si ce sont vraiment des Espagnols. Ce mot ainsi que leur langage tout entier n'ont aucune parenté avec aucun de ceux que je connais.

— Chevalier-Aigle Mixtli, il est possible que ces

996

hommes blancs soient, comme tu le prétends, de simples hommes et en même temps, des Tolteca, descendants de ceux qui ont disparu depuis si longtemps. Ce roi dont ils parlent pourrait bien être le dieu Quetzalcoatl, cet exilé volontaire, prêt à revenir comme il l'a promis et qui attend au-delà des mers que ses Tolteca lui disent que nous sommes disposés à l'accueillir.

— Y sommes-nous vraiment disposés Seigneur ? demandai-je avec une certaine impudence. Y êtes-vous personnellement disposé ? Le retour de Quetzalcoatl détrônerait tous les dirigeants, depuis les Orateurs Vénérés jusqu'au moindre chef de tribu. C'est lui qui deviendrait alors le maître suprême. »

Motecuzoma afficha une expression d'humble piété et me dit :

« Je pense qu'il serait reconnaissant envers ceux qui ont conservé et même agrandi son domaine. S'il m'accordait seulement de faire partie de son Conseil, je m'estimerais le plus honoré de tous les mortels.

— Seigneur Orateur, je me suis déjà trompé et il est possible que je me trompe encore en pensant que ces blancs ne sont ni des dieux, ni leurs envoyés, mais ne croyez-vous pas que vous risquez de commettre une erreur plus grande encore en supposant qu'ils le sont ?

— Supposer ? Je ne suppose rien du tout, gronda-t-il. Je ne suis pas sûr de tout, comme toi. »

Il se leva et se mit presque à crier : « Je suis l'Orateur Vénéré du Monde Unique et je ne dis pas oui ou non, dieux ou hommes, avant d'avoir cherché, vu et attendu des preuves ».

Pensant que Motecuzoma venait ainsi de me donner congé, je sortis à reculons en baisant plusieurs fois le sol et, après m'être débarrassé de ma grossière défroque, je rentrai chez moi.

Motecuzoma m'avait dit qu'il attendrait d'avoir la

certitude que ces êtres étaient des dieux ou des hommes et c'est ce qu'il fit. Il attendit, il attendit trop longtemps et jamais ne fut réellement persuadé. Pour s'être cantonné dans cette indétermination, il mourut tragiquement et l'ordre ultime qu'il tenta de donner à son peuple commençait par ce mot « *Mixchia !* » Je le sais, j'étais présent ; la dernière parole qu'ait jamais prononcée Motecuzoma était « Attendez ! »

Cette fois, Béu Ribé ne fit rien pour gâcher mon retour à la maison. Sa chevelure était maintenant naturellement parsemée de gris, mais elle avait teint ou coupé ce qui aurait pu subsister de sa mèche décolorée. Elle n'essayait plus d'être le double de sa sœur défunte et cependant elle était devenue totalement différente de celle que je connaissais depuis près d'un demi-faisceau d'années, depuis le jour où je l'avais vue pour la première fois à Tehuantepec. Il m'avait semblé que depuis ce temps, nous n'avions cessé de nous quereller et de nous battre, ou au mieux, de maintenir une sorte de trêve embarrassée. Cette fois, j'avais l'impression qu'elle avait décidé qu'il fallait que nous nous comportions comme un vieux couple paisible. Je n'ai jamais su au juste si son attitude était due à la correction que je lui avais infligée précédemment ou au désir de se faire bien voir des voisins, ou encore si elle s'était résignée à entrer dans l'âge de jamais en se disant : « Jamais plus de querelles entre nous. »

Quoi qu'il en soit, cela me facilita grandement ma réadaptation à la vie sédentaire. Autrefois, même au temps où Zyanya et Nochipa étaient encore de ce monde, quand je rentrais chez moi, j'avais toujours la perspective de repartir vers de nouvelles aventures, mais cette fois, mon retour me semblait définitif. Si j'avais été plus jeune, je me serais rebellé contre cette idée et j'aurais trouvé rapidement des raisons de m'en aller. Si j'avais été pauvre, j'aurais été obligé de me remuer pour gagner ma vie et si Béu avait continué à se comporter en mégère, j'aurais saisi n'importe quel prétexte pour prendre le large. Je parvins même à me persuader que j'avais mérité le repos et la vie facile que m'offraient ma fortune et ma femme. Aussi, peu à peu, je me laissai aller dans une routine qui, pour n'être ni gratifiante ni exigeante, me tenait cependant occupé, chose qui aurait été impossible si Béu n'avait pas changé. Quand je dis qu'elle avait changé, c'est simplement qu'elle avait réussi à dissimuler l'aversion et le mépris qu'elle ressentait à mon endroit car elle ne m'a jamais donné de raisons de croire que ces sentiments s'étaient éteints. Elle cessa seulement de les laisser paraître et cette petite comédie suffit à assurer ma tranquillité. Elle devint douce et soumise comme la plupart des épouses et d'un certain côté, je regrettais la femme fière et emportée que j'avais connue tout en étant soulagé de ne pas avoir à affronter son difficile caractère. Quand elle eut étouffé sa forte personnalité pour se transformer en une femme toute de déférence et de sollicitude, je pus, à mon tour, la traiter avec une égale courtoisie. Elle ne tenta plus une seule fois de me provoquer par sa féminité et jamais elle ne se plaignit que nous fassions chambre à part, ce dont je me félicite. En effet, mon refus aurait perturbé cet équilibre que nous avions fini par établir entre nous, car jamais je n'aurais pu me résoudre à en faire vraiment ma femme. C'est bien triste à dire, mais Béu était aussi vieille que moi et elle paraissait son âge. De cette beauté qu'elle avait eue, peu de choses subsistaient, à part ses yeux magnifiques que je voyais d'ailleurs rarement car dans son nouveau rôle d'épouse soumise, elle les gardait modestement baissés.

Jadis, ses yeux me transperçaient et son ton était souvent moqueur et plein de défi. Maintenant, elle parlait peu et toujours d'une voix douce. Quand je partais, le matin, elle me demandait : « Faut-il te garder ton repas, mon ami ? Qu'aimerais-tu manger ? » Si je sortais le soir, elle me disait : « Il fait frais en ce moment, tu devrais mettre un manteau plus chaud, sinon tu vas prendre froid. »

J'ai évoqué tout à l'heure la routine de ma vie. La voici : je quittais la maison le matin et le soir pour passer le temps des deux seules manières que j'avais pu trouver. Chaque matin, j'allais à la Maison des Pochteca et j'y passais la plus grande partie de la journée à discuter et à boire du chocolat. Les trois Anciens que j'avais connus autrefois étaient morts et enterrés depuis longtemps, mais d'autres les avaient remplacés qui étaient exactement à leur image : vieux, gras, chauves, contents d'eux et sûrs de leur importance. Hormis le fait que je n'étais ni gras, ni chauve, je pouvais certainement passer pour l'un d'eux, moi qui ne faisais plus rien d'autre que de me bercer de mes aventures passées et de ma richesse présente.

De temps à autre, l'arrivée d'une caravane de pochteca me donnait l'occasion d'acheter des marchandises et avant même que la journée fût terminée, je les avais déjà revendues à profit à quelqu'un d'autre. Je pouvais effectuer ces transactions sans même avoir à poser ma tasse de chocolat et sans aller jeter un seul coup d'œil à ce que j'avais acheté, puis vendu. Parfois, je rencontrais un jeune marchand qui se préparait à entreprendre sa toute première expédition et je le retenais pour le faire bénéficier de ma connaissance particulière de l'itinéraire qu'il avait choisi, aussi longtemps qu'il pouvait m'écouter sans commencer à s'agiter et à prétexter des courses urgentes.

La plupart du temps, je me retrouvais avec quelques pochteca retirés qui se plaisaient mieux là qu'ailleurs et nous échangions alors nos histoires en lieu et place de marchandises. Je les écoutais parler du temps où ils avaient moins d'années et de richesses mais, en revanche, des ambitions illimitées, du temps où ils voyaient et où ils osaient affronter tous les périls. Leurs histoires n'auraient pas eu besoin d'être enjolivées pour être intéressantes, mais chacun voulait surpasser les autres dans le récit de ses aventures, des dangers auxquels il avait fait face et des affaires qu'il avait su si judicieusement traiter, aussi je remarquais que beaucoup se mettaient à broder considérablement au bout d'un certain temps.

Le soir, je quittais la maison à la recherche, non plus de la compagnie, mais d'une solitude dans laquelle je me complaisais à évoquer des souvenirs nostalgiques. Je n'aurais cependant pas protesté si cette solitude avait été rompue par une rencontre tant désirée, mais je vous ai déjà dit qu'elle ne s'était jamais produite. C'est donc avec un espoir bien vague que je parcourais la nuit les rues désertes de Tenochtitlán, en me remémorant les événements qui étaient advenus ici et là.

Au nord, c'était la chaussée de Tepeyac que j'avais traversée en emportant ma petite fille dans mes bras pour fuir la ville inondée.

Au sud, c'était la jetée de Coyoacán que j'avais franchie avec Cozcatl et Gourmand de Sang au début de ma toute première expédition. Dans la splendeur de l'aube naissante, le Popocatepetl majestueux nous avait regardés partir en semblant nous dire : « Vous partez, braves gens, mais moi je reste... »

Entre les deux, se trouvaient les deux grandes places

de l'île. Du côté sud, au Cœur du Monde Unique, la grande pyramide, si imposante, si solide et si éternelle d'aspect qu'on aurait pu croire qu'elle avait toujours été là. J'avais du mal à réaliser que j'étais plus vieux que le monument terminé qui n'en était qu'aux fondations la première fois que je l'avais vu.

Plus au nord, s'étendait la grande place du marché de Tlatelolco que j'avais jadis traversée en serrant bien fort la main de mon père. C'est là qu'il avait déboursé une somme extravagante pour m'offrir de la neige parfumée en disant au marchand : « Je me souviens des Temps Difficiles. » C'est là aussi que j'avais fait ma première rencontre avec le vieil homme cacao qui m'avait prédit si justement mon avenir.

Ce souvenir me troublait un peu, car il me rappelait que cet avenir qu'il m'avait annoncé était devenu mon passé. J'approchais du faisceau d'années, et rares étaient les hommes qui vivaient au-delà de cinquante-deux ans. En me disant que j'avais bien gagné cette vie paisible, peut-être refusais-je simplement de m'avouer que je ne servais plus à rien, que j'avais survécu à tous ceux que j'avais aimés et qui m'avaient aimé et que j'attendais tout simplement le moment d'être convoqué dans un autre monde.

Non ! Je refusais de me rendre à cette idée et j'en cherchais la confirmation la nuit dans le ciel. On y voyait encore une étoile fumante, comme au temps de mes rencontres avec Motecuzoma à Teotihuacán, avec la jeune Ce-Malinali et enfin avec les deux visiteurs venus d'Espagne. Nos astronomes ne parvenaient pas à se mettre d'accord. S'agissait-il de la même comète qui revenait sous une autre forme dans un endroit différent du ciel, ou bien en était-ce à chaque fois une nouvelle ? Les astronomes, même les plus incrédules, n'ayant pu trouver aucune explication, avaient dû reconnaître que ces trois comètes en trois ans ne pouvaient être qu'un présage. Bon ou mauvais, cela valait la peine d'attendre. Je n'aurais peut-être aucun rôle à jouer, mais je ne pouvais pas renoncer au monde en un pareil moment.

Au cours des années suivantes, plusieurs événements se produisirent et, à chaque fois, je me demandais si c'était celui qu'avait annoncé la comète. Tous furent remarquables, d'une façon ou d'une autre. Certains furent même particulièrement attristants, mais aucun ne m'avait paru assez extraordinaire pour justifier un avertissement des dieux.

Par exemple, quelques mois après ma rencontre avec les Espagnols, la nouvelle arriva d'Uluümil Kutz qu'une mystérieuse épidémie de petite vérole avait balayé toute la péninsule comme une lame de fond. Chez les Xiu, les Tzotzil, les Quiché et toutes les autres tribus maya, trois personnes sur dix étaient mortes, et quant aux survivants, ils étaient presque tous défigurés à jamais par la maladie.

Bien que Motecuzoma fût incertain de la nature et des intentions de ces deux visiteurs, il n'avait pas du tout envie de s'exposer à cette maladie divine. Pour une fois, il agit avec détermination et promptitude et il interdit tout échange avec les pays maya. Pendant plusieurs mois, le reste du Monde Unique attendit dans l'anxiété, mais on parvint à contenir la maladie dans les limites des malheureuses tribus maya et les autres pays furent épargnés.

D'autres mois passèrent et un jour, un messager vint me chercher de la part de Motecuzoma. La prophétie des étoiles fumantes s'était-elle accomplie ? me demandai-je. Cependant, lorsque je fis mon entrée dans la salle du trône, toujours vêtu en suppliant, je m'aperçus que l'Orateur Vénéré avait l'air simplement contrarié mais qu'il ne semblait pas en proie à une forte émotion et que les conseillers qui l'entouraient paraissaient plutôt amusés.

« Ce fou prétend qu'il s'appelle Tlilectic-Mixtli. »

Je mis un moment pour réaliser que Motecuzoma ne parlait pas de moi, mais *à* moi, en me montrant un homme au visage maussade que deux gardes maintenaient fermement. J'ajustai mon cristal et je le reconnus aussitôt. Je lui souris en disant à Motecuzoma :

« C'est bien ainsi qu'il se nomme, Seigneur. Nuage Noir est un nom très courant chez...

— Alors, tu le connais, coupa Motecuzoma. Un parent à toi, sans doute ?

— Et à vous aussi, Seigneur Orateur. Il est peut-être d'une égale noblesse.

— Tu oses me comparer à ce mendiant stupide et déguenillé, tonna-t-il. Quand mes gardes se sont emparés de lui, il a exigé une audience sous prétexte qu'il était une personnalité en visite. Mais regarde-moi ça ! C'est un fou !

— Non, Seigneur. Chez lui il a le même rang que vous-même, si ce n'est qu'à Aztlán, le titre d'Orateur Vénéré n'existe pas.

— Que dis-tu là ? s'exclama Motecuzoma stupéfait.

— Voici le tecuhtli Tlilectic-Mixtli d'Aztlán.

— D'où ça ? » s'écria Motecuzoma de plus en plus interdit.

Je me tournai en souriant vers mon homonyme. « Avez-vous apporté la Pierre de la Lune ? »

Il me fit un signe de tête courroucé et me dit :

« Je le regrette bien. La Pierre de Coyaulxauhqui est sur la place sous la garde de ceux qui ont survécu à son transport.

— Cette maudite pierre a défoncé la moitié du

pavage de la ville entre le palais et la chaussée de Tepeyac, grommela très audiblement un garde.

— Mes hommes et moi, nous sommes morts de fatigue et de faim, reprit le tecuhtli. Nous espérions être les bienvenus, mais nous nous serions contentés d'une hospitalité ordinaire et voilà qu'on me traite de menteur uniquement parce que j'ai donné mon nom. »

Je me tournai vers Motecuzoma qui semblait toujours incrédule.

« Vous voyez bien, Seigneur, le Seigneur d'Aztlán parle comme nous. Vous trouverez sans doute que son nahuatl est un peu désuet, mais on le comprend très bien. »

Motecuzoma se hâta d'exprimer ses excuses. « Nous nous entretiendrons à loisir, Seigneur d'Aztlán, quand vous vous serez restauré et reposé. »

Il donna l'ordre aux gardes et aux conseillers de s'occuper de lui comme il convenait et il me fit signe de rester.

« C'est à peine croyable, me dit-il. Je suis presque aussi dérouté que si je rencontrais mon légendaire grand-père Motecuzoma ou que je voyais une figure de pierre descendre de la frise d'un temple. Tu imagines ! Un véritable Azteca en chair et en os. »

Cependant, sa suspicion naturelle reprenant le dessus, il me demanda :

« Qu'est-ce qu'il est venu faire ici ?

— Il vous apporte un présent, Seigneur, comme je le lui avais conseillé quand j'ai redécouvert Aztlán. Si vous voulez bien descendre sur la place pour le voir, je pense que vous trouverez qu'il vaut bien quelques pavés cassés.

— Je vais y aller, mais, ajouta-t-il, soupçonneux, il va sûrement me demander quelque chose en échange.

— Je pense que la Pierre de la Lune vaut bien aussi

quelques titres ronflants à son donateur, quelques manteaux de plumes et des parures de bijoux pour qu'il puisse se vêtir selon son nouveau rang. Et peut-être même aussi quelques guerriers.

— Des guerriers ? »

Je fis alors part à Motecuzoma de l'idée que j'avais déjà exposée au chef d'Aztlán, à savoir qu'un lien de parenté renouvelé entre les Mexica et les Azteca permettrait à la Triple Alliance d'avoir une forte garnison sur la côte du nord-ouest.

« Avec tous ces présages, je ne sais pas si c'est bien le moment de disperser nos forces, mais je vais y réfléchir. Une chose est certaine : même s'il est plus jeune que toi et moi, notre ancêtre mérite mieux que le titre de tecuhtli. Je vais faire ajouter un " tzin " à son nom. »

Ce jour-là, je quittai le palais heureux qu'un Mixtli, même si ce n'était pas moi, fût admis au sein de la noblesse. En définitive, Motecuzoma se rangea à ma proposition et notre visiteur quitta Tenochtitlán avec le titre pompeux d'Azteca tlatoani. Il emmena aussi un fort contingent de soldats et plusieurs familles de colons spécialisés dans la construction et les fortifications.

Je n'eus qu'une seule fois l'occasion de bavarder avec mon homonyme. Après m'avoir vivement remercié pour le rôle que j'avais joué dans cette affaire, il me dit :

« Ce " tzin " ajouté à mon nom s'étend à toute ma famille et à mes descendants, même s'ils ne sont pas en ligne directe. Il faut que vous reveniez à Aztlán, frère, une petite surprise vous y attend. Vous y trouverez autre chose qu'une ville nouvelle et améliorée. »

A l'époque, je crus qu'il voulait simplement organiser une fête en mon honneur, mais je ne suis jamais retourné chez les Azteca et j'ignore ce qui s'y passa après le retour de Mixtzin. Quant à la merveilleuse Pierre de la Lune, Motecuzoma tergiversa, suivant son habitude, incapable de décider où il allait la mettre. La dernière fois que je l'ai vue, elle gisait sur la plaza et elle a maintenant disparu comme la Pierre du Soleil.

Il faut dire qu'une autre chose fit rapidement oublier à tout le monde la visite de l'Azteca, la Pierre de la Lune et tous les plans échafaudés pour faire d'Aztlán une grande cité maritime.

Un jour, on vit arriver de Texcoco un messager vêtu du blanc manteau du deuil. Cette nouvelle n'était pas surprenante, étant donné que l'Orateur Vénéré Nezahualpilli était un très vieil homme, mais je fus profondément attristé de savoir que mon ancien protecteur était mort.

J'aurais pu aller à Texcoco en compagnie des Chevaliers-Aigle, des nobles et des courtisans qui traversèrent le lac pour assister aux funérailles et qui attendraient certainement le couronnement du prince Ixtlilxochitl comme Orateur Vénéré des Acolhua. Je choisis, au contraire, d'y aller sans cérémonie, en habit de deuil, comme un ami de la famille. Je fus accueilli par mon ancien camarade de classe, le prince Huexotl, aussi cordialement qu'il l'avait fait trente-trois ans auparavant.

« Bienvenue, Tête Haute ! » me dit-il et je ne pus m'empêcher de remarquer que mon vieil ami Saule *était* vieux. Je tâchai de lui cacher ce que je ressentais devant ses cheveux grisonnants et sa figure ridée. J'avais gardé le souvenir d'un jeune prince svelte se promenant en compagnie d'un daim dans des jardins exubérants. Et pourtant, pensai-je, il n'est pas plus vieux que moi.

Le Uey tlatoani Nezahualpilli fut enterré dans l'enceinte de son palais de la ville et non dans sa fastueuse et immense demeure d'été de la colline de Texcotzinco. Les jardins étaient trop petits pour contenir la foule venue dire adieu à cet homme aimé et respecté. Etaient présents, les dirigeants et la noblesse des pays de la Triple Alliance et des nations, amies ou non. L'absent le plus remarqué, celui qui aurait dû, plus que tout autre, être là, fut Motecuzoma qui avait envoyé à sa place son Femme-serpent Tlacotzin et son frère Cuitlahuac, commandant en chef des armées mexica.

J'avais pris place devant la tombe à côté du prince Saule, non loin de son demi-frère Ixtlilxochitl, l'héritier du trône. Son nom de Fleur Noire lui allait encore, car ses sourcils sombres et embroussaillés lui donnaient toujours l'air aussi renfrogné. Par contre, il avait perdu presque tous ses cheveux et il avait alors une dizaine d'années de plus que son père quand je l'avais vu pour la première fois à Texcoco. Après l'enterrement, la foule regagna le palais pour festoyer, chanter, pleurer et évoquer les mérites et les hauts faits de Nezahualpilli. Après avoir pris quelques cruches d'octli, Saule m'emmena dans ses appartements et nous nous enivrâmes en parlant du bon vieux temps et en imaginant les jours à venir.

« On a beaucoup murmuré aujourd'hui à propos de l'absence de Motecuzoma, dis-je au prince. Il n'a jamais pardonné à votre père son attitude distante de ces dernières années, en particulier son refus de l'aider dans ses guerres de pacotille.

— Sa grossièreté ne lui vaudra aucune concession de la part de mon demi-frère, remarqua Saule en haussant les épaules. Fleur Noire est bien le fils de son père et il est persuadé, lui aussi, que le Monde Unique sera envahi un jour par des étrangers et que notre seul salut consiste à nous unir. Il va poursuivre la même politique pour que les Acolhua réservent toutes leurs forces en vue d'une guerre qui ne sera pas, celle-là, une guerre de pacotille.

— Il aura sans doute raison, mais Motecuzoma ne va pas éprouver plus de sympathie pour votre frère qu'il n'en a eue pour votre père. »

Je me souviens avoir regardé par la fenêtre et m'être exclamé :

« Comme le temps passe vite ! La nuit est tombée depuis longtemps et je me suis honteusement enivré.

— Installez-vous dans la chambre d'hôte, me dit le prince. Demain, il va falloir écouter tous les poètes de la cour.

— Si je dors maintenant, je serai demain dans un état épouvantable. Avec votre permission, je vais aller faire un tour pour que Vent de la Nuit chasse les brumes de mon cerveau. »

Je faisais sans nul doute un spectacle bien comique, mais il n'y avait personne pour me voir. Les rues étaient encore plus désertes qu'à l'accoutumée, car tous les habitants de Texcoco gardaient le deuil chez eux. Les prêtres avaient dû vaporiser de la poussière de cuivre sur les torches qui éclairaient les coins de rues car elles brûlaient avec une flamme bleue en projetant une lueur sinistre. Bien que mon esprit ne fût pas très clair, j'avais la vague impression de refaire un chemin que j'avais suivi en des temps très lointains. Cette impression se renforça quand j'arrivai devant un banc de pierre placé sous un tapachini couvert de fleurs rouges. Je m'écroulai dessus avec bonheur en me laissant inonder par l'averse de pétales rouges soufflés par le vent. Soudain, je me rendis compte que je n'étais pas seul. A ma gauche, j'aperçus ce vieil homme cacao, loqueteux et ratatiné que j'avais si souvent rencontré au cours de ma vie. Je me tournai ensuite vers la droite et je vis l'autre personnage, mieux vêtu, mais las et poussiéreux qui m'était apparu moins souvent. Je me contentai de pousser un ricanement d'ivrogne, sachant bien qu'ils étaient, tous les deux, des illusions suscitées par tout l'octli que j'avais bu.

« Vénérables Seigneurs, leur déclarai-je d'une voix pâteuse, vous n'êtes donc pas partis sous terre, vous aussi ? »

L'homme cacao sourit en dévoilant les quelques dents qui lui restaient.

« Dans le temps, tu croyais que nous étions des dieux. Tu pensais que j'étais Huehueteotl, le Plus Vieux des Vieux Dieux, vénéré dans ce pays bien avant tous les autres.

— Et tu croyais que j'étais Ehecatl Yohualli, me dit l'homme poussiéreux. Vent de la Nuit, celui qui enlève ou récompense les promeneurs imprudents de la nuit, selon son humeur.

— C'est vrai, mes Seigneurs, approuvai-je, bien décidé à leur faire plaisir même s'ils n'étaient que des hallucinations. J'étais jeune et crédule et puis, j'ai appris qu'une des distractions favorites de Nezahualpilli était de parcourir le monde sous des déguisements.

— Et alors, tu as cessé de croire aux dieux ? me demanda l'homme cacao.

— Tout ce que je peux vous dire, hoquetai-je, c'est que je n'en ai jamais rencontré d'autres que vous deux.

— C'est peut-être parce que les vrais dieux n'apparaissent que lorsqu'ils sont sur le point de disparaître, murmura l'autre.

— Vous feriez bien de disparaître, vous aussi. Nezahualpilli ne doit pas être content de faire seul le lugubre chemin qui mène à Mictlán, alors que deux de ses incarnations sont encore ici-bas.

— Sans doute, ne pouvons-nous pas nous résigner à t'abandonner, mon ami, répliqua l'homme cacao en riant. Il y a si longtemps que nous te suivons sous tes diverses personnalités, Mixtli, la Taupe, Tête Haute, Rapporte ! Záa Nayàzú, Ek Muyal, Su-Kurú...

— Vous connaissez mieux tous mes noms que moi-même, coupai-je.

— Alors, souviens-toi des nôtres, rétorqua-t-il vivement. Moi, je suis Huehueteotl et lui c'est Ehecatl Yohualli.

— Pour des apparitions, vous êtes bien insistants, grommelai-je. Il y a longtemps que je n'avais pas été aussi soûl. Ça doit faire sept ou huit ans. Ah, c'est vrai ! J'avais dit alors que si je rencontrais un dieu, je lui demanderais pourquoi lui et ses pareils m'avaient laissé vivre si longtemps alors qu'ils ont frappé tout le monde autour de moi.

— La réponse est facile, fit Vent de la Nuit. Toutes ces personnes ont été, pour ainsi dire, les marteaux et les ciseaux qui ont servi à te sculpter et ensuite ils se sont brisés. Toi, tu as tenu le coup. Tu as résisté au burin, à la gouge et au grattoir. »

Je hochai solennellement la tête et déclarai :

« Voilà bien une réponse d'ivrogne !

— Tu es bien placé, Mixtli, pour savoir qu'une statue ou un monument ne sort pas tout fait de la carrière. Il faut scier le bloc, le poncer et l'exposer aux éléments pour qu'il durcisse et ensuite, il ne peut servir que lorsqu'on l'a sculpté et poli.

— Servir ? fis-je amèrement, à quoi pourrais-je donc servir ?

— J'ai parlé d'un monument, dit Vent de la Nuit. La seule chose qu'il puisse faire, c'est de tenir debout et ce n'est pas toujours facile.

— Et ça le sera de moins en moins, remarqua le Plus Vieux des Vieux Dieux.

— Cette nuit même, ton Orateur Vénéré Motecuzoma va commettre une erreur irréparable et il en fera bien d'autres. Une tempête de feu et de sang va s'abattre, Mixtli. Tu as été taillé et durci dans le seul but de lui survivre.

— Pourquoi moi ? hoquetai-je à nouveau.

— Un jour, il y a très longtemps, tu étais sur une colline non loin d'ici, à te demander si tu allais monter. Je t'avais alors dit que les hommes ont la vie qu'ils se choisissent. Tu as choisi de monter et les dieux ont choisi de t'y aider. »

Je me mis à ricaner amèrement.

« Il est possible que tu n'apprécies pas leurs intentions, reconnut Huehueteotl, pas plus que la pierre n'est reconnaissante au marteau et au ciseau. Pourtant, ils t'ont aidé et tu dois maintenant les payer de tout le mal qu'ils se sont donné pour toi.

— Tu vas survivre à la tempête, dit Vent de la Nuit.

— Les dieux t'ont aidé à connaître l'art des mots, poursuivit Huehueteotl. Ils t'ont aidé dans tes voyages pour que tu puisses voir et apprendre beaucoup de choses. Grâce à cela, tu sais mieux que personne ce qu'a été le Monde Unique.

— A été ? » répétai-je.

Huehueteotl fit un large geste de son bras décharné. « Tout cela va disparaître à jamais. Ce monde n'existera plus que dans le souvenir et c'est toi qui auras la charge de conter son histoire.

— Tu résisteras », dit encore Vent de la Nuit.

L'autre m'agrippa par l'épaule et me dit avec une tristesse infinie :

« Un jour, quand tout aura disparu, pour toujours, des hommes viendront remuer les cendres et se poseront des questions. Tu possèdes les souvenirs et les mots pour parler de la splendeur du Monde Unique, pour qu'elle ne tombe pas dans l'oubli. Toi, Mixtli, quand tous les monuments se seront écroulés, quand la grande

1012

pyramide, elle-même, se sera effondrée, tu seras encore là.

— Tu resteras debout », dit Vent de la Nuit.

Je m'esclaffai devant une telle absurdité. Comment cette monumentale pyramide pourrait-elle s'effondrer ? Je tentai de dérider mes deux sinistres fantômes en leur disant :

« Mes Seigneurs, je ne suis pas de pierre, je ne suis qu'un homme, le plus fragile des monuments. »

Je ne les entendis pas répondre. Ils avaient disparu aussi subrepticement qu'ils étaient arrivés. Derrière le banc, des flammes bleues vacillaient et dans cette lumière lugubre, les fleurs de tapachini qui tombaient sur moi, prenaient une teinte sombre et cramoisie, comme des gouttes de sang. Je frissonnais. Autour de moi, tout n'était que ténèbres, désolation et le vent nocturne semblait gémir : « Souviens-toi... »

Je fus réveillé par le préposé à l'éclairage qui faisait sa tournée matinale et je me mis à rire de mes ridicules songeries de la veille. Je retournai au palais, tout raide d'avoir dormi sur un froid banc de pierre, pensant trouver toute la cour endormie. Pourtant, il y régnait une grande excitation. Les gens allaient et venaient en tous sens et des soldats mexica en armes étaient postés devant toutes les portes du palais. Je trouvai enfin le prince Saule qui me mit au courant de la situation et je me demandai si j'avais vraiment rêvé, car il m'apprit que Motecuzoma s'était rendu coupable d'un acte sans précédent.

Une tradition inviolable voulait que les funérailles d'un chef d'état ne soient jamais souillées par des assassinats ou par d'autres félonies. Comme vous le savez, Nezahualpilli avait licencié l'armée acolhua et les troupes de pure forme qui subsistaient n'étaient pas préparées à repousser une attaque. J'ai dit que Motecuzoma avait délégué son Femme-Serpent et son frère Cuitlahuac, chef de l'armée, mais j'ignorais que ce dernier s'était fait suivre d'un acali de guerre chargé de soixante guerriers mexica triés sur le volet, qui avaient débarqué secrètement aux environs de Texcoco.

Pendant la nuit, tandis que je conversais avec des ombres, Cuitlahuac et ses hommes avaient chassé les gardes du palais et investi les bâtiments pendant que le Femme-Serpent avait convoqué tout le monde pour entendre une proclamation. Le prince héritier Fleur Noire ne prendrait pas la succession de son père. Motecuzoma, en tant que chef de la Triple Alliance, avait décrété que la couronne irait au prince Cacama, Epi de Maïs, fils de l'une des concubines de Nezahualpilli, qui se trouvait être, comme par hasard, la plus jeune sœur de Motecuzoma.

Jamais un tel coup de force ne s'était produit. Toute admirable qu'ait été, dans son principe, la politique de paix de Nezahualpilli, elle avait laissé le pays dans l'incapacité de résister à cette ingérence des Mexica. Le prince Fleur Noire entra dans une noire fureur, mais il ne put rien faire d'autre. Cuitlahuac n'était pas un mauvais bougre, bien qu'il fût le neveu de Motecuzoma et qu'il dût suivre ses ordres. Il exprima ses regrets au prince déposé et lui conseilla de se mettre discrètement à l'abri avant que Motecuzoma ne conçoive l'idée de le faire prisonnier ou de l'éliminer.

Fleur Noire quitta donc Texcoco le jour même, accompagné de ses courtisans, de ses domestiques et de sa garde personnelle, ainsi que de beaucoup de nobles indignés qui jurèrent hautement de se venger de la trahison de leur allié de toujours. Le reste de la population de Texcoco ne put que bouillir d'une rage impuissante en attendant le couronnement du neveu de Motecuzoma comme Orateur Vénéré des Acolhua.

Je ne restai pas pour assister à la cérémonie. J'étais un Mexicatl et les Mexica n'étaient plus très bien vus à Texcoco. Du reste, je ne me sentais pas particulièrement fier d'en être un. Mon vieux camarade Saule, lui-même, me regardait d'un drôle d'air, se demandant, sans doute, si j'avais proféré une sorte de menace le soir où je lui avais dit : « Motecuzoma ne va pas éprouver plus de sympathie pour votre frère qu'il n'en a eue pour votre père. »

Je rentrai donc à Tenochtitlán où les prêtres célébraient dans la liesse un rituel spécial en l'honneur de « l'habile stratagème de notre Orateur Vénéré ». Les fesses de Cacamatzin s'étaient à peine posées sur le trône de Texcoco qu'il avait déjà annoncé un renversement dans la politique de son père. Il allait lever une armée acolhua pour aider son oncle Motecuzoma à lancer une nouvelle attaque contre Texcala, l'éternelle insoumise.

Cette campagne fut de nouveau un échec. Le jeune et belliqueux allié que Motecuzoma s'était lui-même choisi ne lui fut pas d'un grand secours. Cacama n'était ni aimé, ni craint et son appel aux volontaires ne reçut aucun écho. Même lorsqu'il donna l'ordre de procéder à une conscription, peu de citoyens s'y rendirent ou ils le firent de si mauvais gré qu'ils se battirent avec bien peu de conviction. Certains Acolhua, qui, dans d'autres circonstances, auraient volontiers pris les armes, arguèrent qu'ils étaient trop vieux, ou trop malades, ou qu'ils ne pouvaient abandonner leur famille. En réalité, c'est parce qu'ils étaient restés fidèles au prince héritier qui aurait dû être leur Orateur Vénéré.

Fleur Noire s'était retiré dans une résidence de

campagne de la famille royale, quelque part au nord-est, dans les montagnes et il avait entrepris l'installation d'une garnison fortifiée. Outre les nobles et leurs familles qui s'étaient exilés avec lui, nombreux furent ceux qui allèrent le rejoindre, parmi les chevaliers et les soldats qui avaient servi sous son père. D'autres encore, qui ne pouvaient pas quitter leur demeure ou leur emploi sur les terres de Cacama, venaient clandestinement s'entraîner avec les troupes, de temps à autre, dans le repaire montagneux de Fleur Noire. A l'époque, j'ignorais tout cela, comme la plupart des gens. Le fait que Fleur Noire se préparait tranquillement, mais soigneusement, à reprendre son trône à l'usurpateur resta un secret bien gardé.

Pendant ce temps, le caractère de Motecuzoma ne s'améliorait pas. Il se doutait bien qu'il avait perdu l'estime des autres dirigeants par son intervention intempestive dans les affaires de Texcoco. Il se sentait humilié par son dernier échec contre Texcala. Il n'était pas satisfait de son neveu Cacama et, comme si tout cela n'était pas suffisant, des événements encore plus contrariants commencèrent à se produire.

On aurait dit que la mort de Nezahualpilli avait été le signal pour que ses prédictions les plus sombres se réalisent. Peu après ses funérailles, un messager arriva du pays maya avec l'inquiétante nouvelle que les étranges hommes blancs étaient revenus à Uluümil Kutz. Cette fois, ils n'étaient pas deux, mais cent. Ils avaient ancré leurs trois navires au large du port de Kimpéch, sur la côte ouest de la péninsule, puis ils avaient gagné le rivage à la rame, sur de gros canots. Les habitants de Kimpéch, du moins ceux qui avaient survécu à l'épidémie de petite vérole, les avaient laissés accoster sans leur opposer de résistance. Mais les Blancs avaient alors pénétré dans un temple et, sans demander la moindre permission, ils en avaient arraché tout le décor d'or. Devant cela, la population s'était rebellée.

Ou du moins, elle avait essayé. En effet, les armes des Kimpéch avaient volé en éclats contre les corps de métal des hommes blancs qui, en lançant leur cri de guerre : « Santiago ! » avaient contre-attaqué avec leurs bâtons. Ces bâtons crachaient du tonnerre et des éclairs comme le dieu Chac au plus fort de sa colère et beaucoup de Maya succombèrent sous leurs coups alors qu'ils en étaient très loin. Nous savons tous maintenant que le messager avait tenté de décrire ainsi les armures de fer et les arquebuses de vos soldats, mais à cette époque son récit nous avait paru incompréhensible.

Toutefois, il avait apporté deux témoignages pour appuyer ses dires. Le premier était la liste des morts inscrite sur du papier d'écorce : plus de deux cents Kimpéch et quarante-deux étrangers avaient péri dans la bataille. Les envahisseurs avaient été repoussés et ils avaient regagné leurs canots, puis leurs navires qui, après avoir déployé leurs ailes, avaient disparu à l'horizon. L'autre témoignage était une figure d'homme blanc écorchée, avec ses cheveux et sa barbe, tendue sur un cercle de bois. Le jour où je pus la voir, je me rendis compte qu'elle ressemblait beaucoup à celle des deux Blancs que j'avais connus, mais je m'étonnai fort de constater que les cheveux et la barbe étaient jaunes comme de l'or.

Motecuzoma récompensa le messager pour lui avoir apporté ce trophée, mais après son départ, il paraît qu'il tempêta après les Maya. « Pensez, attaquer des visiteurs qui sont peut-être des dieux ! » Puis, en proie à une violente agitation il s'enferma avec son Conseil, ses sages et ses devins. Comme on ne me pria pas de me joindre à la réunion, j'ignore quel en fut le résultat, si toutefois, il y en eut un.

Un peu plus d'un an après, pendant l'année Treize Lapin, où j'atteignis ma cinquante-deuxième année, des hommes blancs surgirent à nouveau à l'horizon et Motecuzoma me fit appeler en audience privée.

« Cette fois, j'ai là un rapport qui ne m'a pas été fait par un Maya simple d'esprit, mais par des pochteca qui se trouvaient sur la côte de l'océan Oriental. Ils étaient à Xicalango quand six navires sont arrivés et ils ont eu assez de sang-froid pour ne pas s'affoler et pour empêcher la population de se paniquer. »

Je me souvenais très bien de Xicalango, cette ville si bien située entre le bleu de l'océan et le vert du lagon, dans le pays olmeca.

« Il n'y a pas eu de combat, poursuivit Motecuzoma. Il y avait deux cent quarante Blancs et les indigènes étaient épouvantés, mais nos pochteca ont pris la situation en main ; ils ont réussi à rétablir le calme et à persuader le tabascoöb d'accueillir les arrivants. Aussi, les Blancs ne se sont livrés à aucune exaction et ils sont repartis après avoir admiré la ville et goûté à la cuisine du pays. Personne n'a pu leur parler, bien sûr, mais nos marchands ont pu leur demander par gestes s'ils voulaient faire des échanges. Les hommes blancs n'avaient pas grand-chose avec eux, mais en échange de quelques pennes de poudre d'or, ils leur ont donné *ceci* ! »

Et, avec le geste d'un sorcier des rues qui exhibe, par magie, un monceau de friandises devant une foule d'enfants, Motecuzoma sortit de dessous son manteau plusieurs chapelets de perles. Ils étaient de couleur différente, mais ils avaient tous le même nombre de perles, grosses et petites, comme la chaîne de prières que j'avais prise à Aguilar sept ans auparavant.

Motecuzoma eut un sourire triomphant comme s'il

s'attendait à ce que je reconnaisse : « Vous aviez raison, Seigneur, ce sont bien des dieux. »

Au lieu de cela, je lui dis :

« Ces hommes blancs ont évidemment le même culte, Seigneur. Ce qui veut dire qu'ils viennent du même endroit. Nous nous en doutions et tout cela ne nous apprend rien de nouveau.

— Et que dis-tu de ça ? » A ces mots, il tira de derrière son trône ce qui me parut être un pot en argent terni.

« L'un des étrangers l'a enlevé de sa tête et l'a échangé contre de l'or. »

J'examinai la pièce. Ce n'était pas un pot, car sa forme arrondie l'aurait empêché de tenir debout. C'était du métal, plus gris que l'argent et beaucoup moins brillant — c'était du fer, bien sûr. Sur le côté ouvert, étaient fixées des lanières de cuir qui devaient sans aucun doute s'attacher sous le menton.

« C'est un casque, dis-je et je suis sûr que l'Orateur Vénéré l'avait deviné. Un casque très efficace. Impossible de trancher la tête d'un guerrier qui le porterait. Ce serait une bonne chose que nos soldats soient équipés de...

— Tu n'as pas remarqué le plus important, coupa-t-il, impatienté. Il a exactement la même forme que ce que le dieu Quetzalcoatl porte habituellement sur la tête.

— Comment peut-on le savoir, Seigneur ? » objectai-je, incrédule mais respectueux.

D'un autre mouvement ample, il déploya sa dernière surprise.

« Regarde ça, vieil entêté. C'est mon neveu Cacama qui l'a trouvé dans les archives de Texcoco. »

C'était le récit écrit sur une peau de daim de l'abdication et du départ du chef des Tolteca, le Serpent à plumes. D'un doigt un peu tremblant, Motecuzoma me désigna l'un des dessins qui figurait Quetzalcoatl faisant ses adieux à ses sujets, debout sur son radeau.

« Il est vêtu comme nous, remarqua Motecuzoma d'une voix qui elle aussi tremblait un peu. Mais il porte sur la tête quelque chose qui devait être la couronne des Tolteca. Compare-la avec ce que tu tiens dans la main.

— La ressemblance est incontestable, répondis-je. Mais, poursuivis-je prudemment, il ne faut pas oublier que les Tolteca ont disparu bien avant que les Acolhua apprennent à écrire et que par conséquent l'artiste n'a jamais pu voir de Tolteca et encore moins Quetzalcoatl. Je vous accorde que cette coiffure ressemble étrangement au casque de l'homme blanc, mais je connais l'imagination des scribes et je rappelle à l'Orateur Vénéré qu'il se produit parfois de curieuses coïncidences.

— *Yya !* » L'exclamation de Motecuzoma sonna comme un haut-le-cœur. « Rien ne peux donc te convaincre ? Ecoute-moi. J'ai une autre preuve. J'ai mobilisé tous les historiens de la Triple Alliance pour faire des recherches sur les Tolteca. A leur grande surprise — ils l'ont eux-mêmes reconnu — ils ont exhumé une foule de vieilles légendes oubliées. Eh bien, d'après ces récits, les Tolteca étaient un peuple au teint clair, et la barbe était considérée, chez les hommes, comme un signe de virilité. » Il se pencha vers moi et plongea ses yeux dans les miens. « En d'autres termes, Chevalier Mixtli, les Tolteca étaient blancs et barbus, exactement comme ces étrangers qui nous rendent des visites de plus en plus fréquentes. Qu'as-tu à répondre à cela ? »

J'aurais pu lui objecter que nous avions une telle profusion de contes et de légendes que n'importe qui pourrait toujours y trouver des indices pour appuyer les théories les plus aberrantes. J'aurais pu lui dire aussi que l'historien le plus sérieux n'aurait pas voulu décevoir un Orateur Vénéré si infatué de son idée. Mais, prudemment, je lui répondis :

« Quelle que soit la nature de ces étrangers, Seigneur, vous venez de remarquer vous-même que leurs visites deviennent de plus en plus fréquentes. En outre, ils sont plus nombreux à chaque fois et ils abordent toujours plus à l'ouest — Tihó, puis Kimpéch et maintenant Xicalango — donc ils se rapprochent d'ici. Que pense l'Orateur Vénéré de tout cela ? »

Il s'agita sur son trône, comme s'il pressentait inconsciemment qu'il y était installé dans une situation précaire et, après quelques instants de réflexion, il me dit :

« Quand on ne leur oppose pas de résistance, ils ne se livrent à aucun acte de violence. Ils semblent vouloir rester à proximité de leurs bateaux et ne pas avoir l'intention de s'aventurer à l'intérieur des terres pour retourner vers le territoire qui leur appartenait jadis. S'ils souhaitent regagner le Monde Unique en ne s'établissant que sur les côtes… eh bien… pourquoi ne pas vivre ensemble en bons voisins ? » Il se tut et comme je restais silencieux, il me demanda d'un ton aigre : « Alors, tu n'es pas d'accord ?

— Si j'en juge par mon expérience personnelle, Seigneur Orateur, on ne peut jamais savoir si un futur voisin s'avérera un bienfait ou une épreuve, avant qu'il ne se soit vraiment installé et alors, il est trop tard pour avoir des regrets. C'est un peu comme un mariage irréfléchi. On ne peut qu'espérer qu'il tournera bien. »

Moins d'un an après, les voisins commencèrent à s'installer. Nous étions au printemps de l'année Un Roseau quand un messager arriva du pays olmeca porteur d'une nouvelle très alarmante. Motecuzoma m'envoya chercher en même temps qu'il convoquait son Conseil pour le mettre au courant. Le messager nous commenta l'affaire en des termes haletants et angoissés. Le jour Six Fleur, des navires aux ailes déployées étaient apparus à nouveau. Ils étaient onze et formaient une flotte impressionnante. C'était le 25 mars mille cinq cent quinze de votre calendrier, mes révérends.

Les onze vaisseaux avaient mouillé devant l'embouchure du fleuve du Tabascoöb, ils avaient vomi sur la plage des centaines et des centaines d'hommes blancs. Armés et gainés de métal, ils s'étaient répandus sur le rivage en criant : « Santiago ! » — sans doute le nom de leur dieu de la guerre — et ils ne semblaient pas venus pour admirer le paysage ou goûter à la cuisine locale. Les indigènes avaient immédiatement regroupé tous leurs guerriers — cinq mille hommes en tout. De nombreux combats s'étaient déroulés en l'espace de dix jours et les nôtres avaient lutté vaillamment, mais les Blancs avaient des armes invincibles.

Nos armes d'obsidienne s'étaient brisées instantanément sur leurs épées, leurs boucliers et leurs armures de métal. Ils avaient des arcs ridiculement petits, qu'ils tenaient maladroitement de travers et qui, cependant, lançaient de petites flèches avec une stupéfiante précision. Ils avaient des bâtons qui crachaient des éclairs et du tonnerre et qui faisaient des trous minuscules mais mortels. Ils avaient des tubes de métal posés sur de grandes roues qui vomissaient des éclairs encore plus fulgurants et un tonnerre encore plus fracassant, ainsi que des petits morceaux de métal qui fauchaient plusieurs hommes à la fois, comme des plants de maïs couchés par un orage de grêle.

Mais la chose la plus incroyable et la plus terrifiante, nous avait dit le messager, c'était que parmi eux, il y avait des hommes-bêtes dont le corps ressemblait à celui d'un cerf géant, sans bois, qui galopaient sur leurs quatre pattes, tandis que de leurs deux bras humains, ils brandissaient une épée ou une lance et leur seule vue avait fait fuir les plus braves.

Vous souriez, mes révérends. Et pourtant, ni les paroles incohérentes du messager ni les grossiers dessins des Cupilco, ne pouvaient nous laisser supposer qu'il s'agissait de soldats montés sur des animaux plus gros que tous ceux que nous connaissions. Nous ne pouvions pas davantage deviner la nature de ce que le messager avait appelé « des chiens-lions », qui couraient après les hommes en fuite, les repéraient et les mettaient en pièce comme l'aurait fait une épée ou un jaguar.

Lorsque les troupes olmeca eurent dénombré dans leurs rangs huit cents morts et autant de blessés, alors qu'ils n'avaient tué que quarante envahisseurs, le tabascoöb ordonna la retraite. Il envoya des émissaires portant les étendards à mailles d'or de la paix qui se dirigèrent vers les maisons de toile que les Blancs avaient installées sur la plage. Ces envoyés furent très surpris de pouvoir communiquer avec eux autrement que par gestes, car l'un des Blancs parlait un dialecte maya. Ils demandèrent aux envahisseurs quelles conditions ils exigeaient pour faire la paix. Je ne peux vous certifier l'exactitude de ces propos, je ne fais que vous répéter ce que nous a dit le messager qui n'était pas lui-même un témoin direct. Voici ce que les Blancs avaient déclaré :

« Dites à votre peuple que nous ne sommes pas venus pour faire la guerre, mais pour chercher un remède à une maladie. Les hommes blancs souffrent d'une affection du cœur que l'or seul peut guérir. »

A ces mots, Tlacotzin, le Femme-Serpent, avait regardé Motecuzoma et dit sur un ton qui se voulait encourageant :

« Voilà une nouvelle intéressante, Seigneur Orateur. Ces étrangers ne sont donc pas invulnérables, puisqu'ils sont touchés par une curieuse maladie dont personne, chez nous, n'a jamais été atteint. »

Motecuzoma branla du chef avec une moue d'incertitude et tous les vieux conseillers l'imitèrent. Un seul fut assez mal embouché pour donner son opinion et naturellement, ce fut moi.

« Je vous demande pardon, Seigneur Femme-Serpent. J'ai connu beaucoup de gens qui présentaient les symptômes de ce mal. Il s'appelle l'avidité. »

Motecuzoma et Tlacotzin me lancèrent des regards furibonds et le messager fut prié de poursuivre son récit.

Le tabascoöb avait donc acheté la paix en entassant sur la plage tout l'or disponible : coupes, chaînes, effigies des dieux, bijoux et même de la poudre, des pépites et des morceaux de métal brut. L'homme blanc qui était manifestement le chef avait demandé où l'on trouvait cet or qui guérit le cœur et le tabascoöb lui avait répondu qu'il y en avait partout dans le Monde Unique, mais que la plus grande partie était réservée à Motecuzoma, Orateur Vénéré des Mexica, et déposée dans sa capitale. Les hommes blancs avaient paru très intéressés par cette remarque et ils avaient voulu savoir où était cette ville. Le tabascoöb leur avait dit qu'ils pourraient s'en rapprocher avec leurs navires en longeant la côte vers l'ouest, puis vers le nord-ouest.

« Nous avons déjà des voisins fort obligeants », grogna Motecuzoma.

Le tabascoöb avait également offert au chef blanc vingt belles jeunes femmes pour qu'il les partage avec ses subordonnés. Le tabascoöb en avait choisi lui-même dix-neuf et une vingtième s'était portée volontaire pour arriver au chiffre rituel, ce qui inciterait peut-être les dieux à épargner aux Olmeca de nouvelles visites. Les Blancs avaient donc chargé sur leurs vaisseaux leur butin d'or et de femmes et après avoir déployé leurs grandes ailes, ils étaient repartis vers l'ouest, le jour Treize Fleur, sans s'éloigner de la côte.

Motecuzoma poussa un autre grognement tandis que les anciens du Conseil se mettaient à marmonner entre eux.

« Seigneur Orateur, dit timidement l'un des conseillers, nous sommes dans l'année Un Roseau.

— Merci, répondit aigrement Motecuzoma, je le savais déjà.

— Mais le sens caché de ce fait a peut-être échappé à l'Orateur Vénéré, reprit un autre vieillard. Selon une légende, Un Roseau est l'année où Quetzalcoatl naquit sous sa forme humaine pour devenir le Uey tlatoani des Tolteca.

— Par conséquent, poursuivit un autre, Un Roseau est aussi l'année où il atteignit son faisceau de cinquante-deux années et, toujours d'après la légende, c'est au cours de cette année Un Roseau que son ennemi le dieu Tezcatlipoca parvint à l'enivrer afin qu'il commette, contre sa volonté, un péché abominable.

— Il s'accoupla avec sa propre fille et quand il se réveilla à côté d'elle, le lendemain matin, le remords le fit abdiquer et il partit sur un radeau sur la mer orientale.

— Mais il a juré de revenir. Voyez-vous, Seigneur, le Serpent à plumes est né une année Un-Roseau et il a disparu l'année Un Roseau suivante. Puisque nous sommes à nouveau dans une année Un Roseau, ne pourrait-on pas se demander... »

La question se perdit dans le silence, car Motecuzoma était devenu aussi pâle qu'un homme blanc. Le choc l'avait rendu muet. Peut-être parce que le rappel de ces dates avait immédiatement suivi le récit du messager disant que les hommes venus de la mer étaient en route pour sa capitale ; ou alors, il avait pâli à cause de la similitude entre lui-même et Quetzalcoatl, détrôné par la honte de sa propre faute. Motecuzoma avait de nombreux enfants, de tout âge et des rumeurs avaient couru au sujet de ses relations avec deux ou trois de ses filles. L'Orateur Vénéré avait déjà bien des préoccupations, mais il n'était pas au bout de ses peines, car à cet instant l'intendant du palais annonça l'arrivée d'autres messagers.

C'était une délégation de quatre Totonaca, de ce pays situé sur la côte orientale, qui venaient avertir Motecuzoma de l'arrivée chez eux de ces onze bateaux remplis d'hommes blancs. L'entrée de ces messagers, si tôt après celle de l'envoyé des Cupilco, était aussi une coïncidence troublante, mais elle n'était pas inexplicable. Une vingtaine de jours s'étaient écoulés entre le départ des navires de la côte olmeca et leur arrivée sur le rivage totonacatl, mais ce dernier pays était exactement à l'est de Tenochtitlán et de bonnes routes l'y reliaient. Par contre, l'Olmecatl avait dû emprunter des chemins beaucoup plus longs et plus difficiles. Ces arrivées simultanées n'étaient donc pas extraordinaires, mais nous n'étions pas plus rassurés pour autant.

Les Totonaca ignoraient l'art des mots, aussi ils n'avaient envoyé aucun rapport écrit. Les quatre messagers étaient des « conteurs » qui récitèrent de mémoire et mot pour mot, ce que leur chef, le Seigneur Patzinca, leur avait dit, mais ils furent incapables d'ajouter le moindre éclaircissement, ni de donner la moindre opinion personnelle, tant ils étaient bornés.

« Le jour Huit Alligator, Seigneur Orateur. » Le Totonacatl commença à débiter son message. « Donc, le jour Huit Alligator, les onze navires ont soudain apparu sur l'océan et ils sont venus s'ancrer devant la baie de Chalchihuacuecan. »

Je connaissais cet endroit, mais je m'abstins de tout

1026

commentaire, sachant qu'il ne faut jamais interrompre un répétiteur.

L'homme poursuivit en disant que le jour suivant, Neuf Vent, des étrangers blancs et barbus étaient descendus sur le rivage où ils avaient construit des petites maisons de toile et planté de grandes croix de bois dans le sable, ainsi que de grandes bannières, pour accomplir ce qui avait semblé être une cérémonie. Ils chantaient et gesticulaient ; ils s'agenouillaient et se relevaient et il y avait parmi eux plusieurs prêtres. Ce ne pouvait être que des prêtres, car ils étaient tout en noir, comme les nôtres. Tous ces événements s'étaient déroulés le jour Neuf Vent. Le lendemain...

— Neuf Vent, remarqua pensivement un conseiller. D'après une légende, le nom complet de Quetzalcoatl serait Neuf Vent Serpent à plumes, ce qui voudrait dire qu'il est né un jour Neuf Vent. »

Motecuzoma tressaillit légèrement, peut-être parce que cette remarque lui avait paru de mauvais augure. En tout cas, le conseiller aurait dû savoir que c'était une grave erreur d'interrompre un « conteur », incapable de reprendre son récit là où il l'avait laissé et donc obligé de tout raconter du début.

« Le jour Huit Alligator... »

Lorsqu'il fut enfin arrivé au point où il en était resté, le messager poursuivit en disant qu'il n'y avait eu aucun combat. En effet, outre qu'ils étaient ignorants, les Totonaca étaient serviles et geignards. Ils étaient asservis depuis de longues années à la Triple Alliance et, tout en se plaignant continuellement, ils avaient toujours envoyé régulièrement leur tribut annuel de fruits, de bois précieux, de vanille, de cacao, de picietl et autres produits des Terres Chaudes.

Les habitants n'avaient opposé aucune résistance aux étrangers et ils avaient averti le Seigneur Patzinca qui résidait dans la capitale de Zempoala. A son tour, Patzinca avait envoyé des nobles porteurs de nombreux cadeaux pour les Blancs en même temps qu'une invitation à se rendre à sa cour. Cinq d'entre eux étaient donc partis en compagnie d'une femme qui était avec eux. Elle n'était ni blanche, ni barbue ; c'était une femme du pays olmeca. Arrivés à Zempoala, les visiteurs offrirent des présents à Patzinca : une chaise bizarrement construite, des perles de couleur et un chapeau confectionné dans un épais tissu rouge. Ils disaient qu'ils étaient les envoyés d'un chef nommé Roicharles et d'un dieu et d'une déesse qui s'appelaient Notre-Seigneur et Notre-Dame.

Je sais, mes révérends, je sais. Je ne fais que vous répéter les paroles de ce Totonacatl ignorant.

Les visiteurs avaient ensuite pressé Patzinca de questions au sujet de ce pays. Quel dieu honorait-on ? Y avait-il beaucoup d'or ? Etait-il lui-même un roi, un empereur ou seulement un vice-roi ? Bien qu'il fût considérablement dérouté par tous les termes inconnus employés par les étrangers, Patzinca avait répondu de son mieux. Parmi la multitude des dieux, lui et son peuple reconnaissaient Tezcatlipoca comme le plus grand. Il était le chef de tous les Totonaca, mais il était soumis à trois grandes puissances de l'intérieur, dont la plus importante était la nation mexica dirigée par l'Orateur Vénéré Motecuzoma. Patzinca leur avait alors confié que cinq greffiers du Trésor mexica se trouvaient justement à Zempoala pour établir la liste des marchandises que les Totonaca devraient envoyer comme tribut annuel...

« J'aimerais bien savoir comment cet entretien s'est déroulé ? déclara soudain un conseiller. On nous a dit que l'un des Blancs parlait le maya, mais les Totonaca ne connaissent pas cette langue, ils parlent seulement leur propre dialecte et le nahuatl. »

Le répétiteur parut visiblement affolé. Il toussota et reprit :

« Le jour Huit Alligator, Seigneur Orateur... »

Motecuzoma foudroya du regard l'infortuné conseiller et grommela :

« Puisses-tu mourir de vieillesse avant que cet enfoiré arrive à terminer son histoire !

— Le jour Huit Alligator, répéta le Totonacatl... »

Une certaine nervosité régna dans l'assemblée jusqu'au moment où il arriva enfin à l'endroit où il avait laissé son récit. Mais ce qu'il nous apprit ensuite valait bien la peine d'avoir attendu.

Patzinca avait dit aux hommes blancs que les cinq greffiers mexica étaient furieux contre lui parce qu'il les avait accueillis sans demander la permission de l'Orateur Vénéré Motecuzoma. En conséquence, ils avaient ajouté au tribut dix adolescents mâles et dix jeunes vierges qui devraient être envoyés à Tenochtitlán en même temps que la vanille et le cacao, pour y être sacrifiés aux dieux mexica.

En apprenant cela, le chef des Blancs avait poussé des cris horrifiés en disant à Patzinca qu'il ne fallait pas qu'il obéisse et qu'au contraire, il devrait s'emparer des cinq Mexica. Le Seigneur Patzinca avait alors exprimé sa répugnance à porter la main sur des fonctionnaires de Motecuzoma, mais le chef des Blancs lui avait promis que ses soldats défendraient les Totonaca contre toute mesure de représailles. Patzinco, tremblant de peur, avait donné l'ordre de les arrêter et de les enfermer tous les cinq dans une petite cage de bois, pressés les uns contre les autres comme des volailles qu'on emmène au marché, les plumes de leurs manteaux toutes hérissées et l'humeur massacrante.

« Quel outrage ! s'écria Motecuzoma, hors de lui. Les étrangers ont l'excuse d'ignorer nos lois tributaires. Mais cet abruti de Patzinca... ! »

Il se leva en agitant un poing menaçant à l'adresse du messager. « Traiter de la sorte cinq de mes fonctionnaires et oser venir me le dire ! Par tous les dieux, je vais te faire jeter aux félins de la ménagerie si tu ne trouves pas quelque chose pour expliquer la trahison de ton maître. »

L'homme roula des yeux effrayés et dit : « Le jour Huit Alligator...

— *Ayya ouiya.* Arrête ! » hurla Motecuzoma. Il s'écroula sur son trône et se prit la tête dans les mains. « Je retire ma menace. Un félin est bien trop fier pour se repaître d'un pareil déchet. »

L'un des Anciens du Conseil créa une diversion diplomatique en faisant signe à un autre messager de prendre la parole. Il se mit à baragouiner dans un méli-mélo de langues. Il était évident qu'il avait assisté au moins à l'un des entretiens entre son maître et les visiteurs et qu'il répétait chaque mot qu'ils avaient échangé. Il en ressortait que le chef des Blancs parlait en espagnol et qu'un autre blanc traduisait en maya ; après quoi, quelqu'un d'autre traduisait en nahuatl pour Patzinca. Ensuite, la réponse de Patzinca revenait au chef blanc en suivant à rebours la même filière.

« Ça tombe bien que tu sois là, Mixtli, me dit Motecuzoma. Il parle un bien mauvais nahuatl, mais à force de le faire répéter, on finira bien par le comprendre. Pourras-tu nous traduire ce qu'il dit dans les autres langues ? »

J'aurais bien aimé briller en faisant une traduction instantanée, mais, en vérité, je n'avais pas compris

grand-chose dans ce déluge de paroles. L'accent totonacatl du messager y était pour quelque chose mais, de
plus, son chef ne parlait pas très bien le nahuatl. Le
dialecte maya utilisé comme intermédiaire était celui
des Xiu que je connaissais bien, ce qui n'était pas le cas
de l'interprète blanc. En outre, à l'époque, je ne parlais
pas couramment l'espagnol et il y avait beaucoup de
mots comme « emperador » et « virrey » qui, n'ayant
pas de correspondant dans notre langue, avaient été
simplement répétés sans être traduits, en Xiu, puis en
nahuatl et déformés au passage.

Un peu dépité, je dus avouer à Motecuzoma que si le
messager voulait bien répéter plusieurs fois, j'arriverais
peut-être à comprendre quelque chose, mais que, pour
le moment, je ne pouvais que lui dire que le mot qui
revenait le plus souvent dans le discours des Blancs était
« cortés ».

« Un seul mot, dit Motecuzoma d'un air sombre.

— Cela veut dire courtois, Seigneur Orateur, aimable, bien élevé.

— Ce n'est donc pas trop mauvais signe si les
étrangers parlent de courtoisie et d'amabilité », remarqua Motecuzoma en s'éclairant un peu.

Je me gardai de lui rappeler qu'ils ne s'étaient pas
conduits très courtoisement envers les Olmeca.

Après un silence maussade, Motecuzoma nous chargea, son frère Cuitlahuac et moi, d'emmener les messagers et de leur faire répéter leur discours autant de fois
qu'il le faudrait pour arriver à en tirer quelque chose de
cohérent. Nous partîmes tous chez moi et nous passâmes plusieurs jours entiers à les écouter. Le premier
messager nous rabâcha cent fois ce que lui avait confié le
Seigneur Patzinca et les trois autres répétèrent à l'infini
le gargouillis de mots qu'ils avaient retenu de l'entretien
entre Patzinca et ses visiteurs. De ce flot de paroles, il

ressortit néanmoins une sorte de trame que je transcrivis.

Voici ce que Cuitlahuac et moi avions fini par comprendre :

Les Blancs s'étaient déclarés scandalisés que les Totonaca ou tout autre peuple puissent être soumis à la domination de ce chef « étranger » nommé Motecuzoma. Ils avaient offert leurs armes uniques et leurs invincibles guerriers blancs pour « libérer » les Totonaca et tous ceux qui souhaitaient se soustraire au despotisme de Motecuzoma, à la condition que ces pays fassent allégeance, à la place, à ce roi d'Espagne.

Nous savions que plusieurs nations pourraient se joindre de grand cœur au renversement de Motecuzoma, car elles ne versaient le tribut à la Triple Alliance que contraintes et forcées et, de plus, Motecuzoma s'était rendu dernièrement particulièrement impopulaire dans tout le Monde Unique. Mais les Blancs avaient mis une autre condition à leur aide.

Notre-Seigneur et Notre-Dame, avaient dit les Blancs, étaient très jaloux des autres divinités et révoltés par la pratique des sacrifices humains. Tous ceux qui souhaitaient secouer le joug de Motecuzoma devraient également devenir les fidèles de ce dieu et de cette déesse, proscrire ces offrandes sanglantes, renverser les statues et les temples de leurs anciennes divinités et installer à leur place des croix représentant Notre Seigneur et des effigies de Notre-Dame, que les Blancs se feraient un plaisir de leur fournir.

Je m'accordais avec Cuitlahuac pour reconnaître que les Totonaca et les autres peuples soumis pouvaient penser qu'ils avaient intérêt à se débarrasser de Motecuzoma et de ses envahissants Mexica, en faveur d'un roi lointain et invisible. Par contre, nous avions tous les deux la certitude que personne n'était disposé à désavouer nos dieux, bien plus redoutables qu'aucun des chefs terrestres, au risque de voir le Monde Unique tout entier disparaître dans une effrayante catastrophe et nous comprîmes, d'après ce que nous avions pu tirer des messagers, que même le très influençable Patzinca avait été horrifié par cette idée.

Je retournai alors au palais avec Cuitlahuac pour y apporter nos conclusions. Motecuzoma prit mon cahier et commença à le lire en le dépliant au fur et à mesure d'un air sombre, tandis que je faisais part à haute voix de son contenu au Conseil réuni dans la salle du trône. Mais cette réunion, comme la précédente, fut interrompue par de nouveaux arrivants qui suppliaient qu'on les reçoive immédiatement.

C'étaient les cinq greffiers qui s'étaient trouvés à Zempoala en même temps que les Blancs. Comme tout fonctionnaire en mission dans les pays tributaires, ils portaient de riches manteaux, des coiffures de plumes et les insignes de leur charge mais, en fait, ils ressemblaient tout à fait à des oiseaux que la tempête aurait jetés dans un buisson d'épines. Ils étaient sales, ébouriffés, hagards et haletants, en partie, nous dirent-ils, parce qu'ils avaient fait tout le chemin depuis Zempoala au pas de course et surtout parce qu'ils avaient passé plusieurs nuits et plusieurs jours entassés dans la maudite cage de Patzinca où il n'y avait pas de place pour s'allonger et aucune installation sanitaire.

« Quel vent de folie souffle là-bas ? leur demanda Motecuzoma.

— *Ayya,* Seigneur, soupira l'un d'eux, c'est inexplicable.

— Allons, allons ! rétorqua Motecuzoma d'un ton cassant. Rien n'est inexplicable. Comment avez-vous pu vous évader ?

« — C'est le chef des étrangers blancs qui nous a ouvert en secret la porte de la cage. »

Tout le monde était stupéfait et Motecuzoma s'écria : « *En secret ?*

— Oui, Seigneur. C'est un Blanc qui s'appelle Cortés.

— Cortés ! » Motecuzoma fit suivre son exclamation d'un regard perçant dans ma direction et je ne pus que prendre un air impuissant car j'étais aussi surpris que lui. Rien dans les paroles des messagers n'avait pu me laisser supposer qu'il s'agissait d'un nom propre.

« Ce Cortés est venu nous voir secrètement, la nuit, poursuivit le fonctionnaire d'un ton las, mais patient. Il n'était accompagné que de deux interprètes et il nous a ouvert la cage de ses propres mains. Après nous avoir appris qu'il s'appelait Cortés, il nous a dit de fuir au plus vite en nous demandant de présenter ses respects à notre Orateur Vénéré. Il veut que vous sachiez, Seigneur, que les Totonaca ont l'intention de se révolter et que Patzinca nous a emprisonnés malgré le conseil pressant de Cortés de ne pas traiter de la sorte des envoyés du puissant Motecuzoma et il nous a dit aussi qu'il avait pris sciemment le risque d'encourir la colère du traître Patzinca en nous libérant, comme témoignage de son respect envers vous. Il souhaite également que vous sachiez qu'il usera de toute sa persuasion pour empêcher les Totonaca de se rebeller contre vous. En échange de tout cela, Seigneur Orateur, Cortés demande seulement que vous l'invitiez à Tenochtitlán, afin qu'il puisse rendre personnellement hommage au plus puissant de tous les dirigeants de ces pays.

— Eh bien, dit Motecuzoma en souriant et en se redressant sur son trône sous l'effet de ces flatteries. Cet étranger porte bien son nom. »

1034

Cependant, le Femme-Serpent demandait à celui qui venait de parler :

« *Croyez-vous* ce que vous a dit cet homme ?

— Seigneur Femme-Serpent, je ne peux que vous rapporter ce que j'ai vu. Nous avons été faits prisonniers par les Totonaca et libérés par ce Cortés.

— Les messagers nous ont rapporté que Patzinca s'était emparé de ces fonctionnaires après que le chef des blancs lui eut donné l'ordre de le faire, dit Tlacotzin à Motecuzoma.

— Patzinca a pu mentir pour une raison que nous ignorons, répondit Motecuzoma sans grande conviction.

— Je connais bien les Totonaca, répliqua Tlacotzin sur un ton méprisant. Pas un d'entre eux, Patzinca compris, n'aurait le courage, ni même l'idée de se révolter de lui-même.

— Puis-je parler, Seigneur mon frère, dit Cuitlahuac. Vous n'avez pas fini de lire le rapport préparé par le Chevalier Mixtli et moi-même qui reprend les termes exacts échangés entre Patzinca et Cortés. Il est en contradiction formelle avec ce message que Cortés vient de nous faire parvenir. Il est certain qu'il a habilement poussé Patzinca à nous trahir et qu'il a menti honteusement à nos fonctionnaires.

— Tout cela n'a aucun sens, objecta Motecuzoma. Pourquoi aurait-il incité Patzinca à emprisonner ces hommes pour les mettre lui-même ensuite en liberté ?

— Il espère ainsi que nous allons accuser les Totonaca de trahison, poursuivit le Femme-Serpent. Maintenant que les fonctionnaires sont rentrés, Patzinca, pris de panique, va lever une armée dans l'attente de représailles de notre part. Quand ses troupes seront prêtes pour se défendre, Cortés pourra très facilement persuader Patzinca d'attaquer.

— Cette hypothèse concorde parfaitement avec nos conclusions, n'est-ce pas Mixtli ? ajouta Cuitlahuac.

— Oui, Seigneurs, dis-je en m'adressant à l'assemblée tout entière. Il est évident que ce chef blanc veut *quelque chose* de nous, les Mexica, et qu'il emploiera la force, si c'est nécessaire. Il y a une menace implicite dans le message que viennent de nous apporter les fonctionnaires qu'il a si astucieusement délivrés. Pour sa peine, il nous demande que nous l'invitions ici et, si nous refusons de le recevoir, il se servira des Totonaca et peut-être aussi d'autres peuples, pour l'aider à se frayer par la force un chemin jusqu'à nous.

— Dans ce cas, il est facile d'éviter cela en acceptant sa requête. Après tout, il dit qu'il souhaite simplement présenter ses respects. S'il vient sans son armée, avec une simple escorte, il ne peut nous faire aucun mal. A mon avis, il veut nous demander la permission d'installer une colonie sur la côte. Nous savons déjà que ces étrangers sont, par nature, des insulaires et des marins. S'ils ne demandent pas autre chose qu'un morceau de terre sur la mer...

— J'hésite à contredire mon Orateur Vénéré, fit une voix enrouée. Mais les hommes blancs veulent plus qu'un morceau de plage. » C'était l'un des fonctionnaires qui venait de prendre la parole. « Avant de nous enfuir de Zempoala, nous avons vu de grands feux rougeoyer du côté de l'océan et un messager est arrivé en courant de la baie où les Blancs avaient ancré leurs bateaux. Nous avons fini par comprendre ce qu'il s'était passé. Sur les ordres de Cortés, les soldats ont enlevé de dix des navires tout ce qui pouvait servir, puis ils y ont mis le feu. Il n'en reste plus qu'un seul, sans doute pour servir de liaison avec le pays d'où ils viennent.

— Voilà qui est encore plus incompréhensible, répliqua Motecuzoma, irrité. Pourquoi détruiraient-ils volontairement leurs seuls moyens de transports ? Est-ce que tu prétends que ces étrangers sont fous ?

— Je l'ignore, Seigneur Orateur, reprit l'homme à la voix enrouée. Tout ce que je sais, c'est qu'il y a maintenant des centaines de guerriers sur la côte qui n'ont plus aucune possibilité de retourner dans le pays d'où ils sont venus. On ne pourra ni persuader ni forcer leur chef à s'en aller puisqu'ils ne le peuvent plus. Il a tourné le dos à l'océan et je ne crois pas qu'il en restera là. La seule solution qui lui reste maintenant, c'est de partir en avant, vers l'intérieur du pays. Je pense que le Chevalier-Aigle Mixtli a vu juste : il va venir ici, à Tenochtitlán. »

Tout aussi indécis et aussi troublé que le malheureux Patzinca de Zempoala, notre Orateur Vénéré avait refusé de prendre une décision immédiate. Il donna l'ordre à tout le monde de quitter la salle du trône pour qu'il puisse être seul. « Il faut que je réfléchisse, avait-il déclaré, et que j'examine le rapport de mon frère et du chevalier Mixtli. Je vais entrer en communication avec les dieux et quand j'aurai pris une décision, je vous en ferai part. Pour le moment, j'ai besoin de solitude. »

Les cinq fonctionnaires crottés allèrent faire toilette, le Conseil se dispersa et je rentrai chez moi. D'ordinaire, Béu et moi n'échangions que de brèves paroles, concernant uniquement des problèmes domestiques, mais ce jour-là, je sentais le besoin de parler avec quelqu'un. Je lui fis donc le récit des derniers événements et des inquiétudes qu'ils avaient soulevées.

« Motecuzoma craint que ce ne soit la fin de notre monde, dit Béu d'une voix douce. Et toi, Zaa, qu'en penses-tu ?

— Je ne suis pas devin, bien au contraire. On a souvent prédit la fin du Monde Unique, de même que le retour de Quetzalcoatl avec ou sans ses Tolteca. Si Cortés n'est qu'une nouvelle espèce de pillard, nous pouvons le combattre et sans doute le vaincre. Mais, si sa venue est la réalisation de toutes ces vieilles prophéties... ce sera comme la grande inondation d'il y a vingt ans, à laquelle personne n'a pu résister, ni moi qui étais alors dans la force de l'âge, ni le terrible Ahuizotl. Maintenant, je suis vieux et je ne fais guère confiance à Motecuzoma.

— Ne crois-tu pas que nous devrions prendre nos affaires et fuir dans un abri plus sûr ? me demande-t-elle pensivement. S'il se produit une catastrophe dans le nord, ma ville natale de Tehuantepec sera peut-être épargnée.

— J'y ai pensé, mais il y a si longtemps que je suis mêlé au destin des Mexica que je me ferais l'effet d'être un déserteur si je fuyais en un pareil moment. Je suis peut-être fou, mais si c'est vraiment la fin qui se prépare, j'aimerais pouvoir dire, en arrivant à Mictlán, que j'étais là pour y assister. »

Motecuzoma aurait sans doute encore tergiversé pendant longtemps, si un incident ne s'était produit cette nuit-là. C'était un nouveau présage et il était suffisamment alarmant pour qu'il me fasse chercher. Un page se présenta chez moi, lui-même très agité et vint me tirer de mon lit pour que je le suive au palais.

Tandis que je m'habillais, j'entendis une rumeur confuse qui montait de la rue.

« Que se passe-t-il ? grommelai-je.

— Je vous le dirai quand nous serons dehors, Chevalier Mixtli », me répondit le page.

Il me montra le ciel en murmurant d'une voix étouffée : « Regardez. »

Bien qu'il fût très tard, nous n'étions pas les seuls à

observer l'apparition. La rue était pleine de gens habillés à la hâte, qui regardaient en l'air en chuchotant. Je pris mon cristal et j'en conçus d'abord autant de stupeur que tout le monde. Puis, un souvenir me revint en mémoire, qui atténua, pour moi du moins, le désarroi provoqué par cette vision. Le page me jetait des coups d'œil en biais, s'attendant sans doute à ce que je pousse des exclamations catastrophées, mais je soupirai simplement :

« Il ne manquait plus que cela. »

Quand j'arrivai au palais, un esclave à moitié habillé me fit monter jusqu'à la terrasse du grand édifice. Motecuzoma était assis sur un banc et je crois bien qu'il tremblait, bien que cette nuit de printemps fût douce et qu'il fût drapé dans plusieurs manteaux. Sans quitter le ciel du regard, il me dit :

« Après les cérémonies du Feu Nouveau, il y a eu une éclipse du soleil, puis des étoiles qui tombaient et enfin des étoiles fumantes. Tous ces phénomènes étaient de mauvais augure, mais du moins on les connaissait. Voici maintenant une apparition totalement inconnue.

— Puis-je me permettre une réflexion qui soulagera un peu votre inquiétude, Seigneur Orateur ? Si vous réveilliez vos historiens pour qu'ils consultent les archives, ils vous confirmeraient que ce phénomène s'est déjà produit au cours de l'année Un Lapin du dernier faisceau d'années, sous le règne de votre grand-père. »

Il me dévisagea comme si je venais de lui avouer que j'étais un sorcier.

« Il y a soixante-six ans ? Bien avant ta naissance. Comment peux-tu le savoir ?

— Mon père m'en avait parlé, Seigneur. Il disait que les dieux avaient parcouru le ciel, mais qu'on ne voyait que leurs manteaux, tous teints dans ces mêmes couleurs froides. »

En effet, c'est bien ce à quoi ressemblaient ces lumières, à des étoffes légères suspendues très haut dans le ciel et qui retombaient très loin à l'horizon en se balançant comme sous l'effet d'une légère brise. Mais, il n'y avait pas un souffle d'air et les longs rideaux de lumière ne faisaient aucun bruit. Ils brillaient d'un éclat froid, blanc, vert pâle et bleu pâle. C'était un spectacle magnifique, mais qui faisait dresser les cheveux sur la tête.

Des années après, j'en ai parlé par hasard à un matelot espagnol en lui disant que les Mexica l'avaient interprété comme un sinistre avertissement. Il s'était mis à rire, en me traitant de sauvage superstitieux.

« Nous aussi, nous l'avons vu et nous avons été surpris que ce phénomène se produise si loin au sud. Mais il n'a aucune signification et je l'ai observé à plusieurs reprises sur les océans froids du nord. C'est une chose courante sur les mers glacées par Boréas, le vent du nord et c'est pour cela qu'on l'appelle l'aurore boréale. »

Mais, à l'époque, je savais seulement que ces merveilleuses et terrifiantes lumières apparaissaient dans le ciel du Monde Unique pour la première fois depuis soixante-six ans et je dis à Motecuzoma :

« Mon père disait que c'était l'annonce du retour des Temps Difficiles.

— Ah oui, ces années de famine. Mais je crains que les Temps Difficiles de jadis ne soient rien comparés à ce que l'avenir nous réserve. » Il se tut pendant un long moment, puis, soudain, il me dit : « Chevalier Mixtli, tu vas entreprendre un nouveau voyage.

— Seigneur, je suis vieux, protestai-je du plus poliment que je pus.

— Tu auras des porteurs et une escorte et la route est bonne jusqu'à la côte totonaca. »

Je protestai alors plus énergiquement : « La première entrevue entre Mexica et Espagnols ne peut être confiée qu'à des nobles du Conseil, Seigneur.

— Ils sont tous, pour la plupart, encore plus vieux que toi. En outre, aucun d'eux n'est aussi compétent pour rédiger des rapports et n'a ta connaissance de leur langue. Qui plus est, Mixtli, tu possèdes un don pour dessiner les gens et nous n'avons pas eu un seul bon portrait de ces étrangers depuis qu'ils ont accosté en pays maya.

— Dans ce cas, je peux vous dessiner de mémoire les deux Espagnols que j'ai vus à Tihó et en faire un portrait assez ressemblant.

— Non. Tu m'as dit toi-même qu'ils n'étaient que de simples artisans. Je veux voir le portrait de leur chef, cet homme qui s'appelle Cortés.

— Mon Seigneur a donc fini par conclure que c'était un homme, hasardai-je.

— Je sais, tu n'as jamais cru que c'étaient des dieux, pourtant, il y a eu tant de présages et de coïncidences. Mais, ce n'est pas ton affaire, ajouta-t-il brusquement. Je te demande uniquement de me rapporter un portrait de Cortés et une description de ses troupes, de leurs armes mystérieuses, de la manière dont ils se battent et de tout ce qui pourra nous aider à les connaître mieux.

— Ce Cortés n'est certainement pas un imbécile et il ne laissera jamais un scribe venir espionner dans son camp pour compter ses guerriers et ses armes, répliquai-je en essayant une dernière fois de me dérober.

— Tu ne seras pas seul. Plusieurs nobles t'accompagneront et vous vous adresserez à Cortés comme à un personnage du même rang. Il en sera flatté. Vous lui apporterez aussi de très riches présents et tout cela endormira ses soupçons. Vous serez les émissaires de l'Orateur Vénéré des Mexica et du Monde Unique, venus accueillir les envoyés de ce roi Charles d'Espagne. » Il se tut un instant, puis ajouta en me regardant fixement : « Il faudra que vous soyez tous des nobles mexica à part entière. »

En rentrant chez moi, je trouvai Béu en train de préparer du chocolat pour mon retour. Je la saluai avec plus de chaleur qu'à l'accoutumée.

« Quelle nuit, Dame Béu ! »

Elle avait dû prendre cette appellation pour un mot tendre et parut à la fois surprise et ravie.

« Oh, Zaa, fit-elle, en rougissant de plaisir. Si tu avais dit seulement " femme ", cela m'aurait réjoui le cœur, mais... pourquoi cette affection soudaine ?

— Non, non, coupai-je, pour l'empêcher de se laisser aller à trop de sentimentalité. Je t'ai parlé comme il convient. Dame sera désormais ton titre. Cette nuit, l'Orateur Vénéré a ajouté un " tzin " à mon nom et par conséquent, au tien.

— Ah, dit-elle en retrouvant sa froideur habituelle. Tu dois être heureux, Zaa.

— Dans ma jeunesse, je rêvais de faire de grandes choses et de devenir riche et noble et ce n'est qu'aujourd'hui, alors que j'ai plus d'un faisceau d'années que me voilà enfin Mixtzin, Seigneur Mixtli des Mexica. Mais pour combien de temps ? Peut-être tant qu'il y aura des Seigneurs et des Mexica. »

Quatre nobles de naissance m'accompagnaient et ils n'étaient pas enchantés que Motecuzoma ait mis un parvenu de mon espèce à la tête de la mission.

« Vous devrez prodiguer tout votre respect, vos attentions et vos flatteries à Cortés, nous avait déclaré Motecuzoma avant notre départ. De même qu'à toutes les personnes de son entourage qui vous sembleront être d'un rang élevé. Remettez-leur les cadeaux en grande cérémonie en disant que Motecuzoma les leur offre en témoignage de paix et d'amitié. En plus de tout le reste, je pense qu'il y a suffisamment d'or pour calmer leurs maladies de cœur. »

En effet, outre les médaillons, les diadèmes et les parures en or massif, tous admirablement travaillés, Motecuzoma avait envoyé les deux disques d'or et d'argent qui flanquaient son trône. Il y avait aussi de splendides manteaux de plumes, des émeraudes, des ambres, des turquoises merveilleusement ouvragées et d'autres pierres, y compris une quantité fabuleuse de jade sacré.

« Mais, surtout, avait ajouté Motecuzoma, il faut absolument décourager ces Blancs de venir chez nous. S'ils ne cherchent qu'à s'enrichir, nos cadeaux les inciteront peut-être à aller rendre visite à d'autres pays pour en obtenir d'autres. Si cela ne suffit pas, dites-leur que la route qui mène à Tenochtitlán est pénible, dangereuse et qu'ils ne s'en sortiront pas vivants. Si cet argument ne les convainc pas, prétendez que votre Orateur Vénéré est trop occupé, trop âgé ou trop malade pour les recevoir, ou encore qu'il ne mérite pas la visite de personnages aussi distingués ; enfin, tout ce qui vous passera par la tête pour qu'ils se désintéressent de Tenochtitlán. »

Nous partîmes donc à la tête d'une somptueuse caravane. En arrivant aux abords des Terres Chaudes, mes compagnons revêtirent leurs splendides costumes et tous les insignes de leur rang. Quant à moi, j'en avais jugé autrement et décidé d'ajouter quelques raffinements aux instructions de Motecuzoma. D'une part, en effet, plus de huit années avaient passé depuis que j'avais appris le peu d'espagnol que je connaissais et je ne l'avais jamais plus parlé depuis. Aussi, je voulais me mêler aux Blancs afin de les écouter parler et d'acquérir un peu plus d'aisance dans leur langue avant les rencontres officielles. D'autre part, j'avais un petit travail d'espionnage à exécuter que je pensais pouvoir mieux faire en passant inaperçu. C'est pour toutes ces raisons que j'avais dit à mes compagnons :

« A partir d'ici, je vais continuer pieds nus et vêtu seulement d'un pagne. C'est vous qui conduirez le convoi et irez souhaiter la bienvenue aux étrangers. Quand vous aurez installé le campement, vous laisserez les porteurs aller où ils le voudront car je serais parmi eux et il faut que j'aie toute liberté de mouvement. Vous mènerez les entretiens avec les Blancs et de temps en temps, je viendrai conférer avec vous, la nuit et en secret. Lorsque nous aurons réuni tous les renseignements que souhaite avoir l'Orateur Vénéré, nous prendrons tous congé des Espagnols. »

Je suis heureux que vous soyez revenu, Seigneur Evêque, car je suis certain que vous allez être intéressé par le compte rendu de la première véritable confrontation entre votre civilisation et la nôtre. Votre Excellence comprendra aisément que j'aie été, sur le moment, déconcerté par tant de choses nouvelles pour moi. Mais je n'allongerai pas mon récit en vous faisant part de mes premières impressions naïves et souvent erronées.

Comme on nous l'avait dit, il n'y avait effectivement plus qu'un seul navire dans la baie. Il mouillait assez loin du rivage, néanmoins, on se rendait compte qu'il était aussi important qu'une maison. Ses ailes semblaient repliées et on ne voyait dépasser que de grandes perches avec un enchevêtrement de cordes. Çà et là, des pieux semblables sortaient de l'eau, aux endroits où les autres bateaux avaient été incendiés. Sur la plage, pour signaler l'endroit où ils avaient débarqué pour la première fois, les Blancs avaient planté une grande croix taillée dans la charpente d'un navire détruit, un mât très haut où flottait un immense drapeau sang et or — les couleurs de l'Espagne — et enfin, une hampe plus petite où était accrochée une bannière plus modeste, l'enseigne personnelle de Cortés, bleu et blanc avec une croix rouge au milieu.

A cet endroit que les Espagnols avaient baptisé Villa Rica de la Vera Cruz, avait surgi un véritable village. Outre des maisons de toile soutenues par des piquets, il y avait aussi des huttes de jonc au toit de palme que les Totonaca soumis avaient construites pour leurs visiteurs. Cependant, ce jour-là, le camp était pratiquement désert car la plupart de ses occupants étaient partis travailler plus au nord, sur un site où Cortés avait décidé de construire une ville définitive, avec des maisons de bois, de pierres et d'adobe.

Naturellement, notre arrivée avait été signalée par des sentinelles espagnoles et une petite délégation nous attendait. La caravane s'arrêta à distance respectueuse et, comme je le leur avais recommandé, les quatre nobles firent allumer des encensoirs de copali qu'ils se mirent à balancer en tous sens, créant des volutes de fumée tout autour d'eux. Les Blancs en déduisirent, et ils le crurent longtemps, que c'était notre façon d'accueillir les visiteurs de marque. En réalité, cette manœuvre avait pour unique but d'élever un voile défensif entre nous et l'odeur insupportable de ces étrangers qui ne se lavaient jamais.

Deux d'entre eux s'avancèrent à la rencontre de nos envoyés. Ils paraissaient, tous deux, avoir environ trente-cinq ans. Ils portaient des manteaux et des chapeaux de velours, des pourpoints à manches longues, des culottes bouffantes en mérinos et des bottes de cuir qui leur montaient jusqu'aux cuisses. L'un d'eux était plus grand que moi ; il était musclé, bien bâti et avait fort belle allure, avec une abondante chevelure dorée et une barbe qui flamboyait dans le soleil. Ses yeux bleus étincelaient et malgré son teint pâle, il avait un visage très énergique. Les Totonaca lui avaient déjà donné le nom de Tezcatlipoca, leur dieu du soleil, à cause de cet aspect lumineux. Tout le monde, parmi nous, pensa d'abord qu'il était le chef, mais nous apprîmes rapidement qu'il n'était que le commandant en second et qu'il s'appelait Pedro de Alvarado.

L'autre Espagnol était beaucoup plus petit et bien moins engageant. Il avait des jambes arquées et la poitrine étroite comme une proue de canoë. Sa peau était encore plus blanche que celle de son compagnon, mais avec des cheveux et une barbe noirs. Son regard était froid, lointain et incolore comme un sombre jour d'hiver. Ce personnage qui ne payait pas de mine déclara pompeusement qu'il était le capitaine Don Hernán de Cortés de Medellin en Estramadure et plus récemment de Santiago de Cuba et qu'il représentait Sa Majesté Don Carlos, Empereur du Saint Empire romain et roi d'Espagne.

A cette époque, je n'avais pas compris grand-chose de ce titre à rallonge, bien qu'il nous fût répété en xiu et en nahuatl par les deux interprètes qui se tenaient à quelques pas derrière Cortés et Alvarado. Le premier était un Blanc marqué par la petite vérole et l'autre une jeune femme de chez nous vêtue d'un corsage et d'une jupe d'un jaune virginal, mais dont les cheveux roux foncé flamboyaient presque autant que ceux d'Alvarado. De toutes les indigènes offertes aux étrangers par le tabascoöb de Cupílco, puis par Patzinco, elle était la plus admirée par les soldats espagnols parce que ses cheveux roux « étaient pareils, disaient-ils, à ceux des putains de Santiago de Cuba ».

Mais je savais reconnaître des cheveux artificiellement décolorés par une décoction de graines d'achíyotl, de même que j'avais aussitôt reconnu cet homme et cette fille. Lui, c'était Jeronimo de Aguilar qui avait été l'hôte des Xiu huit ans auparavant. Avant d'aborder sur les côtes olmeca, Cortés s'était arrêté à Tihó où il l'avait récupéré. Guerrero, son compagnon, après avoir contaminé tout le pays maya, était mort lui aussi de la petite vérole. Quant à la fille aux cheveux roux, bien qu'elle eût alors vingt-trois ans, elle était toujours petite, toujours jolie et toujours la même Ce-Malinali que j'avais rencontrée à Coatzacoalcos quand je m'étais rendu à Tihó.

Quand Cortés parlait, Aguilar traduisait ses propos dans le mauvais xiu qu'il avait appris pendant sa captivité et ensuite, Ce-Malinali les répétait en nahuatl.

Je ne fus pas long à m'apercevoir que les dialogues étaient très imparfaitement rendus, mais je me gardais bien de dire quoi que ce soit et les deux interprètes ne remarquèrent pas ma présence parmi les porteurs.

Pendant que les nobles déposaient les cadeaux envoyés par Motecuzoma, je vis une lueur de cupidité briller dans les yeux inexpressifs de Cortés. L'un après l'autre, les porteurs déballèrent leur charge : les deux grands gongs d'or et d'argent, les vêtements de plume, les pierres et les bijoux.

« Allez chercher le joaillier flamand », dit Cortés à Alvarado. Un autre Blanc se présenta alors qui, de toute évidence, était là uniquement pour estimer les trésors que pouvait receler ce pays. Je ne sais ce qu'est un Flamand, mais celui-ci parlait espagnol et bien que ses paroles ne fussent pas traduites, j'en compris le sens général.

Il déclara que les objets en or et en argent étaient d'un grand prix, de même que les topazes, les perles et les turquoises et, davantage encore, les émeraudes — encore qu'il regrettât qu'elles soient taillées en forme de fleur ou d'animal plutôt qu'avec des facettes. Il pensait que les manteaux et les coiffures de plumes pouvaient avoir une certaine valeur en tant que curiosités et pièces de musée. Par contre, il écarta dédaigneusement les jades bien que Ce-Malinali ait tenté de lui expliquer que leur aspect religieux en faisait des cadeaux très estimables.

Le joaillier ne tint pas compte de sa remarque et dit à Cortés :

« Ce n'est pas du jade de Cathay, ni même du faux jade d'une qualité passable. Ce ne sont que des cailloux de serpentine verte, Capitaine, qui n'ont guère plus de valeur que nos billes de verre. »

Je ne savais pas alors ce qu'était le verre et j'ignore toujours ce qu'est Cathay. Par contre, je savais parfaitement que ces jades n'avaient qu'une valeur rituelle. Maintenant ils ne sont plus que des jouets pour les enfants, mais en ce temps-là, ils signifiaient quelque chose pour nous et j'étais furieux de voir de quelle façon les Blancs recevaient nos présents, en donnant un prix à tout, comme si nous avions été des marchands essayant de leur refiler une marchandise douteuse.

Ce qui me désolait encore davantage, c'était de constater que les Espagnols n'appréciaient aucunement ces cadeaux en tant qu'œuvre d'art, mais uniquement d'après le poids du métal. Ils ôtèrent les pierres de leur monture d'or ou d'argent et les mirent dans des sacs. Ensuite, ils écrasèrent le métal finement ouvragé dans de grandes coupes de pierre et allumèrent un feu dessous pour le faire fondre. Par conséquent, de tous les trésors que nous avions apportés, il ne subsista que des lingots d'or et d'argent aussi disgracieux que des briques d'adobe.

Laissant mes pairs jouer leur rôle de grands seigneurs, je passai les jours suivants à me promener çà et là parmi les simples soldats. Je les comptai, eux, leurs armes, leurs chevaux, leurs chiens et toutes les choses auxquelles je ne pouvais encore attribuer aucune utilité, comme ces tas de lourdes boules de métal et ces chaises basses en cuir curieusement incurvées. Je prenais grand soin de ne pas attirer l'attention et comme les Totonaca que les Espagnols avaient mis au travail forcé, je me déplaçais toujours avec une planche ou une jarre d'eau pour faire croire que j'étais employé à quelque tâche. Cela ne m'empêchait pas de me servir de ma topaze et de prendre des notes sur tout ce que je voyais. Parfois, j'aurais préféré porter un encensoir au lieu d'une planche, mais je dois reconnaître que ces Espagnols sentaient moins mauvais que ceux dont j'avais gardé le souvenir. Ils ne se lavaient toujours pas, mais après leur rude journée de travail, ils se déshabillaient en conservant malgré tout leurs immondes sous-vêtements et ils allaient faire trempette dans la mer. Aucun d'eux ne savait nager, mais ils s'ébrouaient suffisamment pour débarrasser leur corps de la sueur du jour. Je n'irai pas jusqu'à dire qu'ils sentaient la fleur, d'autant qu'ils enfilaient aussitôt après leurs habits raidis de crasse, mais grâce à ce rinçage, ils sentaient un peu moins mauvais.

Je passais les nuits, soit au camp, soit dans la ville de Vera Cruz, en ouvrant toujours bien grand mes yeux et mes oreilles. Je n'y appris aucune nouvelle sensationnelle, car les conversations des soldats avaient pour thème principal les mérites comparés des Indiennes et des femmes de leur pays, mais j'améliorai ainsi ma compréhension de l'espagnol. Je faisais toujours très attention à ne pas être entendu quand je me répétais leurs phrases et leurs mots pour m'entraîner.

Toujours pour ne pas risquer d'être pris pour un imposteur, j'évitais de parler avec les Totonaca et je ne pus demander à personne de m'expliquer une chose qui m'intriguait considérablement.

Tout le long de cette côte et surtout à Zempoala, se dressent de nombreuses pyramides dédiées à Tezcatlipoca ou à d'autres divinités. Elles ont toutes un temple au sommet mais ces temples avaient incroyablement changé. Plus un seul n'abritait la statue de Tezcatlipoca, d'Ehecatl ou d'un autre dieu. On les avait grattés et débarrassés de l'accumulation de sang coagulé, puis on avait blanchi l'intérieur par une couche de lait de chaux. Dans ces temples, il y avait maintenant une croix de bois rudimentaire et une petite effigie grossièrement sculptée, elle aussi en bois. Elle représentait une jeune femme, la main levée dans un vague geste d'avertissement, les cheveux peints d'un noir uniforme, la robe et les yeux d'un bleu sans nuances et la peau d'un blanc rosé comme celle des Espagnols. Plus étrange encore, cette femme portait une couronne dorée, bien trop large pour sa tête, qui était fixée sur sa nuque.

Je compris alors que bien que les Espagnols n'aient livré aucune bataille aux Totonaca, ils avaient dû tant les menacer et les effrayer qu'ils avaient remplacé leurs anciens dieux pleins de vigueur par cette femme pâle et impassible. Je supposais qu'il s'agissait de cette déesse appelée Notre-Dame, mais je ne voyais pas en quoi les Totonaca l'avaient jugée supérieure à leurs divinités, ni pourquoi les Espagnols vénéraient cette déesse à l'aspect si insipide.

Un jour, cependant, mes flâneries m'amenèrent dans une clairière herbeuse remplie de Totonaca qui écoutaient avec un air d'attention stupide les harangues d'un prêtre espagnol. Il faisait son prêche avec l'aide des deux interprètes, Aguilar et Ce-Malinali, qu'il devait emprunter à Cortés toutes les fois que celui-ci n'en avait pas besoin. Les Totonaca paraissaient très intéressés par son sermon, mais je savais bien qu'ils ne pouvaient pas comprendre deux mots sur dix dans la traduction nahuatl de Ce-Malinali.

Entre autres choses, le prêtre expliquait que Notre-Dame n'était pas véritablement une déesse. C'était une femme appelée la Vierge Marie qui était restée vierge tout en s'unissant avec le Saint Esprit du Seigneur Dieu et qui avait donné le jour au Seigneur Jésus-Christ, fils de Dieu, mais également descendu sur la terre sous une forme humaine. Tout cela n'était guère difficile à comprendre. Dans notre religion aussi, les dieux s'unissaient souvent à des mortelles et les déesses à des hommes et il en résultait une prolifération d'enfants divins, sans que leur réputation de vierges en soit ternie le moins du monde.

Comprenez-moi, Excellence. Je vous rapporte seulement mes impressions d'un temps où je n'étais pas encore un esprit averti.

Le prêtre donna ensuite des éclaircissements sur le baptême que toute l'assemblée pourrait recevoir ce jour même si elle le désirait. Il ne rentra évidemment pas dans les détails de la foi chrétienne et, même moi, qui dans toute l'assistance étais certainement celui qui comprenait le mieux ce qu'il disait, j'interprétai faussement beaucoup de ses propos. Par exemple, comme le prêtre semblait parler familièrement de cette Vierge Marie dont j'avais déjà vu des statues, je crus que Notre-Dame était une Espagnole qui traverserait peut-

1051

être un jour les mers pour venir nous rendre visite avec son enfant Jésus.

Ensuite, le prêtre et ses interprètes enjoignirent à ceux qui voulaient embrasser la foi chrétienne de s'agenouiller et la quasi-totalité des Totonaca s'exécuta, bien que ces êtres simples n'eussent certainement pas la moindre idée de ce qui allait se passer ; il était même fort possible que certains aient pensé qu'on allait procéder à un massacre rituel.

La mer n'était pas bien loin, mais le prêtre n'y entraîna pas les participants. Il parcourut les rangs des Totonaca agenouillés en les aspergeant d'eau, d'une main et en leur faisant goûter quelque chose de l'autre. Lorsque je vis qu'aucun des nouveaux baptisés ne tombait raide mort, je me décidai à faire moi-même l'expérience. Je ne risquais rien et, en revanche, je pourrais peut-être en tirer un avantage quelconque dans mes relations futures avec les Blancs. Je m'avançai donc pour recevoir quelques gouttes d'eau sur la tête et quelques grains de sel sur la langue — car ce n'était rien d'autre que du sel ordinaire — accompagnés de marmonnements dans une langue que je sais maintenant être du latin.

Pour terminer, le prêtre se mit à psalmodier une courte allocution en latin dans laquelle il disait que désormais tous les hommes s'appelleraient Juan Damasceno — c'était le saint du jour — et les femmes Juana Damascena.

Voici donc quelle est ma dernière dénomination et je pense que c'est celle qui me restera puisque c'est sous ce nom que je figure sur les registres officiels de la Nouvelle-Espagne. L'ultime inscription sera sans aucun doute : Juan Damasceno, décédé.

Au cours de l'un de mes conciliabules nocturnes et

secrets avec les gentilshommes mexica, dans la maison de toile qu'on avait dressée pour eux, ils me dirent :

« Motecuzoma s'est longtemps demandé si ces Blancs étaient des dieux ou des Tolteca, aussi nous avons voulu faire une expérience et nous avons offert à Cortés de lui sacrifier un xochimiqui. Il a été profondément scandalisé et il nous a déclaré : " Vous savez très bien que le bienfaisant Quetzalcoatl lui-même n'a jamais demandé, ni même permis qu'on lui sacrifie des êtres humains. Alors, pourquoi moi ? " Maintenant, nous ne savons plus que penser. Comment cet étranger peut-il en savoir si long sur le Serpent à plumes, à moins que...

— Cette Ce-Malinali lui a sans doute parlé de la légende de Quetzalcoatl, rétorquai-je. Après tout, elle est née sur la côte d'où il s'est embarqué.

— Je vous en supplie, Mixtli, ne lui donnez pas ce nom, me dit l'un des nobles. Elle tient beaucoup à ce qu'on l'appelle Malintzin.

— Eh bien, elle en a fait du chemin depuis le jour où je l'ai rencontrée sur un marché d'esclaves, ricanai-je.

— Mais pas du tout, objecta-t-il. En réalité, elle était noble avant de tomber en servitude. C'est la fille d'un seigneur et d'une dame de Coatlicamac. Quand son père mourut, sa mère se remaria et son nouvel époux la vendit traîtreusement comme esclave.

— Vraiment ? répliquai-je ironiquement. Son imagination a, elle aussi, fait de grands progrès. Il est vrai qu'elle m'avait avoué alors qu'elle ferait n'importe quoi pour réaliser ses ambitions. Je vous conseille à tous de faire très attention à ce que vous pourrez dire en présence de cette Dame Malinali. »

Le jour suivant, Cortés avait organisé pour les nobles une démonstration de ses armes prodigieuses et des prouesses militaires de ses hommes. J'y assistai également, perdu au milieu de la foule des porteurs et des

Totonaca. Ces gens simples en furent frappés de stupeur. Par contre, les envoyés mexica restèrent imperturbables, comme s'ils n'étaient pas du tout impressionnés, mais, à plusieurs reprises, des grondements soudains les firent sursauter.

Cortés avait fait bâtir par ses hommes une petite maison de bois, si loin sur la plage qu'on la distinguait à peine de l'endroit où nous nous trouvions. Devant nous, il avait fait installer l'un de ces lourds tubes de métal jaune monté sur de grandes roues...

Non, j'emploierai maintenant les termes exacts. Ce tube était un canon de cuivre dont la gueule était pointée vers la maison de bois. Une douzaine de soldats firent aligner des chevaux sur le sable dur entre le canon et le bord de l'eau. Les chevaux avaient sur le dos cet équipement qui m'avait tant intrigué : les chaises de cuir étaient en fait des selles de cavalier. Derrière les chevaux, venaient d'autres soldats avec de grands chiens de chasse qui essayaient de se soustraire à la laisse qui les retenait.

Tous ces guerriers avaient revêtu leur tenue de combat. Ils avaient fière allure avec leur casque de fer étincelant et le corselet de métal qui recouvrait leur pourpoint de velours. Ils portaient une épée au côté, mais quand ils furent montés en selle, on leur tendit une longue lance dont la pointe de métal était munie, des deux côtés, de plusieurs barbelures.

Tandis que ses hommes se mettaient en position, Cortés arborait un sourire de propriétaire. Il était flanqué de ses deux interprètes et Ce-Malinali souriait, elle aussi, avec l'air un peu blasé de quelqu'un qui en a vu d'autres.

« Je sais que vous appréciez beaucoup les tambours, dit Cortés aux nobles mexica. J'ai déjà eu l'occasion de les entendre. Voulez-vous que nous commencions par cela ? »

Et, sans attendre de réponse, il cria : « Par Santiago, allez-y ! »

Les trois soldats préposés au canon allumèrent alors une petite flamme à l'arrière de l'engin et un roulement de tambour éclata avec un fracas bien plus assourdissant que n'en ont jamais fait nos tambours qui déchirent le cœur. Le canon sauta — et moi aussi — tandis que de sa gueule sortaient des nuages de fumée, des coups de tonnerre dignes de Tlaloc et des éclairs plus fulgurants que tous les bâtons fourchus des Tlaloque. Puis, je vis une petite chose qui traversait les airs — c'était un boulet, évidemment — et qui alla frapper la lointaine maison qui vola en éclats. Le coup de canon se prolongea par un grondement plus étouffé. C'était le martèlement des sabots ferrés des chevaux, car les cavaliers avaient lancé leurs montures au galop au moment précis où le canon avait craché son boulet. Ils s'élancèrent sur la plage à une allure folle et les grands chiens qu'on avait lâchés n'avaient aucun mal à se maintenir à leur niveau. Les cavaliers encerclèrent la maison et on voyait luire leurs lances tandis qu'ils faisaient le simulacre de tailler en pièces de prétendus survivants. Ensuite, ils firent demi-tour pour revenir près de nous. Cependant, les chiens n'étaient pas avec eux et on entendait vaguement leurs aboiements hystériques parmi lesquels je crus distinguer des cris humains. Quand les chiens revinrent, leurs terribles mâchoires étaient maculées de sang. Je ne sais si des Totonaca s'étaient cachés près de la maison pour mieux suivre le déroulement des opérations ou si Cortés s'était perfidement arrangé pour qu'ils se trouvent là.

Quand les cavaliers eurent achevé leur démonstration, les fantassins se déployèrent à leur tour sur la plage. Certains étaient armés de longues arquebuses et d'autres d'arcs courts. Auparavant, des Totocana avaient déposé des briques d'adobe à une bonne portée de flèches des soldats. Les soldats s'agenouillèrent et déchargèrent tour à tour leurs arquebuses et leurs arcs. Leur tir était d'une précision admirable, mais par contre, ils n'étaient pas très rapides car après avoir lancé une flèche, il fallait qu'ils retendent leur arc en tournant un petit dispositif.

Les arquebuses me parurent des engins beaucoup plus extraordinaires. Les tourbillons de fumée et les éclairs de feu qu'elles crachaient auraient suffi à mettre en déroute un ennemi qui leur aurait fait face pour la première fois. Mais elles engendraient bien plus que de l'épouvante, elles projetaient aussi des petites boules de métal qui volaient si vite qu'on n'avait même pas le temps de les voir. Alors que les flèches s'étaient seulement plantées dans les briques, le tir des arquebuses les avait fait éclater en morceaux. Néanmoins, je remarquai que ces boules n'allaient pas plus loin que nos flèches et l'arquebusier était si long à préparer son tir que nos archers auraient eu le temps de lui décocher entre-temps six ou sept flèches.

J'avais maintenant une belle collection de dessins à montrer à Motecuzoma et aussi beaucoup de choses à lui apprendre. Il ne me manquait plus que le portrait de Cortés. Jadis, à Texcoco, j'avais juré de ne plus jamais en faire car il m'avait semblé que j'attirais le malheur sur les personnes que je dessinais. Dans le cas présent, je n'avais pas le même genre de scrupules. Le lendemain soir, lorsque les Mexica arrivèrent pour le dernier entretien avec Cortés, ses adjoints et ses prêtres, ils n'étaient plus quatre, mais cinq. Pas un seul Espagnol ne parut remarquer qu'il y en avait un de plus et ni Aguilar, ni Ce-Malinali ne me reconnurent dans mes vêtements princiers, pas plus qu'ils ne m'avaient identifié dans mon rôle de porteur.

Tout le monde s'assit pour dîner et je vous épargnerai mes commentaires sur la façon de manger de ces Blancs. Nous nous étions chargés de la nourriture qui était de la meilleure qualité et les Espagnols avaient payé leur écot en apportant un breuvage appelé vin. J'en bus avec ménagement car il était aussi enivrant que l'octli. Tandis que mes quatre pairs se chargeaient de soutenir la conversation, je me mis à faire, le plus discrètement possible, le portrait de Cortés. C'était la première fois que je le voyais de si près et je me rendis compte que sa barbe, beaucoup moins fournie que celle de ses compagnons, dissimulait mal une vilaine cicatrice sous sa lèvre inférieure et qu'il avait le menton presque aussi fuyant que les Maya. Soudain, je réalisai qu'un grand silence s'était établi autour de moi et que les yeux gris de Cortés étaient fixés sur ma personne.

« On est en train de fixer mon image pour la postérité, à ce que je vois. Montrez-moi ça », me dit-il. Il avait parlé en espagnol, mais sa main tendue était tout aussi éloquente et je lui donnai le dessin.

« On ne peut pas dire que ce soit un portrait flatteur, mais il est ressemblant. »

Il le montra à Alvarado et à d'autres Espagnols qui poussèrent de petits rires en hochant la tête.

« Quant à l'artiste, poursuivit Cortés, les yeux toujours fixés sur moi, regardez-le bien, mes amis. Si on lui ôtait toutes ses plumes et si on lui poudrait un peu la figure, il pourrait passer pour un hidalgo et même pour un Grand d'Espagne et si vous le rencontriez à la cour de Castille, vous le salueriez d'un grand coup de chapeau. » Il me rendit le dessin et les interprètes me traduisirent les paroles suivantes : « Pourquoi faites-vous mon portrait ? »

Un des nobles mexica qui avait réfléchi rapidement répondit :

« Etant donné que notre Orateur Vénéré ne pourra malheureusement pas vous recevoir, Seigneur Capitaine, il nous a demandé de lui rapporter votre portrait en souvenir de votre court séjour dans notre pays. »

Cortés sourit mais ses yeux restèrent froids et il répliqua :

« Mais je verrai votre empereur. J'y tiens absolument. Nous avons tous été si éblouis par les présents qu'il nous a envoyés que nous sommes impatients de voir les merveilles que doit receler sa capitale. Je ne voudrais pas partir sans avoir pu admirer ce qu'on m'a dit être la ville la plus splendide de ce continent.

Un de mes compagnons prit alors un air catastrophé pour dire :

« Ayya, le Seigneur blanc entreprendrait un voyage bien long et bien hasardeux pour aller au-devant d'une grande déception. Nous ne vous l'avions pas dit, mais l'Orateur Vénéré a dû dépouiller sa ville pour vous envoyer ces cadeaux. On lui a dit que les visiteurs blancs appréciaient beaucoup l'or, aussi il leur a donné tout l'or qu'il possédait. Maintenant, la ville est devenue sinistre et n'offre plus aucun intérêt aux visiteurs. »

Voici comment Ce-Malinali traduisit pour Aguilar, ces paroles en xiu :

« L'Orateur Vénéré a envoyé ces babioles dans l'espoir que le capitaine Cortés s'en satisferait et s'en irait immédiatement. En réalité, elles ne représentent qu'une infime parcelle des trésors inestimables de Tenochtitlán. Motecuzoma espère décourager le capitaine de venir se rendre compte par lui-même des véritables richesses de sa capitale. »

Tandis qu'Aguilar traduisait en espagnol pour Cortès, je pris la parole pour la première fois et m'adressai à

Ce-Malinali sans hausser le ton, dans sa langue maternelle que nous étions seuls à comprendre.

« Ta tâche consiste à répéter ce qu'on dit et non à inventer des mensonges.

— Mais c'est *lui* qui ment, balbutia-t-elle, en montrant le noble mexica et elle se mit à rougir d'avoir été prise en flagrant délit de fourberie.

— Je connais ses raisons de mentir et j'aimerais bien que tu me dises quelles sont les tiennes. »

Elle me regardait fixement et, soudain, ses yeux s'agrandirent de surprise.

« Vous ! » haleta-t-elle, avec un mélange de frayeur, de haine et de consternation.

Notre bref dialogue était passé inaperçu et Aguilar ne m'avait toujours pas reconnu. Quand Ce-Malinali traduisit à nouveau ce que Cortès venait de dire, sa voix tremblait légèrement.

« Nous serions honorés que votre empereur nous prie de venir visiter sa capitale. Mais dites-lui bien, Seigneurs ambassadeurs, que nous nous passerons d'une invitation officielle. Vous pouvez l'*assurer* que nous viendrons, avec ou sans invitation. »

Mes quatre pairs se mirent tous à parler en même temps, mais Cortés coupa court à leurs protestations.

« Nous vous avons expliqué précisément la nature de la mission que nous a confiée l'empereur Carlos. Il tient absolument à ce que nous allions présenter personnellement nos respects à votre chef et que nous lui demandions la permission d'introduire la Sainte Foi Chrétienne dans ce pays. Vous vous avons également expliqué la nature de cette foi, du Seigneur notre Dieu, de Jésus-Christ et de la Vierge Marie. Nous avons aussi pris la peine de vous faire une démonstration de la supériorité de notre armement et je crois que nous n'avons rien négligé pour que tout soit bien clair dans votre esprit. Si toutefois avant de partir, vous avez des questions à nous poser, faites-le. »

Les quatre Mexica avaient l'air indigné, mais ils ne dirent rien et ce fut moi qui m'adressai directement à Cortés dans sa propre langue.

« J'ai une question à poser, Seigneur. »

Les Blancs semblèrent stupéfaits et Ce-Malinali se raidit, craignant sans doute que je la dénonce ou, qui sait, que je lui prenne sa place d'interprète.

« J'aimerais savoir, commençai-je, avec une humilité et une hésitation feintes. Pourriez-vous me dire...

— Oui ? s'impatienta Cortés.

— J'ai entendu vos hommes dire que nos femmes manquaient d'une certaine chose... ».

Il y eut des cliquetis de métal et des froissements de cuir tandis que les Espagnols se rapprochaient pour entendre mieux. Je posai alors ma question comme si j'avais vraiment voulu avoir une réponse, poliment, solennellement, sans le moindre soupçon de raillerie.

« Est-ce que vos femmes... est-ce que la Vierge Marie a des poils sur ses parties intimes ? »

Ils me considérèrent tous avec stupeur — comme le fait Son Excellence en ce moment — et ils murmurèrent, scandalisés : « Locura ! Blasfemia ! Ultraje ! »

Un seul, le grand Alvarado à la barbe de feu, partit d'un grand rire. Il se tourna vers les prêtres et, leur posant ses grosses mains sur les épaules, il leur demanda entre deux accès d'hilarité :

« Padre Bartolomé, Padre Merced, vous a-t-on déjà posé cette question ? Vous a-t-on enseigné au séminaire une réponse convenable ? Y avez-vous même jamais songé ? »

Les prêtres ne répondirent pas, mais ils me lancèrent des regards foudroyants et firent le signe de croix pour chasser le diable. Pendant ce temps, Cortés ne m'avait pas lâché des yeux et il déclara :

« Non, vous ne pourriez être ni un hidalgo, ni un Grand d'Espagne, mais je me souviendrai de vous. »

Le lendemain matin, comme nous nous préparions à partir, Ce-Malinali arriva et me fit impérieusement signe qu'elle voulait me parler. Je pris tout mon temps pour aller la rejoindre, puis je lui dis :

« Parle, Ce-Malinali. Ce que tu as à me dire est certainement très intéressant.

— Je vous prie de ne plus me donner ce nom d'esclave. Appelez-moi Malintzin ou Doña Marina. C'est ainsi que j'ai été baptisée. Cela ne veut rien dire pour moi, mais je vous conseille de me témoigner du respect, car le capitaine Cortés a beaucoup d'estime pour moi et il est prompt à punir les insolents.

— Dans ce cas, je te conseille, moi, de dormir toujours près de ton capitaine car sur un seul mot de moi, n'importe lequel de ces Totonaca irait volontiers te planter un couteau entre les côtes, à la moindre occasion. Tu t'es montrée insolente vis-à-vis du Seigneur Mixtli, esclave. Tu as réussi à duper les Blancs avec ta prétendue noblesse. Tu t'es fait apprécier d'eux en te teignant les cheveux comme une maatitl, mais tes compatriotes savent bien ce que tu es en réalité : une putain rousse qui a vendu plus que son corps à l'envahisseur Cortés.

— Je ne couche pas avec Cortés, se défendit-elle. Je ne suis que son interprète. Quand le tabascoöb nous a offertes aux Blancs, on m'a donnée à cet homme. (Elle m'indiqua un Espagnol qui avait dîné avec nous la veille.) Il s'appelle Alonso.

— Et il te plaît ? ironisai-je. Je crois me souvenir que tu hais les hommes et la façon dont ils traitent les femmes.

— Je sais faire semblant, si cela sert mes ambitions.

— Quelles sont tes ambitions ? Je pense que la fausse traduction que j'ai entendue hier soir n'était pas ton premier essai. Pourquoi pousses-tu Cortés à aller à Tenochtitlán ?

— Parce que je veux y aller, moi aussi. Quand je serai à Tenochtitlán, peu m'importera ce qu'il adviendra de ces Blancs. Peut-être me récompensera-t-on de les avoir attirés dans un endroit où Motecuzoma pourra les coincer comme des souris. De toute façon, on me remarquera et je ne mettrai pas longtemps à devenir noble de fait et de nom.

— Et, si par malchance les Blancs ne tombaient pas dans le piège, tu serais récompensée encore davantage. »

Elle fit un geste d'indifférence. « Je vous demande seulement, je vous prie, Seigneur Mixtli, de ne pas vous mettre en travers de ma route. Donnez-moi du temps pour prouver à Cortés que je suis indispensable. Laissez-moi aller à Tenochtitlán. Pour vous et pour votre Orateur Vénéré, ça ne doit pas avoir une bien grande importance, mais pour moi, c'est capital.

— Je ne m'opposerai pas à tes ambitions, esclave, sauf si elles se trouvent en contradiction avec les intérêts que je sers. »

Pendant que Motecuzoma examinait le portrait de Cortés et les autres croquis que je lui avais apportés, je lui énumérais les personnes et les choses que j'avais comptées.

« Ils sont cinq cent huit combattants, y compris le chef et les officiers. Ils ont tous des épées et des lances de métal, mais treize d'entre eux ont aussi des arquebuses et trente-deux ont des arbalètes. De plus, il y a une centaine d'hommes qui étaient les matelots des navires brûlés. »

Motecuzoma passa par-dessus son épaule les dessins au:: Anciens du Conseil alignés derrière lui.

« Il y a quatre prêtres, poursuivis-je, et de nombreuses femmes offertes aux Blancs par le tabascoöb de Cupílco. Ils ont seize chevaux et douze grands chiens de chasse et aussi dix gros canons et quatre autres plus petits. Comme on nous l'avait dit, il ne leur reste plus qu'un seul bateau avec des hommes à son bord, mais je n'ai pas eu la possibilité de les compter. »

Deux médecins, membres du Conseil, examinaient solennellement mes dessins de Cortés et marmonnaient doctement entre eux.

« Outre les personnes dont je viens de parler, la quasi-totalité de la population totonaca semble être aux ordres de Cortés et travaille comme porteurs, charpentiers, maçons... quand les prêtres blancs ne leur disent pas d'aller adorer la croix et l'image de la Vierge.

— Seigneur Orateur, dit l'un des médecins, puis-je faire une remarque ? Mes collègues et moi avons regardé attentivement le portrait de Cortés.

— Et je suppose qu'en tant que médecins, vous déclarez officiellement que c'est un homme, répliqua Motecuzoma impatienté.

— Pas seulement cela, Seigneur. Nous ne saurions l'affirmer avec certitude sans l'avoir vu personnellement, mais d'après ses traits fuyants, ses cheveux rares et son corps disproportionné, il semblerait qu'il soit né d'une mère affectée de la maladie nanaua. Nous avons souvent constaté les mêmes signes dans la progéniture des maatitl de la pire espèce.

— Vraiment ? fit Motecuzoma, visiblement ravi. S'il est vrai que la nanaua s'est attaquée à son cerveau, cela expliquerait certains de ses actes. Il faut être fou pour brûler des navires et se priver ainsi de tout moyen de repli. Si c'est un homme atteint de nanaua qui est le chef de ces étrangers, que dire des autres ? Et maintenant, Mixtzin, dis-nous que leurs armes ne sont pas aussi terribles que certains l'ont pensé. Je commence à croire que nous avons beaucoup exagéré le danger que représentent ces Blancs. »

Il y avait longtemps que je n'avais pas vu Motecuzoma aussi euphorique, mais je n'étais pas tenté de partager son enthousiasme. Jusque-là, il avait considéré les étrangers comme des dieux ou comme leurs envoyés et pensé qu'il fallait les respecter et même leur obéir. En entendant mon rapport et l'avis des médecins, il était prêt à déclarer, avec la même promptitude, qu'ils ne méritaient pas qu'on s'inquiète à cause d'eux. Ces deux attitudes extrêmes me semblaient tout aussi dangereuses l'une que l'autre. Comme je ne pouvais pas lui dire le fond de ma pensée, je lui objectai seulement :

« Il est possible que la maladie ait rendu Cortés fou, Seigneur Orateur, mais un fou est souvent plus à craindre qu'un homme sain d'esprit. Il n'y a pas très longtemps que cette vermine a vaincu très facilement cinq mille guerriers olmeca.

— Oui, mais les Olmeca ignoraient ce que nous savons. » Ce n'était pas Motecuzoma qui avait parlé, mais son frère Cuitlahuac. « Ils ont affronté les Blancs avec leur tactique ancestrale du corps à corps. Grâce à vous, Seigneur Mixtli, nous connaissons maintenant la force de l'ennemi. Je vais équiper mes troupes avec des arcs et des flèches et nous nous tiendrons hors de portée de leurs armes de métal. Nous pourrons esquiver le tir de leurs lourdes armes à feu et les arroser de flèches plus rapidement qu'ils ne pourront envoyer leurs projectiles sur nous.

— Il est normal qu'un chef militaire pense à la

guerre, remarqua Motecuzoma d'un air indulgent. Mais je ne vois pas la nécessité de se battre. Nous n'aurons qu'à donner l'ordre au Seigneur Patzinca de supprimer toute aide aux Blancs, de ne plus leur fournir ni vivres, ni femmes et vous verrez qu'ils seront vite fatigués de ne manger que du poisson, de ne boire que du jus de noix de coco et d'endurer la canicule de l'été des Terres Chaudes.

— Patzinca semble ne rien vouloir refuser aux Blancs, Seigneur Orateur, intervint le Femme-Serpent. Les Totonaca ont toujours été nos tributaires à contre-cœur. Peut-être pensent-ils gagner au change.

— En outre, ces étrangers ont parlé d'un nombre incalculable d'autres Blancs qui vivent dans le pays d'où ils viennent, ajouta l'un des nobles qui m'avaient accompagné. Si nous parvenons à vaincre ceux-ci, comment être sûr que d'autres ne viendront pas ensuite, avec un armement encore plus redoutable ? »

L'optimisme de Motecuzoma commençait à retomber. Il jetait partout des regards inquiets, comme s'il cherchait à échapper à quelque chose, aux Blancs ou à l'obligation de prendre une décision, je ne sais. Son regard finit par se poser sur moi.

« Tu sembles impatient de prendre la parole, Mixtli. Quelle est ton opinion ?

— Il faut brûler leur dernier vaisseau », répondis-je sans hésitation.

Dans la salle du trône, s'élevèrent des « Quoi ? » « Quelle honte ! » « Attaquer les visiteurs sans provocation ! » « Entreprendre une guerre sans l'avoir déclarée ! »

D'un geste impérieux, Motecuzoma fit taire tout le monde et il se tourna vers moi : « Pourquoi ?

— Avant que nous ne partions, Seigneur Orateur, ils ont chargé l'or fondu et tous vos présents sur leur navire. Ils vont bientôt mettre les voiles pour Cuba ou pour l'Espagne avec sans doute un message pour leur roi Carlos. Les Blancs sont avides d'or ; vos cadeaux ne les ont pas rassasiés, ils les ont seulement mis en appétit. Si on laisse partir ce bateau avec la preuve qu'il y a de l'or chez nous, rien ne pourra plus nous sauver de l'invasion toujours plus nombreuse de ces hommes assoiffées d'or. Ce navire est en bois. Envoyez quelques vaillants guerriers, de nuit, avec des canoës. Ils feront semblant de pêcher avec des torches et pourront s'approcher d'assez près pour mettre le feu au bateau.

— Et alors ? Cortés et son armée seront totalement coupés de leur pays et ils viendront ici avec des intentions peu amicales après un tel acte de notre part.

— Orateur Vénéré, repris-je d'un ton las, de toute manière ils viendront, quoi que nous fassions. Ils viendront avec les Totocana pour les guider et porter les provisions de route. Toutefois, nous pouvons les en empêcher. J'ai fait un relevé très précis du terrain. Les chemins qui mènent de la côte vers les hautes terres empruntent tous des défilés étroits et profonds ; dans des endroits pareils les chevaux, les arquebuses et les canons des Blancs ne leur seront d'aucune utilité, pas plus que leurs armures de métal. Il suffira de quelques guerriers postés là où il le faut, sans autres armes que des blocs de pierre, pour les broyer tous. »

Ma suggestion souleva un nouveau concert d'exclamations indignées. Comment, des Mexica attaquer en traître, comme des sauvages ! Mais je poursuivis : « Il faut arrêter cette invasion par n'importe quel moyen. A cause de sa folie, peut-être, Cortés nous a rendu la tâche plus facile. Il a brûlé lui-même dix de ses vaisseaux et il n'en reste qu'un seul à détruire. Si celui-ci ne revient jamais porter de message au roi Carlos, si pas un seul Blanc ne sort vivant de cette aventure pour aller lui en rendre compte, il ne saura jamais ce qu'il est advenu de cette expédition. Il pensera que ses soldats ont disparu dans un océan secoué par une perpétuelle tempête, ou qu'ils ont été massacrés par une nation extraordinairement puissante. Alors, nous pourrons espérer qu'il ne se risquera plus à envoyer d'autre expédition. »

Le silence s'établit. Personne ne voulait être le premier à commenter mon intervention. Finalement, ce fut Cuitlahuac qui déclara :

« C'est une proposition astucieuse, Seigneur mon frère.

— Elle me semble monstrueuse, grommela Motecuzoma. Détruire le vaisseau des étrangers pour les inciter à s'aventurer dans les terres et ensuite les attaquer par surprise. Cette décision demande qu'on y réfléchisse et qu'on s'entretienne longuement avec les dieux.

— Seigneur Orateur, le pressai-je désespérément, ce navire va partir d'un moment à l'autre !

— Cela voudra dire alors que c'est la volonté des dieux. N'agite pas tes mains comme ça. »

En effet, mes mains auraient bien eu envie de l'étrangler, mais je les contraignis à faire un geste de soumission résignée.

« Si le roi Carlos n'a plus de nouvelles de ses troupes et qu'il en conclut qu'elles sont en danger, il n'hésitera pas à envoyer des renforts à leur rescousse. Si l'on en juge par la désinvolture avec laquelle Cortés a brûlé dix navires, il est certain que le roi Carlos en a bien d'autres en réserve. Cortés n'est peut-être qu'un simple pion dans une offensive généralisée et il serait plus sage de s'entendre à l'amiable avec lui tant que nous ignorons ce qui se cache derrière tout ça. »

Motecuzoma se leva pour nous signifier que l'entretien était terminé.

« Je vais réfléchir à ce que vous m'avez dit, conclut-il.

En attendant, je vais envoyer des quimichi chez les Totonaca et dans tous les pays de la côte pour me tenir informé de ce que font les Blancs. »

Quimichi veut dire souris et aussi espion. Parmi les esclaves de Motecuzoma il y avait des ressortissants de tous les pays du Monde Unique et il employait les plus dignes de confiance à espionner pour lui dans leur pays d'origine, car ils pouvaient s'infiltrer parmi leurs conci-toyens dans un total anonymat. J'avais moi-même joué les espions chez les Totonaca et dans d'autres circons-tances, mais je n'étais qu'un homme seul. Les armées de souris de Motecuzoma étaient capables de rapporter bien davantage d'informations.

Quand le premier espion revint, Motecuzoma convo-qua le conseil et moi-même pour nous dire que la grande maison flottante des Blancs avait déployé ses ailes et disparu vers l'est. Malgré la déception que me procurait cette nouvelle, j'écoutai la suite du rapport de la souris car elle avait fait du beau travail en regardant, en écoutant et même en surprenant plusieurs conversations traduites.

Le navire avait levé l'ancre avec son équipage plus un homme détaché par Cortés, chargé sans doute de remettre l'or, les présents et le rapport du capitaine au roi Charles. Cet homme était Alonso, cet officier à qui on avait donné Ce-Malinali. Cette estimable fille n'était évidemment pas partie avec lui et elle était immédiate-ment devenue la concubine de Cortés en même temps que son interprète.

Cortés s'était adressé par son entremise aux Toto-naca. Il leur avait dit que le navire reviendrait avec une nomination à un grade supérieur pour lui et il avait anticipé cette promotion en prenant dès à présent le titre de Capitaine général. Toujours dans le but de devancer les ordres de son roi, il avait décidé de changer le nom de Cem-Anáhuac, le Monde Unique. La région côtière qu'il avait déjà soumise et toutes les terres qu'il découvrirait par la suite s'appelleraient désormais la Nouvelle-Espagne. Il était clair que Cortés, qu'il soit fou ou incroyablement audacieux ou encore, comme je le supposais, qu'il agisse sur les injonctions de son ambitieux prince, était en train de s'approprier des terres et des peuples qu'il n'avait encore jamais vus et que ces terres dont il réclamait la souveraineté comprenaient aussi la nôtre.

« Si ce n'est pas une déclaration de guerre, Frère Vénéré, dites-moi ce que c'est, s'exclama Cuitláhuac, bouillant de fureur.

— Il n'a pas envoyé de présents de guerre, ni aucun témoignage d'une pareille intention, répondit Motecuzoma sur un ton hésitant.

— Attendrez-vous qu'il vous décharge ses canons dans les oreilles ? répliqua effrontément Cuitláhuac. Vous voyez bien qu'il ignore notre coutume de donner un avertissement. Apprenons-lui les bonnes manières. Envoyons-lui des présents de guerre, puis descendons vers la côte et rejetons cet insupportable fanfaron dans la mer.

— Calme-toi, mon frère, dit Motecuzoma. Pour l'instant, il n'a ennuyé personne en dehors de ces misérables Totonaca. En ce qui me concerne il peut rester sur cette plage toute sa vie, à se pavaner et à se lisser les plumes. Tant qu'il n'entreprendra rien de précis, nous attendrons. »

I H S

✠

A.I.M.C.

*A Son Auguste et Impériale Majesté Catholique,
l'Empereur Charles Quint, Notre Roi :*

Estimée Majesté, Notre Royal Protecteur, de la ville
de Mexico, capitale de la Nouvelle-Espagne, en cette
veille de la fête de la Transfiguration de l'année mille
cinq cent trente et un de Notre Seigneur, nous vous
adressons nos salutations.

Attendu que nous n'avons reçu de Votre Suprême
Majesté aucun ordre concernant la poursuite de cette
chronique qui nous semble terminée avec les feuillets
suivants et attendu que l'Aztèque lui-même nous a
déclaré qu'il n'avait plus rien à ajouter, nous joignons à
la présente la conclusion de ce récit.

Beaucoup de choses dans la relation de l'Indien à
propos de la conquête et de ses suites sont déjà connues
de Votre Très Savante Majesté grâce aux rapports
envoyés par le Capitaine Général Cortés et par d'autres
officiers. Toutefois, s'il n'a pas d'autre intérêt, ce
compte rendu a au moins le mérite de démentir les
prétentieuses et lassantes déclarations du Capitaine
Général d'avoir « avec une poignée de rudes soldats
castillans » conquis un continent à lui tout seul.

Maintenant que vous et nous, Sire, sommes à même

d'envisager ce récit dans sa totalité, il ne fait aucun doute qu'il ne correspond pas du tout à ce que Votre Majesté avait demandé au commencement et nous n'avons guère besoin de revenir sur notre mécontentement. Néanmoins s'il a pu, si peu que ce soit, informer et édifier Votre Majesté par sa pléthore de détails curieux, nous tenterons de nous convaincre que notre patience, notre tolérance et l'assommante tâche à laquelle ont été astreints nos frères scribes, n'auront pas été entièrement perdues.

Nous prions Votre Majesté de bien vouloir imiter notre bienveillant Roi du Ciel et de ne pas prendre en considération le peu de valeur que constitue cette accumulation d'écrits, mais la sincérité avec laquelle nous avons entrepris ce travail et l'esprit dans lequel nous l'avons accompli afin que vous jetiez sur lui un regard plus indulgent.

Avant d'en terminer avec l'Aztèque, nous voudrions aussi demander à Votre Majesté si elle désire de lui des informations supplémentaires. Dans ce cas, nous veillerons à ce qu'il reste à notre disposition. Mais si vous n'avez plus besoin de lui, Sire, pourriez-vous avoir la bonté de nous dire ce que nous devons faire de sa personne, à moins que Votre Majesté préfère que nous remettions son sort entre les mains de Dieu.

En attendant, que la Sainte Grâce de Dieu continue à régner dans le cœur de Votre Estimable Majesté, telle est notre prière constante. De V.M. le dévoué serviteur,

(ecce signum) Zumarraga

ULTIMA PARS

Comme vous le savez, mes révérends, le nom de notre onzième mois, Ochpaniztli, signifie « Balayage ». Cette année-là, ce nom prit un sens particulièrement sinistre car c'est vers la fin de ce mois, quand les pluies commencèrent à se calmer, que Cortés entreprit sa marche menaçante vers l'intérieur du pays. Laissant ses marins et quelques-uns des soldats en garnison à Villa Rica de la Vera Cruz, il prit la direction de l'ouest avec environ quatre cent cinquante de ses hommes et mille trois cents Totonaca en armes. Un millier d'autres servaient de porteurs pour les armes de réserve, les canons démontés et leurs lourds projectiles et les provisions de route. Parmi ces porteurs, s'étaient glissées des souris de Motecuzoma qui communiquaient avec d'autres quimichi postées le long du parcours et qui tenaient l'Orateur Vénéré informé de l'avance des troupes.

Cortés ouvrait la marche, revêtu de son étincelante armure de métal et monté sur un cheval qu'il appelait par dérision, mais avec tendresse, la Mule. Son autre possession du genre féminin, Malintzin, portait son étendard et marchait fièrement à ses côtés. Seuls, quelques officiers avaient emmené une femme, car beaucoup espéraient en trouver d'autres en chemin. Sur les hauteurs, la saison des pluies se prolongeait, avec du vent et des bourrasques de neige. Les voyageurs étaient trempés, frigorifiés et ils ne jouissaient guère de la promenade.

« *Ayyo !* s'était écrié Motecuzoma en entendant le rapport de ses souris. Ils doivent trouver que l'intérieur du pays est moins hospitalier que les Terres Chaudes. Je vais leur envoyer mes sorciers pour leur faciliter l'existence.

— Il vaudrait mieux leur envoyer des guerriers pour leur rendre la vie impossible, avait ironisé Cuitlahuac.

— Je préfère préserver cette façade amicale aussi longtemps qu'elle jouera en notre faveur. Les sorciers vont si bien les accabler de sortilèges qu'ils finiront par décider d'eux-mêmes de faire demi-tour, sans savoir que nous sommes les responsables de leurs malheurs. Il faut qu'ils rapportent à leur roi que le pays est insalubre et impénétrable, mais qu'ils ne conçoivent aucun soupçon à notre sujet. »

Les sorciers partirent donc en toute hâte vers l'est, déguisés en paisibles voyageurs. Il est possible que les magiciens soient capables d'accomplir des prodiges, mais les obstacles que ceux-ci mirent sur la route de Cortés se révélèrent pitoyablement inefficaces. D'abord, ils tendirent entre les arbres des fils très fins où étaient accrochés des papiers bleus couverts de signes cabalistiques. Bien que cette barrière fût supposée infranchissable, le cheval de Cortés qui conduisait la marche la rompit sans même sans apercevoir. Les magiciens firent alors savoir à Motecuzoma, non pas qu'ils avaient échoué, mais que les chevaux possédaient le pouvoir d'échapper à ce sortilège. Ensuite, ils s'entendirent secrètement avec les espions qui s'étaient introduits dans l'armée pour qu'ils glissent de la sève de ceiba et des figues de Barbarie dans la nourriture des soldats. La sève de l'arbre ceiba rend les personnes qui l'ingèrent si affamées qu'elles dévorent goulûment tout ce qui leur tombe sous la dent et qu'au bout de quelques jours elles ont tellement engraissé qu'elles ne peuvent plus bouger. C'est du moins ce que prétendent les magiciens, car je n'ai jamais constaté personnellement ce phénomène. En revanche, la tuna a réellement un effet pernicieux, quoique moins spectaculaire. La tuna est ce que vous appelez la figue de barbarie, le fruit du cactus nopalli, et les premiers Espagnols ne savaient pas qu'il fallait le peler soigneusement avant de le manger. Les sorciers s'attendaient donc à ce que les Blancs endurent d'atroces souffrances quand les épines minuscules, mais très acérées de ce fruit leur pénétreraient dans les doigts et dans la langue. En outre, celui qui a mangé la chair rouge de ce fruit a une urine d'un rouge encore plus vif qui peut lui faire croire, s'il n'est pas averti, qu'il est atteint d'une affection mortelle.

Si la sève du ceiba fit grossir les Blancs, ce ne fut pas au point de les immobiliser et s'ils maudirent les épines de tuna, et furent épouvantés d'uriner du sang, cela ne les empêcha pas de continuer à avancer. Il est fort probable que Malintzin leur ait montré la façon de les manger et les ait mis au courant des conséquences et les Espagnols poursuivirent inexorablement leur marche vers l'ouest.

En même temps qu'elles lui avaient appris l'échec des sorciers, les souris avaient apporté à Motecuzoma une nouvelle encore plus inquiétante. L'armée de Cortés était en train de traverser le territoire de tribus de moindre importance, comme les Tepeyahuaca et les Xica, qui s'étaient toujours fait tirer l'oreille pour verser un tribut à la Triple Alliance. Dans chaque village, les recrues totonaca clamaient à la population : « Venez vous joindre à nous ! Ralliez-vous à Cortés ! Il veut nous libérer du joug détesté des Mexica. » Ces tribus avaient fourni de nombreux guerriers et l'armée de Cortés devenait de plus en plus importante.

« Vous avez entendu, Frère Vénéré ! avait éclaté Cuitlahuac. Ces créatures osent se vanter d'être venues pour s'opposer personnellement à vous. Vous avez maintenant toutes les excuses pour fondre sur eux. C'est le moment. Comme l'a dit le Seigneur Mixtli, ils sont incapables de se défendre dans les montagnes. Vous ne pouvez plus dire : *Attendons !*

— J'ai dit attendons ! répliqua Motecuzoma imperturbable. Nous épargnerons ainsi beaucoup de vies humaines.

— Dites-moi, ricana Cuitlahuac, quand donc dans toute cette histoire a-t-on épargné une seule vie ?

— Je voulais dire qu'il est inutile de sacrifier même un seul soldat, répondit Motecuzoma, visiblement ennuyé. Apprends, mon frère, que les étrangers approchent de la frontière orientale de Texcala. Laissons ce pays combattre les envahisseurs et nous en tirerons deux avantages. D'abord, les Blancs seront certainement vaincus et ensuite les Texcalteca seront tellement affaiblis que je pourrai ensuite les attaquer et leur infliger une sévère défaite. De plus, si au cours des opérations nous trouvons des Espagnols survivants, nous leur porterons secours, si bien qu'ils penseront que nous sommes entrés en guerre uniquement pour les défendre et que nous aurons gagné ainsi la reconnaissance de leur roi dont nous pourrons peut-être tirer profit. Pour toutes ces raisons, nous allons continuer à attendre. »

Si Motecuzoma avait fait profiter Xicotenca, le chef de Texcala, de ce qu'il savait des forces et des faiblesses des Blancs, il aurait fait poster ses troupes aux endroits stratégiques des montagnes escarpées du pays. Malheureusement, Xicotenca le Jeune, le chef des armées, avait choisi de déployer ses hommes sur l'une des rares plaines de Texcala et il s'était préparé à un combat traditionnel, où l'on échange les formalités d'usage avant de se ruer à l'assaut. Xicotenca avait sans doute entendu parler de la puissance plus qu'humaine de ce nouvel ennemi, mais il ignorait certainement qu'il ferait fi de nos conventions et de nos règles de guerre.

Un jour, donc, Cortés sortit d'une forêt en bordure de ladite plaine, à la tête de ses quatre cent cinquante soldats et de ses trois mille guerriers indigènes, pour se trouver face à un mur impénétrable de dix mille Texcalteca — trente mille ont prétendu certains. Cortés se rendait compte de la formidable importance de ses opposants, revêtus de leur armure jaune et blanc et brandissant leurs longues bannières de plumes, mais il garda assez de sang-froid pour dissimuler son arme la plus redoutable. Les Texcalteca ne virent que des fantassins ; tous les chevaux étaient restés cachés dans les bois, hors de la vue de l'ennemi.

Comme l'exigeait la tradition, plusieurs nobles texcalteca sortirent des rangs et traversèrent la prairie verdoyante qui séparait les deux armées pour venir offrir cérémonieusement les armes symboliques, les manteaux de plumes et les boucliers et pour déclarer l'ouverture des hostilités. Cortés prolongea à dessein cette cérémonie en demandant qu'on lui en explique la signification. Aguilar servait de moins en moins d'interprète car Malintzin avait fait de rapides progrès en espagnol ; après tout, le lit est la meilleure école pour apprendre les langues. Aussi, après avoir écouté la déclaration des Texcalteca, Cortés en fit une à son tour et Malintzin la traduisit aux nobles. Je peux vous la répéter de mémoire, car il a fait ensuite la même proclamation dans tous les villages, dans toutes les villes et dans toutes les nations qui se fermaient à son approche. Après avoir demandé qu'on le laisse entrer sans résistance, il déclarait :

« Si vous refusez, avec l'aide de Dieu, je pénétrerai de force et je vous livrerai un combat acharné. Je vous soumettrai à notre Sainte Eglise et à notre roi Carlos. Je prendrai vos femmes et vos enfants comme esclaves ou bien je les vendrai selon le bon plaisir de Sa Majesté. Je m'emparerai de tous vos biens et je vous traiterai comme des sujets rebelles refusant d'obéir à leur souverain légitime. Par conséquent, tous les massacres et les malheurs qui surviendront par la suite vous seront imputables et non à Sa Majesté, à moi ou aux officiers qui sont à mes ordres. »

Il est facile d'imaginer que les nobles texcalteca n'avaient pas été très heureux qu'on les qualifie de sujets d'un prince étranger, ni qu'on leur dise qu'ils étaient des rebelles en défendant leurs frontières. Ces propos dédaigneux ne firent qu'accroître leur désir de se battre ; ils ne firent aucune réponse et regagnèrent leurs rangs, la tête haute, au milieu des cris de guerre, des tambours et des flûtes.

Cependant, ces échanges de politesse avaient donné aux hommes de Cortés le temps de monter et d'installer leurs dix gros canons et les quatre petits. Ils les avaient chargés non pas avec des boulets, mais avec des morceaux de métal, du verre brisé et des cailloux tranchants. Les arquebuses et les arbalètes étaient prêtes à tirer. Cortés donna alors rapidement ses ordres que Malintzin traduisit aux guerriers indigènes avant de courir se mettre à l'abri à l'arrière. Ensuite, toute l'armée attendit que le grand mur jaune et blanc s'élance en faisant pleuvoir un déluge de flèches, puis que ce mur se transforme en une ruée de guerriers frappant sur leurs boucliers, hurlant comme des jaguars et criant comme des aigles.

Ni Cortés, ni aucun de ses hommes ne bougea pour aller à leur rencontre comme c'était la tradition. Il cria seulement : « Par Santiago ! » et le grondement des canons éclata. Les combattants du premier rang éclatèrent en lambeaux de chair et en jets de sang. La ligne suivante s'effondra, foudroyée mais sans raison apparente, puisque les balles des arquebuses et les flèches des arbalètes avaient disparu dans leur épaisse armure matelassée. Puis, les cavaliers sortaient du bois au galop, les chiens à leurs trousses. Ils avaient levé leur lance et ils embrochaient leurs proies comme des piments sur une ficelle. Quand leur lance ne pouvait plus contenir de victime, les cavaliers les laissaient tomber et dégainaient leur épée d'acier avec laquelle ils tranchaient bras, jambes et têtes. Choqués, effondrés, terrorisés, les Texcalteca furent saisis de stupeur et perdirent toute leur rage de vaincre. Les chevaliers et les quachic tentèrent à plusieurs reprises de les rassembler pour redonner l'assaut. Mais, à chaque fois, les canons, les arbalètes et les arquebuses envoyaient leurs projectiles meurtriers, semant la mort dans les rangs texcalteca.

Inutile de relater cette bataille dans tous ses détails. Ce qui s'est passé ce jour-là est bien connu. Les Texcalteca prirent la fuite poursuivis par Cortés et les guerriers totonaca trop heureux d'avoir l'occasion de participer à un combat où leur rôle consistait uniquement à harceler des fugitifs. Les Texcalteca avaient laissé environ le tiers de leurs troupes sur le terrain alors qu'ils n'avaient infligé à l'ennemi que des pertes insignifiantes.

Cortés et ses hommes installèrent leur campement sur

le champ de bataille même, pour panser les quelques blessés et célébrer la victoire.

Si l'on songe aux terribles pertes qu'ils avaient subies, on doit admirer les Texcalteca de ne pas s'être aussitôt rendus à Cortés. C'était un peuple fier, courageux et intraitable, malheureusement il avait une foi indestructible dans ses devins. C'est donc vers les sages que Xicotenca se tourna le soir même de la défaite, pour leur demander :

« Ces étrangers seraient-ils vraiment des dieux ? Sont-ils réellement invincibles ? N'y a-t-il aucun moyen de vaincre leurs engins qui crachent le feu ? Dois-je continuer à sacrifier mes braves et poursuivre la lutte ? »

Après avoir délibéré, les devins lui répondirent :

« Non, ce ne sont pas des dieux. Ce sont des hommes qui ont sans doute appris à se servir de la puissance du soleil. Tant que le soleil brille, ils ont la supériorité de leurs armes qui crachent le feu, mais leur force disparaît en même temps que le soleil. La nuit, ils ne sont que des hommes comme les autres, avec des armes comme les autres. Attaquez-les de nuit. Cette nuit même. Sinon, au lever du soleil ils se lèveront aussi et balayeront votre armée comme de l'herbe qu'on fauche.

— Attaquer de nuit ? murmura Xicotenca. C'est contraire à toutes les traditions du combat loyal. Sauf pendant les sièges, on n'a jamais vu des armées se battre la nuit.

— Justement. Ces étrangers seront sans méfiance, ils ne s'attendront pas à être attaqués. Profitez-en. »

Les devins texcalteca avaient le don de se fourvoyer tout autant que les autres, en effet, il semblerait que les Blancs aient l'habitude de se battre la nuit et qu'ils prennent toutes leurs précautions.

Cortés avait posté des sentinelles tout autour du camp qui veillaient tandis que leurs compagnons dormaient en tenue de combat avec leurs armes chargées à portée de la main. Malgré l'obscurité, les guetteurs distinguèrent facilement les éclaireurs texcalteca qui rampaient en terrain découvert. Ils ne jetèrent aucun cri d'alarme et se glissèrent vers leur camp pour réveiller, sans bruit, Cortés et son armée. Personne ne se leva. Personne ne bougea et les éclaireurs revinrent dire à Xicotenca que tout le camp espagnol était endormi.

Ce qui subsistait de l'armée texcalteca s'avança à quatre pattes jusqu'au pourtour du camp. Là, les guerriers se redressèrent et bondirent sur l'ennemi endormi, mais ils n'eurent pas le temps de pousser un seul cri de guerre. Dès qu'ils furent debout, les éclairs, le tonnerre et le sifflement des projectiles déchirèrent la nuit... et l'armée de Xicotenca fut balayée comme de l'herbe à faucher.

Le lendemain, pleurant de ses vieux yeux aveugles, Xicotenca l'Ancien envoya à Cortés une délégation des nobles les plus éminents, avec le drapeau à mailles d'or de la trêve, pour négocier les conditions de la reddition.

A la grande surprise des envoyés, Cortés ne se conduisit pas en conquérant et il les accueillit avec chaleur et amitié. Par l'intermédiaire de Malintzin, il fit l'éloge des combattants texcalteca et leur dit qu'il regrettait que, s'étant mépris sur ses intentions, ils aient cru bon de se défendre, parce que, prétendait-il, il ne voulait pas de la reddition des Texcalteca. Il était venu dans ce pays dans le seul but de lui apporter aide et amitié. Sans doute renseigné par Malintzin, il leur avait ensuite déclaré :

« Je sais que vous souffrez depuis des années de la tyrannie de Motecuzoma. J'ai déjà libéré les Totonaca et d'autres tribus de sa tutelle et je ferai la même chose pour vous si vous voulez bien vous joindre à moi dans cette sainte croisade.

« — Mais, avaient répondu les nobles éberlués, nous avons entendu dire que vous exigiez des peuples qu'ils se soumettent à votre chef et à votre religion. »

Cortés balaya d'un geste toutes ces considérations. La résistance des Texcalteca lui avait enseigné à les traiter avec circonspection.

« Je vous demande votre alliance et non votre soumission. Quand nous aurons purgé ces territoires de la funeste domination des Mexica, nous vous montrerons les avantages du christianisme et d'une entente avec notre roi Carlos. Alors vous jugerez vous-mêmes si vous souhaitez partager ces bienfaits. Mais, chaque chose en son temps. Allez demander à votre estimable chef s'il veut bien nous tendre une main amicale et faire cause commune avec nous. »

A peine Xicotenca avait-il reçu ce message de la bouche de ses émissaires que les souris l'avaient déjà fait parvenir à Tenochtitlán. Motecuzoma fut bouleversé, consterné et courroucé de voir que ses prévisions étaient fausses et il fut presque pris de panique en réalisant que son erreur risquait d'avoir des conséquences fatales. Les Texcalteca n'avaient pas arrêté les envahisseurs et il ne les tenait pas à sa merci. Pis encore, les étrangers n'étaient ni découragés ni affaiblis et ils continuaient à avancer en proférant des menaces à notre égard et, pour mettre un comble à tout cela, les Blancs se trouvaient confortés par la puissance et la haine de notre ennemi le plus ancien, le plus acharné et le plus implacable.

Motecuzoma se ressaisit néanmoins et prit une décision un peu plus énergique que son « attendons ». Il fit venir le plus intelligent de ses messagers et l'envoya à Cortés avec une déclaration interminable et élogieuse dont voici l'essentiel.

« Estimé Capitaine Général Cortés, ne vous fiez pas

aux traîtres texcalteca. Ils sont prêts à vous raconter n'importe quelle fable pour gagner votre confiance et ensuite ils vous trahiront perfidement. Comme vous pourrez le vérifier aisément, cette nation est un îlot cerné de toutes parts par des voisins dont elle s'est fait des ennemis. Si vous pactisez avec les Texcalteca, vous serez, comme eux, méprisé et rejeté par tous les autres pays. Suivez notre conseil. Abandonnez ce peuple indigne et faites alliance avec la puissante coalition des Mexica, des Acolhua et des Tecpaneca. Nous vous invitons à venir rendre visite à notre alliée, la ville de Cholula, qui se trouve au sud de l'endroit où vous êtes. Vous y recevrez un accueil digne du personnage de marque que vous êtes. Une fois que vous vous y serez bien reposé, on vous escortera jusqu'à Tenochtitlán, selon votre désir, où le Uey tlatoani Motecuzoma Xocoyotzin attend avec impatience de vous serrer dans ses bras et de vous rendre tous les honneurs. »

Motecuzoma était-il sincère ? Etait-il vraiment disposé à accorder une audience aux Blancs en attendant de décider de ce qu'il allait faire ensuite ? Je n'en sais rien ; il n'avait fait part à personne de ses intentions. Ce que je sais, par contre, c'est que si j'avais été à la place de Cortés, cette invitation m'aurait fort diverti, d'autant que Malintzin avait dû la lui traduire sournoisement ainsi :

« Ennemi détesté : renvoyez vos nouveaux alliés ; débarrassez-vous des troupes que vous venez d'acquérir et faites plaisir à Motecuzoma en allant vous jeter tête baissée dans le piège qu'il vous tend. »

Pourtant, à ma grande surprise, ne sachant pas à l'époque à quel point l'homme était audacieux, Cortés accepta l'invitation et il se mit en route pour Cholula où il fut reçu comme un hôte de marque. Cependant, Cortés n'avait pas suivi toutes les injonctions de Motecuzoma et il n'avait pas renvoyé ses alliés. Entre-temps, le vieux Xicotenca avait accepté de faire cause commune avec lui et il avait mis sous ses ordres dix mille guerriers texcalteca. Cortés arriva donc devant Cholula à la tête de cette armée, plus les trois mille recrues Totonaca et plus, naturellement, ses trois cents soldats blancs, ses chevaux, ses chiens, sa Malintzin et les femmes qui accompagnaient les troupes.

Après avoir salué Cortés comme il convenait, les deux Seigneurs de Cholula — le Seigneur de ce qui est dessus et le Seigneur de ce qui est dessous — jetèrent des regards effrayés sur cette multitude et dirent à Cortés :

« Sur l'ordre de l'Orateur Vénéré Motecuzoma, notre ville est sans armes. Nous avons fait le nécessaire pour recevoir votre seigneurie et ses troupes personnelles, mais nous n'avons pas de place pour ses nombreux alliés. En outre, comme vous le savez, les Texcalteca sont nos ennemis jurés et nous serions très inquiets de les voir pénétrer chez nous. »

Cortés donna obligeamment des ordres pour que les guerriers indigènes restent autour de Cholula et ils établirent leur campement en encerclant totalement la ville. Ensuite, il entra seul avec ses soldats blancs, tandis que le peuple l'acclamait et jetait des fleurs sur son passage.

Comme promis, les Espagnols furent logés luxueusement — le dernier des soldats fut traité comme un chevalier — et on leur procura à tous des serviteurs et des femmes. Pendant quatorze jours, les Blancs connurent une existence que seuls les plus héroïques guerriers peuvent rêver de vivre dans l'au-delà. On les régala, on les abreuva d'octli, on les laissa se conduire à leur guise et profiter des femmes qu'on leur avait fournies, on les réjouit de musique et de danses et au bout de ces quatorze jours, les Blancs se dressèrent et massacrèrent tous les hommes, toutes les femmes et tous les enfants de Cholula.

Les souris firent parvenir la nouvelle à Tenochtitlán avant même que la fumée des arquebuses ait eu le temps de se dissiper. D'après les quimichi, cette tuerie s'était effectuée à l'instigation de la Malintzin. Une nuit, elle était entrée dans la chambre de son maître, alors qu'il était en train de se soûler et de se distraire avec des femmes. Elle les chassa et avertit Cortés qu'un complot se tramait contre lui, en prétendant qu'elle l'avait appris en se mêlant aux conversations des femmes du marché qui avaient cru naïvement qu'elle était une prisonnière de guerre désireuse de se soustraire à ses ravisseurs blancs. Si on avait traité les hôtes aussi princièrement, c'était uniquement dans le but de les endormir, pendant que Motecuzoma envoyait vingt mille Mexica pour encercler Cholula. Au signal donné, ces troupes tomberaient sur les alliés indigènes qui campaient autour de la ville, tandis que les habitants de Cholula prendraient les armes pour s'attaquer aux Blancs sans méfiance. Elle avait même ajouté qu'elle avait vu la foule se rassembler sur la place principale autour des étendards. Cortés bondit hors du palais avec ses sous-officiers et il rameuta ses troupes au cri de « Santiago ! ». Comme Malintzin le lui avait dit, il trouva la place grouillante de gens portant des bannières de plumes et vêtus d'habits de cérémonie qui pouvaient passer pour des tenues de combat. Il ne leur donna pas le temps de pousser le moindre cri de guerre, ni même d'expliquer pourquoi ils étaient rassemblés là. Les soldats déchargèrent instantanément leurs armes sur la foule qui était si compacte que la première volée de plombs et de flèches la faucha comme de l'herbe.

Quand la fumée s'éclaircit un peu, les Blancs se rendirent peut-être compte qu'il y avait aussi des femmes et des enfants et ils durent se demander si leur précipitation était bien justifiée. Le bruit amena les Totonaca et les autres alliés dans la ville et ceux-ci la dévastèrent et massacrèrent sans pitié toute la population, y compris les deux seigneurs, encore plus cruellement que les Blancs. Quelques hommes parvinrent à se saisir de leurs armes pour se défendre mais ce ne fut qu'un acte désespéré. Ils se retranchèrent sur la montagne-pyramide de Cholula et à la fin ils s'enfermèrent dans le grand temple de Quetzalcoatl qui était au sommet. Les assiégeants n'eurent plus qu'à empiler du bois et à y mettre le feu.

Voilà douze ans que ce temple a été incendié et qu'on a déblayé tous ses décombres. On n'y voit plus que des arbres et des buissons et c'est pourquoi tant de vos compatriotes n'arrivent pas à croire que cette montagne n'est pas une montagne, mais une pyramide élevée par les hommes. Maintenant, son sommet, où l'on adorait jadis Quetzalcoatl, est couronné par une église chrétienne.

Quand Cortés était arrivé à Cholula, il y avait environ huit mille habitants. Quand il en repartit, c'était le désert. Je vous répète que Motecuzoma ne m'avait pas fait part de ses plans, mais on a dit qu'il avait bien envoyé des troupes vers Cholula et qu'il avait réellement donné des ordres à la population pour qu'elle se soulève. Permettez-moi d'en douter. Ce massacre avait eu lieu le premier jour de notre quatorzième mois, Panquetzaliztli, c'est-à-dire l'Elévation des bannières de plumes, au cours duquel on célébrait partout des cérémonies et c'était justement ce qu'était en train de faire la population de Cholula.

Il est possible que la Malintzin n'ait jamais assisté à cette fête auparavant et qu'elle ait cru de bonne foi que les habitants s'étaient rassemblés avec des étendards de bataille, ou alors elle avait tout simplement inventé ce complot par jalousie envers les femmes de la ville. Quoi qu'il en soit, elle avait effectivement incité Cortés à accomplir ce massacre et s'il le regretta, ce ne fut pas long, parce qu'en définitive ce forfait lui servit encore davantage que la défaite de Texcala. Quand la nouvelle de la tuerie se répandit dans le Monde Unique, les divers gouvernements commencèrent à envisager la situation à peu près en ces termes :

Les Blancs ont d'abord monté les Totonaca contre les Mexica. Ensuite, ils ont vaincu Texcala, ce que ni Motecuzoma, ni aucun de ses prédécesseurs n'avaient jamais réussi à faire. Puis, ils ont massacré des alliés de Motecuzoma à Cholula sans se soucier le moins du monde de la colère ou de la vengeance de l'Orateur Vénéré. Il semblerait que ces Blancs soient encore plus puissants que les puissants Mexica et il serait peut-être plus sage de se rallier à eux tant que nous pouvons encore le faire de notre plein gré.

C'est ce que fit sans hésitation le prince Ixtlilxochitl, chef légitime des Acolhua. Motecuzoma dut regretter amèrement de l'avoir chassé de son trône trois ans auparavant, quand il s'aperçut que Fleur Noire n'avait pas passé tout ce temps à se lamenter dans ses montagnes, mais qu'il avait rassemblé des troupes en prévision de la reconquête du pouvoir. Pour Fleur Noire, Cortés avait dû faire figure d'envoyé des dieux. Il descendit de son repaire pour aller jusqu'à la cité martyre de Cholula où Cortés était en train de regrouper ses troupes avant de poursuivre sa marche vers l'ouest. Le prince parla certainement à Cortés des avanies que lui avait fait subir Motecuzoma et le Capitaine Général dût promettre de lui venir en aide. En effet, on apprit bien vite à Tenochtitlán que l'armée de Cortés venait de s'augmenter des milliers de combattants merveilleusement entraînés du prince Fleur Noire.

En définitive, la tuerie soudaine et sans doute injustifiée de Cholula se révéla un coup de maître et Cortés put dire merci à Malintzin quelles qu'aient été les raisons qui l'avaient poussée à agir. Elle lui avait prouvé qu'elle était tout entière vouée à sa cause et qu'elle l'aiderait à accomplir son destin même s'il fallait pour cela piétiner les cadavres des hommes, des femmes et des enfants de sa race. A partir de ce moment, Cortés la considéra comme son premier conseiller stratégique, son officier le plus fidèle et son allié le plus sûr. Peut-être même l'a-t-il aimée. Malintzin avait atteint ses deux objectifs : elle s'était rendue indispensable à son maître et elle allait bientôt entrer dans Tenochtitlán, son rêve de toujours, avec le titre et les honneurs dus à une grande dame.

J'avais rencontré Malintzin deux fois avant qu'elle ne devienne l'arme la plus redoutable de Cortés et les deux fois, j'aurais pu m'y opposer. Le jour où je l'avais connue au marché d'esclaves, j'aurais pu l'acheter et elle se serait contentée de faire partie de la maison d'un Chevalier-Aigle à Tenochtitlán. Quand je l'avais revue au pays totonaca, elle n'était encore qu'une esclave appartenant à un officier subalterne et sa disparition n'aurait pas provoqué un bien grand émoi. J'avais donc eu par deux fois l'occasion de changer le cours de sa vie — et peut-être le cours de l'histoire — et je ne l'avais pas fait. Son rôle dans le massacre de Cholula m'avait fait comprendre quelle menace elle représentait. Je savais que je la reverrais et je me jurai de faire quelque chose pour mettre un terme à son existence.

Dès qu'il eut connaissance du drame, Motecuzoma envoya à Cortés une délégation de nobles conduite par Tlacotzin, son Femme-Serpent. Ces émissaires emmenaient avec eux un convoi de porteurs chargés d'or et d'autres cadeaux de prix, non pour venir en aide à la malheureuse cité, mais pour amadouer Cortés.

Motecuzoma montra dans cette affaire toute la duplicité dont il était capable. La population de Cholula était sans doute entièrement innocente et, si elle avait vraiment voulu se soulever, elle l'avait fait sur les instructions secrètes de Motecuzoma. Pourtant, dans son message à Cortés, l'Orateur Vénéré blâmait ses alliés de Cholula d'avoir organisé un complot. Il affirmait qu'il n'en avait pas eu connaissance et qualifiait les prétendus insurgés de « traîtres envers nous deux ». Il félicitait Cortés de sa rapide intervention et il espérait que cet incident ne mettrait pas en péril l'amitié future des hommes blancs et de la Triple Alliance.

Il semblait particulièrement indiqué que ce message fût confié au Femme-Serpent car c'était un chef-d'œuvre de sinuosité.

« Cependant, avait poursuivi Tlacotzin, si la perfidie de Cholula a découragé le Capitaine Général de s'aventurer plus loin dans ces terres peu sûres, nous comprendrons sa décision de rentrer chez lui, tout en regrettant vivement de ne pas avoir pu rencontrer face à face le vaillant Capitaine Général Cortés. Par conséquent, puisque vous ne venez pas dans leur capitale, les Mexica vous prient d'accepter ces cadeaux que vous partagerez avec votre roi Carlos quand vous serez de retour en Espagne. »

On m'a dit par la suite que Cortés avait eu du mal à contenir son amusement quand ce message équivoque lui fut traduit par Malintzin et qu'il avait murmuré : « J'ai hâte de me trouver face à cet homme au double visage. »

Mais voici ce qu'il répondit à Tlacotzin :

« Je remercie votre maître de ses attentions et de ses

présents que j'accepte avec gratitude de la part de Sa Majesté le roi Carlos. Cependant (et là, il bâilla) les ennuis que nous avons eus à Cholula ne portent pas à conséquence. (Là, il se mit à rire) Votre Seigneur ne doit pas craindre que notre détermination de poursuivre notre exploration en soit amoindrie. Nous allons continuer vers l'ouest en faisant, de temps à autre, un détour pour rendre visite à des pays qui souhaiteraient se joindre à nous. Mais soyez sûr que notre périple nous amènera à Tenochtitlán. Vous pouvez transmettre à votre chef ma solennelle assurance que nous nous rencontrerons face à face.

Motecuzoma avait prévu que les envahisseurs ne se laisseraient pas si facilement dissuader, aussi il avait indiqué à son Femme-Serpent cette réponse hypocrite :

« Dans ce cas, notre Orateur Vénéré souhaite que le Capitaine Général ne diffère pas plus longtemps sa venue. (Cela voulait dire que Motecuzoma ne voulait pas qu'il continue à se promener parmi ses tributaires mécontents en les enrôlant au passage.) L'Orateur Vénéré craint que ces provinces arriérées ne vous fasse croire à tort que nous sommes un peuple barbare. Il désire que vous voyiez sa magnifique capitale pour que vous puissiez juger de ce qu'il est capable de faire et il vous presse de venir directement à Tenochtitlán. Je vous y conduirai, Seigneur, et, puisque je suis le second personnage de la nation mexica, ma présence sera pour vous une garantie contre des perfidies et des traquenards éventuels. »

Cortés fit un geste qui englobait la multitude des troupes stationnées autour de Cholula.

« Je ne m'inquiète pas outre mesure des perfidies et des traquenards, ami Tlacotzin, mais j'accepte l'invitation de votre chef et votre offre de me servir de guide. Nous serons prêts à partir quand vous le voudrez. »

Il est fort possible que Motecuzoma ait caressé l'idée de promener indéfiniment l'armée de Cortés jusqu'au moment où les envahisseurs se seraient fatigués et perdus. Mais, parmi les troupes indigènes, beaucoup auraient découvert la supercherie. Malgré tout, Motecuzoma avait dû donner l'ordre à Tlacotzin de ne pas leur faciliter le voyage, espérant peut-être que Cortés finirait par se décourager. Au lieu de leur faire prendre les routes de commerce des basses vallées, le Femme-Serpent les avait conduits par le grand col qui sépare les volcans Ixtaccihuatl et Popocatepetl.

Même pendant les plus chaudes journées d'été, il y a de la neige sur ces sommets et lorsque l'armée de Cortés les franchit, l'hiver commençait. Rien n'était plus propre à désespérer les Blancs que le froid mordant, les vents furieux et les bourrasques de neige qu'ils durent affronter. Je ne sais pas quel est le climat de votre Espagne, mais les soldats de Cortés avaient passé plusieurs années à Cuba qui est, je crois, une île aussi torride et aussi humide que nos Terres Chaudes. Les Blancs, comme leurs alliés totonaca, n'étaient ni préparés, ni vêtus pour faire face à ces intempéries et Tlacotzin raconta ensuite qu'ils avaient terriblement souffert.

Ils souffrirent, il gémirent, quatre d'entre eux moururent, ainsi que deux de leurs chevaux, plusieurs chiens et une centaine de Totonaca, mais ils continuèrent.

Tlacotzin nous rapporta également les exclamations de joie et de stupéfaction des Espagnols quand ils arrivèrent enfin sur les pentes qui dominent l'immense bassin des lacs. Au-dessous d'eux s'étalaient les lacs communicants aux couleurs infinies, entourés d'une luxuriante végétation, avec des villes bien ordonnées et des routes toutes droites. Après les terribles montagnes qu'ils venaient de franchir, cette terre leur parut un paradis. Ils étaient encore à vingt longues courses de Tenochtitlán, mais la cité argentée brillait comme un astre. Ils avaient marché pendant des mois à travers plages, montagnes, ravins et vallées en ne traversant que des villes et des villages sans intérêt, pour finir par ce sinistre col entre les deux volcans. Et soudain, ils découvraient — ce sont eux-mêmes qui le dirent — « une vision qui ressemblait à un rêve... à un enchantement sorti des vieux contes de fées... »

Après avoir descendu les pentes des volcans, Cortés pénétra sur le territoire de la Triple Alliance par le pays des Acolhua où il fut accueilli par l'Orateur Vénéré Cacama qui était venu à sa rencontre avec une suite impressionnante de nobles, de courtisans et de gardes. Sur les conseils de son oncle, Cacama adressa une chaleureuse allocution de bienvenue aux arrivants, mais je suppose qu'il ne se sentait pas très à l'aise sous le regard étincelant de son demi-frère, le prince détrôné Fleur Noire planté devant lui avec les guerriers acolhua qu'il avait débauchés. Cette confrontation aurait pu se terminer par une bataille si Motecuzoma et Cortés n'avaient pas formellement interdit qu'une querelle vint ternir cette rencontre mémorable. Aussi, tout se passa bien et Cacama conduisit tout le monde à Texcoco pour s'y reposer avant de continuer sur Tenochtitlán.

Il ne fait pas de doute que Cacama ait été fort irrité de voir ses propres sujets acclamer le prince Fleur Noire dans les rues de Texcoco. Ce fut pour lui une insulte de taille à laquelle vint s'ajouter la désertion en masse de ses troupes. Au cours des deux journées que Cortés passa dans cette ville, deux mille citoyens environ vinrent se joindre aux volontaires de Fleur Noire. A partir de ce moment la nation acolhua se trouva tragiquement divisée. La moitié de la population resta fidèle à Cacama et l'autre se rallia à Fleur Noire qui aurait dû en être l'Orateur Vénéré, même si ces gens regrettaient de le voir lier son sort à celui des Blancs.

En quittant Texcoco, Tlacotzin conduisit l'armée de Cortés le long de la rive sud du lac. Les Blancs s'extasièrent devant cette « grande mer intérieure » et davantage encore devant la splendeur de Tenochtitlán que l'on apercevait de la route et qui croissait en taille et en magnificence à mesure qu'ils en approchaient. Tlacotzin conduisit les Espagnols dans son palais d'Ixtapalapan et là, ils astiquèrent leurs épées, leurs armures et leurs canons, ils étrillèrent leurs chevaux et rapetassèrent leurs uniformes défraîchis du mieux qu'ils purent, afin de faire bonne figure pour entrer dans la capitale.

Tlacotzin avait prévenu Cortés que la cité était une île déjà surpeuplée et qu'il n'y avait pas de place pour loger ses alliés. Il lui fit aussi comprendre que ce serait un manque de tact de faire entrer dans la ville un personnage aussi indésirable que Fleur Noire et des troupes provenant de pays ennemis. Cortés ne pouvait contester le manque de place, puisqu'il avait vu la ville de loin et il était désireux de montrer sa bonne volonté dans le choix de ceux qui l'accompagneraient. Cependant, il posa certaines conditions. Il voulait que Tlacotzin s'arrange pour installer ses troupes sur la terre ferme dans un rayon allant de la chaussée méridionale à la chaussée la plus septentrionale, c'est-à-dire qu'en fait elles contrôleraient ainsi tous les accès de la ville. Outre ses Espagnols, Cortés souhaitait avoir avec lui un nombre symbolique de guerriers acolhua, totonaca et texcalteca pour lui servir d'agents de liaison avec les troupes demeurées sur la terre ferme. Tlacotzin consentit à tout et Cortés choisit les guerriers qu'il garderait près de lui, puis renvoya les autres s'installer aux endroits choisis sous le commandement d'officiers blancs. Quand les messagers revinrent annoncer que tous les détache-

ments étaient en train de monter leur camp, Tlacotzin
envoya un émissaire à Motecuzoma pour lui annoncer
que les envoyés du roi Carlos et du Seigneur Dieu
arriveraient à Tenochtitlán le lendemain.

Cela se passait le jour Deux Maison de l'année Un
Roseau, ou si vous préférez au début du mois de
novembre de l'année mille cinq cent dix-neuf.

La chaussée du sud avait vu passer bien des processions, mais aucune n'avait fait un fracas aussi inhabituel.
Les Espagnols n'avaient pas d'instruments de musique
et ils ne chantaient pas en marchant, mais on entendait
le tintement et le cliquetis de leurs armes de métal et du
harnachement de leurs chevaux dont les sabots résonnaient lourdement sur les pavés ainsi que les grandes
roues des canons. La jetée tout entière en vibrait et la
surface du lac, comme une peau de tambour, amplifiait
ce tumulte dont les lointaines montagnes renvoyaient
l'écho.

Cortés venait en tête sur sa Mule, tenant dans sa main
l'étendard sang et or de l'Espagne et Malintzin marchait
fièrement à côté du cheval avec la bannière personnelle
de son maître. Derrière suivaient les cavaliers espagnols
qui avaient accroché des oriflammes à la pointe de leur
lance. Ensuite, une cinquantaine de guerriers indigènes,
puis les fantassins espagnols avec leurs arbalètes et leurs
arquebuses en position de parade, l'épée au fourreau et
la lance appuyée sur l'épaule. Derrière ces rangs bien
ordonnés venait la foule remuante des gens d'Ixtapalapan et des villes voisines, curieuse de voir le spectacle
inusité de ces étrangers en armes entrer sans résistance
dans l'inattaquable cité de Tenochtitlán.

A mi-chemin de la chaussée, au fort d'Acachinango,

1094

les premiers officiels vinrent à la rencontre du cortège :
l'Orateur Vénéré Cacama avec des nobles acolhua
venus par bateau sur le lac, ainsi que des Tecpaneca de
Tlacopan, la troisième ville de la Triple Alliance. Ces
seigneurs somptueusement vêtus se mirent à balayer la
chaussée devant les étrangers, aussi humblement que
des esclaves, en la jonchant de pétales de fleurs, jusqu'à
l'endroit où elle rejoignait l'île. Pendant ce temps,
Motecuzoma était arrivé dans une magnifique litière
accompagné des chevaliers des trois ordres et des
seigneurs et des dames de la cour, dont le Seigneur
Mixtli et Dame Béu.

Tout avait été calculé pour que les deux cortèges se
rencontrent à l'entrée de la ville. Les deux processions
s'arrêtèrent à une vingtaine de pas l'une de l'autre et
Cortés sauta de son cheval. Au même moment, les
porteurs déposèrent la litière et Motecuzoma en descendit. Nous fûmes tous surpris par sa tenue. Il avait, bien
sûr, son plus somptueux manteau de colibri, une couronne de plumes de quetzal en éventail et une quantité
de bijoux de prix. Mais, il n'avait pas mis ses sandales
dorées ; il était pieds nus et aucun de nous ne fut content
de voir l'Orateur Vénéré du Monde Unique manifester
une si grande humilité.

Cortés et lui s'avancèrent l'un vers l'autre à pas lents ;
Motecuzoma s'inclina très bas pour baiser la terre et
Cortés lui répondit en faisant le salut militaire espagnol.
Comme c'est l'usage, Cortés offrit le premier cadeau. Il
se pencha pour attacher autour du cou de l'Orateur
Vénéré un rang parfumé de ce qui semblait être un
mélange de perles et de scintillantes pierres précieuses,
mais qui se révéla par la suite n'être qu'une babiole de
nacre et de verre. A son tour, Motecuzoma passa au cou
de Cortés un collier à double rang de coquillages rares
agrémenté de pendeloques en or massif représentant

des animaux. Ensuite, l'Orateur Vénéré se lança dans un discours de bienvenue long et fleuri. Malintzin s'avança hardiment près de son maître pour traduire les paroles de Motecuzoma, puis la réponse de Cortés.

Le Uey tlatoani regagna sa chaise, le Capitaine Général remonta sur son cheval et les deux cortèges pénétrèrent dans la ville. Arrivés au Cœur du Monde Unique, les chevaux eurent du mal à garder le pas sur le marbre glissant de la place et les cavaliers durent descendre pour les mener par la bride. Dans l'ancien palais d'Axayacatl, un banquet somptueux avait été préparé pour les visiteurs et leurs hôtes. Tandis que tout le monde prenait place, Motecuzoma conduisit Cortés vers l'estrade qu'on avait installée pour eux en lui disant :

« C'est le palais de mon père. On l'a meublé et décoré pour qu'il soit digne de nos hôtes distingués. Vous y trouverez des appartements pour vous-même, pour votre dame — il prononça ce mot avec une certaine répugnance — et pour vos principaux officiers. Un personnel complet d'esclaves est là pour vous servir. Ce palais sera votre résidence aussi longtemps que vous choisirez de rester ici. »

Je pense que tout autre que Cortés, dans une situation aussi équivoque, aurait décliné cette offre car il était conscient d'être un visiteur indésirable et il n'ignorait pas qu'on le considérait comme un agresseur. En restant dans ce palais, même avec trois cents de ses hommes, le Capitaine Général se mettait dans une position bien plus critique qu'à Cholula. Il serait constamment sous l'œil de Motecuzoma et à sa merci. Tant que Cortés serait dans la ville, il lui serait difficile d'entrer en contact avec ses alliés et même s'il y parvenait, les renforts auraient du mal à venir jusqu'à lui. En passant sur la chaussée du Sud, Cortés avait certainement remarqué que les ponts qui franchissaient les canaux pouvaient facilement être retirés et il devait se douter qu'il en était de même partout dans la ville.

Le Capitaine Général aurait très bien pu répondre à Motecuzoma qu'il préférait s'installer sur la terre ferme et venir en ville pour leurs entretiens. Mais au contraire, il le remercia de son hospitalité et l'accepta comme si le palais lui revenait de droit et comme s'il méprisait jusqu'à la pensée de craindre quelque chose en l'occupant. Bien que je n'aie jamais eu aucune amitié pour Cortés, ni aucune admiration pour sa ruse et pour son habileté, je suis obligé de reconnaître qu'il n'a jamais hésité à faire face au danger, avec une audace qui défie le sens commun. Je sentais peut-être qu'il y avait une similitude dans nos caractères, parce que moi aussi, j'ai toujours pris des risques que les personnes « sensées » qualifiaient de folies.

Cependant, Cortés ne s'en était pas entièrement remis à la chance. Il avait aussitôt donné l'ordre à ses hommes de hisser avec de grosses cordes quatre canons sur la terrasse du palais — sans souci des fleurs qu'on venait d'y planter pour lui — et de les mettre en position de tir. Toutes les nuits, des soldats armés d'arquebuses chargées faisaient des rondes sur le toit et autour du bâtiment.

Les jours suivants, Motecuzoma fit personnellement visiter la ville à ses hôtes en compagnie d'une suite nombreuse dont je faisais partie sur les instances de l'Orateur Vénéré que j'avais prévenu de la curieuse façon dont Malintzin avait coutume de traduire les discours.

Comme il me l'avait promis, Cortés se souvenait de moi, mais il ne semblait pas m'en vouloir. Il eut un petit sourire oblique quand je lui fus présenté par mon nom et il parla par mon intermédiaire aussi souvent que par celui de Malintzin. Elle aussi m'avait reconnu, mais sa haine était évidente et elle ne m'adressait jamais la parole. Quand son maître me choisissait comme interprète, elle me regardait comme si elle attendait le moment propice pour me tuer. Juste retour des choses, pensais-je, puisque j'avais les mêmes intentions à son égard.

Les Espagnols furent unanimes à reconnaître l'importance, la splendeur et la propreté de Tenochtitlán qu'ils comparaient à d'autres villes qu'ils avaient vues. Tous ces noms ne me disaient rien, mais vous, mes révérends, vous les connaissez sans doute. Ils disaient qu'elle était plus étendue que Valladolid, plus peuplée que Séville, que ses édifices étaient presque aussi somptueux que ceux de la Sainte Rome, que ses canaux la faisaient ressembler à Venise et à Amsterdam et que ses rues et ses eaux étaient les plus propres au monde. Nous avions garde de ne pas leur faire remarquer que leurs effluves mettaient notablement en péril la pureté de l'air.

C'est vrai, les visiteurs avaient été très impressionnés par l'architecture, la décoration et l'ordonnance de notre cité, mais savez-vous ce qui les émerveilla le plus et leur fit pousser des cris de surprise et d'admiration ?

Nos cabinets d'aisance.

Beaucoup de ces hommes avaient parcouru votre Ancien Monde en long et en large et il était clair que nulle part ils n'avaient vu des installations sanitaires à l'intérieur des maisons.

Cependant il est certaines choses à Tenochtitlán qui déplurent aux Espagnols et qu'ils déplorèrent. Par exemple, ils reculèrent horrifiés en voyant l'autel des crânes au Cœur du Monde Unique. Ils étaient choqués que nous gardions les reliques de ceux qui étaient allés à la Mort Fleurie, pourtant, j'ai entendu des conteurs espagnols parler d'un héros de chez vous, nommé El

Cid, dont on avait caché la mort à l'ennemi et dont on avait monté le cadavre sur un cheval pour qu'il remporte une dernière victoire et je ne vois pas en quoi Cortés et ses hommes trouvaient que cet étalage de crânes de personnages de haut rang était plus macabre que le cadavre du Cid qui continuait à guerroyer après sa mort.

Mais ce qui dégoûta le plus les Espagnols, ce fut les temples empreints de la marque de tant de sacrifices présents et passés. Pour qu'ils aient une vue d'ensemble de la ville, Motecuzoma les fit monter au sommet de la grande pyramide. Sauf pendant les cérémonies, l'extérieur du monument était toujours impeccable. Ils gravirent l'escalier flanqué de bannières en admirant l'élégance et l'ampleur de l'édifice, ses peintures et l'éclat de sa décoration d'or martelé et ils contemplèrent le panorama de la ville et du lac tout autour d'eux. Les deux temples du sommet étaient, eux aussi, très bien entretenus à l'extérieur, mais l'intérieur n'était jamais nettoyé, car l'accumulation de sang signifiait l'importance de la vénération. Aussi, les statues, les murs, le sol et le plafond étaient-ils capitonnés d'une épaisse couche de sang coagulé.

Les Espagnols pénétrèrent dans le temple de Tlaloc et en ressortirent instantanément en poussant des exclamations de dégoût et en faisant d'épouvantables grimaces. C'était la première fois que je voyais des Blancs incommodés par des odeurs, mais il faut dire que la puanteur de ce lieu était bien pire encore que la leur. Quand leur nausée se fut calmée, Cortés, Alvarado et le père Bartolomé entrèrent à nouveau dans le temple et ils furent saisis d'une rage folle en découvrant que la statue de Tlaloc était remplie à ras bord de cœurs humains en décomposition. Cortés fut si ulcéré qu'il dégaina son épée et en donna un grand coup à la statue. Cela ne fit qu'écailler légèrement la croûte de sang séché sur la figure de Tlaloc, mais c'était une insulte qui cloua d'épouvante Motecuzoma et ses prêtres. Cependant, Tlaloc ne répondit pas à cet outrage par des éclairs dévastateurs et Cortés retrouva peu à peu son calme. Il dit à Motecuzoma :

« Cette idole n'est pas un dieu. C'est un objet pernicieux que nous appelons le diable. Il faut la briser et la faire disparaître dans les ténèbres éternelles. Laissez-moi installer à sa place la croix de Notre Seigneur et l'effigie de Notre-Dame. Vous verrez que ce démon ne réagira pas et vous vous rendrez compte qu'il leur est inférieur, qu'il redoute la Vraie Foi et que vous avez été bien inspirés de renoncer à cet être malfaisant pour vous tourner vers notre dieu. »

Motecuzoma lui répondit d'un ton cassant que c'était une chose impensable, mais les Espagnols furent à nouveau saisis de convulsions en pénétrant dans le temple voisin de Huitzilopochtli, puis quand ils visitèrent les temples de la pyramide de Tlatelolco. A chaque fois, Cortés exprima sa répulsion en des termes encore plus violents.

« Les Totonaca ont balayé leurs infectes idoles pour faire allégeance à Notre Seigneur et à sa Vierge Mère, leur dit Cortés. Le monstrueux temple qui était au sommet de la pyramide de Cholula a été rasé. En ce moment même, des religieux sont en train d'instruire le roi Xicotenca et sa cour des bienfaits du christianisme. Nulle part, aucune de ces divinités n'a émis la moindre protestation et je vous jure solennellement qu'elles ne se manifesteront pas davantage quand *vous* les renverserez. »

Je traduisis à Cortés la réponse de Motecuzoma en faisant de mon mieux pour rendre son ton glacé.

« Capitaine Général, vous êtes ici mon hôte, et un hôte bien éduqué ne doit pas se moquer des croyances

1100

de ceux qui le reçoivent. En outre, bien que vous soyez mon invité, la majorité de mes sujets souffrent de devoir se montrer accueillants envers vous. Si vous vous attaquez à nos dieux, les prêtres vont s'indigner et, en matière de religion, ils ont le pas sur moi. Le peuple écoutera les prêtres et vous aurez de la chance s'il vous laisse sortir vivants de Tenochtitlán. »

Malgré sa témérité, Cortés comprit qu'on venait de lui rappeler durement sa délicate position. Il n'insista pas et marmonna quelques paroles d'excuse. A son tour, Motecuzoma s'adoucit un peu et il lui dit :

« Je tâcherai néanmoins d'être un homme et un hôte compréhensif. Je sais que vous n'avez ici aucun endroit pour adorer vos propres dieux et je vais donner l'ordre qu'on débarrasse le petit temple de l'Aigle qui est sur la grande plaza, de ses statues et de son autel. Vos prêtres pourront l'installer à leur guise et il sera *votre* temple aussi longtemps que vous le voudrez. »

Bien entendu, les prêtres mexica furent mécontents de cette petite concession accordée aux étrangers, mais ils se contentèrent de grogner quand les Blancs prirent possession du petit temple. Les Chrétiens ne cessaient de dire des messes du matin au soir — même lorsque les soldats blancs n'y assistaient pas — car un grand nombre de personnes de notre race, poussées par la curiosité, venaient à ces offices. C'étaient surtout les compagnes des Espagnols et leurs alliés des autres nations. Les prêtres faisaient traduire leurs sermons par Malintzin et ils étaient aux anges quand les païens, toujours attirés par la nouveauté de la chose, consentaient à recevoir le sel et l'eau du baptême en même temps qu'un nouveau nom.

Quoi qu'il en soit, cette concession retarda momentanément Cortés de s'attaquer à nos dieux, comme il l'avait fait ailleurs.

1101

Il y avait un peu plus d'un mois que les Espagnols étaient installés à Tenochtitlán quand survint un événement qui aurait pu les chasser de la ville et probablement du Monde Unique tout entier. Un messager du Seigneur Patzinca arriva chez nous et s'il était allé trouver Motecuzoma, comme il l'avait toujours fait dans le passé, le séjour des Blancs dans notre pays aurait tourné court. Mais cet émissaire alla présenter son rapport à l'armée totonaca stationnée sur la terre ferme et on l'amena ensuite en ville pour qu'il aille le répéter personnellement à Cortés.

Voici ce qui s'était passé.

Un collecteur de tribut du nom de Cuauhpopoca, escorté d'une troupe de soldats, était parti recueillir l'impôt annuel chez les Huaxteca qui peuplent la côte au nord du pays des Totonaca. Ensuite, à la tête d'un convoi de porteurs, il avait pris la route du sud par le pays totonacatl comme il le faisait depuis des années. Mais en arrivant à Zempoala, la capitale, il fut surpris et indigné de voir que les Totonaca n'avaient pris aucune disposition pour sa venue. Les marchandises n'étaient pas prêtes, aucun porteur n'avait été prévu et Patzinca n'avait même pas fait établir la liste habituelle du tribut.

Cuauhpopoca qui arrivait de l'intérieur du pays n'avait rien su de la mésaventure des fonctionnaires mexica qui l'avaient précédé et il ignorait tout des derniers événements. Motecuzoma aurait pu facilement le faire avertir et je ne sais pas s'il avait simplement oublié ou s'il avait volontairement laissé le collecteur accomplir sa besogne coutumière simplement pour voir ce qui arriverait. Cuauhpopoca avait tenu à exécuter sa mission et il avait exigé que Patzinca lui remette le tribut, mais celui-ci avait refusé sous prétexte qu'il n'était plus soumis à la Triple Alliance. Il avait de nouveaux maîtres, des Blancs, qui habitaient un village fortifié sur la plage. Patzinca conseilla en pleurnichant à Cuauhpopoca de s'adresser à l'officier qui commandait le camp, un certain Juan de Escalante.

Furieux, perplexe, mais déterminé, le collecteur se rendit à Vera Cruz avec ses hommes. Il fut reçu par des huées incompréhensibles mais manifestement insultantes. C'est alors qu'un simple fonctionnaire fit ce qu'aurait dû faire le puissant Motecuzoma. Il refusa d'être traité aussi dédaigneusement et réagit de la façon la plus violente et la plus énergique qui soit. Il est possible que Cuauhpopoca ait eu tort, mais il se conduisit noblement, comme doit le faire un Mexica. Patzinca et Escalante commirent une erreur encore plus grave en le provoquant, car ils auraient dû être conscients de leur faiblesse. La quasi-totalité de l'armée totonacatl était partie avec Cortés et il restait très peu d'hommes pour défendre Zempoala. La garnison de Vera Cruz n'était guère mieux pourvue et elle était constituée en grande partie des marins qui n'avaient plus rien à faire maintenant qu'on avait détruit leurs navires.

Je vous répète que Cuauhpopoca n'était qu'un fonctionnaire subalterne et je suis peut-être le seul à me souvenir de son nom, bien que nombreux soient ceux qui se rappellent cet événement. Cet homme avait l'habitude de collecter le tribut et c'était la première fois, dans toute sa carrière, qu'il se heurtait à un refus, de plus, il avait sans doute le sang chaud, ainsi que son nom — Aigle Fumant — l'indiquait et il refusa qu'on l'empêche d'accomplir son travail. Il lança un ordre à ses soldats mexica qui se ruèrent aussitôt à l'attaque, heureux de cette occasion de se battre après un long voyage sans incident. Les arquebuses et les arbalètes que les Espagnols déchargèrent sur eux ne les retinrent pas longtemps. Ils tuèrent Escalante ainsi que les

1103

quelques soldats que Cortés lui avait laissés et les marins se rendirent immédiatement. Après avoir posté des gardes à Vera Cruz et à Zempoala, Cuauhpopoca donna l'ordre au reste de ses troupes de dévaliser tout le pays. Il déclara que cette année, le tribut ne serait pas constitué par une partie de la production, mais par sa *totalité*. Le messager avait accompli une sorte d'exploit en réussissant à s'enfuir du palais de Patzinca cerné par les Mexica, pour apporter la mauvaise nouvelle à Cortés.

Le Capitaine Général dut certainement réaliser que sa position était devenue dangereuse et que son avenir était bien incertain, mais il ne perdit pas de temps à se lamenter. Il se rendit sur-le-champ au palais de Motecuzoma en compagnie du géant roux Alvarado, de Malintzin et de plusieurs soldats en armes. Il bouscula les intendants et pénétra sans cérémonie dans la salle du trône. Avec une indignation feinte ou sincère, Cortés lui fit le récit de l'incident en le modifiant quelque peu. Il lui dit que des bandits mexica déchaînés avait attaqué, sans aucune provocation, ses hommes qui vivaient paisiblement sur la plage et qu'ils les avaient massacrés, ce qui constituait un manquement grave à l'amitié que Motecuzoma lui avait promise. Il voulait savoir quelles étaient les intentions de l'Orateur Vénéré.

Motecuzoma était au courant de la présence de son collecteur dans la région, aussi dut-il supposer qu'il s'était livré à une escarmouche contre les Blancs. Cependant rien ne l'obligeait à tant se hâter pour apaiser Cortés ; il aurait pu temporiser assez longtemps pour que la situation se décante et la vérité c'était que la seule et unique colonie des Blancs s'était rendue à Cuauhpopoca et que leur allié le plus fidèle, le Seigneur Patzinca, se terrait dans son palais, prisonnier des Mexica. Pendant ce temps, les Espagnols rassemblés dans l'île de Tenochtitlán faisaient une proie facile pour Motecuzoma ; quant aux troupes indigènes stationnées à l'extérieur, les armées de la Triple Alliance pouvaient facilement les empêcher d'intervenir. Grâce à Cuauhpopoca, l'Orateur Vénéré tenait les Espagnols et leurs alliés à sa merci. Il n'avait qu'à refermer son poing et le serrer jusqu'à ce que le sang coule entre ses doigts.

Ce n'est pas ce qu'il fit. Il exprima à Cortés ses regrets et ses condoléances. Il envoya un détachement de sa garde personnelle pour présenter ses excuses à Zempoala et à Vera Cruz pour relever Cuauhpopoca de ses fonctions avec l'ordre de le ramener prisonnier à Tenochtitlán avec les officiers. Qui plus est, quand le vaillant collecteur et les quatre braves quachic de l'armée mexica vinrent s'agenouiller devant lui, il s'enfonça mollement dans son trône, flanqué de Cortés et Alvarado qui arboraient une expression sévère et il leur dit :

« Vous avez outrepassé vos droits. Vous avez mis votre Orateur Vénéré dans une situation très embarrassante et compromis l'honneur de la nation mexica. Vous avez rompu la promesse de paix que j'avais faite à nos honorables visiteurs. Avez-vous quelque chose à déclarer pour votre défense ? »

Cuauhpopoca accomplit son devoir jusqu'au bout et montra qu'il était supérieur comme homme et comme Mexica à l'être assis sur le trône auquel il répondit respectueusement :

« Tout est de ma faute, Seigneur Orateur. J'ai agi selon ma conscience. Personne ne peut faire plus.

— Tu m'as fait beaucoup de tort, reprit Motecuzoma d'une voix traînante. Mais tu as blessé nos hôtes bien davantage. Par conséquent... » Et, l'Orateur Vénéré du Monde Unique dit cette chose incroyable : « Par conséquent, je te remets entre les mains du Capitaine Général Cortés. C'est lui qui décidera de ton châtiment. »

Il est certain que Cortés avait déjà réfléchi à la question car il leur infligea une peine de nature à décourager quiconque voudrait s'opposer à lui dans l'avenir et qui allait en même temps à l'encontre de toutes nos traditions et de toutes nos croyances. Il les condamna à mort tous les cinq, mais pas à la Mort Fleurie. Ni leur cœur, ni leur sang ne seraient sacrifiés aux dieux.

Cortés fit apporter une chaîne par ses hommes. C'était la plus grosse que j'avais jamais vue et j'appris par la suite que c'était un morceau de chaîne d'ancrage. A grand-peine et sans doute à la grande douleur de Cuauhpopoca et des quatre officiers, les soldats leur passèrent les anneaux géants autour du cou. On les amena au Cœur du Monde Unique où un grand poteau avait été dressé... là, juste devant l'endroit où est maintenant la cathédrale et où Monseigneur l'Evêque a fait installer le pilori pour exposer les pécheurs à la honte publique. On attacha la chaîne autour du sommet du gros poteau, si bien que les cinq hommes formaient un cercle, dos au pieu et retenus par le cou. Ensuite on entassa autour de leurs pieds du bois imprégné de chapopotli et on y mit le feu.

Un mode de châtiment si insolite, une exécution sans effusion de sang, était pour nous une chose nouvelle, aussi, presque tout le monde vint y assister. J'étais là, moi aussi, derrière le père Bartolomé qui m'apprit que le supplice du bûcher était une pratique courante en Espagne, surtout pour les ennemis de la Sainte Eglise, car elle a toujours interdit à son clergé de verser le sang, même celui des grands pécheurs. Et c'est bien dommage, mes révérends, car votre église pourrait employer des modes d'exécution plus humains. J'ai vu bien des gens mourir dans ma vie, mais jamais d'une façon aussi atroce que Cuauhpopoca et ses officiers.

Au début, ils se comportèrent courageusement. Mais lorsque les flammes atteignirent leur ventre, qu'elles eurent brûlé leur pagne et qu'elles commencèrent à entamer ce qui était dessous, leur visage se tordit de douleur. Ensuite, les flammes montèrent si haut, qu'on les distinguait à peine, mais on vit un flamboiement plus vif quand leurs cheveux s'enflammèrent et ils se mirent à hurler.

Au bout d'un moment, leurs cris devinrent à peine audibles dans le crépitement du feu qui leur mangeait la peau et la chair et qui leur grignotait les muscles si bien que leur corps commença à se contorsionner. Ils rétrécirent tant qu'ils ne ressemblaient plus à des hommes. On aurait dit des enfants de cinq ans, tout noircis et repliés dans la position du sommeil. Pourtant, aussi incroyable que cela paraisse, la vie était toujours présente dans ces pitoyables objets et leurs cris continuèrent à se faire entendre jusqu'au moment où leur tête explosa.

Il y a onze ans de cela, mais l'année dernière, quand Cortés est revenu d'Espagne où votre roi Carlos lui a donné le titre de marqués del Valle, il s'est dessiné lui-même son emblème de noblesse. On voit maintenant partout ce que vous appelez ses armes : un bouclier frappé de plusieurs symboles, entouré d'une chaîne dans les maillons de laquelle cinq têtes sont passées. Cortés aurait pu choisir de rappeler une autre de ses victoires, mais il savait bien que la fin du brave Cuauhpopoca marquait le début de la conquête du Monde Unique.

Cette exécution décrétée par des étrangers blancs qui n'auraient jamais dû jouir d'un tel pouvoir, provoqua une grande agitation dans le peuple. Mais l'épisode suivant fut encore plus inhabituel et plus incroyable :

Motecuzoma annonça publiquement qu'il quittait provisoirement son palais pour aller s'installer chez les Blancs.

Les citoyens de Tenochtitlán massés au Cœur du Monde Unique regardèrent avec des visages figés leur Orateur Vénéré traverser tranquillement la place au bras de Cortés et pénétrer dans le palais de son père Axayacatl. Les jours suivants, il y eut un va-et-vient continuel d'un palais à l'autre, tandis que les soldats espagnols aidaient les esclaves de Motecuzoma à déménager toute la cour. Les femmes, les enfants, les domestiques de l'Orateur Vénéré avec leur garde-robe, leur mobilier, tout le contenu de la salle du trône, les livres et tous les objets nécessaires aux affaires de la cour.

Personne ne comprenait pourquoi notre Orateur Vénéré devenait l'hôte de ses hôtes, ou plutôt le prisonnier de ses prisonniers. Mais moi, je crois en connaître la raison.

Des années auparavant, Ahuizotl avait traité Motecuzoma de « tambour creux » et j'avais souvent eu l'occasion d'entendre son bruit. S'il restait un espoir de le voir un jour manier lui-même les baguettes, il avait disparu quand Motecuzoma avait abandonné à Cortés la décision dans l'affaire Cuauhpopoca.

Cuitlahuac, le chef des armées, nous affirma que Cuauhpopoca avait entrepris une action qui avait failli mettre les Espagnols et leurs alliés à notre merci et il ne se gêna pas pour dire à Motecuzoma qu'il avait lâchement rejeté la dernière chance de sauver le Monde Unique. Cette révélation vida l'Orateur Vénéré de toute la volonté et de tout l'honneur qui lui restaient encore. Il devint réellement un tambour creux, si flasque qu'il ne résonnait même plus quand on frappait dessus. Pendant que Motecuzoma s'étiolait, Cortés s'enhardissait. Il venait de prouver qu'il avait pouvoir de vie et de mort à l'intérieur même de la citadelle mexica. Il avait sauvé *in extremis* sa colonie de Vera Cruz et son allié Patzinca, sans parler de lui-même et de tous ses hommes, aussi il n'avait pas hésité à faire à Motecuzoma l'insulte de lui demander de se prêter de son plein gré à son propre enlèvement.

« Je ne suis pas prisonnier, vous le voyez bien, nous dit Motecuzoma la première fois qu'il réunit son conseil dans sa nouvelle salle du trône. J'ai toute la place qu'il me faut ici et je peux y conduire les affaires de la nation — dans lesquelles les étrangers n'ont aucune voix, je vous l'assure. Votre présence ici est la preuve que mes conseillers, mes prêtres et mes messagers peuvent venir me voir librement. Ils n'interviendront pas dans nos cérémonies religieuses, même celles qui exigent des sacrifices humains. En somme, tout continue comme par le passé. J'ai demandé des garanties à Cortés avant d'accepter de changer de résidence.

— Mais pourquoi y avez-vous consenti ? demanda le Femme-Serpent d'une voix angoissée. Ce n'était pas nécessaire.

— Nécessaire, peut-être pas, mais en tout cas, c'est plus sage. Depuis que les Blancs sont sur nos territoires, mes sujets ou mes alliés ont attenté par deux fois à leurs vies. A Cholula et, plus récemment, sur la côte. Cortés ne m'en tient pas rigueur, car il sait que je n'y suis pour rien, mais de tels événements pourraient se reproduire. J'ai moi-même prévenu Cortés que beaucoup de nos concitoyens souffraient de sa présence. N'importe quel incident pourrait faire oublier au peuple qu'il doit m'obéir et cela provoquerait de nouveaux troubles.

— Si Cortés se préoccupe tant du ressentiment du peuple, qu'attend-il pour s'en aller ? dit un Ancien.

— C'est exactement ce que je lui ai dit, reprit

Motecuzoma. Mais c'est impossible. Il ne pourra repartir tant que son roi ne lui aura pas renvoyé des bateaux. En attendant, nous résidons dans le même palais pour montrer que, d'une part, je suis sûr que Cortés ne me fera aucun mal et, d'autre part, que je fais confiance au peuple pour qu'il ne le provoque pas. C'est pour cette raison que Cortés m'a demandé d'être son hôte.

— Son prisonnier, persifla Cuitlahuac.

— Je ne suis pas son prisonnier, répéta Motecuzoma. Je suis toujours votre Uey tlatoani, le chef de ce pays et le membre principal de la Triple Alliance. J'ai fait cette petite concession pour assurer le maintien de la paix jusqu'à leur départ.

— Excusez-moi, Seigneur Orateur, dis-je. Vous paraissez certain qu'ils s'en iront. Comment le savez-vous ? Quand partiront-ils ?

— Ils s'en iront quand ils auront des navires. J'en suis sûr parce que je leur ai promis qu'ils pourront emporter ce qu'ils sont venus chercher. »

Il y eut un bref silence, puis une voix dit : « L'or.

— Oui, beaucoup d'or. Quand les Blancs m'ont aidé à déménager, ils ont fouillé mon palais de fond en comble. Ils ont découvert les chambres des trésors, même celles qui étaient cachées par de fausses cloisons et... »

Il fut interrompu par les lamentations de l'assistance et Cuitlahuac lui demanda :

« Vous allez leur donner les trésors de la nation ?

— Seulement l'or et les pierres précieuses, répondit Motecuzoma. C'est tout ce qui les intéresse. Nous garderons les plumes, les teintures, les jades, les graines de fleurs rares et toutes les choses qui nous serviront à soutenir le pays pendant que nous travaillerons et que nous nous battrons pour accroître nos tributs, afin de récupérer nos pertes.

— Mais pourquoi donner tout ça ? gémit quelqu'un.

— Vous devez savoir que les Blancs peuvent l'exiger ainsi que tous les biens des nobles par-dessus le marché. Ils peuvent en faire un prétexte de guerre et appeler leurs alliés pour les aider à nous le prendre. C'est pour éviter de pareilles horreurs que je leur ai offert l'or et les pierres précieuses.

— Le grand Trésorier que je suis est lui-même obligé de reconnaître que ce ne serait pas trop cher payer pour qu'ils s'en aillent, remarqua le Femme-Serpent. Mais je dois vous rappeler qu'à chaque fois qu'on leur a donné de l'or, cela n'a fait qu'accroître leur appétit.

— Je n'en ai plus et je crois les en avoir convaincus. J'ai mis une autre condition à ce cadeau. Ils ne l'auront pas avant de partir d'ici et ils devront l'apporter directement à leur roi Carlos comme un présent personnel de ma part — le présent de tout ce que je possède. Cortès est satisfait, moi aussi et son roi le sera également. Quand les Blancs partiront, ils ne remettront plus jamais les pieds ici. »

Personne ne répliqua. Motecuzoma nous donna congé et quand nous nous retrouvâmes sur la place, l'un d'entre nous dit :

« C'est intolérable. Penser que le Uey tlatoani est prisonnier de ces barbares puants.

— Non. Il a raison. *Il* n'est pas prisonnier. C'est nous tous qui le sommes. Tant qu'il sera leur otage, pas un seul Mexicatl n'osera cracher sur un Blanc.

— Non, répliqua un autre. Motecuzoma s'est rendu, en même temps que la fière indépendance des Mexica et tous leurs trésors. Si les bateaux des Blancs sont longs à venir, qui sait ce qu'il donnera encore ? »

Puis quelqu'un dit ce que tout le monde pensait tout bas.

« Dans toute l'histoire des Mexica, jamais un Uey

tlatoani n'a été déposé alors qu'il était encore en vie. Même pas Ahuizotl qui était totalement incapable de gouverner.

— Oui, et on a nommé un régent et tout s'est très bien passé.

— Cortés peut se mettre en tête n'importe quand de tuer Motecuzoma. Qui peut prévoir les caprices de ce Blanc ? Ou encore, Motecuzoma risque de mourir par simple dégoût de lui-même. Il en donne bien l'impression.

— C'est vrai et le trône se trouvera vacant. Il faut prévoir cette éventualité et nous aurons du même coup un chef tout prêt... dans le cas où Motecuzoma se conduirait de telle façon que nous serions obligés de le déposer sur ordre du conseil.

— Il faut agir en secret. Epargnons-lui cette humiliation à moins que nous ne puissions faire autrement. Il ne faut pas non plus que Cortés puisse soupçonner que son otage ne lui sert plus à rien. »

Le Femme-Serpent se tourna alors vers Cuitlahuac qui n'avait encore rien dit et il lui demanda :

« Cuitlahuatzin, en tant que frère de l'Orateur Vénéré votre candidature serait la première à être prise en considération si Motecuzoma venait à décéder. Accepteriez-vous le titre et les responsabilités de régent si un conclave décidait légalement de créer cette charge ? »

Cuitlahuac réfléchit un moment, puis il répondit :

« Je serais profondément attristé d'usurper le pouvoir de mon frère alors qu'il serait encore vivant. Mais en vérité, Seigneurs, je crains qu'il ne le soit qu'à moitié et qu'il n'ait déjà abdiqué une grande partie de ses pouvoirs. Par conséquent, si le conseil décide que la survie de notre pays en dépend, j'accepterai les responsabilités qu'on me donnera. »

1112

En définitive, l'obligation de déposer Motecuzoma ne s'imposa pas tout de suite et, pendant longtemps, il sembla qu'il avait eu raison de conseiller la patience. Les Espagnols restèrent à Tenochtitlán pendant tout l'hiver et s'ils n'avaient pas été aussi outrageusement blancs, on se serait à peine aperçu de leur présence. Ils eurent une attitude irréprochable pendant nos cérémonies religieuses et assistèrent avec intérêt et parfois avec amusement aux fêtes où il n'y avait que de la musique, des chants et des danses. Lorsque le rituel exigeait des sacrifices humains, ils restaient discrètement dans leur palais. Les citadins les toléraient en les traitant avec une politesse distante et il n'y eut aucun incident au cours de l'hiver.

Motecuzoma, ses courtisans et ses conseillers semblaient bien s'adapter à leur changement de résidence et la conduite des affaires de l'Etat ne paraissait pas en être affectée. L'Orateur Vénéré recevait souvent la visite de son neveu Cacama inquiet à juste raison de l'instabilité de son trône. Mais il est possible que Cortés ait, lui aussi, prié ses alliés « d'être calmes et d'attendre », car aucun d'eux, pas même le prince Fleur Noire, impatient pourtant de reprendre le pouvoir à Texcoco, ne fit la moindre action précipitée ou illégitime. Tout au long de l'hiver, la vie sembla continuer comme par le passé, comme Motecuzoma nous l'avait promis.

J'ai dit « sembla », parce que personnellement, j'étais de moins en moins impliqué dans les affaires de l'Etat et Motecuzoma me faisait rarement appeler. Je finis même par ne plus jamais servir d'interprète car l'Orateur Vénéré ayant décidé de faire confiance à Cortés, il n'y avait pas de raison pour qu'il ne se fie pas également à sa Malintzin. On les voyait souvent tous les trois ensemble. C'était inévitable, aussi grand que fût le

1113

palais, puisqu'ils vivaient sous le même toit, mais, en fait, Cortés et Motecuzoma en étaient venus à s'apprécier beaucoup. Ils parlaient de leurs pays, de leurs religions et de leurs coutumes respectives. Motecuzoma apprit à Cortés à jouer au patolli et j'espérais qu'il pariait gros jeu de façon à pouvoir lui reprendre une partie du trésor qu'il avait promis aux Blancs. Cortés, à son tour, lui fit connaître une autre distraction. Il envoya chercher des marins à Vera Cruz pour qu'ils ramènent avec eux tous les outils nécessaires. Ils firent abattre des arbres bien droits qu'ils transformèrent magiquement en planches, poutres et mâts. Avec une rapidité incroyable, ils construisirent une réplique diminuée de moitié de leurs grands vaisseaux et la lancèrent sur le lac Texcoco. Ce fut le premier bateau à voiles qu'on vit ici et Cortés emmenait souvent Motecuzoma en promenade sur les cinq lacs communicants.

Je ne regrettais pas du tout d'être écarté de la cour. J'étais heureux d'avoir retrouvé ma vie tranquille et je passais à nouveau beaucoup de temps à la Maison des Pochteca. Ma femme ne me demandait jamais rien, mais je sentais que j'aurais dû lui tenir compagnie un peu plus souvent car elle paraissait fatiguée. Elle avait toujours occupé ses loisirs avec des petits travaux comme la broderie et j'avais remarqué qu'elle tenait son ouvrage de plus en plus près de ses yeux.

« Je vieillis, Zaa, me répondait-elle simplement quand je m'en inquiétais.

— Nous avons le même âge », lui rappelais-je invariablement.

Cette remarque avait le don de l'agacer et elle me répliquait assez vivement :

« C'est encore une des malédictions qui pèsent sur les femmes. A tout âge, elles sont plus vieilles que les hommes. » Puis, elle se radoucissait et ajoutait en manière de plaisanterie : « Voilà pourquoi les femmes traitent leurs hommes comme des enfants, parce qu'ils semblent ne jamais vieillir... et même ne jamais grandir. »

Je fus long à réaliser qu'elle était atteinte par les premiers symptômes du mal qui allait peu à peu la clouer au lit. Béu ne se plaignait jamais. Quand Turquoise, notre vieille servante, mourut, j'achetai deux jeunes femmes — une pour tenir la maison et l'autre pour s'occuper uniquement de Béu. J'étais depuis si longtemps habitué à appeler Turquoise quand je voulais quelque chose que je leur donnai ce même nom à toutes les deux et je ne sais même plus comment elles se nommaient en réalité.

Le mépris des Espagnols pour les noms exacts avait peut-être fini par déteindre sur moi. En effet, pendant tout le temps qu'ils passèrent à Tenochtitlán, pas un seul ne fit l'effort d'apprendre notre langue. La personne de notre race qu'ils connaissaient le mieux, c'était Malintzin et Cortés lui-même déformait invariablement son nom en Malinche, et tout le monde dans la ville finit par faire comme lui, soit pour imiter poliment les occupants, soit par mépris pour cette femme, car cette prononciation faisait sauter le « tzin » et la mettait en rage. Cependant, elle ne pouvait pas se plaindre qu'on lui manquait de respect sans paraître du même coup critiquer la façon de parler de son maître.

En fait, Cortés et ses hommes déformaient tous les mots. Comme le son doux « ch » n'existe pas en espagnol, ils nous appelèrent longtemps Mes-sica ou Mec-sica et récemment vous avez choisi de nous rendre notre ancien nom en jugeant qu'il était plus commode de dire Aztèque. Comme les Blancs trouvaient que le nom de Motecuzoma était difficile à prononcer, ils en firent Montezuma et je crois qu'ils pensaient honnêtement ne pas lui faire un affront puisque dans cette nouvelle appellation il y a votre mot pour « montagne ». Notre dieu de la guerre, Huitzilopochtli, leur donnait lui aussi bien du fil à retordre et, comme ils le détestaient, ils transformèrent son nom en Huichilobos, où l'on retrouve le mot « loup ».

L'hiver passa, le printemps lui succéda et avec lui arrivèrent d'autres Blancs. Motecuzoma apprit par hasard la nouvelle avant Cortés. Lasse de s'ennuyer au pays des Totonaca, une de ses souris était allée faire un petit tour dans le sud et c'est là qu'elle avait aperçu, non loin du rivage, une flotte entière de vaisseaux aux voiles déployées qui se dirigeait lentement vers le nord en s'arrêtant dans les baies et devant les embouchures des fleuves « comme s'ils cherchaient leurs camarades », avait déclaré l'espion qui s'était précipité aussitôt à Tenochtitlán avec un croquis qu'il avait fait de cette flotte.

J'étais dans la salle du trône avec les membres du Conseil quand Motecuzoma envoya un page avertir Cortés. Saisissant cette occasion pour faire croire qu'il savait tout, voici comment l'Orateur Vénéré lui apprit la nouvelle par ma bouche :

« Capitaine Général, votre roi Carlos a bien reçu votre message avec votre premier rapport sur ce pays et les présents que vous lui avez fait parvenir. Il est très content de vous. »

Cortés eut l'air fortement étonné et impressionné.

« Comment Don Señor Montezuma peut-il le savoir ? demanda-t-il.

— Parce que votre roi a envoyé une flotte deux fois

1116

plus importante que la vôtre, vingt navires pour vous ramener chez vous.

— Ah bon, fit Cortés, ne voulant pas laisser paraître son incrédulité. Où sont-ils ?

— Ils approchent, répondit Motecuzoma avec un air mystérieux. Vous ne savez peut-être pas que nos devins voient à la fois dans l'avenir et au-delà de l'horizon. Voilà le dessin qu'ils ont fait alors que les vaisseaux étaient encore en pleine mer. Je vous le montre maintenant parce qu'ils ne vont pas tarder à apparaître au large de votre garnison.

— Stupéfiant ! s'exclama Cortés en examinant le croquis. Oui... des galions... des navires de ravitaillement... si ce mauvais dessin dit vrai... mais pourquoi y en a-t-il vingt ? ajouta-t-il en fronçant les sourcils.

— Bien que nous soyons très honorés de votre visite et que j'aie personnellement fort apprécié votre compagnie, je suis heureux que vos compatriotes arrivent et que vous ne soyez plus isolés sur une terre étrangère. Ils viennent pour vous ramener chez vous, n'est-ce pas ? demanda l'Orateur Vénéré avec une certaine insistance.

— C'est ce qu'il semble, répondit Cortés avec une expression quelque peu perplexe.

— Je vais donner ordre qu'on ouvre les chambres des trésors », dit Motecuzoma qui paraissait heureux de l'imminence de l'appauvrissement de son pays. Mais, au même moment, l'intendant du palais entra dans la salle du trône en compagnie de deux hommes. C'étaient deux messagers envoyés par Patzinca et qui avaient été dépêchés au palais par les chevaliers totonaca restés sur la terre ferme. Cortés jeta des regards embarrassés autour de lui et je voyais bien qu'il aurait préféré les interroger en privé. Cependant, il me demanda si je voulais bien traduire pour tout le monde ce qu'ils avaient à dire.

Le premier apportait un message dicté par Patzinca :

Vingt navires, les plus gros qu'on ait jamais vus, viennent d'arriver dans la baie de Villa Rica de la Vera Cruz. Mille trois cents soldats blancs en sont descendus. Huit cents ont des arquebuses, cent vingt des arbalètes, en plus de leurs épées et de leurs lances. Il y a aussi quatre-vingt-seize chevaux et vingt canons.

« C'est une véritable armée qui va vous raccompagner chez vous, mon ami, dit Motecuzoma d'un air soupçonneux.

— En effet, répondit Cortés qui ne paraissait pas spécialement enchanté de la nouvelle. Ont-ils autre chose à dire ? » poursuivit-il en s'adressant à moi.

Le second messager prit alors la parole. C'était un de ces horripilants conteurs et il débita tout ce qu'il avait entendu depuis la première rencontre de Patzinca avec les Blancs dans un charabia d'espagnol et de totonaca pratiquement incompréhensible.

« Capitaine Général, dis-je, en haussant les épaules, je n'ai saisi que deux noms qu'il a répétés plusieurs fois : le vôtre et un autre qui ressemble à Narvaez.

— Narvaez ici ! éclata-t-il en poussant un affreux juron.

— Je ferai apporter l'or et les pierreries dès que votre caravane de porteurs...

— Excusez-moi, interrompit Cortés qui se remettait peu à peu de sa surprise. Il vaudrait mieux que vous gardiez ce trésor tant que je ne me serai pas assuré des intentions de ces nouveaux venus.

— Mais ce sont vos compatriotes, objecta Motecuzoma.

— Bien sûr, Don Montezuma, mais vous m'avez dit vous-même qu'il y avait chez vous des malfaiteurs. Il en est de même chez nous. Vous m'avez chargé de porter au roi Carlos le présent le plus fabuleux jamais envoyé par un monarque étranger. Je ne veux pas courir le

1118

risque de le laisser tomber entre les mains de ce que nous appelons des pirates. Avec votre permission, je vais partir tout de suite pour voir qui sont ces hommes.

— Comme vous voudrez, répartit l'Orateur Vénéré que rien ne réjouissait tant que la perspective de voir des hommes blancs décidés à s'entre-tuer.

— Il faut que je me dépêche ; nous ferons des marches forcées, poursuivit Cortés qui pensait tout haut. Je n'emmènerai que mes Espagnols et la crème de nos alliés. Les troupes du prince Fleur Noire sont les meilleures...

— Oui, approuva Motecuzoma, ce sont de très bonnes troupes. » Mais son sourire s'évanouit quand il entendit le Capitaine Général dire :

« Je laisserai Pedro de Alvarado, celui que votre peuple appelle Tonatiuh, pour veiller à mes intérêts ici. — Il se reprit vivement. — Je veux dire pour vous aider à défendre la ville au cas où les pirates seraient plus forts que moi et parviendraient jusqu'ici. Comme je ne peux pas laisser à Pedro beaucoup de mes hommes, une partie des troupes de mes alliés indigènes restés sur la terre ferme viendra ici pour prendre leur place. »

Et c'est ainsi que Cortés partit avec son armée et les Acolhua de Fleur Noire et qu'Alvarado se trouva à la tête de quatre-vingts Blancs et de quatre cents Texcalteca installés tous ensemble dans le palais. C'était l'ultime outrage. Motecuzoma se trouvait placé dans la dégradante position de vivre non seulement avec des Blancs, mais aussi avec une horde de guerriers hargneux et mal embouchés qui étaient de véritables envahisseurs. Pendant un bref instant, l'Orateur Vénéré s'était éclairé à la pensée qu'il allait être débarrassé des Espagnols, mais il sombra à nouveau dans un désespoir impuissant quand il devint l'hôte et le captif de ses ennemis les plus abhorrés. Motecuzoma ne pouvait y trouver qu'une seule compensation, mais je ne crois pas qu'il y ait puisé un grand réconfort : les Texcalteca étaient beaucoup plus propres et ils sentaient bien moins mauvais que les Blancs.

« C'est intolérable ! » s'écria le Femme-Serpent. Ces mots, je les entendais de plus en plus souvent prononcés par les sujets mécontents de Motecuzoma. Le Conseil s'était réuni secrètement avec des chevaliers, des nobles, des prêtres et des sages. Mais Motecuzoma n'était pas là et il n'était au courant de rien.

« Les Mexica n'ont presque jamais franchi les frontières de Texcala, gronda Cuitlahuac, le chef des armées. Et pas une seule fois, nous ne sommes arrivés jusqu'à leur capitale. Et voilà que ces Texcalteca détestés sont ici, dans l'imprenable cité de Tenochtitlán, Cœur du Monde Unique, dans le palais même du grand guerrier Axayacatl qui doit essayer de revenir de l'au-delà pour venger cet affront. Les Texcalteca ne nous ont pas envahis par la force. Ils sont *invités,* mais pas par nous et ils vivent d'égal à égal avec notre Orateur Vénéré.

— Orateur Vénéré de nom seulement, grommela le chef des prêtres de Huitzilopochtli. Je puis vous assurer que le dieu de la guerre le désavoue.

— Il est grand temps que tout le monde le désavoue, dit le Seigneur Cuauhtemoc, le fils d'Ahuizotl. Si nous n'agissons pas tout de suite, nous n'en aurons peut-être plus jamais la possibilité. Cet Alvarado flamboie comme Tonatiuh, mais il est bien moins brillant comme suppléant de Cortés. Il faut faire quelque chose avant que l'homme à la poigne de fer ne revienne.

— Vous êtes donc sûrs qu'il reviendra ? demandai-je, car je n'avais assisté à aucun Conseil, officiel ou secret, depuis le départ du Capitaine Général, dix jours auparavant et je n'étais pas au courant des dernières nouvelles.

— Nos espions nous ont appris des choses bien étranges, me répondit Cuauhtemoc. Cortés n'a pas accueilli ses frères à bras ouverts. Il s'est attaqué à eux, la nuit, par surprise et bien qu'ils fussent à un contre trois, ses hommes ont gagné. Il y eut très peu de victimes de part et d'autre car Cortès avait donné l'ordre de tuer le moins possible et de faire des prisonniers, comme à la Guerre fleurie. Depuis, il est en pourparlers avec le chef des autres Blancs. Nous ne pouvons pas savoir ce qu'ils se disent, mais nous supposons que Cortés voudrait que l'autre se rallie à lui pour l'amener ici. »

Vous comprenez bien, mes révérends, pourquoi ces rapides retournements de situation nous rendaient perplexes. Nous avions cru que les navires étaient envoyés par le roi Carlos à la demande de Cortés lui-même. Par conséquent, cette attaque en traître était pour nous un insondable mystère. Ce n'est que beaucoup plus tard, après avoir mis bout à bout les informations que j'avais glanées à droite et à gauche, que je me suis rendu compte de l'énormité de la tromperie de Cortés, vis-à-vis de vous comme de nous.

Lorsqu'il avait débarqué dans ce pays, Cortés s'était présenté comme l'envoyé de votre roi Carlos et je sais maintenant que ce n'était pas vrai. Le roi ne l'avait jamais envoyé ici, ni au nom de la grandeur de l'Espagne, ni pour propager la Foi chrétienne, ni pour aucune autre raison. Quand Hernán Cortés mit le pied pour la première fois dans le Monde Unique, le roi Carlos n'avait jamais entendu parler de lui !

D'après des réflexions de l'évêque Zumarraga et d'autres personnes, j'ai compris que Cortés n'avait pas été mandaté par le roi ou par l'Eglise, mais par une autorité bien moindre, le gouverneur de l'île du Cuba, qui lui avait simplement enjoint d'explorer nos côtes, d'en dresser la carte et de faire à l'occasion quelques bonnes affaires en échangeant des perles de verres et autre pacotille. Mais, après avoir si facilement vaincu les Olmeca et soumis les Totonaca sans même avoir combattu, Cortés comprit qu'il pourrait faire bien davantage. C'est peut-être à ce moment qu'il prit la résolution de devenir le conquérant du Monde Unique. Il paraît que certains de ses officiers redoutant la colère du gouverneur auraient voulu faire obstacle à ses projets grandioses et c'est pour cela qu'il donna l'ordre de brûler les vaisseaux. Echoués sur le rivage, ses opposants n'avaient pas d'autre ressource que de le suivre. Pourtant, son aventure avait bien failli tourner court. Il avait envoyé le seul bateau qui lui restait sous le commandement d'Alvarado pour rapporter le premier chargement de trésors qu'il nous avait extorqués. Alvarado devait se faufiler au large de Cuba, mettre directement la voile sur l'Espagne et éblouir le roi avec ses riches présents pour que celui-ci donne sa royale bénédiction à l'entreprise de Cortés en même temps qu'il l'élèverait à un grade supérieur pour légitimer son aventure. Mais il arriva, je ne sais comment, que le gouverneur eut vent du passage du navire près de son île et qu'il devina que Cortés avait enfreint ses instructions. Il rassembla alors vingt bateaux et des centaines d'hommes qu'il mit sous le commandement de Pamfilo de Narvaez, pour aller capturer le hors-la-loi Cortés, lui ôter toute autorité, faire la paix avec les peuples qu'il aurait trompés ou offensés et le ramener à Cuba dans les chaînes.

Cependant, d'après nos espions, le hors-la-loi avait vaincu le redresseur de torts et tandis qu'Alvarado était sans doute en train de déposer aux pieds de son souverain de l'or et des projets dorés, Cortés, à Vera Cruz, montrait à Narvaez des échantillons des richesses de notre pays et le persuadait de se joindre à lui pour achever la conquête et lui assurant qu'il n'avait rien à craindre de la fureur d'un petit gouverneur colonial, puisqu'ils allaient bientôt livrer au roi Carlos une colonie plus riche et plus vaste que leur mère patrie et toutes ses colonies réunies.

Même si nous avions su tout cela, je ne crois pas que nous aurions pu faire plus que ce que nous avons fait, c'est-à-dire de déclarer par un vote légal que Motecuzoma était « provisoirement mis en incapacité », de nommer son frère Cuitlahuac pour gouverner à sa place et d'approuver sa décision « d'éliminer rapidement tous les étrangers qui infestaient Tenochtitlán ».

« Dans deux jours, nous avait-il déclaré, se déroulera la cérémonie en l'honneur d'Uixtocihuatl, la sœur du dieu-pluie. Etant donné qu'elle n'est que la déesse du sel, ce n'est en général qu'une fête mineure, mais les Blancs l'ignorent et les Totonaca aussi. Dans un sens nous pouvons nous réjouir que Cortés les ait laissés ici plutôt que les Acolhua qui connaissent bien toutes nos traditions. Je vais aller de ce pas au palais pour dire à mon frère de ne pas manifester de surprise et je raconterai un beau mensonge à Alvarado ; j'exagérerai l'importance de cette cérémonie et je lui demanderai que le peuple ait la permission de se rassembler sur la place ce jour-là pour le culte et les réjouissances.

— Mais oui ! s'écria le Femme-Serpent, et pendant ce temps, nous irons alerter tous les guerriers jusqu'au moindre yaoquizque. Quand les étrangers verront la foule brandir pacifiquement les armes dans ce qu'ils croiront être simplement une danse rituelle, avec de la musique, des chants et des danses, ils regarderont le spectacle avec un intérêt amusé, comme d'habitude, mais au signal...

— Attendez, dit Cuauhtemoc. Mon cousin Motecuzoma ne dira rien parce qu'il aura deviné ce que nous voulons faire. Mais vous oubliez cette maudite Malintzin. Cortés l'a laissée ici pour qu'elle serve d'interprète à Tonatiuh et elle s'est fait un devoir de se mettre au courant de nos coutumes. Quand elle verra la place noire de monde, elle comprendra que ce n'est pas normal et elle alertera ses maîtres blancs.

— Je m'en occupe, dis-je. — C'était l'occasion que j'attendais. — Je regrette d'être trop vieux pour aller me battre sur la place, mais je peux éliminer un de nos plus dangereux ennemis. Mettez votre plan en œuvre, Seigneur Régent, Malintzin ne verra pas la cérémonie, elle ne soupçonnera rien, elle sera morte. »

Voici ce que voulait faire Cuitlahuac : la nuit de la fête d'Uixtocihuatl devait être précédée d'une journée entière de danses et de combats simulés exécutés au Cœur du Monde Unique par les femmes et les enfants de la ville. Ce n'est qu'au crépuscule que les hommes viendraient par groupes de deux ou trois, pour prendre leur place. Il ferait nuit noire et la place serait éclairée par les flambeaux. La plupart des étrangers se seraient sans doute lassés du spectacle et seraient rentrés dans le palais et, de toute façon à la pâle lueur des torches, ils ne se rendraient pas compte de la substitution. Tout en chantant et en gesticulant, les danseurs formeraient peu à peu des colonnes qui se dirigeraient en sinuant vers l'entrée du palais d'Axayacatl.

La plus grande menace était la présence des canons sur le toit du bâtiment. Ils pouvaient faire pleuvoir sur la plaza une terrible mitraille, mais il n'était pas facile de les diriger carrément vers le bas. Aussi, Cuitlahuac avait l'intention de masser ses hommes contre les murs du palais avant que les Blancs ne réalisent qu'ils allaient être attaqués. Alors, à son signal, les Mexica forceraient l'entrée de l'édifice et se répandraient dans toutes les pièces où la multitude de leurs épées d'obsidienne l'emporterait sur les épées de fer, plus solides mais moins nombreuses et les lourdes arquebuses de leurs adversaires. Pendant ce temps, d'autres Mexica retireraient les ponts de bois enjambant les passages pratiqués dans les trois digues et avec leurs arcs et leurs flèches, ils repousseraient toute tentative des troupes restées sur la terre ferme pour franchir ces passages d'une quelconque façon.

Moi aussi, j'avais soigneusement préparé mon plan. J'étais allé trouver un médecin que je connaissais depuis longtemps et, sans sourciller, il m'avait donné la potion que je lui demandais. J'étais bien connu de tous les serviteurs du palais et comme ils étaient très mécontents de la situation, je n'eus aucun mal à les persuader de suivre mes directives. Ensuite, j'avais dit à Béu que je voulais qu'elle quitte la ville pour la fête d'Uixtocihuatl, sans lui en donner la raison. Je craignais en effet que les combats ne gagnent toute la cité et que les Blancs, apprenant le rôle que j'avais joué dans cette affaire, ne viennent se venger sur moi et sur les miens.

Béu se doutant que quelque chose se tramait, accepta sans protester. Dans l'après-midi, je la fis partir dans une chaise à porteurs avec les deux Turquoise à ses côtés.

Je restai seul dans la maison. J'étais trop loin du Cœur du Monde Unique pour entendre la musique ou les échos du simulacre guerrier, mais je m'imaginais le déroulement des événements. Je n'étais pas spécialement fier de mon rôle personnel, puisque je devais tuer quelqu'un en traître pour la première fois de ma vie. J'allai prendre une cruche d'octli dans la cuisine en espérant que ce breuvage endormirait les sursauts de ma conscience. Puis je m'assis dans la pénombre grandissante à attendre ce qui allait se passer.

Soudain, j'entendis des bruits de pas dans la rue et de grands coups frappés à ma porte. J'allai ouvrir et je me trouvai face à quatre gardes du palais qui tenaient les coins d'une natte de roseau sur laquelle était allongé un corps gracile recouvert par un fin drap de coton.

« Excusez notre intrusion, Seigneur Mixtli, dit l'un des gardes d'un ton désinvolte. On nous a donné l'ordre de venir vous demander de regarder le visage de cette morte.

— Pas la peine, répondis-je, surpris qu'Alvarado et Motecuzoma aient deviné si rapidement qui était l'auteur de ce crime. Je suis capable d'identifier cette femelle coyote sans la voir.

— Il faut que vous la regardiez », insista durement le garde.

Je soulevai le drap en ajustant ma topaze et une exclamation involontaire m'échappa. C'était une jeune fille que je ne connaissais pas.

« Elle s'appelle Laurier, me dit Malintzin. Ou plutôt, elle s'appelait Laurier. »

Je n'avais pas remarqué qu'une chaise à porteurs s'était arrêtée au pied des escaliers. Malintzin en descendit et les gardes s'écartèrent pour la laisser passer.

« Entrons », me dit-elle. Puis, s'adressant aux gardes : « Attendez-moi ici. Si je vous appelle, accourez aussitôt. »

Je lui ouvris la porte et la refermai au nez des gardes. Je cherchai en tâtonnant une lampe dans l'entrée, mais elle m'arrêta :

« N'allumez pas. Autant ne pas nous voir, n'est-ce pas ? »

Je la conduisis dans la salle du devant et nous nous

assîmes en face l'un de l'autre. Elle n'était qu'une frêle silhouette ramassée dans la pénombre, mais quel danger elle représentait !

« Laurier était une Texcalteca qu'on m'avait donnée comme servante. Aujourd'hui, c'était son jour de goûter à mon repas. C'est une petite précaution que je prends depuis quelque temps, mais les domestiques du palais ne le savent pas. Ne vous reprochez donc pas trop votre échec, Seigneur Mixtli, à moins que vous n'ayez quelques remords au sujet de cette pauvre innocente.

— C'est une chose que je n'ai cessé de déplorer, fis-je avec une gravité d'ivrogne. C'est toujours les bons et les innocents qui meurent et jamais les méchants. »

J'aurai aussi bien pu récriminer parce que les orages de grêle de Tlaloc détruisaient le bienfaisant maïs et non les buissons d'épines. Cependant, dans un recoin encore sobre de mon esprit, je m'efforçais désespérément de penser. Cette tentative de meurtre avait sans doute empêcher Malintzin de remarquer ce qui se passait au Cœur du Monde Unique. Mais si elle me tuait et qu'elle repartait aussitôt, elle s'en apercevrait et alerterait à temps ses maîtres blancs. Outre que je n'avais pas une envie folle de mourir pour rien, j'avais juré de mettre Malintzin hors d'état de nuire. Il fallait à tout prix la retenir ici jusqu'à ce qu'on entende la rumeur monter de la place. A ce moment, ses gardes se précipiteraient aux nouvelles et ils ne tiendraient plus aucun compte de ses ordres. Je devais absolument l'occuper pendant un certain temps.

« Les orages de Tlaloc détruisent aussi les papillons, balbutiai-je, mais jamais la moindre sale mouche.

— Arrêtez de dire des bêtises, comme si vous parliez à un enfant, coupa-t-elle sèchement. Je suis la femme que vous avez tenté d'empoisonner et je suis venue… »

Pour l'empêcher de poursuivre sa phrase, j'aurais dit n'importe quoi.

« C'est sans doute parce que je te vois toujours comme une enfant... comme ma petite Nochipa.

— Pourtant, je suis assez âgée pour qu'on veuille me supprimer, Seigneur Mixtli. Si ma puissance est telle que vous me jugez dangereuse, pourquoi n'essayez-vous pas plutôt de vous en servir ? Pourquoi y mettre un terme alors que vous pouvez l'utiliser à votre avantage ? »

Je fronçai les sourcils, mais sans l'interrompre pour lui demander ce qu'elle voulait dire. Il fallait qu'elle continue à parler le plus longtemps possible.

« Vous êtes dans la même position vis-à-vis des Mexica que moi vis-à-vis des Blancs. Nous ne sommes pas des membres officiels de leurs conseils et pourtant ils nous écoutent. Nous n'aurons jamais d'amitié l'un pour l'autre, mais nous pouvons nous rendre service. Nous savons tous deux que rien ne sera plus jamais pareil dans le Monde Unique, mais personne ne peut prédire qui l'emportera. Si les gens de ce pays gagnent, vous pourrez être mon allié le plus sûr et si ce sont les Blancs, je serai le vôtre.

— Tu proposes que nous nous mettions d'accord pour trahir les camps opposés que nous avons choisis ? Pourquoi ne pas simplement changer de côté ? ironisais-je en hoquetant.

— Sachez que je n'ai qu'à appeler mes gardes pour que vous soyez un homme mort. Mais vous n'êtes pas n'importe qui, comme cette pauvre Laurier et votre meurtre pourrait mettre en péril la paix que nos maîtres s'efforcent de préserver. Hernán pourrait même se croire obligé de me livrer, comme Motecuzoma a livré Cuauhpopoca. Dans le meilleur des cas, je perdrais toute mon influence. Cependant, si je ne vous élimine pas, je devrai rester sur mes gardes toute ma vie et je ne pourrai pas me concentrer sur mes intérêts personnels.

— Tu as le sang-froid de l'iguane », m'exclamai-je, sincèrement admiratif et cette pensée me parut si drôle que je me tordis littéralement de rire.

Elle attendit que je me sois calmé, puis elle poursuivit comme si elle ne s'était pas interrompue :

« Faisons un pacte, sinon d'alliance, du moins de neutralité et scellons-le de façon à ce que nous ne puissions le rompre ni l'un, ni l'autre.

— Et comment ça, Malintzin ? Nous sommes tous deux perfides et sans scrupules.

— Nous allons coucher ensemble », dit-elle.

Sa déclaration fit repartir mon hilarité à tel point que je glissai de ma chaise. Elle attendait que je me relève et voyant que je restais stupidement assis par terre, elle me demanda :

« Vous êtes ivre, Mixtzin ?

— Ça se pourrait bien, puisque j'entends des choses incroyables. Il me semble que tu m'as proposé…

— Oui. Je vous propose de coucher avec moi cette nuit. Les Blancs sont plus jaloux de leurs femmes que les hommes de notre race. S'il l'apprenait, Hernán nous tuerait tous les deux ; vous pour l'avoir fait et moi pour l'avoir accepté. Les quatre gardes seront prêts à témoigner que je suis restée longtemps chez vous dans l'obscurité et que j'en suis partie satisfaite. N'est-ce pas merveilleusement simple ? Un lien indestructible ! Ni vous, ni moi, n'oserons nous nuire réciproquement, sachant qu'un seul mot de l'autre nous condamnerait irrémédiablement tous les deux. »

Au risque de la mettre en colère et de la laisser repartir trop tôt, je lui rétorquai :

« J'ai cinquante-quatre ans, et sans être complètement sénile, je ne saute plus sur la première femme qui se présente. Je choisis. » J'avais voulu prononcer ces mots avec hauteur, mais le fait que je fus assis par terre entamait quelque peu ma dignité. « Tu as dit tout à l'heure que nous n'avions pas d'amitié l'un pour l'autre, la répulsion qualifierait mieux nos sentiments réciproques.

— Je ne cherche pas à modifier vos sentiments. Ce n'est qu'une mesure pratique. Quant à votre sensibilité, il fait presque noir ici ; vous n'aurez qu'à prétendre que je suis une femme que vous désirez. »

Faut-il vraiment en venir là pour l'éloigner de la place ? me demandais-je. Puis je protestai à voix haute :

« J'ai l'âge d'être ton père.

— Imaginez-vous que vous l'êtes vraiment, alors, si c'est l'inceste qui vous plaît. En ce qui me concerne, ça ne me dérange pas, répliqua-t-elle sur un ton détaché.

— Alors, faisons semblant que nous avons eu des relations illicites et contentons-nous de bavarder assez longtemps pour que les gardes puissent témoigner que nous sommes restés ensemble. Veux-tu de l'octli ? »

Je me dirigeai en titubant vers la cuisine et après avoir cassé plusieurs ustensiles, je revins avec une autre tasse. Tandis que je lui versais à boire, Malintzin murmura :

« Vous m'avez dit que votre fille avait le même âge que moi. » Elle avala une gorgée d'octli et me demanda en penchant la tête sur le côté :

« Votre fille et vous, est-ce que vous jouiez parfois ensemble ?

— Oui, lui répondis-je d'une voix pâteuse, mais pas à ce que tu crois.

— Je ne pensais à rien de particulier, fit-elle avec un air innocent. C'était simplement pour parler de quelque chose. A quels jeux jouiez-vous ?

— Il y en avait un qui s'appelait le volcan qui

hoquette, non, je voulais dire le volcan qui entre en éruption.

— Je n'ai jamais entendu parler de ce jeu.

— Oh, ce n'est qu'un jeu stupide que nous avions inventé. Je me couchais par terre, comme ça et puis, je repliais les genoux, comme ça, tu vois, pour faire le sommet du volcan et Nochipa se perchait dessus.

— Comme ça ? » dit-elle en joignant le geste à la parole. Elle était très légère et dans l'obscurité, elle aurait pu être quelqu'un d'autre.

« Oui. Et alors, j'agitais mes genoux, c'était le volcan qui entrait en activité, tu comprends et ensuite, je la lançais en l'air. »

Elle poussa un petit cri de surprise et vint s'écraser sur mon ventre et en même temps, sa jupe se retroussa. Quand j'avançai la main pour l'aider à se redresser, je me rendis compte qu'elle n'avait rien dessous.

« Et c'est alors que le volcan entrait en éruption », chuchota-t-elle.

Il y avait longtemps que je n'avais pas fait l'amour avec une femme. C'était bien agréable et mon ivresse n'affectait pas mes facultés. La houle du plaisir me saisit si violemment que je crois bien que ma raison s'en alla en même temps que mon omicetl. Quant à elle, si elle éprouva quelque chose, elle n'en dit rien, mais la deuxième fois, elle soupira : « C'est différent... presque agréable. Vous êtes si propre, vous sentez si bon. » La troisième fois, elle haleta : « Si vous n'avouiez pas votre âge, jamais on ne le devinerait. » A la fin, nous étions tous deux complètement épuisés. Ce n'est que peu à peu que je réalisai que la chambre s'éclairait et je ressentis un choc, une sorte d'incrédulité en découvrant le visage de Malintzin à côté du mien.

Notre union avait été plus que satisfaisante, mais

j'avais tout à coup l'impression d'avoir perdu la raison. Qu'est-ce que je fais à côté d'elle ? me demandai-je. C'est la femme que je hais le plus au monde et à cause de qui j'ai assassiné une créature innocente...

Cependant, je ne comprenais pas pourquoi il faisait si clair. La nuit n'avait pas pu passer si vite. Je tournai les yeux vers la source de lumière et je vis Béu sur le seuil de la chambre, une lampe à la main. D'une voix pleine de tristesse, mais sans colère, elle dit :

« Comment peux-tu faire ça... alors que tes amis se font massacrer ? »

Malintzin tourna dolemment la tête pour regarder Béu. Je n'étais pas étonné qu'une femme de son espèce ne soit pas gênée d'être surprise dans de telles circonstances, mais je pensais qu'elle aurait manifesté une certaine consternation en apprenant que ses amis se faisaient massacrer. Au contraire, elle s'exclama en souriant :

« *Ayyo !* Nous avons un témoin bien meilleur que les gardes, Mixtzin. Notre pacte sera encore plus solide que je ne l'espérais. »

Elle se leva, sans même prendre la peine de couvrir son corps moite. Malgré ma confusion et un léger reste d'ivresse, j'eus assez de présence d'esprit pour lui dire :

« Je crains que tu n'aies perdu ton temps et ta peine, Malintzin. Il n'y a plus de pacte qui tienne maintenant.

— Et moi, je crains que vous ne vous trompiez, Mixtzin, répliqua-t-elle, sans cesser de sourire. Demandez à la vieille. C'est de *vos* amis qu'elle parle. »

Je me relevai d'un bond en m'écriant : « Béu ?

— Oui, soupira-t-elle. J'ai été refoulée par les nôtres sur la digue. Ils m'ont dit qu'ils ne pouvaient pas prendre le risque de laisser quelqu'un communiquer avec les étrangers restés à l'extérieur. Alors, je suis

revenue en passant par la place pour voir les danses...
c'était affreux... »

Elle s'appuya sur le chambranle de la porte en
fermant les yeux et elle poursuivit avec une expression
hébétée :

« Des éclairs et du tonnerre ont éclaté du toit du
palais et les danseurs ont volé en lambeaux, comme par
une horrible magie. Alors, les Blancs et leurs alliés ont
envahi la place. Avec leurs épées, ils arrivent à couper
une femme en deux par la taille. La tête d'un enfant a
roulé à mes pieds comme une balle de tlachtli, tu te
rends compte, Zaa ? Quelque chose m'a heurté la main
et je me suis enfuie. »

Je vis alors qu'il y avait du sang sur son corsage. Il
coulait le long de sa main qui tenait la lampe. Je me
précipitai vers elle et au même moment, elle tomba
évanouie. Je saisis la lampe avant qu'elle ne mette le feu
au tapis et je pris Béu dans mes bras pour la porter dans
son lit. Malintzin qui ramassait tranquillement ses
vêtements me dit :

« Vous ne me remerciez pas, Mixtzin ? Mes gardes et
moi pourrons témoigner que vous étiez chez vous et que
vous n'avez pas pris part au soulèvement.

— Tu étais au courant, lui répondis-je d'un ton glacé.

— Pedro m'a ordonné de me mettre à l'abri et j'ai
choisi de venir ici. Vous avez essayé de m'empêcher
d'assister à vos préparatifs et moi, je voulais vous
empêcher de voir que nous avions déplacé les canons sur
le toit. Mais reconnaissez, Mixtzin, que nous ne nous
sommes pas ennuyés et nous avons conclu un pacte,
n'est-ce pas ? » Elle riait de bon cœur. « Vous ne
pourrez plus vous attaquer à moi maintenant. »

Je ne compris rien à ces paroles avant que Béu ne
m'ait tout raconté. Le médecin vint soigner sa main
blessée par un éclat de mitraille et quand il fut parti, je

1133

restai assis près d'elle sur le lit. Elle ne me regardait pas. Son visage était pâle et défait et une larme coulait le long de sa joue. Après un long silence, je parvins à lui murmurer que j'étais désolé et elle me répondit, toujours sans me regarder :

« Tu n'as jamais été un mari pour moi, Zaa, aussi ne parlons pas de loyauté à mon égard. Mais je croyais que tu étais fidèle à certains principes personnels. Si tu n'avais fait que coucher avec une femme vendue aux Blancs, ce ne serait rien, mais ce n'est même pas ça que tu as fait. J'étais là, j'ai tout vu... ce que tu as fait, il n'y a pas de nom pour le qualifier. Pendant que tu étais en elle... tu la caressais et tu murmurais : " Zyanya, mon amour " et puis tu as dit aussi : " Nochipa, ma bien-aimée " et encore " Zyanya, ma chérie ". » Elle eut un haut-le-cœur.

« Comme ces deux noms signifient la même chose, je ne sais pas si tu as fait l'amour avec ta femme ou avec ta fille, ou encore avec les deux, mais tout ce que je sais, c'est qu'elles sont mortes toutes les deux. Tu as fait l'amour avec des mortes, Zaa. »

Je suis peiné de vous voir détourner la tête, mes révérends, comme l'avait fait alors Béu. Je voulais simplement vous expliquer pourquoi Malintzin est encore en vie aujourd'hui, bien qu'après ce soir-là, je l'aie haïe plus que jamais. Cette haine fut attisée par la répulsion que j'avais lue dans les yeux de Béu et par le dégoût que j'avais de moi-même. Néanmoins, je n'ai jamais plus essayé d'attenter à la vie de cette femme bien que j'en aie eu plusieurs fois l'occasion. Elle, de son côté, n'a jamais cherché à me nuire et, s'étant élevée très haut dans la noblesse de la Nouvelle-Espagne, elle m'a complètement oublié. J'ai dit qu'il était possible que Cortés ait aimé Malintzin, car il l'a gardée près de lui pendant des années et il n'essaya pas de la cacher quand Doña Catarina, son épouse depuis longtemps délaissée, arriva de Cuba à l'improviste. Elle mourut en quelques mois, de chagrin, ont dit certains et pour une cause bien moins romantique, ont prétendu les autres. Cependant, Cortés fit procéder à une enquête minutieuse qui le lava entièrement de tout soupçon.

Peu de temps après, Malintzin donna naissance à Martin, le fils de Cortés. Il a maintenant huit ans et il paraît qu'il va bientôt partir en Espagne pour y faire ses études. Cortés ne se sépara de Malintzin qu'après son séjour à la cour du roi Carlos, quand il fut promu marqués del Valle et qu'il revint avec une nouvelle marquesa Juana à son bras. Il veilla à ce que son ancienne maîtresse fût bien pourvue, il lui fit don d'une propriété importante et la maria très chrétiennement à un capitaine de vaisseau, un certain Juan Jaramillo qui disparut en mer peu de temps après. Aussi, maintenant, tout le monde, Son Excellence compris, la traite avec beaucoup de respect et l'appelle Doña Señora Marina, Viuda de Jaramillo, propriétaire de la grande île de Tacamichapa, près de la ville d'Espiritu Santo, qui se nommait autrefois Coatzacoalcos.

Tout cela pour vous dire que si Doña Marina vit toujours, c'est parce que je l'ai laissée vivre, parce qu'une seule courte nuit, je l'ai aimée.

Il ne faisait pas encore tout à fait noir quand les Espagnols pointèrent leurs canons sur la foule massée sur la place, puis la chargèrent à l'épée, à la lance et à l'arquebuse. Ils tuèrent ou blessèrent grièvement un millier de femmes et d'enfants. A ce moment, très peu d'hommes s'étaient encore infiltrés et moins de vingt succombèrent, parmi lesquels il n'y avait aucun des chevaliers et des nobles qui avaient fomenté la révolte.

Mais les Espagnols ne cherchèrent pas à découvrir les conspirateurs. Après la tuerie, ils rentrèrent dans le palais et n'osèrent plus s'aventurer dans la ville avide de vengeance.

Je n'allai pas trouver Cuitlahuac pour m'excuser de mon échec, car je pensais qu'il était en proie à la fureur et au désespoir. Je me rendis chez le Seigneur Cuauhtemoc, espérant qu'il partagerait davantage mon abattement. Je le connaissais depuis le temps où, petit garçon, il venait nous rendre visite avec sa mère, la Première Dame, quand Ahuizotl et Zyanya vivaient encore. Seule la malchance l'avait empêché de monter sur le trône des Mexica et comme il était accoutumé aux désillusions, je pensais qu'il serait plus indulgent à mon égard.

« Personne ne vous blâme, me dit-il quand je lui eus raconté comment Malintzin avait échappé au poison. Vous auriez débarrassé le Monde Unique d'une ordure, mais vous n'auriez rien empêché.

— Comment cela ? fis-je, interloqué.

— Ce n'est pas elle qui nous a trahis, grimaça-t-il. Elle n'en a pas eu besoin. Mon digne cousin, notre Orateur Vénéré, s'en est chargé.

— Quoi ! m'exclamai-je.

— Dès que Cuitlahuac eut quitté le palais après avoir demandé à Alvarado la permission de célébrer la fête d'Uixtocihuatl, Motecuzoma est allé dire à l'Espagnol de se méfier d'une supercherie.

— Mais pourquoi ?

— Par orgueil blessé, par dépit, qui sait ? répondit Cuauhtemoc en haussant les épaules. Il a dû être vexé que ce soulèvement ait été organisé en dehors de lui. Maintenant, il prétend qu'il a agi ainsi pour ne pas rompre la paix instaurée avec Cortés.

— Quand je pense que pour ça il a provoqué le massacre d'un millier de femmes et d'enfants, grondai-

1136

je avec un mot ordurier qui ne s'applique généralement pas à un Orateur Vénéré.

— Soyons charitables et supposons qu'il a cru qu'Alvarado se contenterait d'annuler la cérémonie sans disperser les participants aussi brutalement.

— Disperser brutalement, voilà une façon élégante de dire les choses. Ma femme, simple spectatrice, a été blessée et une de ses servantes tuée.

— Au moins, cet incident aura soudé notre peuple dans la même colère. Avant, la population ne faisait que récriminer. Une partie se méfiait de Motecuzoma et l'autre le soutenait. Maintenant, tout le monde est prêt à le mettre en pièces avec tous les occupants du palais.

— C'est ce qu'il faut faire. Il nous reste la plupart de nos guerriers. Il faut enrôler tous les hommes, même les vieux comme moi et ravager le palais.

— Ce serait un suicide. Les étrangers se sont retranchés derrière leurs canons, leurs arquebuses et leurs arbalètes en position de tir derrière chaque fenêtre. Il est impossible d'approcher du bâtiment. Il faut attendre une autre occasion de combattre au corps à corps.

— Attendre ! m'exclamai-je avec un autre juron.

— Oui, attendre. Et pendant ce temps, Cuitlahuac truffe la ville de guerriers. Peut-être avez-vous remarqué un accroissement dans le trafic des canoës et des péniches de transport. Des hommes et des armes sont dissimulés sous les fleurs et les légumes, des Acolhua de Cacama et des Tecpaneca. Pendant que nous nous renforçons, l'ennemi s'affaiblit. Le soir du massacre, tous les serviteurs ont abandonné le palais et pas un seul Mexicatl n'ira leur apporter des vivres ou quoi que ce soit. Nous allons laisser les Blancs et leurs amis — Motecuzoma, Malintzin et les autres — souffrir un peu dans leur forteresse.

— Cuitlahuac espère les affamer ?

— Non. Ils devront simplement se restreindre. Ils ont assez de provisions pour tenir jusqu'au retour de Cortés. Alors, il ne faudra pas nous montrer ouvertement hostiles en assiégeant le palais, car il assiégerait de même l'île tout entière et nous affamerait à notre tour.

— Et pourquoi le laisser arriver jusqu'ici ? Allons à sa rencontre et attaquons-le en rase campagne.

— Avez-vous déjà oublié avec quelle facilité il a vaincu Texcala ? Aujourd'hui, il a encore davantage d'hommes, de chevaux et d'armes. Non, c'est impossible. Le plan de Cuitlahuac est de laisser Cortés pénétrer sans résistance dans la ville où il trouvera ses hommes indemnes et la paix apparemment restaurée. Il ne saura rien des combattants que nous avons cachés et quand tous les Blancs seront dans Tenochtitlán, *alors* seulement, nous attaquerons — en nous sacrifiant, si c'est nécessaire — pour débarrasser notre île et toute la région des lacs de cette engeance.

Sans doute les dieux avaient-ils décidé de favoriser pour un temps le tonalli de la cité car ce plan réussit avec néanmoins quelques complications imprévues.

Lorsqu'on sut que Cortés et sa puissante armée approchaient de la ville, tout le monde se comporta comme si rien ne s'était passé, même les parents des innocentes victimes. Les ponts qui enjambaient les passages des trois chaussées étaient en parfait état. Les pirogues et les péniches sillonnaient les canaux en transportant d'innocentes cargaisons, et les milliers de guerriers tecpaneca et acolhua qui étaient entrés au nez et à la barbe des alliés de Cortés restés sur la terre ferme restaient bien cachés. J'en avais huit chez moi qui commençaient à s'ennuyer et qui étaient impatients d'entrer en action. Les rues de Tenochtitlán étaient aussi grouillantes et le marché de Tlatelolco aussi animé, coloré et bruyant qu'à l'accoutumée. Seul, le Cœur du Monde Unique était pratiquement désert. Son sol de marbre, toujours taché de sang, n'était foulé que par quelques prêtres qui y accomplissaient les offices quotidiens.

Cortés était sur ses gardes. Il avait eu connaissance de la tuerie et il ne voulait pas s'exposer à une embuscade. Après avoir contourné Texcoco à distance respectueuse, il longea la rive sud du lac, mais il n'emprunta pas la chaussée méridionale pour entrer dans la ville ; ses hommes auraient pu être attaqués par des guerriers en canots, pendant qu'ils étaient à découvert sur la plus longue des trois digues. Il continua à faire le tour du lac jusqu'à la rive occidentale, en postant à intervalles réguliers des guerriers de Fleur Noire et des canons pointés vers la ville. Ensuite, il alla jusqu'à Tlacopan parce que cette chaussée est la plus courte des trois. Avec une centaine de cavaliers, il la franchit au galop, comme s'il s'attendait à ce qu'elle s'effondre sous lui et les fantassins se ruèrent à sa suite.

Une fois dans l'île, Cortés dut pousser un soupir de soulagement. La population ne l'acclama pas, mais elle ne le conspua pas non plus. De plus, la compagnie de mille cinq cents de ses compatriotes, sans parler de ses alliés qui bivouaquaient sur la terre ferme, devait lui donner un sentiment de puissance. Peut-être même, pensa-t-il que les Mexica s'étaient enfin résignés à reconnaître sa supériorité car ses troupes traversèrent la ville en véritables conquérants.

Le gros de son armée s'installa sur la grande place. Les Texcalteca évacuèrent le palais d'Axayacatl, à l'exception des principaux chevaliers et allèrent camper eux aussi sur la place. Motecuzoma et un groupe de courtisans restés fidèles qui sortaient pour la première fois depuis la fameuse nuit, vinrent à la rencontre de Cortés, mais celui-ci les ignora dédaigneusement et pénétra dans le palais avec Alvarado et Narvaez.

J'imagine que leur premier souci fut de réclamer à boire et à manger et j'aurais voulu voir la tête de Cortés quand les soldats d'Alvarado lui apportèrent de vieux haricots racornis et de la bouillie d'atolli. J'aurais aussi bien aimé entendre l'officier blond lui raconter comment il avait héroïquement maté un soulèvement de femmes et d'enfants sans avoir éliminé plus d'une poignée de guerriers mexica. Cortés était arrivé pendant l'après-midi et il resta en conférence avec Narvaez et Alvarado jusqu'à la tombée de la nuit. Personne ne sait ce qu'ils se sont dits mais je sais cependant que Cortés envoya un détachement de soldats dans le palais de Motecuzoma et qu'avec des lances, des poutres et des leviers, ils enfoncèrent les murs derrière lesquels étaient les chambres des trésors. Comme des fourmis faisant la navette entre leur fourmilière et un pot de miel, les soldats transportèrent tout le stock d'or et de pierreries dans la salle à manger de Cortés. Il leur fallut presque toute la nuit pour effectuer le déménagement car le butin était de taille et les pièces pas toujours faciles à transporter.

Toute la nuit, la ville resta calme et personne ne prêta attention à ces allées et venues. Cortés monta se coucher un peu avant l'aube avec Malintzin, après avoir fait dire de la façon la plus méprisante à Motecuzoma que lui-même et ses conseillers devraient se tenir prêts à venir le voir dès son réveil. Avec une pathétique soumission, Motecuzoma envoya des messages pour prévenir son Conseil et d'autres personnes comme moi. Comme il n'y avait plus un seul page dans le palais, ce fut un de ses jeunes fils qui vint m'avertir. Nous nous attendions tous à recevoir cette convocation, aussi nous nous étions réunis chez Cuitlahuac à qui l'un des Anciens avait demandé :

« Faut-il obéir à cet ordre ou l'ignorer ?

— Obéir, répondit Cuitlahuac. Cortés croit toujours qu'il nous tient à sa merci parce qu'il tient notre chef complaisant. Ne le détrompons pas.

— Et pourquoi ? demanda le grand prêtre de Huitzilopochtli. Nous sommes prêts à attaquer. Cortés ne peut pas entasser toute son armée dans le palais d'Axayacatl et s'y barricader comme l'a fait Alvarado.

— Il n'en a pas besoin, répliqua Cuitlahuac. Si nous donnons l'alarme, il peut faire du Cœur du Monde Unique une citadelle aussi inexpugnable que le palais lui-même. Il faut l'endormir encore un moment. Allons au palais comme on nous le demande et comme si les Mexica étaient toujours les jouets dociles de Motecuzoma.

— Cortés pourrait fermer les portes du palais une fois que nous serons dedans et nous garder en otage, fit remarquer le Femme-Serpent.

— J'y ai pensé. Mais tous mes chevaliers et mes quachic ont déjà reçu mes ordres ; ils n'ont plus besoin de moi. Ils doivent les exécuter sans se soucier de savoir si nous sommes à l'intérieur du palais. Ceux qui ne veulent pas prendre ce risque peuvent rentrer chez eux. »

Evidemment, personne n'abandonna et nous accompagnâmes tous Cuitlahuac au Cœur du Monde Unique en nous frayant à grand-peine un chemin parmi les hommes, les chevaux, les feux de cuisine et les armes entassées. Je fus très étonné de voir, groupés à l'écart des Blancs comme s'ils étaient des inférieurs, un contingent d'hommes *noirs*. J'en avais entendu parler, mais je n'en avais encore jamais vu. Poussé par la curiosité, je m'écartai un moment de mes compagnons pour aller les examiner de près. Ils portaient les mêmes uniformes que les Espagnols, mais ne leur ressemblaient pas du tout. Ils avaient un nez épaté et des lèvres très épaisses. Quand je fus assez près d'eux, je remarquai que l'un de ces Maures avait la figure couverte de vilains boutons et de pustules suppurantes, comme je l'avais constaté très longtemps auparavant sur le visage de Guerrero et je me hâtai de rejoindre les autres.

Les sentinelles postées à l'entrée du palais d'Axayacatl nous palpèrent pour s'assurer que nous n'avions pas d'armes sur nous. Nous traversâmes la salle à manger où était amoncelée une montagne de bijoux, d'or et de pierreries qui brillaient d'un riche éclat malgré la pénombre. Des soldats, probablement censés surveiller le trésor, tripotaient les pièces en souriant avec convoitise. Nous montâmes dans la salle du trône. Cortés, Alvarado et plusieurs autres Espagnols, dont un borgne qui était Narvaez, nous attendaient. Etant le seul de sa race, en dehors de Malintzin, Motecuzoma avait l'air d'un animal aux abois. Nous nous inclinâmes tous devant lui et il nous rendit un petit salut distant tout en continuant à converser avec les Espagnols.

« J'ignore quelles étaient leurs intentions. Je sais seulement qu'ils avaient organisé une cérémonie. Alors j'ai dit à Alvarado que je pensais qu'il serait plus sage de ne pas autoriser un rassemblement si près d'ici et qu'il vaudrait mieux faire évacuer la place. Vous avez vu de quelle malheureuse façon il l'a fait évacuer, ajouta Motecuzoma avec un soupir tragique.

— Oui », grommela Cortés. Ses yeux ternes se posèrent froidement sur Alvarado qui se tortillait les mains et semblait avoir passé une fort mauvaise nuit.

« Cette action aurait pu ruiner tous mes... » Il toussota et se reprit. « Vous auriez pu monter le peuple

entier contre nous. Ce qui me surprend, Don Montezuma, c'est que cela ne se soit pas produit. C'est
étrange. Personne dans cette ville ne semble manifester
le moindre ressentiment et je trouve que ce n'est pas
normal. Il y a un dicton qui dit : Méfiez-vous de l'eau
qui dort.

— C'est parce qu'ils m'en rendent tous responsable,
gémit Motecuzoma. Ils croient que j'ai donné l'ordre
qu'on massacre mes propres sujets — des femmes et des
enfants — et que je me suis servi de vos hommes dans ce
but. » Il avait les larmes aux yeux. « Tous mes domestiques m'ont abandonné et pas un seul vendeur de vers de
maguey frits ne s'est approché du palais depuis ce jour.

— C'est une situation bien pénible, dit Cortés. Il faut
y remédier. »

Il se tourna vers Cuitlahuac et me fit signe de traduire
ses paroles.

« Vous êtes le chef des armées. Je ne veux pas faire
de suppositions sur les intentions cachées de cette soi-
disant cérémonie. J'irai même jusqu'à vous faire des
excuses pour la précipitation de mon lieutenant. Cependant, je vous rappelle qu'une trêve a été conclue et que
c'est le devoir d'un chef de guerre de veiller à ce que nos
hommes ne vivent pas isolés, privés de nourriture et du
contact avec leurs hôtes.

— Je ne commande qu'aux seuls combattants, Seigneur Capitaine Général, répondit Cuitlahuac. Si la
population préfère éviter ce lieu, je ne peux pas la
contraindre à y venir. C'est l'Orateur Vénéré qui a le
pouvoir. Ce sont vos hommes qui se sont enfermés ici et
l'Orateur Vénéré avec eux.

— Alors, Don Montezuma, c'est à vous de persuader
votre peuple de revenir nous approvisionner et nous
servir.

— Comment le pourrais-je ? Ils ne s'approchent

même plus de moi, sanglota Motecuzoma. Et si c'est moi qui vais avec eux, j'y trouverai sans doute mon trépas.

— Nous vous donnerons une escorte », commença à dire Cortés, mais il fut interrompu par un soldat qui arrivant en courant et qui s'écria :

« Mon Capitaine, les indigènes sont en train de se rassembler sur la place. Ils ne sont pas armés, mais ils paraissent hostiles. Est-ce qu'il faut les chasser ?

— Non. Laissez-les venir », répondit Cortés. Puis, se tournant vers Narvaez, il lui dit : « Prenez le commandement. La consigne est de ne pas tirer. Pas un soldat ne doit bouger sans mon ordre. Je vais monter sur le toit pour suivre les événements. Venez Pedro. Venez Don Montezuma. » Il prit l'Orateur Vénéré par la main pour l'arracher de son trône.

Tout le monde se précipita à leur suite dans les escaliers et j'entendis Malintzin haletante traduire à Motecuzoma les instructions de Cortés.

« Le peuple est en train de se rassembler sur la plaza. Il faut que vous lui parliez. Faites la paix avec lui. Rejetez toute la faute sur les Espagnols si vous voulez. Dites-leur *n'importe quoi* pour les calmer. »

Nous nous penchâmes tous par-dessus la balustrade qui dominait le Cœur du Monde Unique. Les quelque mille Espagnols indécis au milieu des Mexica deux fois plus nombreux qu'eux, étaient facilement reconnaissables au miroitement de leurs cuirasses. Comme l'avait annoncé le messager, il y avait des hommes et des femmes dans leurs vêtements de tous les jours et ils ne semblaient pas se préoccuper des soldats, ni du fait sans précédent de ce camp installé sur ce lieu sacré. Ils avançaient au milieu de toute cette pagaille, sans hâte, mais sans hésitation et vinrent se masser juste sous la terrasse du palais.

1144

« Le caporal a dit vrai, remarqua Alvarado. Ils ne sont pas armés.

— C'est le genre d'opposants que vous préférez, hein Pedro ? répliqua Cortés d'une voix mordante et la figure d'Alvarado devint presque aussi rouge que sa barbe..

« Reculons-nous, ordonna Cortés à ses hommes. Il faut que le peuple ne voie que ses propres dirigeants. »

Les Espagnols se retirèrent vers le milieu de la terrasse. Motecuzoma toussa pour s'éclaircir la voix et il dut crier par trois fois avant de pouvoir couvrir le murmure de la foule et le vacarme que faisaient les soldats. Quand toutes les têtes se furent levées vers lui, l'Orateur Vénéré commença à parler d'une voix altérée :

« Mon peuple… » Il répéta plus fort et plus nettement : « Mon peuple…

— *Ton peuple !* » Une rumeur hostile s'éleva de la foule, puis des clameurs indignées. « Le peuple que tu as trahi ! Ton peuple, ce sont les Blancs ! Tu n'es plus notre Orateur ! Nous ne te vénérons plus ! »

J'avais beau m'y attendre et savoir que toute cette manifestation avait été organisée par Cuitlahuac et que les hommes qui étaient dans la foule étaient nos guerriers, momentanément sans armes, pour faire croire à une explosion de colère spontanée, je fus saisi par la violence de la réaction populaire. Du reste, je devrais dire qu'ils n'étaient pas armés au sens habituel du terme, car à ce moment même, les hommes sortirent de leurs manteaux et les femmes de leurs jupes, des pierres et des projectiles et, tout en continuant à vociférer des imprécations, se mirent à les lancer vers la terrasse du palais. Tout le monde se jeta de côté pour les esquiver. Le prêtre de Huitzilopochtli perdit sa dignité sacerdotale quand une pierre le toucha à l'épaule. Derrière nous, plusieurs Espagnols reçurent des cailloux. Seul

Motecuzoma resta sur place sans bouger, levant simplement les bras dans un geste d'apaisement et il hurla, essayant de couvrir le brouhaha : « *Mixchia !* Attendez ! »

C'est alors qu'une pierre l'atteignit en plein front. Il chancela et perdit connaissance. Cortés prit immédiatement la situation en main.

« Occupez-vous de lui, me lança-t-il. Mettez-le au calme. » Puis, il saisit Cuitlahuac par le manteau et lui dit : « Faites quelque chose. Dites-leur quelque chose. Il faut à tout prix les calmer. »

Cuitlahuac se précipita au bord de la balustrade pendant que je descendais le corps inanimé de Motecuzoma aidé par deux officiers espagnols, dans la salle du trône. Nous l'étendîmes sur un banc et les deux officiers disparurent aussitôt en courant, sans doute pour aller chercher un médecin de l'armée.

Je contemplai le visage de Motecuzoma, détendu et paisible malgré la bosse qui enflait son front. Bien des souvenirs se mirent alors à refluer en moi : sa déloyauté envers Ahuizotl, son Orateur Vénéré, pendant la campagne d'Uaxyacac et son ignoble et pitoyable tentative de viol sur la sœur de ma femme, les menaces qu'il avait proférées à mon égard et comment il s'était bassement vengé en m'envoyant à Yanquitlan où Nochipa avait trouvé la mort, l'irrésolution dont il avait fait preuve depuis que les Espagnols étaient apparus sur nos côtes et sa trahison quand des hommes plus courageux que lui avaient tenté de débarrasser notre cité des envahisseurs. J'avais bien des raisons de faire ce que je fis alors, dont certaines particulièrement pressantes, mais je crois que si je l'ai tué, c'est surtout pour venger l'outrage qu'il avait infligé jadis à Béu Ribé, la sœur de Zyanya, qui était maintenant ma femme.

Toutes ces pensées m'avaient assailli en un instant. Il

me fallait une arme. Deux gardes texcalteca étaient postés dans la salle du trône. J'en appelai un et lui demandai son poignard. Il me regarda d'un air soupçonneux, ne sachant ni qui j'étais, ni quelles étaient mes intentions. Je lui répétai mon ordre sur un ton sans réplique et il me tendit sa lame d'obsidienne. Je plaçai la pointe au bon endroit, car j'avais assisté dans ma vie à suffisamment de sacrifices humains pour connaître l'emplacement exact du cœur et j'enfonçai le couteau jusqu'à la garde. Le mouvement régulier de sa respiration cessa. Je laissai le poignard dans la plaie, si bien qu'il y eut un très faible épanchement de sang. Les gardes texcalteca me considérèrent avec une surprise horrifiée et s'enfuirent à toutes jambes.

Tout s'était déroulé très vite. Sur la place, le tumulte s'était un peu apaisé et avait fait place à une rumeur toujours irritée, mais moins violente. Puis, j'entendis ceux qui étaient sur la terrasse dévaler les escaliers et pénétrer dans la salle du trône. Ils discutaient sur un ton animé et anxieux, chacun dans sa propre langue, mais le silence se fit brusquement quand ils se rendirent compte de l'énormité de mon acte. Espagnols et Mexica, tous s'avancèrent lentement fixant d'un regard empreint de stupeur le corps de Motecuzoma et le poignard enfoncé dans sa poitrine, puis leurs yeux se tournèrent vers moi qui me tenais debout, immobile près du cadavre.

« Qu'est-ce que... vous... avez fait ? me demanda Cortés avec un calme menaçant.

— J'ai suivi vos ordres. Seigneur Capitaine Général. Je l'ai mis au calme.

— Insolent fils de pute, fit-il sur un ton de fureur contenue. Ce n'est pas la première fois que j'entends vos sarcasmes.

— Puisque Motecuzoma est bien au calme maintenant, nous allons peut-être, nous aussi, être plus tranquilles, y compris vous, Capitaine Général.

— Une émeute se prépare en bas, me dit-il en pointant un doigt vers la place. Qui va contrôler cette racaille ?

— Pas Motecuzoma, en tout cas, qu'il soit mort ou vivant. Mais voici son successeur, son frère Cuitlahuac, un homme énergique et respecté par la racaille. »

Cortés regarda le chef des armées avec suspicion et je savais bien ce qu'il pensait. Si Cuitlahuac était capable d'imposer sa volonté aux Mexica, lui, Cortés, ne pouvait pas imposer la sienne à Cuitlahuac. Comme si elle avait, elle aussi, deviné son raisonnement, Malintzin lui dit :

« On pourrait faire un essai, Señor Hernán. Remontons sur la terrasse pour montrer à la foule le corps de Motecuzoma. Que Cuitlahuac se proclame lui-même son successeur, et voyons si le peuple obéit à son premier ordre : l'approvisionnement du palais et le retour des serviteurs.

— C'est une idée fort astucieuse, Malinche. Dis-lui aussi qu'il faut qu'il assure le peuple que Motecuzoma est bien mort. » Il retira le couteau de la blessure et ajouta en me jetant un regard cinglant : « Qu'il est bien mort de la main de son peuple. »

Quand tout le monde fut remonté sur la terrasse, Cuitlahuac prit le corps de son frère dans ses bras et s'avança vers la balustrade. Tandis qu'il annonçait la nouvelle à la foule, un murmure d'approbation s'éleva et au même moment, il se mit à pleuvoir doucement comme si Tlaloc, et Tlaloc seul, pleurait la fin des chemins, des jours et du règne de Motecuzoma. Cuitlahuac parlait assez fort pour que la masse assemblée au pied du palais l'entendît, mais sur un ton calme et persuasif. Malintzin traduisit son allocution à Cortés en l'assurant :

1148

« Le nouveau chef a parlé comme il fallait. »

Quand il eut terminé, Cuitlahuac se tourna vers nous et, de la tête, il nous fit signe de s'approcher de lui, tandis que deux prêtres le déchargeaient de son fardeau. La foule commençait à se disperser. Certains soldats espagnols semblaient toujours indécis et tripotaient nerveusement leurs armes, aussi Cortés leur cria :

« Laissez-les aller et venir à leur guise, mes enfants. Ils vont nous apporter des vivres frais ! »

Quand tout le monde fut de retour dans la salle du trône, Cuitlahuac dit à Cortés :

« Nous avons à parler.

— Oui, nous avons à parler, répéta Cortés qui appela Malintzin comme s'il ne me faisait pas confiance.

— Il ne suffit pas que j'aie annoncé au peuple que je suis devenu son Orateur Vénéré, dit Cuitlahuac. Certaines formalités doivent être accomplies en public. Nous commencerons les cérémonies de la succession dès cet après-midi, pendant qu'il fait encore jour. Puisque vos hommes occupent le Cœur du Monde Unique, j'irai avec les prêtres et le Conseil dans la pyramide de Tlatelolco.

— Certainement pas maintenant, répondit Cortés. Il pleut à verse. Attendez un jour plus clément, Seigneur. J'invite le nouvel Orateur Vénéré à être mon hôte dans ce palais, comme l'était Motecuzoma.

— Si je reste ici, répliqua Cuitlahuac d'un ton ferme, je ne pourrais pas devenir Orateur Vénéré et par conséquent, je serai pour vous un hôte inutile. Que choisissez-vous ? »

Cortés fronça les sourcils. Il n'avait pas l'habitude d'entendre un Orateur Vénéré tenir le langage d'un Orateur Vénéré. Cuitlahuac poursuivit :

« Même lorsque je serai confirmé dans mes fonctions par les prêtres et le Conseil il me faudra gagner la confiance du peuple, et ma tâche serait grandement facilitée si je pouvais lui dire quand exactement le Capitaine Général et ses troupes ont l'intention de quitter les lieux.

— Eh bien... dit Cortés, en traînant sur les syllabes pour bien montrer qu'il n'y avait pas encore songé et qu'il n'était pas du tout pressé. J'avais promis à votre frère que je partirais quand je serais à même d'emporter tous les présents qu'il m'a offerts. Je les ai maintenant, mais il me faut un certain temps pour les faire fondre afin que nous puissions les transporter jusqu'à la côte.

— Ça peut demander des années. Nos orfèvres ont l'habitude de ne travailler que sur de très petites quantités d'or à la fois, vous aurez des difficultés pour désacraliser... pour fondre ces innombrables œuvres d'art.

— Et il ne faut pas que j'abuse de votre hospitalité, ajouta Cortés. Je vais donc faire transporter l'or sur la terre ferme pour que mes fondeurs s'en occupent. »

Il tourna ensuite grossièrement le dos à Cuitlahuac et dit en espagnol à Alvarado :

« Pedro, faites venir des charpentiers. Voyons... ils pourraient démonter ces lourdes portes et toutes les autres portes du palais. Dites-leur de construire une paire de solides traîneaux pour emmener l'or et dites aussi aux bourreliers de fabriquer des harnais pour les chevaux qui les tireront. En attendant, Seigneur Orateur, fit-il en s'adressant à nouveau à Cuitlahuac, je vous demanderai la permission de rester ici encore un petit moment. Comme vous le savez, beaucoup de ceux qui sont avec moi ne connaissent pas votre grande ville et ils seraient heureux de pouvoir la visiter.

— Un petit moment, je veux bien, répondit Cuitlahuac en hochant la tête. Je vais avertir la population et lui demander d'être tolérante et même aimable si elle le peut. Et maintenant, nous devons vous quitter pour organiser les préparatifs de l'enterrement de mon frère et mon accession au trône. Plus tôt ces formalités seront accomplies, plus tôt je serai véritablement votre hôte. »

Quand nous eûmes quitté le palais, des soldats-charpentiers vinrent examiner le trésor entassé dans la salle à manger pour évaluer son poids et sa masse.

Nous nous arrêtâmes un moment sur la place. Les Espagnols vaquaient à leurs occupations mais ils paraissaient fort incommodés par la pluie qui les tranperçait de part en part. Des Mexica passaient au milieu d'eux, affairés ou faisant semblant de l'être et comme ils n'avaient gardé que leur pagne, la pluie ne les gênait pas. Jusqu'ici, le plan de Cuitlahuac s'était déroulé comme prévu, mis à part le trépas inopiné de Motecuzoma.

En effet, tout ce que je viens de vous raconter, mes révérends, avait été organisé dans ses moindres détails par Cuitlahuac, bien avant que nous soyons allés voir Cortés. C'est sur son ordre que la foule s'était rassemblée en criant devant le palais. C'est sur son ordre qu'elle s'était dispersée pour aller chercher des vivres pour les Blancs. Mais, dans la confusion générale, ceux-ci n'avaient pas remarqué que seules les femmes avaient quitté la place. Quand elles revinrent, elles ne pénétrèrent pas dans le camp et passèrent les paniers et les jarres aux hommes restés sur place. Il n'y avait donc plus une seule femme dans la zone dangereuse, en dehors de Malintzin et de ses servantes texcalteca pour lesquelles nous ne nous faisions guère de souci. Nos hommes continuèrent à aller et à venir, à entrer et à sortir du palais, distribuant de la viande et du maïs, apportant du bois sec aux soldats préparant les repas dans les cuisines du palais et accomplissant toutes sortes de besognes qui les retiendraient là jusqu'à ce que les conques du temple sonnent minuit.

« Nous frapperons à minuit, nous avait rappelé Cuitlahuac. A ce moment précis, Cortés et les siens ne feront plus attention au va-et-vient constant de nos hommes apparemment soumis, quasiment nus et manifestement désarmés. Laissons Cortés entendre la musique et sentir l'encens de ce qu'il prendra pour les préliminaires de mon intronisation. Rassemblez tous les prêtres. Ils savent qu'ils doivent suivre nos instructions mais il faudra peut-être les forcer un peu car, comme les Blancs, ils rechignent devant la pluie. Massez-les devant la pyramide de Tlatelolco et dites-leur d'allumer le plus grand feu qu'ils aient jamais fait. Amenez aussi les femmes et les enfants et tous les hommes qui sont dispensés de se battre. Ils formeront une foule crédible de participants et ils seront en sécurité.

— Seigneur Régent... je voulais dire Seigneur Orateur, dit l'un des Anciens du Conseil, si les étrangers doivent tous périr cette nuit, pourquoi avez-vous pressé Cortés de vous donner la·date de son départ ? »

Au regard que lui lança Cuitlahuac, je compris que cet homme ne serait plus très longtemps membre du Conseil.

« Parce que Cortés est moins sot que vous. Il sait bien que je souhaite me débarrasser de sa présence. Si je n'avais pas été aussi insistant, il aurait eu des raisons de se douter d'un coup de force. Maintenant, je peux espérer que mon attitude l'a rassuré, au moins jusqu'à minuit. »

Cuitlahuac avait vu juste. Cependant alors que Cortés ne manifestait aucune inquiétude au sujet de sa sécurité et de celle de ses compagnons, il semblait au contraire se faire beaucoup de souci pour mettre son butin hors de portée de ses légitimes propriétaires, ou alors, il avait pensé que la pluie aiderait les traîneaux à mieux glisser sur les rues mouillées. Quoi qu'il en soit, bien qu'ils aient dû travailler sous des trombes d'eau, les charpentiers terminèrent leur travail avant la nuit. Ensuite, des soldats aidés par certains des nôtres qui cherchaient à se rendre utiles, sortirent les trésors du palais et les répartirent sur les deux traîneaux. Pendant ce temps, d'autres Espagnols attelaient quatre chevaux à chaque charge avec un système de lanières compliqué. Peu avant minuit, Cortés donna l'ordre du départ, les chevaux inclinèrent le cou comme des porteurs sous la sangle frontale et les traîneaux se mirent à glisser doucement sur le marbre mouillé du Cœur du Monde Unique.

Le gros de l'armée demeura sur la place, mais une escorte considérable de soldats en armes partit accompagner le convoi avec à sa tête Cortés, Narvaez et Alvarado. Déplacer cet énorme trésor était une tâche difficile, je vous l'accorde, mais elle ne nécessitait pas la présence des trois chefs. A mon avis, ils y étaient allés tous les trois parce qu'aucun d'eux ne faisait confiance aux autres. Malintzin les accompagna également, pour profiter, sans doute, d'une promenade après avoir été si longtemps confinée dans le palais. Les traîneaux traversèrent la plaza et prirent l'avenue de Tlacopan. Aucun des Espagnols ne s'étonna de trouver la ville déserte, car on entendait l'écho des tambours et de la musique monter du nord de l'île et on voyait des nuages de fumée rougis par l'éclat des torches.

Ce déménagement soudain fut une circonstance inattendue qui obligea Cuitlahuac à attaquer plus tôt que prévu. Comme la disparition de Motecuzoma, le départ précipité de Cortés joua en faveur de Cuitlahuac. Puisque les traîneaux avaient emprunté l'avenue de Tlacopan, il était évident qu'ils passeraient par la plus courte des trois digues aussi le nouvel Orateur Vénéré put rappeler les combattants qu'il avait postés sur les deux autres chaussées pour les joindre à ses attaquants. Ensuite, il fit passer cette consigne à ses troupes : N'attendez pas les trompettes de minuit, attaquez tout de suite.

Il faut que je vous dise que j'étais chez moi avec Béu pendant que se déroulaient ces événements, car je faisais partie de ceux que Cuitlahuac avait charitablement qualifiés de « dispensés de se battre ». Je n'ai donc pas été personnellement témoin de ce qui s'est passé sur l'île et sur la terre ferme, par contre, j'étais présent au rapport des différents commandants, aussi je peux vous relater avec plus ou moins d'exactitude ce que Cortés devait appeler par la suite la Triste Nuit.

La première action fut lancée par ceux qui étaient restés dans le Cœur du Monde Unique depuis le moment où Motecuzoma avait été frappé au front. Ils étaient chargés de lâcher les chevaux. Il en restait environ quatre-vingts parqués dans un coin. Nos hommes détachèrent les animaux, puis ils s'élancèrent au milieu d'eux avec des brandons enflammés. Les chevaux, pris de panique, partirent au galop dans toutes les directions, renversant les arquebuses, piétinant des soldats et semant la plus grande confusion parmi les Blancs.

Alors, une foule de guerriers se déversa sur la place, armé chacun de deux épées pour en donner une à ceux qui s'y trouvaient déjà. Ils n'avaient que leur pagne car les armures matelassées ne leur auraient servi à rien dans un corps à corps et de plus, elles auraient été imbibées par la pluie ; la place était très peu éclairée car les soldats avaient dû protéger leurs feux de camp de la pluie avec des boucliers. La cavalcade des chevaux en avait éteint une grande partie et tellement désorienté les soldats qu'ils furent entièrement pris par surprise quand nos guerriers presque nus bondirent de l'ombre en donnant de grands coups d'épée, tandis que d'autres pénétraient de force dans le palais que Cortés venait de quitter.

Les Espagnols préposés aux canons sur le toit du palais entendirent bien du bruit, mais ils ne virent pas grand-chose et de toute façon, ils ne pouvaient pas tirer sans tuer aussi leurs camarades. De plus, les rares Blancs qui avaient eu le temps de se saisir de leurs arquebuses se rendirent vite compte qu'elles étaient trop mouillées pour cracher le tonnerre et la mort, et ceux qui étaient à l'intérieur du palais ne purent s'en servir qu'une seule fois car la ruée de nos guerriers les empêcha de les recharger. Les Blancs et les Texcalteca qui se trouvaient dans le bâtiment furent tous tués ou faits prisonniers. Mais les guerriers qui combattaient à l'extérieur n'eurent pas une victoire si facile. Après tout, les Espagnols et les Texcalteca étaient des soldats chevronnés et courageux. Leur première surprise passée, ils contre-attaquèrent vigoureusement. A un certain moment, un groupe d'Espagnols se retrancha dans un coin de la place tandis qu'une rangée de leurs camarades brandissaient leurs épées pour empêcher les nôtres de les poursuivre. Cette retraite apparente était une ruse habile. Ceux qui avaient fui avaient emporté des arquebuses et, pendant ce bref répit, ils avaient mis de la poudre sèche dans leurs armes. Les arquebusiers s'avancèrent alors et tirèrent tous ensemble sur nos guerriers qui les pourchassaient. Beaucoup des nôtres furent tués ou blessés dans cette seule action. Mais les Espagnols n'eurent pas la possibilité de recharger leurs armes et le combat se poursuivit entre épées de pierre et épées de métal.

J'ignore ce qui alerta Cortés. Peut-être un cheval lâché galopant vers lui dans les rues, ou un soldat échappé de la bataille, ou encore le grondement des arquebuses. Le convoi avait déjà atteint la chaussée de Tlacopan avant que Cortés se rende compte qu'il se passait quelque chose d'anormal. Il ne lui fallut qu'un instant pour décider de ne pas laisser le trésor sur place et d'aller d'abord le mettre à l'abri avant de retourner dans la ville. Pendant ce temps, le fracas des arquebuses était également parvenu jusqu'aux rives proches du lac, aussi bien dans le camp des troupes de Cortés qu'à l'endroit où attendaient nos alliés. Cuitlahuac avait donné l'ordre à toutes les forces de la Triple Alliance d'attendre la conque de minuit, mais elles eurent l'intelligence d'entrer en action dès qu'elles entendirent les bruits de la bataille. Par contre, les régiments de Cortés n'avaient reçu aucune directive et ils ne savaient que faire. Les soldats avaient chargé les canons, mais ils ne pouvaient pas tirer en direction de la ville où se trouvaient aussi Cortés et leurs camarades. Aussi, je suppose que ces troupes étaient plongées dans la plus grande indécision, écarquillant les yeux pour essayer d'apercevoir quelque chose à travers le rideau de pluie, quand elles furent attaquées par-derrière.

Venant de toute la rive ouest du lac, les armées de la Triple Alliance apparurent. On avait réservé les meilleurs combattants pour la bataille de Tenochtitlán, mais il y avait encore des multitudes de valeureux guerriers sur la terre ferme qui s'étaient rassemblés secrètement et qui tombèrent sur les hommes de Fleur Noire stationnés autour de Coyoacán. De l'autre côté du détroit, les Culhua attaquèrent les Totonaca installés sur le promontoire autour d'Ixtapalapan et les Tecpaneca donnèrent l'assaut aux Texcalteca qui campaient près de Tlacopan.

1156

A peu près au même moment, les Espagnols assiégés dans le Cœur du Monde Unique prirent la sage résolution de fuir. Un de leurs officiers ayant réussi à maîtriser un cheval avait sauté dessus et s'était mis à hurler des ordres : « Formez les rangs et suivez le chemin qu'a pris Cortés ». Les survivants éparpillés aux quatre coins de la place parvinrent à se regrouper en formant une masse dense et hérissée de fer. Comme un porc-épic qui se roule en une boule de piquants et défie même les coyotes, les Espagnols purent ainsi se soustraire aux assauts répétés des nôtres. Guidés par le cavalier, les Blancs se dirigèrent vers l'ouverture occidentale de la Muraille du Serpent. Pendant cette lente retraite, plusieurs d'entre eux réussirent à s'emparer d'un cheval et, quand ils furent sur l'avenue de Tlacopan, ces cavaliers se formèrent en arrière-garde pour protéger les hommes qui fuyaient à pied.

Cortés dut les rencontrer tandis qu'il retournait vers le centre de la ville, car il n'avait pas pu aller plus loin que le premier passage de la digue duquel on avait retiré la passerelle. Il se trouva alors nez à nez avec les débris débandés de son armée, dégoulinant de sang et de pluie, jurant, gémissant et fuyant tandis que derrière eux éclataient les cris de guerre de leurs poursuivants qui essayaient de franchir la barrière des cavaliers.

Je connais assez Cortés pour être sûr qu'il ne perdit pas de temps à demander des explications détaillées. Il dut donner l'ordre à ses hommes de rester à l'endroit où la chaussée rejoignait l'île pour retenir l'ennemi le plus longtemps possible et il repartit lui-même au grand galop sur la digue pour aller prévenir Narvaez et Alvarado. Il leur cria de jeter tous les trésors dans le lac et de lancer les traîneaux par-dessus la brèche pour former un pont. J'imagine la tempête de protestations que dut soulever cet ordre, mais j'imagine aussi que

Cortés imposa le silence en disant : « Il faut le faire, sinon nous serons tous massacrés. »

Ils obéirent donc, non sans avoir bourré leurs poches et leurs sacs de tous les objets qu'ils avaient pu prendre et le gros du trésor disparut dans les eaux. Ensuite, les soldats posèrent les traîneaux déchargés sur la brèche de la chaussée. Pendant ce temps, le reste de l'armée arrivait de la ville, poursuivie par nos guerriers ; quand tous les Espagnols eurent franchi ce pont de fortune, ils retirèrent aussitôt les planches, mais nos combattants étaient de bons nageurs et ils étaient presque nus. Ils sautèrent à l'eau pour franchir le passage et grimpèrent de l'autre côté, à l'endroit où étaient les Espagnols. Au même moment, une pluie de flèches s'abattit sur eux des deux côtés. Cuitlahuac avait pensé à tout. Des canots remplis d'archers convergeaient de toutes parts vers la digue et Cortés n'avait pas d'autre possibilité que de faire retraite en combattant. Etant donné que les chevaux constituaient les cibles les plus importantes et les plus vulnérables, il ordonna à certains de ses cavaliers de les forcer à sauter à l'eau et de s'accrocher à eux pour arriver jusqu'à la terre ferme. Malintzin sauta avec les autres et se fit ainsi tirer jusqu'à la rive par un cheval.

Ensuite, les Espagnols firent de leur mieux pour effectuer une retraite dans l'ordre. Leurs archers tiraient au hasard dans la nuit de chaque côté de la digue, dans l'espoir d'atteindre les attaquants sur les canots. D'autres Espagnols tiraient le traîneau qui leur restait en reculant devant nos guerriers de plus en plus nombreux qui avaient réussi à franchir la brèche. Il restait aux Espagnols encore deux passages à traverser avant d'arriver sur la terre ferme à Tlacopan. Le second traîneau leur servit à enjamber le premier, mais ils durent ensuite l'abandonner sur place car leurs poursuivants avaient également réussi à passer dessus. Quand ils atteignirent la brèche suivante, les Blancs reculèrent en combattant jusqu'au moment où ils basculèrent dans le lac. Cependant, si près du rivage, les eaux étaient si peu profondes que même des hommes ne sachant pas nager pouvaient parvenir à la terre en faisant une série de bonds pour garder la tête hors de l'eau. Mais les Espagnols avaient de lourdes armures et beaucoup d'entre eux étaient chargés par les objets en or qu'ils avaient pris, aussi ils eurent beaucoup de mal à se maintenir à la surface. Cortés et plusieurs de ses compagnons n'hésitèrent pas à marcher sur eux pour tenter de franchir le dernier passage. Par conséquent, nombreux furent ceux qui s'enfoncèrent dans la vase profonde du lac après avoir servi de pont humain à leurs camarades.

Un seul d'entre eux avait effectué la traversée sans s'affoler, avec un tel brio que nos guerriers parlent encore aujourd'hui du « saut de Tonatiuh ». Quand Pedro de Alvarado arriva au bord du trou, il tourna le dos aux poursuivants et plongeant son épée dans la masse des hommes qui étaient en train de se noyer, il accomplit un bond prodigieux. Malgré sa lourde armure, ses blessures et sa fatigue, il exécuta un véritable saut à la perche qui le propulsa de l'autre côté de la brèche et lui sauva la vie.

Les poursuivants s'arrêtèrent là. Ils avaient chassé tous les étrangers de Tenochtitlán et ils pensaient que les survivants seraient tués ou capturés sur le territoire de Tlacopan. Ils retournèrent sur la chaussée où les bateliers étaient déjà en train de réinstaller les passerelles et ils accomplirent en chemin la besogne des Ligoteurs et des Engloutisseurs. Ils relevèrent leurs blessés et aussi les Espagnols qui serviraient pour les sacrifices et achevèrent ceux qui étaient près de mourir.

Cortés et les siens purent se reposer à Tlacopan. Les Tecpaneca n'étaient pas d'aussi valeureux combattants que les Texcalteca, mais ils avaient eu l'avantage de la surprise. Aussi, quand Cortés arriva dans leur ville, les Tecpaneca en avaient chassé ses alliés texcalteca vers le nord d'Azcapotzalco et ils étaient toujours à leurs trousses. Les Espagnols bénéficièrent donc d'un moment de répit pour panser leurs blessés, se ressaisir et décider de ce qu'ils allaient faire.

Les principaux officiers de Cortés, Alvarado, Narvaez et d'autres — ainsi que sa Malintzin — étaient toujours en vie, mais son armée n'était plus digne de ce nom. Il était entré triomphalement dans Tenochtitlán à la tête de mille cinq cents Espagnols et il en ressortait avec moins de quatre cents hommes et une trentaine de chevaux. Il n'avait aucune idée du sort qui avait été réservé à ses alliés indigènes. En fait, ceux-ci avaient été également mis en déroute par les armées de la Triple Alliance. Il paraît que Cortés s'assit alors contre un ahuehuetl et qu'il pleura. Je ne sais pas s'il pleura davantage sa cuisante défaite ou la perte du trésor, mais on vient récemment d'installer une grille autour de cet arbre pour commémorer à jamais cette Triste Nuit. Si les Mexica avaient continué à écrire le récit de leur histoire, ils auraient pu l'appeler la Nuit de la dernière victoire, mais ce sont les Espagnols qui écrivent l'histoire maintenant, aussi je pense que cette nuit pluvieuse et sanglante du trente juin mille cinq cent vingt portera toujours le nom de Noche Triste.

En un sens, pour le Monde Unique, cette nuit n'avait pas été faste non plus. Le malheur voulut que nos armées ne continuèrent pas à pourchasser Cortés et ses hommes jusqu'à ce qu'ils soient tous exterminés jusqu'au dernier. En effet, les guerriers de Tenochtitlán croyant que leurs alliés de la Triple Alliance s'en chargeraient, abandonnèrent la poursuite et rentrèrent en ville pour fêter ce qu'ils pensaient être une victoire totale. Les prêtres et la plus grande partie de la population étaient toujours en train de célébrer leur simulacre de cérémonie devant la pyramide de Tlatelolco et c'est dans la plus grande allégresse que tout le monde se rendit au Cœur du Monde Unique pour une véritable action de grâces à la grande pyramide. Béu et moi, entendant les cris de joie des guerriers, nous quittâmes aussi la maison pour y assister et même Tlaloc leva son rideau de pluie, comme pour mieux voir son peuple se réjouir.

En temps normal, nous n'aurions jamais organisé un rituel quelconque sur la grand-place sans que chaque statue, chaque pierre soit débarrassée du moindre grain de poussière, sans que le Cœur du Monde Unique brille de son plus vif éclat pour le plaisir des dieux. Cette nuit, pourtant, à la lumière des torches, on découvrit que la place était devenue un immense dépôt d'ordures. Des corps gisaient partout, blancs et cuivrés, ainsi que des membres, des entrailles. Le sol était jonché d'armes brisées, d'excréments de chevaux et d'hommes et de tout ce que les Espagnols avaient abandonné en fuyant. Cependant, les prêtres n'élevèrent pas la moindre protestation et la foule se rassembla sans manifester trop de dégoût. Nous espérions tous que les dieux ne s'offenseraient pas, pour une fois, de l'état déplorable des lieux.

Je sais, mes révérends, que vous avez toujours montré beaucoup de répugnance en m'entendant évoquer des sacrifices humains, aussi je ne m'attarderai pas sur l'immolation de vos propres compatriotes qui débuta dès que Tonatiuh se leva. Notez seulement qu'une quarantaine de chevaux furent également sacrifiés. Je vous dirai toutefois que les chevaux allèrent au trépas bien plus dignement que les hommes qui juraient, se débattaient et criaient tandis qu'on les tirait vers l'autel du sacrifice. Nos guerriers en reconnurent certains qui s'étaient bravement battus contre eux et on découpa leurs cuisses pour les faires cuire et...

Peut-être serez-vous moins horrifiés, mes frères, si je vous donne l'assurance que la plupart des cadavres furent jetés sans cérémonie aux animaux de la ménagerie...

Bon, bon, mes seigneurs. Je vais revenir à des événements moins réjouissants.

Alors que nous remerciions les dieux de nous avoir débarrassés des étrangers, nous ignorions que les armées de la Triple Alliance ne les avaient pas anéantis. Cortés était encore en train de ressasser tristement quand il fut tiré de sa mélancolie par l'approche bruyante de ses autres troupes en fuite, les Acolhua et les Totonaca, ou du moins ce qu'il en restait, poursuivis par les Xochimilca et les Chalca. Cortés et ses officiers parvinrent à stopper leurs alliés en déroute et à mettre un semblant d'ordre dans leurs rangs, puis ils les conduisirent plus avant vers le nord, avant que leurs poursuivants ne les rattrapent. Ces derniers, croyant sans doute que les fugitifs seraient pris en chasse par d'autres troupes de la Triple Alliance, ou peut-être impatients de célébrer leur propre victoire, les laissèrent s'échapper.

Au lever du jour, alors qu'il se trouvait à l'extrémité nord du lac Zumpango, Cortés se rendit compte qu'il suivait de près nos alliés tecpaneca, eux-mêmes sur la piste de *ses* alliés texcalteca. Ceux-ci eurent donc la mauvaise surprise de se trouver coincés entre deux armées ennemies. Pensant que quelque chose avait entravé le déroulement du plan d'ensemble de l'attaque, les Tecpaneca abandonnèrent la poursuite et regagnèrent Tlacopan. Cortés finit par rattraper ses Texcalteca et il put reconstituer son armée passablement amoindrie et très déprimée. Cependant, il fut certainement soulagé de constater que ses meilleurs combattants indigènes, les Texcalteca, avaient subi un minimum de pertes et j'imagine que cette idée lui vint alors à l'esprit : « Si je vais à Texcala, le vieux roi Xicotenca verra que je lui ai conservé la majorité des combattants qu'il m'a prêtés. Il ne devrait donc pas trop m'en vouloir, ni m'accuser d'un échec total et j'arriverai peut-être à le persuader de me donner asile dans son pays. » Qu'il se soit ou non tenu ce raisonnement, Cortés conduisit sa lamentable armée par le nord de la région des lacs en direction de Texcala. Beaucoup de soldats moururent en chemin de leurs blessures et tous souffrirent beaucoup car ils évitèrent prudemment les endroits peuplés et ne purent donc pas se procurer des vivres. Ils furent obligés de se nourrir des bêtes sauvages et des plantes qu'ils purent trouver et ils durent même, au moins une fois, abattre des chevaux et des chiens pour les manger.

Une fois seulement, ils furent attaqués au pied des montagnes par des guerriers acolhua fidèles à la Triple Alliance, mais ceux-ci manquaient à la fois de chef et de motif pour se battre et le combat se déroula presque comme une Guerre Fleurie. Quand les Acolhua eurent fait suffisamment de prisonniers, ils quittèrent le champ de bataille et rentrèrent à Texcoco pour célébrer leur « victoire ». L'armée de Cortés arriva à Texcala douze jours plus tard sans avoir essuyé beaucoup de pertes depuis la Triste Nuit. Xicotenca, le vieux chef aveugle de Texcala, nouvellement converti au christianisme, fit bon accueil à Cortés et lui permit d'installer ses troupes chez lui pour tout le temps qu'il le désirerait.

Tous ces événements qui travaillaient à notre détriment étaient totalement ignorés à Tenochtitlán quand, dans l'aube radieuse qui suivit la triste nuit, on envoya les premiers xochimiqui vers l'autel du sacrifice au sommet de la grande pyramide.

D'autres ennuis survinrent également au cours de cette nuit. L'Orateur Vénéré de Tlacopan, Totoquihuaztli, mourut dans sa ville pendant les combats et on retrouva le corps de Cacama de Texcoco parmi les cadavres qui jonchaient le Cœur du Monde Unique. La population de Tlacopan désigna comme successeur à son Uey tlatoani son frère Tetlapanquetzal, mais le choix d'un Orateur Vénéré pour Texcoco souleva plus de difficultés. Le prince Fleur Noire était le prétendant légitime et la majorité des Acolhua l'aurait volontiers mis sur le trône s'il ne s'était pas allié aux Blancs détestés. Le Conseil de Texcoco en accord avec les Orateurs Vénérés de Tenochtitlán et de Tlacopan décida de nommer un homme assez insignifiant pour être accepté par tous les partis et qui pourrait ensuite être remplacé par le chef de la faction qui finirait par l'emporter. Il s'appelait Cohuanacoch et je crois que c'était un neveu de Nezahualpilli. C'est à cause de la division de ce pays et de la fragilité du pouvoir que les guerriers acolhua avaient attaqué si mollement l'armée de Cortés en déroute, alors qu'ils auraient pu l'anéantir complètement. Les Acolhua ne manifestèrent jamais plus depuis lors l'ardeur guerrière que j'avais tant admirée quand Nezahualpilli les avaient menés au combat contre les Texcalteca tant d'années auparavant.

Pendant cette même nuit, le corps de Motecuzoma disparut de la salle du trône et on ne le revit plus jamais. On a fait bien des suppositions à ce sujet : qu'il avait été coupé en menus morceaux par nos guerriers quand ils avaient envahi le palais ; que ses femmes et ses enfants avaient enlevé le corps pour le mettre à l'abri ; que les prêtres fidèles l'avaient embaumé et caché pour l'exhiber miraculeusement le jour où tous les Espagnols seraient partis et où les Mexica seraient à nouveau les maîtres du pays. Pour ma part, je crois que le corps de Motecuzoma a été mêlé à ceux des guerriers texcalteca qui furent tués dans le palais et qu'il suivit le même chemin, c'est-à-dire celui de la ménagerie. Ce qui est certain, c'est que Motecuzoma a quitté ce monde d'une façon aussi vague et aussi indécise qu'il y avait vécu et que personne ne sait où il repose, tout comme on ignore l'endroit où se trouve le trésor qui disparut la même nuit que lui.

Ah, oui, le trésor. Ce qu'on appelle maintenant « le trésor perdu des Aztèques ». Je me demandais quand vous alliez m'en parler. Par la suite, Cortés fit souvent appel à mes services pour aider Malintzin dans son travail d'interprète quand il procédait à ses interrogatoires et il m'a demandé ce que je savais de ce trésor. Beaucoup d'autres Espagnols m'ont posé des questions à ce sujet et même encore aujourd'hui.

Je vous ai déjà dit, mes révérends, en quoi consistait ce trésor. Quant à sa valeur, je ne sais comment vous estimeriez ces innombrables œuvres d'art. Même en ne tenant compte que du poids de l'or et des pierres précieuses, je ne saurais pas l'évaluer en maravedis et en reales. Mais si j'en juge par ce que j'ai entendu dire des richesses de votre roi Carlos ou de votre pape Clément, je crois pouvoir affirmer que l'homme qui le posséderait serait de loin le plus riche de votre ancien monde.

Où se trouve-t-il ? L'ancienne chaussée qui va à Tlacopan ou à Tacuba, si vous préférez, existe toujours, ainsi que la brèche où se noyèrent tant de soldats espagnols alourdis par le poids de l'or qu'ils avaient dans leurs poches, dans leurs sacs et dans leurs bottes. Ils ont dû s'enfoncer très profondément dans la vase pendant ces onze dernières années, mais un homme assez cupide et assez décidé pour plonger et fouiller le fond devrait trouver des os blanchis et parmi eux des diadèmes d'or, des médaillons, des statuettes, etc. Pas assez peut-être pour le mettre sur le même rang que les rois et les papes, mais assez cependant pour calmer sa cupidité.

Malheureusement, la plus grosse partie du butin fut jetée dans le lac au premier passage, celui qui était le plus proche de la ville. L'Orateur Vénéré Cuitlahuac aurait pu envoyer des plongeurs pour essayer de le récupérer ensuite et peut-être l'a-t-il fait, mais j'en doute.

A mon avis, le trésor est toujours là où Cortés l'a jeté pendant cette Triste Nuit. Mais, par la suite, quand Tenochtitlán fut entièrement rasée puis reconstruite dans le style espagnol, les gravats inutilisés des anciennes maisons furent simplement entassés sur les bords de l'île afin d'en agrandir la superficie. La chaussée de Tlacopan se trouva donc raccourcie d'autant et ce passage est maintenant enfoui sous la terre.

Si je ne me trompe pas, le trésor doit être enterré sous les fondations des élégantes demeures qui bordent votre avenue Tacuba.

Mais je n'ai pas encore évoqué une circonstance qui, à elle seule, détermina l'avenir du Monde Unique. Ce fut la mort d'un homme. Il n'était rien et s'il avait un nom, je ne l'ai jamais su. Il n'a peut-être rien fait de notable dans sa vie que de venir terminer ses jours chez nous. Quand on nettoya le Cœur du Monde Unique, le lendemain, on trouva son corps tranché par un mac-quauitl, et les esclaves poussèrent des clameurs quand ils le découvrirent car ils n'avaient jamais vu un homme de cette espèce. C'était un des noirs venus de Cuba avec Narvaez et précisément celui dont la figure ravagée m'avait fait reculer d'horreur.

Je souris maintenant — bien tristement, mais je souris — en entendant les vantardises d'Hernán Cortés, de Pedro de Alvarado, de Beltran de Guzman et d'autres Espagnols qui se sont donnés le nom pompeux de « Conquistadores ». Oh, ils ont accompli des actions audacieuses, je ne le nie pas et il y a eu bien des facteurs qui ont contribué à la chute du Monde Unique, notamment sa tragique division, mais s'il y a un être humain qui puisse se targuer de mériter le titre de conquistador, c'est ce nègre anonyme qui a apporté la petite vérole à Tenochtitlán.

Il aurait pu contaminer les soldats de Narvaez sur le bateau qui les amenait de Cuba et ensuite les troupes de Cortés. Mais non, il vécut assez longtemps pour arriver jusqu'à Tenochtitlán et infester la ville. Il aurait pu ensuite continuer à vivre encore un moment, s'échapper avec ses compagnons et leur communiquer son mal, tôt ou tard, mais non, Tenochtitlán fut ravagée, la maladie se propagea dans toute la région des lacs, dans chacune des communautés de la Triple Alliance, mais elle n'atteignit jamais Texcala où se trouvaient nos ennemis.

Les premières atteintes se firent sentir avant même que l'on sût que Cortés avait trouvé refuge à Texcala. Vous connaissez bien les symptômes et la progression de ce mal, mes révérends, aussi je n'ai pas besoin de vous raconter comment les gens mouraient, étouffés par le gonflement des tissus à l'intérieur du nez et de la gorge, ou pris d'un violent délire, ou encore en vomissant tout leur sang. J'avais très vite reconnu la maladie et dit aux médecins :

« C'est une affection courante chez les Blancs, mais ils en meurent rarement. Ils l'appellent la petite vérole.

— Si c'est leur petite vérole, répartit le médecin sans plaisanter, j'espère qu'ils ne nous amèneront jamais la grande. Qu'est-ce qu'ils font pour en réchapper ?

— Ils m'ont dit qu'il n'y avait pas d'autre remède que de prier. »

Les temples se remplirent alors de prêtres et de fidèles venus apporter leurs offrandes au dieu de la médecine et à toutes les autres divinités. Le temple que Motecuzoma avait mis à la disposition des Espagnols connut lui aussi une grande affluence, car ceux qui avaient reçu le baptême espéraient que le dieu des Chrétiens les assimilerait aux Blancs et les épargnerait. Ils allumaient des cierges, se signaient et marmonnaient ce qu'ils pouvaient se rappeler du rituel.

Cependant, rien ne put arrêter l'épidémie. Nos prières furent inutiles et nos médecins aussi impuissants que les Maya. Très vite, nous fûmes également menacés par la famine, car la population de la terre ferme, redoutant de nous approcher, ne vint plus nous approvisionner. Mais lorsque le mal gagna les autres communautés de la Triple Alliance, les bateliers qui n'étaient pas atteints reprirent leurs livraisons. La maladie semblait choisir ses victimes. Je ne fus pas touché, ni Béu, ni les autres personnes de ma génération. Elle paraissait ignorer les vieux et tous ceux qui avaient une faible constitution, pour ne s'attaquer qu'aux êtres jeunes et vigoureux, sans perdre son temps avec ceux qui avaient déjà des chances de ne pas vivre très longtemps.

Cette épidémie fut une des raisons qui me firent douter que Cuitlahuac ait jamais essayé de récupérer le trésor enfoui dans les eaux. Elle s'abattit sur nous si rapidement après le départ des Espagnols, avant même que nous ayons pu reprendre notre vie normale, que je suis sûr que l'Orateur Vénéré n'eut pas le temps d'y penser et, plus tard, quand la maladie eut tout dévasté, il eut d'autres raisons de négliger de le faire. En effet, les pays de la Triple Alliance furent pendant longtemps coupés de tout. Les marchands et les messagers des autres nations refusaient de pénétrer dans la zone infestée et Cuitlahuac interdit à nos pochteca d'en sortir pour ne pas risquer de propager la maladie. Ce n'est que quatre mois après la Triste Nuit que l'une des souris en poste à Texcala prit son courage à deux mains pour venir nous informer des événements survenus depuis.

« Sachez, Seigneur Orateur, avait-il déclaré, que Cortés et son armée ont passé un bon moment à se reposer, à manger comme des ogres et à soigner leurs blessés, non pas en vue de reprendre le chemin de la côte, mais afin de regagner des forces pour retourner à l'attaque de Tenochtitlán. Ils sont prêts maintenant et avec les Texcalteca, ils sillonnent tout le pays à l'est pour recruter des guerriers dans les tribus qui en veulent aux Mexica. »

Le Femme-Serpent interrompit le messager pour dire à Cuitlahuac :

« Nous avions cru qu'ils se seraient découragés à jamais. Puisque ce n'est pas le cas, il faut immédiatement rassembler nos forces, marcher sur eux et tuer tous les Blancs jusqu'au dernier avec ceux qui les ont aidés. Il faut les attaquer avant qu'ils ne soient assez forts pour nous faire subir un sort semblable.

— Et quelles forces allons-nous rassembler, Tlacotzin ? demanda Cuitlahuac. Combien reste-t-il de guerriers encore capables de tenir une épée ?

— Excusez-moi, Seigneur Orateur, il y a autre chose, poursuivit l'espion. Cortés a envoyé des hommes sur la côte qui ont démonté plusieurs navires. Au prix d'un labeur incroyable, ils ont ramené de lourdes pièces de bois et de métal jusqu'à Texcala et en ce moment, les marins de Cortés sont en train de les assembler pour faire des bateaux plus petits, comme celui qu'ils avaient construit, vous vous en souvenez, pour distraire Mote-cuzoma.

— Sur la terre ? s'exclama Cuitlahuac incrédule. Il n'y a pas une seule étendue d'eau dans tout Texcala assez profonde pour porter autre chose qu'un acali de pêche. C'est insensé !

— Il est possible que l'humiliation que Cortés vient de subir lui ait dérangé l'esprit, répliqua poliment la souris. Mais je vous assure, Seigneur Orateur, que je dis la vérité et que j'ai toute ma raison. Du moins, je l'avais quand je me suis décidé à risquer ma vie pour venir vous apporter ces nouvelles.

— En tout cas, tu as agi comme un Mexica brave et loyal, répondit Cuitlahuac en souriant. Je t'en suis reconnaissant. Tu seras récompensé et je te donne la permission de quitter cette ville infestée aussi vite que tu le pourras. »

Voilà comment nous eûmes connaissance des intentions de Cortés. J'ai entendu beaucoup de gens critiquer notre apparente apathie parce que nous n'avons rien fait pour empêcher Cortés de recruter ses troupes. Nous n'avons rien fait parce que nous ne *pouvions* rien faire. Depuis Zumpango au nord, jusqu'à Xochimilco au sud, de Tlacopan à l'ouest, jusqu'à Texcoco à l'est, tous ceux qui n'étaient pas eux-mêmes malades étaient occupés à soigner les mourants. Nous ne pouvions qu'attendre en espérant que nous serions remis avant l'arrivée de Cortés. Nous ne nous faisions aucune illusion à ce sujet ; nous savions qu'il reviendrait. C'est au cours de ce sombre été d'attente que Cuitlahuac fit cette réflexion devant son cousin Cuauhtemoc et moi :

« Je préfère que le trésor reste à jamais au fond du

lac, ou même qu'il sombre dans les profondeurs de Mictlán, plutôt qu'il tombe dans les mains des Blancs. »

Je doute qu'il ait changé d'avis ensuite, car il n'en eut guère le temps. Avant la fin de la saison des pluies, il attrapa la petite vérole, vomit tout son sang et mourut. Pauvre Cuitlahuac, il était devenu notre Orateur Vénéré sans les cérémonies d'usage et il mourut peu après sans qu'on lui fît des funérailles dignes de sa position. Il n'eut pas droit aux tambours, au cortège de deuil et au décor habituel ; il ne connut même pas le luxe d'être inhumé. Il y avait trop de morts. On ne trouvait plus de place pour les enterrer, ni de bras pour creuser les .tombes. Chaque communauté avait réservé un terrain inutilisé pour empiler et brûler les cadavres. A Tenochtitlán, on avait choisi un endroit inhabité sur la terre ferme, derrière la colline de Chapultepec. Les barques, propulsées par de vieux rameurs indifférents au mal, allaient et venaient à longueur de journée et le corps de Cuitlahuac fut tout simplement déposé dans l'une d'elles parmi les centaines de morts de la journée.

C'est la petite vérole qui a vaincu les Mexica.

Vous savez tout cela, mes révérends, mais y avez-vous jamais songé ? Ces affections que nous ont apportées vos compatriotes ont avancé plus vite que les troupes elles-mêmes. Certains peuples que les Espagnols avaient projeté de conquérir furent anéantis avant même de savoir qu'ils étaient un objet de conquête. Ils moururent avant d'avoir combattu, avant même d'avoir vu les hommes qui avaient causé leur trépas. Il est possible que certaines tribus très reculées, comme les Tarahumara et les Zyú, par exemple, ne sachent même pas que les Blancs existent et pourtant, elles sont peut-être en train de succomber à la petite vérole ou à la peste en ignorant qu'on les a *tuées* et sans savoir ni pourquoi, ni comment.

Vous nous avez apporté la religion chrétienne en nous assurant que Dieu nous accorderait le paradis quand nous mourrons, mais que si nous ne l'acceptons pas, nous serons damnés en enfer. Si seulement, mes révérends, vous pouviez nous expliquer pourquoi Dieu a envoyé à la suite de sa nouvelle religion ces nouvelles maladies si meurtrières, ceux qui en ont réchappé pourraient se joindre à vous pour chanter les louanges de sa sagesse, de sa bonté, de sa pitié et de l'amour paternel qu'il éprouve pour tous ses enfants.

Par un vote unanime, le Conseil désigna le Seigneur Cuauhtemoc pour être le nouveau Uey tlatoani des Mexica. Il serait intéressant d'imaginer ce qu'aurait été notre destin si Cuauhtemoc était monté sur le trône à la mort de son père dix-huit ans auparavant.

Quand la chaleur et les pluies de l'été commencèrent à régresser, le tribut macabre de la petite vérole diminua aussi et la maladie lâcha complètement prise aux premiers frimas. Mais elle nous laissait la Triple Alliance affaiblie à tous points de vue. Tout le monde était découragé. Nous pleurions les nombreux morts, nous plaignions ceux qui avaient survécu mais qui étaient affreusement défigurés pour le restant de leurs jours ; nous étions épuisés par cette longue visite du malheur. La population avait été réduite de moitié et il ne restait pratiquement plus que des vieillards et des infirmes. Aucun chef sensé n'aurait pu ordonner aux guerriers qui restaient de lancer une attaque contre les étrangers et même une simple défense paraissait aléatoire.

C'est au moment où la Triple Alliance était la plus faible que Cortés engagea son offensive. Il ne pouvait plus se targuer de la supériorité de son armement car il lui restait moins de quatre cents soldats espagnols qui se répartissaient les arquebuses et les arbalètes. Il avait perdu ses canons pendant la Triste Nuit. Quatre étaient restés sur le toit du palais d'Axayacatl et la trentaine d'autres qu'il avait postée sur la terre ferme avait été jetée dans le lac par les nôtres. Mais il avait encore plus de vingt chevaux, des chiens et ses combattants indigènes. En tout, il était à la tête de cent mille hommes, alors que la Triple Alliance ne disposait que du tiers.

Aussi, quand les longues colonnes de Cortés quittèrent Texcala pour la capitale la plus proche de la Triple Alliance, Texcoco, elles s'en emparèrent sans coup férir. Je pourrais vous décrire en détail la résistance désespérée de cette cité, mais à quoi bon? La seule chose qui compte, c'est que les pillards l'emportèrent et parmi eux il y avait les Acolhua du prince Fleur Noire qui se battirent contre leurs compatriotes restés fidèles à l'Orateur Vénéré Cohuanacoch — ou plutôt, à leur ville de Texcoco. Au cours de cette bataille, beaucoup d'Acolhua tirèrent l'épée contre leurs propres frères.

Cependant, tous les combattants acolhua ne furent pas tués. Deux milliers environ parvinrent à s'échapper. Les troupes de Cortés avaient attaqué la ville par la terre, aussi quand les défenseurs ne purent plus tenir, ils se retirèrent lentement vers le bord du lac et s'emparèrent de toutes les embarcations qui se trouvaient sur place pour s'enfuir. L'ennemi, n'ayant pas de bateaux, dut se contenter de leur envoyer une pluie de flèches qui ne leur fit pas grand mal. Les Acolhua traversèrent le lac et vinrent alors se joindre à nos troupes.

D'après les conversations qu'il avait eues avec Motecuzoma, Cortés savait très certainement que Texcoco était le plus solide bastion de la Triple Alliance après Tenochtitlán, aussi, ayant si facilement vaincu cette ville, il pensait que les autres petites cités du lac ne lui opposeraient pas beaucoup de résistance et il n'envoya pas toute son armée pour les réduire. A la grande perplexité des souris, il fit repartir la moitié de ses troupes à Texcala et divisa le restant en plusieurs détachements placés sous le commandement de ses officiers : Alvarado, Narvaez, Guzman et Montejo. Ceux-ci commencèrent à encercler le lac en attaquant en chemin les petites communautés qui durent toutes se rendre. Cortés dirigeait certainement la stratégie d'ensemble grâce à des messagers, mais il s'était installé dans le luxueux palais de Texcoco, où j'avais jadis vécu, en y gardant comme hôte, comme invité, ou comme prisonnier, le malheureux Cohuanacoch. Je vous signale à ce propos que le prince Fleur Noire qui attendait depuis si longtemps de devenir le Uey tlatoani des Acolhua, n'accéda jamais à cette charge. Après la prise de Texcoco, où Fleur Noire n'avait pas joué un grand rôle, Cortés décida que le personnage falot qu'était Cohuanacoch resterait sur le trône. Tous les Acolhua, à l'exception des guerriers qui le suivaient depuis si longtemps, avait fini par détester ce prince autrefois respecté qu'ils considéraient comme un traître à sa patrie et comme l'instrument des Blancs. Cortés ne voulait pas risquer de provoquer un soulèvement en installant sur le trône un homme qui s'était rendu coupable de félonie pour le récupérer. Fleur Noire s'abaissa jusqu'à recevoir le baptême et il reçut le nom de Fernando Cortés Ixtlilxochitl. Cependant, son parrain, Cortés, ne lui accorda que le gouvernement de trois insignifiantes provinces du territoire acolhua.

Cependant, il n'eut pas beaucoup de temps pour ruminer sa colère et son humiliation. Il quitta Texcoco plein de rage, pour l'une de ces provinces où il arriva en même temps que la petite vérole et moins d'un mois après, il était mort.

Nous apprîmes rapidement que l'armée du Capitaine Général n'était pas restée à Texcoco uniquement pour se prélasser. Nos souris vinrent nous annoncer que la moitié de l'armée qui était partie, était en train de revenir à Texcoco en tirant sur des troncs de bois les coques et les mâts des trente vaisseaux qui avaient été construits à Texcala. Cortés les attendait à Texcoco pour surveiller leur assemblage et leur lancement sur le lac.

Ce n'étaient pas ces formidables bâtiments qu'on avait vus sur l'océan. Ils ressemblaient davantage à nos barques de transport à fond plat, mais ils avaient de très hauts bords et des voiles qui les rendaient bien plus rapides que nos plus gros canots de guerre à rames et bien plus maniables que nos plus petits acali. En plus des marins qui effectuaient la manœuvre, ils transportaient chacun vingt soldats debouts ce qui leur permit de décharger facilement leurs armes sur nos chaussées. Le jour où eut lieu le premier voyage d'essai, Cortés monta sur le bâtiment de tête qu'il avait appelé *La Capitana*. Un grand nombre de nos plus gros canoës quitta alors Tenochtitlán et dépassa la grande digue pour s'engager dans la partie la plus large du lac. Chaque canoë transportait soixante guerriers armés d'arcs et de flèches et aussi d'atlatl et de javelots, mais sur les eaux remuantes, les embarcations plus lourdes des Espagnols faisaient des plates-formes de tir bien plus stables et les arquebuses et les arbalètes firent bien plus de ravages que nos armes. En outre, les soldats espagnols n'avaient que la tête, les bras et les armes qui dépassaient de leurs bateaux, tandis que nos hommes dans leurs canots bas étaient entièrement exposés et beaucoup furent tués ou blessés. Ils ne furent pas longs à rentrer piteusement et la flotte ennemie ne daigna même pas les poursuivre.

Pendant ce temps, les officiers de Cortés avaient envahi toute la région des lacs, occupant et dévastant tout sur leur passage. Ils rassemblèrent ensuite leurs troupes en deux armées importantes qui prirent position sur les deux langues de terre au nord et au sud de Tenochtitlán. Il ne leur restait donc plus qu'à détruire ou à soumettre les villes plus grandes et plus nombreuses situées sur la rive ouest du lac pour encercler complètement Tenochtitlán.

Ils ne se pressèrent pas. Tandis que l'autre moitié de l'armée de Cortés se reposait à Texcoco, les bateaux sillonnaient les lacs à l'est de la grande digue en éliminant toutes les embarcations. Ils les coulaient ou s'en emparaient, tuaient leurs occupants même s'il s'agissait de simples acali de pêche ou de barques transportant paisiblement les marchandises d'un endroit à l'autre. Très vite, les Espagnols se rendirent entièrement maîtres de toute cette portion du lac. Du côté de Tenochtitlán, derrière la grande digue, la circulation des bateaux continuait normalement, mais pas pour longtemps.

A la fin, Cortés fit sortir le reste de son armée de Texcoco et la divisa en deux parties égales qui allèrent chacune rejoindre les forces stationnées au nord et au sud de Tenochtitlán. Pendant ce temps, leurs bateaux vinrent faire une brèche dans la grande digue. Les soldats n'eurent qu'à la balayer sur toute sa longueur avec leurs arquebuses. Alors, les bateaux se glissèrent par les brèches et se trouvèrent dans les eaux mexica. Cuauhtemoc envoya aussitôt des guerriers en renfort sur les jetées sud et nord, mais ils ne purent pas repousser les assaillants qui filèrent directement vers les passages pratiqués dans les chaussées pour le passage des canots.

Tandis que certains Espagnols couvraient nos défenseurs d'une pluie de traits de métal, d'autres se hissaient au-dessus des flancs des bateaux pour détacher et faire basculer dans l'eau les ponts de bois qui enjambaient les passages. Une fois à l'intérieur, ils firent ce qu'ils avaient fait ailleurs : ils détruisirent les canots de guerre, les barques, toutes les embarcations.

« Les Blancs tiennent les digues et les passages, dit le Femme-Serpent. Quand ils attaqueront les autres villes de la terre ferme, nous ne pourrons pas leur envoyer de renforts et, ce qui est plus grave, nous ne pouvons plus rien recevoir de l'extérieur ; ni troupes, ni armes, ni vivres.

— Il y a assez de provisions dans les entrepôts de l'île pour nous faire vivre un moment, dit Cuauhtemoc qui ajouta sur un ton amer : Remercions la petite vérole qu'il y ait moins de bouches à nourrir. Et puis, nous avons aussi les chinampa.

— Les entrepôts ne contiennent que du maïs séché et les chinampa ne sont plantées que de denrées de luxe : tomates, chilis, coriandre et autres. Cela va faire un curieux régime, des tortillas et des purées de pauvres accompagnées de condiments de riches, rétorqua le Femme-Serpent.

— Un régime dont vous vous souviendrez avec émotion quand vous aurez à la place une épée espagnole dans le ventre », lui répondit Cuauhtemoc.

Une fois que les bateaux eurent refoulé nos guerriers à l'intérieur de l'île, les troupes de Cortés reprirent leur marche et forcèrent les villes à se rendre les unes après les autres. La première fut Tepeyaca, notre plus proche voisine au nord ; puis ce fut le tour d'Ixtapalapa et de Mexicaltzingo au sud, puis de Tenayuca et d'Azcapotzalco au nord-ouest et enfin de Coyoacán au sud-est. L'étau se refermait et nous n'avions plus besoin de nos souris pour savoir ce qu'il se passait. A mesure que nos alliés se rendaient, les guerriers qui arrivaient à fuir venaient se réfugier chez nous, sous le couvert de la nuit, sur des acali ou en se faufilant par les jetées ou encore plus simplement, à la nage.

Certains jours, Cortés dirigeait les opérations de son cheval et d'autres fois du bord de *La Capitana*. Pour protéger notre ville de cette flotte dévastatrice, nous n'avions qu'un seul moyen. Tous les morceaux de bois qu'on avait pu trouver furent taillés en pointe et des plongeurs les enfoncèrent solidement dans l'eau en les inclinant vers l'extérieur, juste sous la surface, tout autour de l'île. Si nous n'avions pas pris cette mesure, les bateaux de Cortés seraient arrivés tout droit au cœur de la ville par les canaux. Cette défense se révéla efficace car, un jour, un bateau espagnol vint s'empaler sur ces piquets. Nos guerriers lancèrent immédiatement sur lui d'innombrables volées de flèches et tuèrent sans doute plusieurs soldats avant que l'ennemi ait pu se dégager et faire retraite sur le rivage pour réparer les dégâts. Après cela, comme les Espagnols ne pouvaient pas savoir jusqu'où nous avions planté ces pieux, ils restèrent à distance respectueuse.

Malheureusement, les hommes de Cortés découvrirent les canons que nous avions fait basculer dans le lac et ils purent les récupérer. Contrairement à ce que nous avions espéré, l'immersion n'avait pas endommagé ces maudits engins. Les soldats n'eurent qu'à les nettoyer, les sécher et les recharger pour les rendre à nouveau opérationnels. Cortés en fit monter treize sur des bateaux qui prirent position devant les villes où ses troupes combattaient pour qu'ils y déchargent leurs éclairs et leurs projectiles de mort. Incapables de résister plus longtemps, attaquées de tous côtés, ces villes durent se rendre et lorsque la dernière, Tlacopan, capitale des Tecpaneca, troisième bastion de la Triple

Alliance, capitula, les deux bras de l'armée de Cortés se rejoignirent.

Le Capitaine Général n'avait plus besoin de ses bateaux pour soutenir l'attaque de ses troupes et le lendemain, ils repartirent sur le lac en tirant des coups de canon. Les lourds projectiles bombardèrent d'abord l'ancien aqueduc de Chapultepec, puis celui qu'avait fait construire Ahuizotl et ils s'écroulèrent tous les deux.

« Ces aqueducs étaient nos derniers liens avec la terre ferme, dit le Femme-Serpent. Maintenant, nous voilà complètement à la dérive, comme un bateau sans rames sur un océan démonté. Nous sommes assiégés et sans aucune protection. Tous les peuples qui ne se sont pas joints de leur plein gré aux Espagnols sont vaincus et à leurs ordres. Désormais, les Mexica sont seuls contre le Monde Unique tout entier.

— C'est parfait, dit Cuauhtemoc d'un ton calme. Si c'est notre tonalli d'être finalement vaincus, le Monde Unique n'oubliera jamais que les Mexica auront été les derniers à se rendre.

— Mais, Seigneur Orateur, plaida Tlacotzin, ces aqueducs étaient aussi nos derniers liens avec la vie. Nous aurions pu tenir sans ravitaillement frais, mais comment faire pour nous battre sans eau potable ?

— Tlacotzin, expliqua Cuauhtemoc avec autant de patience qu'un professeur qui s'adresse à un élève borné, il y a très longtemps, les Mexica se sont déjà trouvés isolés ici même, repoussés et détestés par tous les autres peuples. Ils n'avaient que de l'herbe à manger et uniquement l'eau saumâtre du lac à boire. Dans de telles circonstances, ils auraient pu baisser la tête devant leurs ennemis et ils auraient été dispersés, assimilés et oubliés par l'Histoire. Mais ils ont tenu bon et ont édifié tout ceci — il fit un large geste qui englobait toute la magnifique cité —. Quelle que soit leur fin, l'Histoire ne pourra pas les ignorer. Les Mexica ont tenu. Les Mexica tiendront. Jusqu'au bout. »

Après les aqueducs, ce fut la ville qui devint la cible des canons. Les boulets qui venaient de Chapultepec étaient les plus destructeurs, car les Espagnols avaient hissé plusieurs canons au sommet de la colline et de là, ils nous mitraillaient directement, faisant pleuvoir les énormes gouttes de métal sur Tenochtitlán. Une des premières canonnades détruisit le temple de Huitzilo-pochtli en haut de la grande pyramide. Aussitôt, les prêtres s'écrièrent : « Malheur ! Mauvais présage ! » et organisèrent des cérémonies qui mêlaient les demandes de pardon et les prières d'intercession au dieu de la guerre.

Les canons poursuivirent leur offensive pendant quelques jours, mais d'une façon irrégulière et décousue comparée à ce qu'ils pouvaient faire en réalité. Je pense que Cortés espérait ainsi nous obliger à reconnaître que nous étions perdus pour que nous nous rendions sans combattre, comme l'aurait fait tout peuple sensé. Non pas qu'il ait voulu nous épargner, mais parce qu'il souhaitait préserver la ville pour pouvoir offrir à son roi une nouvelle colonie avec une capitale plus belle qu'aucune ville d'Espagne.

Mais Cortés est et a toujours été d'un caractère impatient et il ne perdit pas beaucoup de temps à attendre. Il fit construire par ses charpentiers des ponts de bois légers et mobiles pour enjamber les brèches des chaussées et il nous livra une offensive soudaine des trois côtés à la fois. Cependant, nos guerriers n'étaient pas encore affaiblis par la famine et les trois colonnes des Espagnols et de leurs alliés furent arrêtées comme si elles s'étaient heurtées à un mur de pierre. Beaucoup moururent et le reste fit retraite en emportant les blessés.

Cortés attendit quelques jours et il refit une autre tentative qui échoua encore plus lamentablement. Cette fois, quand l'ennemi voulut envahir la ville, nos acali de guerre s'élancèrent et nos guerriers grimpèrent sur les chaussées derrière les premières vagues d'attaquants. Ils basculèrent les ponts mobiles et une bonne partie des assaillants se trouva isolée avec nous dans la ville. Les Espagnols pris au piège essayaient de défendre leur vie, mais leurs alliés indigènes, sachant le sort qui leur serait réservé, préféraient être tués plutôt que capturés. Cette nuit-là, toute notre île fut illuminée par des torches et des feux, en particulier la grande pyramide et s'il s'est approché d'assez près, Cortés a pu voir ce qu'il advint de la quarantaine des siens que nous avions pris vivants.

En tout cas, il en vit suffisamment pour devenir la proie d'une fureur vengeresse et il décida de nous exterminer tous même s'il devait pour cela anéantir une grande partie de cette ville qu'il aurait voulu préserver. Il arrêta ses tentatives d'invasion et soumit la cité à une canonnade incessante. Les boulets piquaient sur nous en sifflant. La ville commença à s'effondrer et beaucoup d'habitants périrent. La grande pyramide, jadis si lisse, finit par ressembler à une miche de pain grignotée par des rats géants.

Cette pluie d'acier se poursuivit encore pendant deux bons mois, ne se calmant un peu que la nuit. Au bout d'un moment, les Espagnols finirent par épuiser leurs boulets et ils durent se servir de pierres rondes. Elles faisaient un peu moins de dégâts, mais elles éclataient fréquemment sous le choc, et leurs éclats volaient dans toutes les directions tuant ou blessant la population.

Du moins, ceux qui mouraient ainsi mouraient rapidement. Les autres semblaient destinés à une lente agonie. Comme il fallait faire durer les vivres le plus longtemps possible, ils n'étaient distribués qu'avec la plus grande parcimonie. Au début, nous avions les chiens et les volailles de l'île et nous nous partagions le poisson que les pêcheurs arrivaient à prendre, la nuit, en cachette. Puis, il n'y eut plus ni chiens, ni volailles et même le poisson semblait éviter les abords de la ville. Nous en vînmes à manger les pensionnaires de la ménagerie, sauf ceux qui n'étaient vraiment pas comestibles et les spécimens particulièrement rares que les gardiens refusaient de livrer ; ces animaux étaient d'ailleurs mieux nourris que leurs maîtres car on leur donnait à manger les esclaves morts de faim.

Ce n'était pas par crainte d'être pris que les poissons avaient déserté les parages, mais parce que les eaux étaient devenues très sales. Bien que l'on fût à la saison des pluies, il ne tombait qu'une légère bruine l'après-midi. On sortait alors tous les récipients disponibles, mais on recueillait tout juste assez d'eau pour humecter nos gosiers desséchés. Aussi, surmontant notre répugnance, nous prîmes l'habitude de boire l'eau saumâtre de la lagune. Cependant, comme on ne pouvait plus évacuer les ordures de l'île, ni les excréments humains, tout se déversait dans les canaux, puis dans le lac. En outre, comme on ne donnait que les esclaves à manger aux animaux de la ménagerie, nous ne pouvions pas faire autrement que de jeter aussi les cadavres dans l'eau. Cuauhtemoc donna l'ordre qu'on dépose uniquement les corps du côté ouest, parce que le côté est était plus profond et plus ou moins constamment rafraîchi par le vent d'est. Il espérait ainsi que l'eau serait moins polluée de ce côté. Mais les cadavres en décomposition et les détritus souillèrent inévitablement les eaux tout autour de l'île. Pourtant, il fallut bien boire quand la soif nous y contraignit. Nous la passions d'abord dans un linge, puis nous la faisions bouillir, ce qui ne nous empêchait pas d'avoir la colique et des maux de ventre. Beaucoup d'enfants et de vieillards succombèrent d'avoir bu cette eau infectée.

Une nuit, alors qu'il n'en pouvait plus de voir son peuple souffrir autant, Cuauhtemoc appela toute la population à se rassembler au Cœur du Monde Unique pendant l'accalmie de la canonnade, et je crois que tous ceux qui pouvaient marcher vinrent. L'Orateur Vénéré s'adressa au peuple, perché sur l'escalier en ruines de ce qui restait de la grande pyramide.

« Si Tenochtitlán est destinée à vivre encore un peu, elle ne doit plus être une ville, mais une place-forte défendue par tous ceux qui peuvent se battre. Je suis fier de votre fidélité et de votre courage, mais le temps est venu où je vais être obligé de vous demander à grand regret de ne plus être fidèles. Il reste encore une réserve de vivres, mais une seulement. »

La foule se contenta d'émettre un murmure qui ressemblait à celui d'un immense ventre affamé.

« Je peux répartir équitablement le maïs entre chacun d'entre vous, poursuivit Cuauhtemoc et vous en tirerez peut-être un dernier et frugal repas, ou bien alors, nourrir un peu mieux nos guerriers et leur donner des forces pour se battre jusqu'au bout. Je ne vous donne pas d'ordre. Je vous demande seulement de choisir et de prendre une décision. »

Pas un son ne lui répondit.

« Je viens de faire remettre des ponts sur la chaussée du nord. L'ennemi attend prudemment à l'autre bout, en se demandant quelles sont nos intentions. J'ai pris cette mesure afin que tous ceux qui voudront partir puissent le faire. J'ignore ce que vous trouverez à Tepeyac — un soulagement ou la Mort Fleurie — mais je supplie ceux qui ne peuvent pas combattre de saisir

1183

cette occasion de quitter Tenochtitlán. Ce ne sera ni une désertion, ni un aveu de défaite et vous n'aurez pas à avoir honte. Au contraire, vous permettrez à notre ville de résister le plus longtemps possible. Je n'ai rien d'autre à vous dire. »

Personne ne partit en hâte ou le cœur léger. Tout le monde pleurait et se lamentait tout en reconnaissant que Cuauhtemoc avait raison. Cette nuit-là, la ville se vida des plus vieux, des trop jeunes, des infirmes, des prêtres, de tous ceux qui ne pouvaient pas se battre. Portant des ballots où ils avaient mis leurs biens les plus précieux, les habitants des quatre quartiers de Tenochtitlán convergèrent vers le marché de Tlatelolco et franchirent la chaussée.

A l'autre bout, ils ne furent pas accueillis par des coups de tonnerre. J'ai appris par la suite que les Blancs étaient restés indifférents devant leur arrivée et que la population de Tepeyac, bien qu'elle fût elle-même prisonnière, leur donna à manger, à boire et les abrita.

Dans Tenochtitlán ne restèrent que Cuauhtemoc, les seigneurs de sa cour et de son Conseil, la famille de l'Orateur Vénéré, quelques médecins et quelques chirurgiens, tous les chevaliers et les guerriers en état de se battre et quelques vieux entêtés comme moi qui n'avaient pas été trop affaiblis par le siège et qui pourraient toujours tirer l'épée le cas échéant. Il resta également des jeunes femmes en bonne santé et une vieille femme qui, malgré mon insistance, refusa de quitter le lit de souffrance où elle était clouée depuis quelque temps.

« Il vaut mieux que je reste ici, m'avait dit Béu, plutôt que d'obliger des gens qui peuvent tout juste marcher à me porter. De plus, je n'ai pas besoin de manger beaucoup ; je pourrais aussi bien ne plus manger du tout et ma maladie durera peut-être moins longtemps. Toi aussi, Zaa, tu as un jour refusé de t'en aller. Tu avais dit que tu souhaitais assister aux événements jusqu'au bout, et elle ajouta avec un pauvre sourire : Après toutes les folies que tu m'as fait endurer, tu ne peux me refuser de me laisser partager celle qui sera probablement la dernière. »

Devant la soudaine évacuation de Tenochtitlán et l'apparence squelettique de ceux qui en étaient sortis, Cortés conclut très justement que ceux qui étaient restés devaient être considérablement affaiblis. Aussi, dès le lendemain, il passa de nouveau à l'attaque. Cela commença par la plus violente pluie de projectiles que nous ayons jamais reçue. Il espérait sans doute que nous continuerions à nous terrer longtemps après que l'averse ait cessé. Lorsque les canons du rivage se turent, les bateaux qui patrouillaient du côté nord de l'île se mirent à mitrailler cette partie pendant que des fantassins envahissaient la jetée sud.

Cependant, ce qu'ils découvrirent fit s'arrêter net les premiers rangs. En effet, nous avions posté partout où l'ennemi risquait de débarquer les plus gros d'entre nous, les plus replets du moins, comparés aux autres. Les assaillants les virent déambuler tranquillement en mordant dans une cuisse de chien ou de lapin et en rotant de satisfaction. Si les soldats s'étaient approchés, ils auraient vu que cette viande avait une épouvantable couleur verte. Ensuite, une meute d'individus bien plus décharnés surgit des ruines des maisons en lançant des javelots. Bien des envahisseurs succombèrent et les autres furent attaqués par des macquauitl et par des flèches. Ceux qui en réchappèrent se replièrent jusqu'à la terre ferme et rapportèrent certainement à Cortés que l'état de décombres où se trouvait la ville permettait aux habitants de mieux se défendre que si elle avait été intacte.

« Très bien, aurait alors dit le Capitaine Général. J'aurais aimé en préserver une partie, au moins pour l'émerveillement de nos futurs colons, mais puisqu'il en est ainsi, nous la raserons. Nous raserons chaque pierre, chaque poutre, au point que même un scorpion ne pourra plus s'y cacher. »

C'est exactement ce qu'il fit.

Pendant que les bateaux continuaient à bombarder le nord de l'île, Cortés fit monter ses canons sur roues et les amena sur les chaussées sud et ouest. Derrière eux venaient des soldats à pied ou à cheval, avec des chiens, puis d'autres armés de maillets, de haches, de leviers et de béliers. Les canons entrèrent en action les premiers pour déblayer le plus possible devant eux et tuer les guerriers qui se cachaient. Puis, les soldats avancèrent dans la zone dévastée et quand les nôtres se dressèrent pour les repousser, ils furent renversés par les cavaliers et piétinés par les fantassins. Nos hommes se battirent courageusement, mais ils étaient très faibles et complètement abasourdis par la canonnade ; soit ils succombèrent sur place, soit ils durent se replier dans la ville. Certains tentèrent de s'embusquer pour pouvoir attaquer l'ennemi quand il ne serait plus sur ses gardes, mais ils furent aussitôt découverts. Les soldats avaient amené des chiens qui les repéraient et les signalaient quand ils ne les mettaient pas eux-mêmes en pièces.

Ensuite, quand il n'y eut plus de défenseurs, ni de danger, les autres arrivèrent avec leurs outils de démolition. Ils déblayèrent tout ce qui restait, ils détruisirent maisons, tours, temples et monuments et ils mirent le feu à tout ce qui pouvait brûler. A la fin, il ne restait plus qu'un bout de terrain plat et informe.

Ce fut le travail de la première journée. Le lendemain, les canons purent avancer facilement dans la zone dégagée et ils tirèrent sur un autre endroit, suivis par les soldats, les chiens et les démolisseurs. Et ainsi, jour après jour, la cité se rétrécit comme si elle était mangée par les dieux. Retranchés dans les parties encore intactes, nous suivions des toits la progression de la destruction.

Je me souviens du jour où les vandales parvinrent au Cœur du Monde Unique. Ils s'amusèrent un moment à lancer leurs flèches de feu sur les immenses bannières de plumes qui, bien qu'elles fussent en triste état, flottaient encore majestueusement et elles s'embrasèrent l'une après l'autre. Il leur fallut plusieurs jours pour venir à bout de cette cité dans la cité : les temples, le terrain de tlachtli, l'autel des crânes et les palais. La pyramide n'était déjà plus qu'une ruine et elle ne pouvait servir de camp retranché ou de cachette, mais Cortés décida tout de même de la démolir sans doute parce que c'était le plus magnifique symbole de Tenochtitlán. Elle ne se rendit pas facilement, mais, envahie par des hordes munies de lourds outils de fer, elle finit par céder, couche après couche, révélant les pyramides antérieures qui étaient à l'intérieur. Les hommes de Cortés procédèrent avec moins de brutalité quand ils commencèrent à démanteler le palais de Motecuzoma. Ils s'attendaient manifestement à y trouver le trésor de la nation réinstallé à son ancienne place dans les chambres secrètes. Quand Cortés se rendit compte qu'il n'y était pas, il laissa les démolisseurs accomplir sa vengeance.

Cuauhtémoc qui connaissait l'état de faiblesse de ses guerriers avait prévu qu'ils n'effectueraient qu'une retraite défensive en tentant de retarder l'avance de l'ennemi et en tuant le plus possible d'envahisseurs. Mais les combattants eux-mêmes, ulcérés de la profanation du Cœur du Monde Unique, outrepassèrent ses ordres. La colère leur donna des forces supplémentaires et ils prirent plusieurs fois l'offensive. Les femmes aussi étaient hors d'elles et elles se joignirent à l'attaque en jetant sur les destructeurs des nids de guêpes, des pierres et d'autres choses que je ne nommerai pas.

Nos guerriers abattirent bon nombre d'ennemis et ils ralentirent peut-être le saccage, mais, ce faisant, beaucoup périrent et ils furent à chaque fois repoussés. Pour les décourager, Cortés fit donner ses canons sur le nord de la ville, puis les soldats, les chiens et les démolisseurs suivirent pour achever la besogne. Ils négligèrent de jeter bas la Maison du Chant où nous sommes en ce moment ainsi que quelques constructions sans intérêt particulier de la partie sud de l'île.

Cependant, bien peu d'édifices subsistèrent. Ils surgissaient du carnage comme des chicots dans la bouche d'un vieillard. Je dois sans doute me féliciter de ne pas avoir été chez moi quand ma maison s'écroula. La population de la ville avait trouvé refuge au milieu du quartier de Tlatelolco, afin d'être le plus loin possible du tir incessant des canons et des flèches de feu provenant des bateaux. Les combattants et les habitants les plus résistants campaient sur la place du marché et les autres s'entassèrent dans des maisons déjà surpeuplées. Cuauhtemoc et sa cour s'étaient installés dans l'ancien palais de Moquihuix, dernier chef indépendant de Tlatelolco. En tant que noble, j'eus droit à une petite chambre que je partageai avec Béu.

Avec Cuauhtemoc et bien d'autres, j'assistai à la progression de Cortés du sommet de la pyramide de Tlatelolco, le jour où les destructeurs s'attaquèrent au quartier d'Ixacualco où j'avais vécu. Le nuage de fumée et de poussière m'empêcha de voir à quel moment exact ma maison fut réduite à néant, mais quand l'ennemi quitta le quartier en fin de journée, il ne laissa derrière lui qu'un désert comme dans presque toute la moitié sud de la ville.

J'ignore si Cortés apprit par la suite que dans les maisons de tous les riches marchands étaient dissimulés des trésors. Il ne le savait manifestement pas à ce moment car ses démolisseurs disloquèrent toutes les constructions aveuglément et aucun d'eux ne vit, dans la poussière, les paquets d'or et de pierres précieuses, les plumes et les teintures qui se trouvèrent ensevelis dans les décombres. Ce jour-là, je contemplai leur œuvre avec une satisfaction amère, tout en sachant qu'à la fin de la journée, je me trouverais plus pauvre que la première fois où, enfant, j'étais venu à Tenochtitlán.

Après tout, c'était le lot de tous les Mexica encore vivants, y compris notre Orateur Vénéré. Ensuite, tout alla très vite. Depuis des jours et des jours, nous étions privés de tout. Pareils à ces fourmis qui anéantissent inexorablement des forêts entières, l'armée de Cortés arriva au marché de Tlatelolco et commença par s'attaquer à la pyramide. Il restait si peu d'espace aux réfugiés qu'ils pouvaient à peine trouver un endroit pour s'asseoir. Pourtant, Cuauhtemoc aurait voulu continuer à résister, même s'il lui avait fallu se tenir sur un pied. Cependant, après nous être réunis avec le Femme-Serpent et les conseillers, nous allâmes tous le trouver pour lui déclarer :

« Seigneur Orateur, si les étrangers vous font prisonnier, il n'y aura plus de nation mexica. Si vous fuyez, le gouvernement sera là où vous serez et même si Cortés nous capture tous, il n'aura pas dompté les Mexica.

— Fuir ? répondit-il tristement. Mais où et pour quoi faire ?

— Pour aller en exil avec votre famille et quelques nobles. C'est vrai que nous n'avons plus d'alliés sûrs autour de nous, mais vous pourrez recruter des troupes dans des nations lointaines. Il faudra sans doute beaucoup de temps avant que nous puissions espérer revenir en force et en triomphe, mais au moins, les Mexica seront invaincus.

— De quel pays lointain voulez-vous parler ? » demanda-t-il sans grand enthousiasme.

Tous les autres se tournèrent vers moi.

« Aztlán, Seigneur Orateur, dis-je. Il faut retourner au pays d'où nous venons. »

Il me regarda comme si j'étais devenu fou, mais je lui rappelai que nous avions renoué des liens avec nos cousins et je lui fis voir une carte pour lui montrer le chemin. « Vous pouvez être sûr que vous serez accueilli chaleureusement, ajoutai-je. Quand leur Orateur Tlilectic-Mixtli nous a quittés, Motecuzoma a envoyé avec lui une troupe de guerriers et des familles mexica spécialisées dans la construction. Peut-être y trouverez-vous une Tenochtitlán en miniature ; peut-être les Azteca pourront-ils être, une fois encore, les graines à partir desquelles naîtra une nouvelle et puissante nation. »

Il nous fallut déployer beaucoup de persuasion pour que Cuauhtemoc accepte notre idée mais, en définitive, cela ne servit à rien. Pourtant, ce plan aurait pu réussir car il était bien conçu, mais les dieux en avaient décidé autrement. Au crépuscule, quand les bateaux cessèrent de nous bombarder pour retourner vers la terre ferme, nous accompagnâmes Cuauhtemoc et sa suite jusqu'au bout de l'île. Ils montèrent sur des canoës qui partirent tous en même temps sur le lac, mais dans plusieurs directions, comme pour un exode en masse. L'acali de Cuauhtemoc se dirigea vers une petite baie située entre Tenayuca et Azcapotzalco. Etant donné que cet endroit était peu peuplé, nous avions pensé qu'il n'y aurait pas

de sentinelles et que Cuauhtemoc pourrait ainsi facilement se glisser sur la terre ferme et de là, gagner Aztlán.

Mais les bateaux de guerre, s'étant aperçus de la
soudaine irruption des acali sur le lac, firent demi-tour
et, par malchance, un des capitaines fut assez avisé pour
remarquer que l'un des fuyards était beaucoup trop
richement vêtu pour être un simple citoyen. Il aborda
cet acali, fit monter l'Orateur Vénéré à son bord et
l'amena directement au Capitaine Général Cortés.

Je n'étais pas présent à l'entretien, mais j'ai su par la
suite que Cuauhtemoc avait déclaré à Cortés :

« Je ne me rends pas. C'est pour mon peuple que j'ai
tenté de fuir. Mais vous m'avez capturé loyalement. » Il
montra alors le poignard que Cortés portait à la ceinture
et ajouta : « Puisque je suis un prisonnier de guerre, j'ai
droit à la mort des guerriers. Je vous demande de me
tuer maintenant et ici même. »

Magnanime ou du moins diplomate, Cortés lui répliqua :

« Non, vous ne vous êtes pas rendu et vous n'avez pas
abdiqué. Je refuse de vous tuer et j'insiste pour que vous
conserviez le gouvernement de votre pays car nous
avons bien du travail à faire et je vous demande de
m'aider. Construisons ensemble la grandeur nouvelle de
votre cité, estimé Seigneur Cuauhtemoc. »

A partir de ce jour — Un Serpent de l'année Trois
Maison, ou sur votre calendrier, le treize août mille cinq
cent vingt et un — le nom de notre dernier Orateur
Vénéré fût à jamais traduit en espagnol par Aigle qui
tombe.

Après la chute de Tenochtitlán, la vie ne changea pas
beaucoup dans le Monde Unique. A part les nations de

la Triple Alliance, les autres pays avaient assez peu souffert et beaucoup de peuples ignoraient sans doute qu'ils ne faisaient plus partie du Monde Unique, mais de la Nouvelle-Espagne. Bien qu'ils fussent cruellement ravagés par de mystérieuses maladies, ils avaient rarement l'occasion de rencontrer un Espagnol ou un Chrétien. On ne leur imposa pas de nouveaux dieux, ni de nouvelles lois et ils continuèrent à vivre comme avant, moissonnant, pêchant, chassant, comme ils le faisaient depuis des faisceaux d'années.

Dans la région des lacs en revanche, la vie avait été complètement bouleversée. Elle était devenue très difficile et je doute qu'elle s'améliore jamais. A partir du jour où Cuauhtemoc fut capturé, Cortés consacra toute son attention et toute son énergie à reconstruire Tenochtitlán. Je devrais dire plutôt *notre* énergie, car il avait décrété que, puisque la ville avait été détruite uniquement par la faute des Mexica rebelles, sa restauration serait entièrement à notre charge. Ses architectes dessinèrent les plans, ses artisans supervisèrent les travaux, ses soldats les plus brutaux manièrent le fouet pour nous faire obéir, mais ce sont les Mexica qui exécutèrent la besogne, qui procurèrent les matériaux et s'ils voulaient manger le soir, ils devaient trouver eux-mêmes leur nourriture.

Les carriers de Xaltocán travaillèrent plus qu'ils ne l'avaient jamais fait ; les bûcherons déboisèrent entièrement les collines environnantes pour tailler des planches et des poutres ; les ex-guerriers et les pochteca se transformèrent en pourvoyeurs de vivres qu'ils extorquaient de gré ou de force aux localités des alentours et les femmes — quand elles n'étaient pas ouvertement molestées par les soldats blancs et même violées sous les yeux de tous ceux qui voulaient bien regarder —

servirent de porteurs et de messagers. On employa même les jeunes enfants pour mélanger le mortier.

On s'occupa d'abord des choses les plus urgentes. On répara les aqueducs, puis on creusa les fondations de ce qui est maintenant votre cathédrale et, devant, on érigea le pilori et la potence. Ces deux installations furent les premières à fonctionner dans la nouvelle Ville de Mexico, afin de nous inciter à travailler consciencieusement et sans relâche. Ceux qui paressaient un peu étaient fouettés à mort par les surveillants, ou marqués au fer à la joue, puis exposés au pilori, afin que les Espagnols viennent leur jeter des pierres ou du crottin de cheval, ou encore, conduits à la potence. Du reste, ceux qui ne renâclaient pas à la besogne mouraient presque autant, parce qu'on les obligeait à soulever des charges si lourdes qu'ils se déchiraient les entrailles.

J'eus plus de chance que les autres parce que Cortés m'employa comme interprète. Il y avait trop à faire pour la seule Malintzin et Aguilar avait trouvé la mort. Il m'engagea donc à son service et me donna même un petit salaire en monnaie espagnole en plus d'un logement pour Béru et pour moi dans la somptueuse demeure qu'il s'était attribuée près de Cuauhnahuac et qui avait été la résidence d'été de Motecuzoma. Malintzin, les officiers principaux et leurs concubines y habitaient aussi, de même que Cuauhtemoc, sa famille et ses courtisans qu'il voulait garder à l'œil.

Je devrais peut-être faire des excuses — bien que je ne sache pas trop à qui — pour avoir accepté cet emploi chez les Blancs, plutôt que d'être mort en les défiant. Mais, puisque les combats étaient terminés et que j'en avais réchappé, il me semblait que mon tonalli m'ordonnait de lutter encore pour survivre. On m'avait dit un jour : « Tiens bon ! Supporte ! Souviens-toi ! » et c'était ce que j'avais décidé de faire.

Au début, mon travail d'interprète consista principalement à traduire les questions incessantes et insistantes de Cortés au sujet du fameux trésor disparu. Si j'avais pu faire autre chose pour gagner ma vie, j'aurais abandonné sur-le-champ cette dégradante besogne. J'étais obligé de rester près de Cortés et de ses officiers pendant qu'ils malmenaient et qu'ils insultaient mes frères.

J'eus particulièrement honte en participant aux interrogatoires répétés de Cuauhtemoc auquel Cortés ne manifestait plus aucun égard. L'ancien Uey tlatoani répondait inlassablement :

« La seule chose que je sache, Capitaine Général, c'est que mon prédécesseur Cuitlahuac a laissé le trésor dans le lac où vous l'avez jeté. »

A cela Cortés répliquait : « J'y ai envoyé mes meilleurs plongeurs ; ils n'ont trouvé que de la boue. »

Alors, Cuauhtemoc lui rétorquait : « La boue est molle. Vos canons ont fait trembler tout le lac ; le trésor se sera enfoncé profondément dans la vase. »

Quelle honte aussi, le jour où je dus assister à la séance de « persuasion » de Cuauhtemoc et de deux Anciens du Conseil ! Comme ceux-ci lui répondaient invariablement la même chose, Cortés entra dans une violente fureur. Il donna l'ordre à ses soldats d'aller chercher trois grands récipients pleins de braises et il obligea les trois seigneurs mexica à y mettre leurs pieds nus tandis qu'il continuait à leur poser la même question mais eux, serrant les dents, lui firent obstinément la même réponse. A la fin, Cortés renonça et quitta la pièce. Les trois seigneurs sortirent prudemment leurs pieds des braises et, claudiquant sur leurs membres meurtris, et se soutenant mutuellement, ils regagnèrent lentement leurs appartements. J'entendis alors l'un des vieillards dire :

« *Ayya*, Seigneur Orateur, pourquoi ne lui avez-vous pas raconté une histoire ? N'importe quoi. Je souffre atrocement.

— Taisez-vous, coupa Cuauhtemoc. Croyez-vous que je marche dans un jardin de délices ? »

Tout en haïssant Cortés, je me gardais bien de faire un acte ou une remarque qui aurait pu lui déplaire et compromettre ma délicate position. En effet, dans un an ou deux, beaucoup de mes compatriotes prendraient volontiers ma place comme collaborateur de Cortés et ils en seraient parfaitement capables. De plus en plus de Mexica se dépêchaient d'apprendre l'espagnol et de se faire baptiser. Ils le faisaient moins par servilité que par ambition ou même par nécessité. Cortés avait promulgué une loi disant qu'aucun « Indien » ne pourrait occuper une position supérieure à celle de simple travailleur s'il n'était pas chrétien et capable de parler la langue des conquérants.

Quelques nobles succombèrent à la tentation. L'ancien Femme-Serpent, par exemple, prit le nom de Don Juan Tlácotl Velásquez, mais la plupart des nobles de jadis dédaignèrent la religion et le langage des Blancs.

Tout admirable que fût leur attitude, je pense qu'ils eurent tort, car il ne leur resta rien d'autre que leur fierté. Les gens des classes inférieures et même les esclaves, assiégèrent les chapelains et les missionnaires pour être baptisés. Ils donnèrent leurs filles et leurs sœurs aux soldats espagnols pour qu'ils leur apprennent leur langue. Ainsi, les médiocres et les rebuts de la société se libérèrent des corvées et se virent confier la surveillance de ceux qui, autrefois, avaient été leurs supérieurs, voire leurs maîtres. Ces « faux Blancs » comme on les appelait, accédèrent à des postes dans l'administration de la cité et même, on les mit parfois à la tête de petites villes ou de provinces insignifiantes.

Ces hommes devinrent des tyrans. Alors que ce renversement total de notre société ne m'affectait pas physiquement, j'étais troublé par la pensée que ces « faux Blancs » allaient devenir ceux qui écriraient notre Histoire.

Pour me justifier un peu de m'être fait une place dans la société de la Nouvelle-Espagne, je pourrais dire qu'il m'arrivait parfois de me servir de ma fonction pour aider mes semblables. Quand Malintzin ou un autre des nouveaux interprètes n'était pas là, je formulais ma traduction de façon à donner plus de poids à une supplique, ou à adoucir un châtiment. Pendant ce temps, comme je bénéficiais du gîte et du couvert gratuitement, je mettais mes émoluments de côté en prévision du jour où je perdrais mon emploi. En fait, c'est de mon plein gré que je quittai ma fonction.

Trois ans après la Conquête, Cortés commença à s'impatienter de la routine de sa besogne d'administrateur. La ville de Mexico était pratiquement reconstruite et un millier d'Espagnols environ, souvent accompagnés de leur femme, venaient chaque année s'installer dans la région des lacs, recréant leur petite Espagne sur nos meilleures terres et s'appropriant les plus robustes d'entre nous, comme « prisonniers de guerre » pour les exploiter. Tous ces nouveaux venus eurent si vite fait de s'imposer comme propriétaires qu'un soulèvement fut impensable. La transformation paraissait irréversible et la Nouvelle-Espagne fonctionnait aussi bien, je suppose, que Cuba et toutes les autres colonies espagnoles ; Cortés semblait certain que ses officiers et les « faux Blancs » étaient en mesure de veiller à sa bonne marche.

Cortés avait envie de conquérir de nouveaux territoires où, plus exactement, de voir les pays qu'il considérait comme lui appartenant déjà.

« Capitaine Général, lui dis-je, vous connaissez déjà la région qui va d'ici à la côte orientale. Le pays qui nous sépare de la côte occidentale n'est guère différent et au nord, il n'y a pratiquement que des déserts sans intérêt. Mais, au sud, *ayyo*, au sud, vous trouverez des chaînes de montagnes impressionnantes, des plaines verdoyantes, d'immenses forêts et, tout au bout, la jungle terrifiante, dangereuse, mais si grouillante de merveilles qu'il faut l'avoir vue avant de mourir.

— Va pour le sud ! » s'écria Cortés, comme s'il donnait le signal immédiat du départ. « Vous connaissez le pays, vous parlez la langue, alors vous allez nous servir de guide.

— Capitaine Général, lui objectai-je, j'ai cinquante-huit ans. Pour faire ce voyage, il faut être jeune et plein de vigueur.

— Vous aurez une chaise à porteurs et des compagnons intéressants », ajouta-t-il en me quittant brusquement pour aller choisir les soldats qu'il emmènerait en expédition.

Cette perspective ne me déplaisait pas. Faire un dernier voyage dans ce bas monde avant de partir à jamais dans l'autre me tentait. Bien sûr, Béu allait se retrouver seule, mais elle était entre de bonnes mains. Les serviteurs du palais savaient qui elle était et j'étais certain qu'ils s'occuperaient tendrement et discrètement d'elle. Elle n'aurait qu'à veiller à ne pas attirer l'attention des Espagnols. Quant à moi, bien que je fusse vieux, je ne me sentais pas encore trop décrépit. J'avais réchappé au siège de Tenochtitlán, je survivrais bien à cette expédition et qui sait, avec un peu de chance, j'arriverais peut-être à *semer* Cortés ou à le conduire parmi des tribus qui ne supporteraient pas la vue de ces Blancs et qui nous massacreraient *tous*. Au moins, je serais mort pour une bonne cause.

Les « compagnons intéressants » dont avait parlé Cortés me laissaient un peu perplexe et je fus carrément frappé de stupeur, quand je les vis, le jour du départ. C'étaient les trois Orateurs Vénérés de la Triple Alliance. Je me demandai si Cortés avait voulu les emmener parce qu'il craignait qu'ils complotent en son absence, ou parce qu'il souhaitait impressionner les populations par la présence de ces augustes personnages suivant humblement son escorte.

Le spectacle valait la peine d'être vu. Etant donné que leurs somptueuses litières étaient fort mal adaptées au parcours difficile, ils devaient souvent en descendre pour marcher. La méthode de « persuasion » de Cortés avait rendu Cuauhtemoc infirme et, dans de nombreuses localités, tout au long du chemin, les habitants eurent droit au spectacle inusité de l'Orateur Vénéré des Mexica boitillant, appuyé sur les épaules des Uey tlatoani de Texcoco et de Tlacopan.

Cependant, ils ne se plaignirent pas une seule fois, bien qu'ils aient dû se rendre compte au bout d'un moment que je conduisais délibérément Cortés sur des pistes difficiles, dans un pays que je connaissais mal. J'agissais ainsi afin que cette expédition ne soit pas pour les Espagnols une partie de plaisir et dans l'espoir qu'ils n'en reviendraient pas, mais aussi parce que je savais que c'était mon dernier voyage et je voulais en profiter pour découvrir de nouveaux horizons. Après leur avoir fait traverser les montagnes abruptes d'Huaxyacac, puis les plaines désolées qui séparent les océans méridional et septentrional, je les conduisis dans l'endroit le plus marécageux du pays cupilco et c'est là qu'enfin, écœuré par les Blancs et par mon rôle auprès d'eux, je les abandonnai.

Je dois vous signaler que Cortés avait emmené un autre interprète. Ce n'était pas Malintzin qui, à l'époque, allaitait son enfant, Martin Cortés, mais je la regrettais presque, parce qu'elle, au moins, était agréable à regarder. Sa remplaçante était également une femme, mais gratifiée de la figure de la constitution d'un moustique. Elle faisait partie de ces « faux Blancs » de basse extraction qui avaient appris l'espagnol et elle s'était fait baptiser sous le nom de Florencia. Cependant, comme elle ne parlait que le nahuatl, elle n'était d'aucune utilité dans ces lointaines contrées, sauf la nuit, quand elle rendait service aux soldats espagnols qui n'avaient pas su attirer dans leur couche des putains locales plus jeunes et plus désirables.

Un soir, au début du printemps, après avoir passé la journée à patauger dans un marécage particulièrement insalubre, nous avions installé notre campement sur un terrain sec, dans un bosquet de ceiba et d'amatl. Après avoir dîné, nous nous reposions autour des feux de camp quand Cortés vint vers moi et, s'accroupissant, il posa un bras amical autour de mes épaules en me disant :

« Regardez là-bas, Juan Damasceno. Vous verrez quelque chose d'étonnant. »

J'ajustai ma topaze et j'aperçus les trois Orateurs Vénérés assis ensemble à l'écart des autres. Je les avais souvent vus ainsi, au cours du voyage, devisant sans doute de problèmes susceptibles de préoccuper des dirigeants privés de leur pouvoir.

« Dans l'Ancien Monde, c'est un spectacle peu fréquent, croyez-moi, que de voir trois rois discutant paisiblement entre eux. C'est peut-être une occasion unique, et j'aimerais bien en avoir un souvenir. Dessinez-moi cette scène, Juan Damasceno, exactement comme ils sont, penchés les uns vers les autres, en grande conversation. »

Cette requête me parut bien innocente, bien que de la

part de Cortés ce souci de fixer un moment mémorable pût sembler suspect. Cependant, je m'exécutai volontiers et, après avoir arraché un morceau d'écorce du tronc d'un amatl, je me mis à tracer avec un bout de bois pointu noirci au feu, le meilleur dessin que je pouvais faire avec un matériel aussi rudimentaire. Ce n'est que le lendemain que je compris, et je me repentis amèrement de ne pas avoir respecté le vœu que j'avais fait de ne jamais plus dessiner de portraits.

« Aujourd'hui, mes enfants, on reste ici, avait dit Cortés à son réveil. Car il nous faut malheureusement tenir une cour martiale. »

Les soldats le regardèrent avec autant de stupéfaction que les Orateurs Vénérés et moi-même.

«Doña Florencia a surpris les conversations de nos trois hôtes distingués avec les chefs des villages que nous avons traversés. Elle pourra témoigner que ces trois rois se sont mis d'accord avec eux pour organiser un soulèvement en masse contre nous. J'ai aussi, grâce à Juan Damasceno — il agita le morceau d'écorce — un dessin qui les montre de façon incontestable en train de conspirer. »

Les trois Orateurs Vénérés avaient considéré Florencia avec mépris et dégoût, mais je vis leurs yeux se poser sur moi, remplis de tristesse et de déception. Je bondis en criant : « Ce n'est pas vrai ! » Cortés dégaina immédiatement son épée et la pointa contre ma gorge.

« Je crains que votre témoignage et votre traduction risquent de ne pas être impartials. Doña Florencia servira d'interprète et vous, vous *allez* vous taire. »

Six officiers formèrent le tribunal ; Cortés joua le rôle d'accusateur et le témoin Florencia apporta ses preuves falsifiées. Il est possible que Cortés lui ait fait la leçon à l'avance, mais je ne pense pas qu'il en ait eu besoin. Les personnes de son espèce, aigries parce qu'on ne se soucie pas d'elles — saisissent généralement toutes les occasions de se faire remarquer, même par leur méchanceté. Elle humilia ses supérieurs, en toute impunité, devant un auditoire qui feignait de la croire et de s'intéresser à ses propos. Sous le coup de sa rancœur et de sa propre nullité, elle se mit à vomir un torrent de mensonges et d'accusations fabriquées de toutes pièces pour ravaler les trois nobles à un rang encore plus méprisable que le sien.

Je ne pouvais rien dire et les trois Orateurs Vénérés ne voulaient rien dire. Dans leur dédain pour ce moustique qui se prenait pour un vautour, ils ne tentèrent même pas de se défendre et ils ne montrèrent pas ce qu'ils pensaient de ce procès truqué. Florencia aurait pu continuer à débiter ses calomnies pendant des journées entières, mais le tribunal, las de ses vociférations, finit par lui signifier sommairement de se retirer puis, tout aussi sommairement, il déclara les trois Orateurs Vénérés coupables d'avoir conspiré contre la Nouvelle-Espagne.

Sans un cri, sans une protestation, après s'être dit tristement adieu, ils se laissèrent conduire au pied d'un gros ceiba. Les Espagnols accrochèrent des cordes à une branche et les y pendirent tous les trois.

Avec la mort des trois Orateurs Vénérés Cuauhtemoc, Tetlapanquetzal et Cohuanacoch, s'effaça la dernière trace de la Triple Alliance. Je n'en connais pas la date exacte, parce que je n'ai pas tenu de journal de voyage. Vous pourrez peut-être la déterminer, mes révérends, car quand l'exécution fut accomplie, Cortés s'écria joyeusement :

« Et maintenant, partons chasser, mes enfants, et ramenons du gibier pour festoyer. C'est aujourd'hui Mardi Gras, le dernier jour du Carnaval ! »

Les réjouissances se prolongèrent toute la nuit et je n'eus aucune peine à me faufiler hors du camp. Je retournai rapidement à Cuauhnáhuac au palais de Cortés. Les gardes me connaissaient et ne s'étonnèrent pas quand je leur racontai que je précédais le reste de l'expédition qui allait bientôt rentrer. J'allai trouver Béu dans sa chambre et je lui expliquai ce qui s'était passé.

« Je suis un hors-la-loi, maintenant, mais je pense que Cortés ne sait même pas que j'ai une femme. De toute façon, s'il le découvrait, je ne crois pas qu'il se vengerait sur toi. Je dois fuir et nulle part je ne serai mieux caché qu'à Tenochtitlán. Je trouverai bien une hutte dans les quartiers pauvres, mais je ne voudrais pas que tu vives dans des conditions aussi sordides, Béu, alors que tu peux rester ici...

— *Nous* sommes des hors-la-loi, m'interrompit-elle, d'une voix sourde mais décidée. J'arriverai même à marcher jusqu'en ville, Zaa, si tu me soutiens. »

Rien ne put la dissuader. Je fis donc un paquet de nos affaires qui n'étaient pas bien nombreuses et je louai deux esclaves pour porter la litière de Béu. Voilà comment nous sommes revenus à Tenochtitlán et nous ne l'avons jamais quittée depuis.

Je suis heureux de vous voir, Excellence, après une si longue absence. Est-ce que vous êtes venu pour entendre la conclusion de mon récit ? Eh bien, j'ai tout dit, ou presque.

Cortés revint un an environ après que je l'eus quitté, et son premier souci fut de répandre la fable de la prétendue insurrection fomentée par les trois Orateurs Vénérés et il montra mon dessin comme « preuve » de leur entente et de leur trahison. Toute la population de ce qui avait été la Triple Alliance en fut profondément ébranlée, car je n'avais pas divulgué la nouvelle. Tout le monde les pleura et on célébra des services funèbres en leur honneur. Bien sûr, les gens murmuraient entre eux, mais ils étaient obligés de faire semblant de croire à cette version des faits. Cortés n'avait pas ramené la perfide Florencia. Il n'avait sans doute pas voulu risquer qu'elle tente de se faire à nouveau remarquer en se parjurant publiquement. Ce qu'il a fait de cette créature, personne ne l'a jamais su et ne s'en est jamais soucié.

Cortés avait été certainement ulcéré par ma désertion, mais sa colère avait dû se tasser pendant l'année écoulée car il ne me fit jamais rechercher, et Béu et moi avons continué à vivre comme nous l'avons pu.

Le marché de Tlatelolco avait été restauré et j'y allai un jour pour observer les transactions. Sur la place, la foule était aussi dense qu'autrefois, mais une bonne moitié était composée de Blancs. J'avais remarqué que, tandis que les gens de ma race faisaient surtout du troc : « Je te donne cette volaille et tu me donnes ce pot de terre », les Espagnols payaient en monnaie : ducados, reales et maravedis. En même temps qu'ils achetaient des produits alimentaires et utilitaires, ils faisaient aussi l'acquisition d'objets décoratifs. Après les avoir écoutés parler entre eux, j'en avais conclu qu'ils recherchaient « ces pittoresques pièces d'artisanat indigène » pour leur « valeur de curiosité » ou pour les envoyer à des parents comme « souvenirs de la Nouvelle-Espagne ».

Comme vous le savez, Excellence, bien des drapeaux ont flotté sur la ville de Mexico depuis sa reconstruction. Ce fut d'abord l'emblème personnel de Cortés : bleu et blanc avec une croix rouge ; puis le drapeau sang et or de l'Espagne ; ensuite, la bannière frappée de l'effigie de la Vierge Marie et aussi de l'Aigle à deux têtes de

1203

l'Empire. Ce jour-là, sur le marché, des artisans vendaient des répliques en miniature de ces divers étendards, mais elles ne suscitaient pas grand enthousiasme parmi les Espagnols. Pas un seul marchand ne proposait en revanche le fier symbole de la nation mexica. Peut-être craignaient-ils d'être accusés de nourrir des pensées subversives. Mais moi, je n'avais pas de telles craintes. J'en avais fait bien d'autres. Je rentrai dans ma misérable cabane et je fis un dessin. Puis, je m'agenouillai près de la paillasse de Béu pour le lui faire voir de près et je lui dis :

« Béu, est-ce que tu arrives à voir ce dessin assez bien pour pouvoir le copier ? Regarde. C'est un aigle aux ailes déployées. Il est perché sur un cactus nopalli et il tient dans son bec un serpent.

— Oui, me répondit-elle. Je distingue tous ces détails maintenant que tu me les as montrés. Mais pourquoi les copier, Zaa ? Que veux-tu dire ?

— Si je t'achète tout ce qu'il faut, seras-tu capable de broder ce motif sur une petite pièce de tissu ?

— Oui, je crois, mais pour quoi faire ?

— Si tu en fais une assez grande quantité, j'irai au marché pour les vendre aux Blancs. J'ai l'impression qu'ils recherchent ce genre d'articles et ils payent en monnaie. »

On m'accorda un petit emplacement sur la place du marché et j'y étalai les emblèmes des Mexica. Les autorités ne me firent pas d'ennuis et j'eus même un grand nombre d'acheteurs.

J'avais fait bien des choses dans ma vie, j'avais même été pendant un temps le Seigneur Mixtli, riche et respecté et j'aurais bien ri si on m'avait dit alors : « Tu termineras tes chemins et tes jours en vendant des petits emblèmes mexica à des étrangers dédaigneux. » Et d'ailleurs, je riais vraiment derrière mon étal et ceux qui

1204

s'arrêtaient pour regarder mes fanions brodés pensaient que j'étais un petit vieux plein de gaieté.

Mais, vint le moment où Béu perdit complètement la vue ainsi que l'usage de ses mains et elle devint incapable de broder. J'ai donc dû cesser mon petit commerce. Depuis, nous avons vécu sur nos économies, mais Béu a souvent exprimé le souhait que la mort vienne la délivrer de sa noire prison d'ennui et d'immobilité. J'en serais sans doute venu là, moi aussi, si les clercs de Votre Excellence n'étaient venus me chercher pour que je raconte mon histoire, ce qui a été pour moi une diversion suffisante pour que je continue à trouver de l'intérêt à l'existence. Par contre, maintenant, Béu est encore plus solitaire et elle supporte ce sinistre emprisonnement uniquement pour que je trouve quelqu'un les nuits où je reviens dormir dans ma cabane. Quand mon engagement ici sera terminé, je ferai peut-être en sorte que notre séjour sur cette terre ne se prolonge pas trop. Nous n'avons plus rien à faire, ni aucune excuse pour rester dans le monde des vivants. La dernière contribution que nous avons apportée au Monde Unique ne m'amuse plus maintenant. Allez au marché de Tlatelolco et vous constaterez que l'on y vend toujours des emblèmes mexica.

Eh bien, Excellence, l'histoire que je vous ai racontée est celle que j'ai vécue et à laquelle j'ai participé. Tout ce que j'ai dit est vrai et je baise la terre ; ce qui veut dire : je le jure.

Il se peut qu'il y ait çà et là des trous dans mon récit et Votre Excellence aura peut-être des questions à me poser sur des points de détails. Cependant, je la supplie d'attendre un peu et de me libérer un moment de mon emploi. Je demande à Votre Excellence la permission de prendre congé d'elle et de ses révérends scribes ; non que je sois fatigué de parler ou que je n'aie plus rien à dire, mais parce que la nuit dernière, quand je suis rentré chez moi, il s'est produit une chose incroyable. Béu m'a dit qu'elle m'aimait. Elle m'a dit qu'elle m'aimait et qu'elle m'avait toujours aimé. Jamais, elle ne m'avait fait un tel aveu, aussi je pense que sa longue agonie va bientôt prendre fin et je dois être à ses côtés quand son heure viendra. Nous n'avons plus personne, elle et moi. Hier soir, Béu m'a dit qu'elle m'avait aimé depuis notre première rencontre à Tehuantepec, mais qu'elle m'avait perdu pour toujours quand j'avais décidé de partir à la recherche de la teinture et que le sort avait désigné Zyanya pour m'accompagner. Elle m'avait perdu, mais elle n'avait jamais cessé de m'aimer. Quand elle m'a fait cette surprenante révélation, il m'est venu une pensée indigne : et si le destin avait choisi Béu, ce jour-là, Zyanya serait peut-être encore avec moi. Mais, une autre pensée l'a aussitôt chassée : aurais-je voulu que Zyanya souffre comme a souffert Béu ? Combien alors j'ai plaint la pauvre loque qui m'avouait son amour. Elle paraissait si triste que j'ai tenté de prendre la chose à la légère. Je lui ai fait remarquer qu'elle avait eu une curieuse façon de me montrer son amour. Je lui ai dit que je l'avais surprise à accomplir des pratiques magiques et elle m'a alors révélé qu'elle n'avait pas eu l'intention de me nuire, qu'elle espérait que je viendrais partager sa couche et qu'elle avait confectionné cette effigie de moi dans le but de m'ensorceler. Je suis resté un moment sans mot dire, à réfléchir à tout ça et j'ai réalisé combien j'avais été aveugle et insensible pendant toutes ces années. Ce n'est pas le rôle d'une femme de déclarer son amour et Béu avait respecté cette tradition ; elle ne m'avait jamais rien dit et elle avait dissimulé ses sentiments sous une désinvolture que j'avais prise pour un mépris railleur. Elle ne s'était départie de sa retenue que dans de rares occasions et même là, j'avais refusé de comprendre, alors que je n'avais qu'à lui ouvrir les bras. C'est vrai, j'ai aimé Zyanya et je l'aimerai toujours, mais cela ne m'aurait pas empêcher d'aimer également Béu. *Ayya,* quand je pense à ces années perdues par mon unique faute ! Ce qui me fait encore plus mal, c'est d'en avoir privé Béu qui a attendu si longtemps, jusqu'à ce qu'il soit trop tard pour sauver même un dernier moment de tout ce temps gâché. J'aurais bien voulu la prendre avec moi la nuit dernière et peut-être lui faire l'amour, mais ce n'est plus possible. Aussi, je n'ai pu que lui dire : « Béu, ma chère femme, je t'aime. » Elle ne m'a pas répondu, car les larmes sont venues étouffer le peu de voix qui lui reste, mais elle a mis sa main dans la mienne et je l'ai serrée tendrement. J'aurais bien voulu entrelacer nos doigts, mais cela non plus n'est plus possible, car elle n'a plus de doigts. Vous l'avez sans doute deviné, mes seigneurs, l'explication de sa lente agonie c'est qu'elle est man-gée par les dieux. J'ai déjà décrit cette maladie et je préfère ne pas vous dire ce que les dieux ont laissé de cette femme qui fut aussi belle que Zyanya. Alors, je me suis contenté de rester près d'elle, en silence. Je ne sais pas à quoi elle pensait, mais moi, je me suis souvenu de ces années que nous avons vécues ensemble et de ce gâchis que j'ai fait de nous-mêmes et de l'amour, ce qui est la chose la plus impardonnable qui soit. L'amour et le temps ne s'achètent pas, on ne peut que les dépenser. La nuit dernière, Béu et moi, nous nous sommes avoué notre amour, mais c'est trop tard. Il est dépensé, on ne peut plus le racheter. Alors, j'ai évoqué ce temps perdu et je suis remonté encore plus loin. Je me suis rappelé cette nuit où mon père m'avait porté sur ses épaules pour traverser l'île de Xaltocán sous les « plus vieux des vieux » cyprès et comment je passais de l'ombre au clair de lune. Je ne pouvais pas le savoir alors, mais c'était le résumé de ce que serait ma vie : tour à tour ombre et lumière, jours et nuits pommelés, bons et mauvais moments. Depuis, j'ai eu ma part de chagrins et de coups durs et peut-être plus que ma part, mais mon attitude à l'égard de Béu Ribé est la preuve que j'ai aussi fait du mal aux autres. Mais il est vain de se plaindre de son tonalli et, dans l'ensemble, la vie a été bonne pour moi. La fortune m'a souri plus d'une fois et j'ai eu bien des occasions de faire des choses intéressantes. Mon seul regret, c'est que les dieux n'aient pas jugé bon de mettre un terme à mes chemins et à mes jours il y a longtemps, à partir du moment où je n'ai plus servi à rien. Pourtant, je vis encore et les dieux ont sans doute leurs raisons. Je crois même que deux d'entre eux me les ont dévoilées une nuit que j'étais ivre. Ils m'avaient dit que mon tonalli n'était pas d'être heureux ou malheureux, riche ou pauvre, intelligent ou stupide, bien que j'aie été tout cela, tour à tour, mais simplement que j'oserais relever tous les défis et saisir toutes les occasions de vivre pleinement ma vie. Ce faisant, j'ai participé à bien des événements, importants ou pas, historiques ou non. Mais ces dieux m'avaient dit également que mon véritable rôle serait seulement de me les rappeler et de les transmettre aux générations futures afin qu'on ne les oublie pas. C'est ce que j'ai fait. A part quelques menus détails que Votre Excellence souhaite peut-être que j'ajoute, je ne vois plus rien à dire. Si nous avons un avenir quelconque, je suis incapable de le prédire. Je me rappelle ces mots que j'ai entendus si souvent prononcer quand je suis parti à la recherche d'Aztlán, ces mots répétés par Motecuzoma au sommet de la pyramide de Teotihuacán, comme s'il avait prononcé une épitaphe : « Les Azteca sont venus ici, mais ils n'avaient rien avec eux et ils n'ont rien laissé en partant. » Les Azteca — ou les Mexica — quel que soit le nom que vous avez choisi de leur donner, sont en train de disparaître, de se disperser, de se fondre dans la masse. Bientôt, il n'y en aura plus un seul et personne ne se souviendra d'eux. Les autres nations auxquelles vos soldats imposent de nouvelles lois, que vos seigneurs propriétaires soumettent à un travail forcé et auxquelles vos missionnaires apportent la bonne parole, ces nations vont, elles aussi, disparaître, se transformer complètement ou tomber en décrépitude. En ce moment, Cortés implante ses colons sur les territoires qui bordent l'océan méridional. Alvarado livre des combats pour vaincre les tribus de la jungle du Quautemálan. Montejo essaye de réduire les Maya les plus civilisés d'Uluümil Kutz. Guzman est en train d'écraser les orgueilleux Purépecha du Michoacán. Au moins, tous ces peuples auront eu la satisfaction de se battre jusqu'au bout et je plains davantage les nations comme Texcala qui regrettent amèrement maintenant de vous avoir aidés à conquérir le Monde Unique. J'ai dit que je ne pouvais prévoir l'avenir, mais en fait, je crois le deviner. J'ai vu Martin, le fils de Malintzin et un nombre croissant d'enfants couleur de chocolat léger. Ils représentent sans doute l'avenir. Les peuples du Monde Unique ne disparaîtront pas ; ils se dilueront dans une uniformité et une médiocrité insipides. Je voudrais bien me tromper, mais je ne le pense pas. Peut-être se trouvera-t-il des populations si écartées et si insoumises qu'on les laissera en paix. Elles se multiplieront et… *aquin ixnéntla ? Ayyo,* j'aurais presque envie de continuer à vivre pour voir ça ! Mes ancêtres n'eurent pas honte de s'appeler les Mangeurs d'Herbe, car même quand elles sont laides et indésirables, les herbes sont solides et parfois impossibles à déraciner. Ce n'est qu'après sa floraison que la civilisation des Mangeurs d'Herbe a été anéantie. Les fleurs sont belles et parfumées, mais elles ne durent qu'un temps. Peut-être quelque part, dans le Monde Unique, existe, ou existera, un autre peuple dont le tonalli sera de fleurir et peut-être les Blancs ne pourront-ils pas le faucher. Il se pourrait même que j'y aie un descendant. Je ne parle pas de ceux que j'ai pu semer dans les lointaines terres du sud — les habitants y sont si dégénérés qu'ils ne se relèveront jamais même avec un apport de sang mexica. Mais au nord, Aztlán existe encore. J'ai fini par comprendre la signification de l'invitation du tecuhtli Tlilectic-Mixtli : « Il faut que vous veniez à Aztlán. Une surprise vous y attend », m'avait-il dit, mais ce n'est que bien plus tard que je me suis souvenu que j'avais passé plusieurs nuits avec sa sœur. Je me suis souvent demandé si c'était un garçon ou une fille. En tout cas, ce dont je suis certain, c'est que si un jour une autre migration quitte Aztlán, il ou elle ne restera pas peureusement à la traîne...

Mais voilà que je recommence à divaguer et que j'agace Votre Excellence. Si vous me le permettez, Seigneur Evêque, je vais prendre congé. Je vais aller retrouver Béu pour lui répéter que je l'aime, car je veux que ce soit les dernières paroles qu'elle entende chaque soir avant de s'endormir et avant qu'elle ne s'endorme pour la dernière fois. Ensuite, quand elle sera assoupie, je sortirai dans la nuit pour marcher dans les rues désertes.

EXPLICIT

Chronique racontée par un vieil Indien de la tribu dite des Aztèques, transcrite *verbatim ab origine* par :

Fr. Gaspar de Gayana J.

Fr. Toribio Vega de Aranjuez

Fr. Jeronimo Muñoz G.

Fr. Domingo Villegas e Ybarra

Alonso de Molina, *interprète*.

En ce jour de la fête de Saint Jacques, Apôtre, le 25 juillet 1531.

I H S

✠

A. I. M. C.

A Son Auguste et Impériale Majesté Catholique,
l'Empereur Charles Quint, Notre Roi :

Très respectée Majesté : de la Ville de Mexico,
capitale de la Nouvelle-Espagne, en ce jour des Saints-
Innocents de l'année mille cinq cent trente et un de
Notre Seigneur, nous vous envoyons nos salutations.

Sire, je vous prie d'excuser ce long silence depuis
notre dernière missive. Comme vous le confirmera le
capitaine Sánchez Santoveña, sa caravelle est arrivée ici
avec beaucoup de retard, à cause des vents contraires
qui soufflaient sur les Açores et un long calme plat dans
la mer des Sargasses. Pour ces raisons, nous venons
seulement de recevoir la lettre de Votre Magnanime
Majesté ordonnant qu'on donne à notre chroniqueur
aztèque « en récompense des services rendus à la
Couronne, pour lui et pour sa femme, une maison
confortable, un petit lopin de terre et une pension qui
lui permettra de vivre jusqu'à la fin de ses jours. »
Sire, nous avons le regret de vous dire que c'est
impossible. L'Indien est mort et, si sa femme invalide vit
encore, nous ignorons où elle se trouve.

Attendu que nous avions déjà demandé à Votre

1213

Majesté ce qu'elle comptait faire quand nous en aurions fini avec lui et attendu que la seule réponse a été un long silence, nous serons peut-être excusé d'avoir supposé que Votre Dévote Majesté partageait l'opinion que nous avons souvent exprimée pendant notre campagne contre les sorcières de Navarre que « négliger l'hérésie, c'est l'encourager ».

Après avoir attendu le temps qu'il fallait les ordres de Sa Majesté au sujet des dispositions à prendre en cette matière, nous avons arrêté une décision que nous pensions entièrement justifiée. Nous avons intenté contre l'Aztèque un procès pour hérésie en bonne et due forme et nous l'avons condamné. Evidemment, si la lettre de Votre Clémente Majesté était arrivée plus tôt, elle aurait constitué un pardon tacite des crimes de cet homme et nous aurions renoncé à notre inculpation. Pourtant, Votre Majesté pourrait se demander si les vents contraires qui ont retardé le navire ne sont pas le signe de la volonté divine.

En tout cas, nous nous rappelons bien que Votre Majesté avait un jour juré en notre présence qu'elle était prête à « livrer ses possessions, sa famille, son sang, sa vie et son âme pour l'extinction de l'hérésie ». C'est pourquoi nous sommes certains que Votre Apostolique Majesté nous approuvera d'avoir aidé le Seigneur à débarrasser le monde de l'un des suppôts du Démon.

Le Tribunal de l'Inquisition s'est réuni dans notre chancellerie le jour de la Saint-Martin. Le protocole et toutes les formalités ont été scrupuleusement respectés. Etaient présents, en dehors de nous-même, Inquisiteur Apostolique de Votre Majesté, notre vicaire général qui tenait le rôle de Président du Tribunal, notre grand connétable, notre notaire apostolique et, bien sûr, l'accusé. Les débats n'ont duré qu'une demi-journée, puisque nous étions à la fois procureur et plaignant, que l'accusé était le seul témoin et que les seules pièces à conviction présentées étaient un choix de citations tirées de la chronique relatée par l'accusé et transcrite par nos frères.

L'Aztèque a avoué de lui-même qu'il avait embrassé la foi chrétienne tout à fait par hasard un jour qu'il assistait à un baptême en masse donné par Père Bartolomé de Olmedo, il y a de nombreuses années et qu'il s'y était soumis avec autant de facilité qu'il avait cédé toute sa vie aux occasions de pécher. Même si sa conduite a été frivole et inconséquente, elle ne peut en aucune façon annuler le sacrement du baptême. L'Indien Mixtli est mort au moment précis où le Père Bartolomé l'a aspergé, pour renaître sans taches sous le *character indelebilis* de Juan Damasceno.

Cependant, après sa conversion, Juan Damasceno s'est rendu coupable de nombreuses iniquités, notamment en faisant des remarques ironiques qui portent atteinte à la Sainte Eglise. Juan Damasceno a donc été accusé d'être un hérétique de la troisième catégorie, c'est-à-dire, qu'ayant embrassé la Foi et ayant abjuré ses fautes passées, il est retombé dans ses odieux errements.

Pour des raisons politiques, nous avons retiré de l'inculpation de Juan Damasceno certains péchés de chair qu'il a avoués sans aucun remords. Par exemple, si l'on admet qu'il était « marié » selon les lois du pays à l'époque où il a forniqué avec une femme qui s'appelait alors Malinche, il s'est rendu coupable du péché mortel d'adultère. Cependant, nous avons jugé qu'il serait imprudent d'appeler la respectable et estimée Doña Sra. Marina Vda. de Jaramillo à venir témoigner à ce sujet. En outre, le propos de l'Inquisition n'est pas tant de se pencher sur les fautes particulières des accusés que de s'assurer de leur incorrigible tendance à des *fomes peccati,* ces « étincelles du péché ». Par conséquent, nous n'avons pas inculpé Juan Damasceno pour son immoralité charnelle, mais uniquement pour ses *lapsus fidei* qui sont déjà suffisamment nombreux.

Les témoignages ont été présentés sous forme de lecture que le notaire apostolique avait tirée des propres déclarations de l'accusé et à laquelle le Procureur a répondu par une inculpation de « profanation du caractère sacré de notre Sainte Eglise ». Le notaire a fait ensuite une autre citation et le procureur : « Mépris et irrespect envers le clergé. » Le notaire a poursuivi et le procureur a répondu : « Divulgation de doctrines contraires au droit canon de notre Sainte Eglise. »

Une liste entière d'accusations a suivi : que l'inculpé était l'auteur d'un livre obscène, pernicieux et blasphématoire ; qu'il s'était déchaîné contre la Foi Chrétienne ; qu'il avait encouragé l'apostasie ; qu'il s'était rendu coupable de sédition et de lèse-majesté ; qu'il avait ridiculisé l'état monacal ; qu'il avait prononcé des mots qu'un bon Chrétien et un loyal sujet de la Couronne ne sauraient prononcer, ni même entendre.

Comme tout ceci constituait de graves manquements à la Foi, l'accusé a eu tout loisir d'abjurer ses crimes, bien que la Cour ne pût en accepter le désaveu, puisque tous ces propos hérétiques avaient été consignés par écrit. De toute façon, quand le notaire lui a relu l'un après l'autre les passages tirés de son propre récit, par exemple, ce commentaire idolâtre dans lequel il avait déclaré : « Un jour, ma chronique fera peut-être office de confession à la bonne déesse Mangeuse d'Ordures », on lui a demandé : « Don Juan Damasceno, sont-ce bien vos paroles ? » et il a aussitôt acquiescé. Il n'a rien voulu dire pour essayer d'atténuer ses fautes et quand le président du Tribunal l'a solennellement averti du terrible châtiment qu'il devrait subir s'il était reconnu coupable, il a simplement répliqué : « Cela veut donc dire que je n'irai pas au Paradis des Chrétiens ? » Nous lui avons fait remarquer que ce serait en effet la pire des punitions et qu'il n'irait certainement pas au Paradis. A ces mots, il a eu un sourire qui a glacé d'effroi les âmes de tous les membres du Tribunal.

Ensuite, en tant qu'Inquisiteur Apostolique, nous avons été dans l'obligation de lui faire savoir quels étaient ses droits : bien qu'une abjuration de ses péchés ne puisse être prise en considération, il pouvait encore se confesser, se repentir et par conséquent être considéré comme pénitent, se réconcilier avec l'Eglise et se voir infliger une peine moins lourde prévue par le droit canon et par la loi civile, c'est-à-dire, être condamné à passer le restant de ses jours sur les galères de Votre Majesté.

Cependant, Juan Damasceno est resté inflexible sur ses positions. Il s'est contenté de sourire légèrement et de murmurer quelque chose à propos de son « tonalli », païen, ce qui est déjà en soi une hérésie notoire. Sur ce, on l'a ramené dans sa cellule pendant que la Cour délibérait, et elle a déclaré Juan Damasceno coupable d'hérésie opiniâtre.

Selon les règles du droit canon, la sentence a été annoncée publiquement le dimanche suivant. On a fait sortir Juan Damasceno de sa prison et on l'a conduit au milieu de la grand-place, où tous les habitants de la ville avaient reçu l'ordre de se rassembler. Il y avait donc une foule nombreuse qui comprenait des Espagnols, des Indiens, les auditeurs du Tribunal, les fonctionnaires laïques de la Justicia Ordinaria et le responsable de l'auto-da-fé. Juan Damasceno est arrivé vêtu de la tunique des condamnés et la tête coiffée de la couronne de paille de l'infamie. Il était accompagné par Fray Gaspar de Gayana qui portait une grande croix.

Une estrade avait été spécialement dressée pour cette occasion sur la place pour les membres de l'Inquisition et le secrétaire du Saint-Office a lu à la foule le compte rendu officiel des crimes de l'accusé et le verdict rendu par la Cour. Puis cette lecture a été traduite en langue nahuatl par notre interprète Molina afin que tous les Indiens présents puissent la comprendre. Ensuite, nous, Inquisiteur Apostolique, avons prononcé le *sermo generalis* de la sentence et remis le condamné au bras séculier pour le châtiment *debita animadvertione,* en lui adressant la recommandation d'indulgence coutumière :

« Nous sommes dans l'obligation de déclarer que Juan Damasceno est un hérétique opiniâtre. Nous sommes dans l'obligation de le remettre au bras séculier de la Justicia Ordinaria de cette ville et nous la prions d'en user humainement à son égard. »

Ensuite, nous nous sommes directement adressé à Juan Damasceno pour lui demander, pour la dernière fois, de renoncer à son erreur, de confesser et d'abjurer son hérésie, ce qui lui vaudrait au moins d'être étranglé avant d'être livré au bûcher. Mais il a persévéré dans son obstination. Il a souri et il a dit : « Excellence, quand je n'étais encore qu'un enfant, je m'étais juré que si j'étais choisi un jour par la Mort Fleurie, même sur un autel étranger, je me conduirais avec dignité. »

Telles ont été ses dernières paroles et je dois dire à sa décharge qu'il ne s'est pas débattu et qu'il n'a pas crié quand les officiers de police l'ont lié au poteau avec une vieille chaîne d'ancrage, ni quand ils ont empilé les fagots autour de lui et y ont mis le feu. Dieu l'ayant permis et cet homme l'ayant mérité, les flammes ont consumé son corps et Dieu a voulu que l'Aztèque meure.

Nous nous déclarons le fidèle défenseur de la Foi de Votre Gracieuse Majesté et nous mettons toute notre constance au service de Dieu pour le salut des âmes et des nations,

Evêque de Mexico
Inquisiteur Apostolique
Protecteur des Indiens

IN OTIN IHUAN
IN TONALTIN NICAN TZONQUICA
C'EST ICI QUE PRENNENT FIN LES CHEMINS ET LES JOURS

INDEX

Acali : barque, canoë utilisé sur les lacs du plateau central.

AHUIZOTL : huitième Uey tlatoani de Mexico. Il régna sans doute de 1486 à 1502. C'est aussi le nom d'un animal lacustre fantastique.

Atlatl : sorte de manche en bois, permettant de projeter des dards avec plus de force, utilisé à l'époque de la Conquête.

ATLAUA : dieu primitif des Mexicains, dieu des oiseleurs.

Atolli : bouillie de maïs.

Auinimi : courtisanes, servant de compagnes aux soldats célibataires.

AXAYACATL : sixième Uey tlatoani de Mexico (1469-1481).

AZTLAN : ville semi-légendaire d'où seraient partis les Aztèques.

Calli : maison.

Calmecac : collège où l'on préparait les enfants soit à la prêtrise, soit aux hautes fonctions de l'Etat.

Calpixqui : fonctionnaire chargé de percevoir les impôts pour le Uey tlatoani.

CENTEOTL : dieu du maïs.

CENTZON TOTOCHTIN : les « 400 Lapins ». Dieux de l'abondance et de l'ivresse. Ils sont innombrables, comme les formes que peut prendre l'ivresse.

CHAC : nom de Tlaloc, dieu de la pluie, chez les Maya.

CHALCHIHUITLICUE : compagne de Tlaloc, déesse des rivières, des mers, des lacs.

Chinampas : « Jardins flottants » formés de clayonnages en roseau remplis de terre et fixés par des pieux, entre lesquels on circule sur des canaux.

CIHUACOATL (de *cihuatl,* femme et *coatl,* serpent) : déesse de la terre. Son nom servait de titre au deuxième magistrat de l'Etat, après le Uey tlatoani : le Femme-Serpent.

Coatepantli : « Muraille de Serpents ». Enceinte crénelée représentant des têtes de serpents entourant le centre cérémoniel de Mexico-Tenochtitlán.

COATLICUE (de *coatl,* serpent, et *cueitl,* jupe) : déesse de la terre.

COYAULXAUHQUI (de *coyaulli,* grelots, et *xauhqui,* orné) : déesse de la nuit.

CUAUHTEMOC : « L'Aigle qui tombe. » Né sans doute en 1502, mort en 1524. Dernier Uey tlatoani de Mexico, fils d'Ahuizotl et gendre de Motecuzoma II, il tentera désespérément de résister à la Conquête espagnole.

CUITLAHUAC : fils d'Axayacatl et frère de Motecuzoma II, il prit le pouvoir à la mort de celui-ci après avoir tenté de le pousser à la résistance. Mais il ne régnera que quatre-vingts jours avant de mourir de la variole.

EHECATL : dieu du vent. Sous le nom de Ehecatl Yohualli, Vent de la Nuit, il représente la divinité sous sa forme invisible.

Faisceau d'années : ou « ligature d'années » (*xiuhmolpilli*). C'était l'équivalent du siècle pour les Aztèques. Il durait cinquante-deux ans.

HUEHUETEOTL (de *huehue,* vieux, et *teotl,* dieu) : Vieux Dieu du feu.

HUITZILOPOCHTLI (de *huitzilin,* colibri, et *opochtli,* de gauche) : Dieu tribal des Aztèques, qui les aurait guidés dans leurs migrations. Il représente le Soleil triomphant.

HUIXACHTECATL : sommet sur lequel se célébrait la cérémonie du Feu Nouveau, au cours de laquelle tous les cinquante-deux ans, on rallumait tous les feux.

IXTLILXOCHITL II : Fleur Noire. Souverain de Texcoco au moment de la Conquête espagnole.

IYAC : titre d'un jeune guerrier ayant fait un premier prisonnier.

KUKULKAN : nom du dieu Quetzalcoatl en langue maya.

Macehualli : paysan, homme du peuple.

Macquauitl : glaive en bois à tranchant d'obsidienne.

Mictlán : royaume des morts, pays des ténèbres et du froid où règne Mictlantecuhtli.

MOTECUZOMA Ier ILHUICAMINA : cinquième Uey tlatoani de Mexico qui régna de 1440 à 1468. Il fonda la Triple Alliance.

MOTECUZOMA II XOCOYOTZIN : neuvième Uey tlatoani de Mexico. Fils d'Axayacatl, il régna de 1502 à 1520.

Nahuatl : langue parlée par les Aztèques.

Nemontemi : cinq jours néfastes, suivant les dix-huit mois de l'année mexicaine, pendant lesquels on s'abstenait de toute activité.

NEZAHUALCOYOTL : né en 1402, poète et philosophe, souverain de Texcoco, il en fera la « capitale intellectuelle » du monde nahuatl.

NEZAHUALPILLI : né sans doute en 1460. Fils de Nezahual-coyotl auquel il succéda en 1472 comme souverain de Texcoco.

Nopalli : figuier de barbarie en nahuatl.

Octli : jus fermenté de l'agave. Aujourd'hui appelé pulque.

Oli : caoutchouc, d'où est tiré le nom des Olmèques.

OMETECUHTLI et OMECIHUATL : le Seigneur et la Dame de la dualité, couple primordial qui, selon la plupart des sources, aurait donné naissance aux dieux et aux hommes.

OMEXOCHITL : l'Etoile du soir.

Peyotl : petit cactus hallucinogène utilisé en particulier par les indiens tarahumara et huicholes dans des cérémonies religieuses.

Pilli : Noble.

Quachic : titre d'un guerrier ayant fait au moins quatre prisonniers.

QUETZALCOATL : le Serpent à plumes. A l'origine, dieu de la végétation. A la fin de l'époque aztèque, devient le dieu des prêtres et de la pensée religieuse. Peu à peu, son personnage divin s'est confondu avec celui d'un héros historique qui serait parti vers l'est sur un radeau, en promettant de revenir un jour. Lors de l'arrivée des premiers Espagnols, les Aztèques ont cru un moment qu'il s'agissait de lui et de ses guerriers.

Tecuhtli : Seigneur, dignitaire, en général. Seigneur local, à la tête d'un village, d'une ville ou d'un quartier.

Telpochcalli : « Maison des jeunes gens. » Ecole où l'on formait principalement de futurs guerriers, par opposition au calmecac.

Temazcalli : bain de vapeur.

Teocalli : temple.

TETEOINNAN : mère des dieux, déesse de la terre.

TEZCATLIPOCA : « Miroir fumant ». Dieu de la guerre et de la nuit.

TIZOC : septième Uey tlatoani de Mexico. Régna de 1481 à 1486.

Tlachtli : jeu de balle pratiqué avant la Conquête.

Tlacotli : esclave, en nahuatl.

TLALOC : dieu de la pluie et de la végétation, aidé par les Tlaloque. Il règne aussi au Tlalocan, domaine de ceux qui sont morts frappés par la foudre, morts noyés ou d'hydropisie.

TLAZOLTEOTL : « Mangeuse d'Ordures ». Déesse de la lune et de l'amour charnel. Les Aztèques lui confessaient leurs fautes avant de mourir.

Tonalli : l'âme, le destin. A la naissance d'un enfant, le *tonalpouhqui* (devin) consultait son *tonalamatl* (calendrier divinatoire) pour y trouver le signe du jour de sa naissance.

TONATIUH : dieu solaire.

Triple Alliance : ligue tricéphale groupant les cités-Etats de

Mexico, Texcoco et Tlacopan mais dont, peu à peu, Mexico devint la capitale.

Uey tlatoani : « Celui qui possède la parole ». Roi, empereur, en nahuatl.

Uixtocihuatl (de *iztatl*, sel, et *cihuatl*, femme) : déesse du sel.

Xipe Totec : « Notre Seigneur l'Ecorché ». A l'origine, dieu de la végétation et du renouveau. Pour son culte, un prêtre revêtait la peau d'un sacrifié. Chez les Mixtèques, il devint ensuite dieu des orfèvres.

Xiuhtecuhtli : autre nom de Huehueteotl. Dieu du feu, des volcans, du tonnerre.

Xochimiqui : sacrifié, en nahuatl.

Xochipilli : dieu de la beauté, des fleurs, du jeu et de l'amour.

Xochiquetzal : déesse de l'amour et des fleurs.

Yacatecuhtli : dieu du commerce et des marchands.

N.d.E. : Pour des raisons de simplification, les mots nahuatl ont tous été utilisés au singulier.

TABLE

IMPRIMÉ EN FRANCE PAR BRODARD ET TAUPIN
7, bd Romain-Rolland - Montrouge - Usine de La Flèche.
LIBRAIRIE GÉNÉRALE FRANÇAISE.

ISBN : 2-253-02995-5   30/5660/3